Het lelietheater

D0234092

Lulu Wang
Het lelietheater

Vassallucci Amsterdam 1999

Eerste t/m zevenentwintigste druk: februari 1997 t/m september 1998
Achtentwintigste druk: oktober 1998
Negenentwintigste druk: november 1998
Dertigste druk: december 1998
Eenendertigste druk: februari 1999
Tweeëndertigste druk: maart 1999
Drieëndertigste druk: maart 1999
Vierendertigste druk: maart 1999
Vijfendertigste druk: april 1999
Zesendertigste druk: mei 1999
Zevenendertigste druk: juni 1999
Achtendertigste druk: juli 1999
Negenendertigste druk: juli 1999
Veertigste druk: augustus 1999

Omslagontwerp en typografische vormgeving: René Abbühl, Amsterdam
Foto voorzijde: © Bruno Barbey / Magnum / ABC Press
Foto achterzijde © Erik Spaans
Kalligrafie: Fuzeng Wang

Voor Nederland:
ISBN 90 5000 115 7 (goedkope paperback)
ISBN 90 5000 032 0 (paperback)
ISBN 90 5000 058 4 (gebonden)
NUGI 300

Voor België:
Uitgeverij Van Halewyck, Leuven
ISBN 90 5617 197 6
D/1998/7104/39

Dankbetuiging

Dit boek beschouw ik als een watermeloen. Wie en wat is de vrucht dank verschuldigd voor zijn rijping? De wind die het zaad over de vruchtbare grond heeft uitgestrooid; de regen die het heeft besproeid; de zon die een warm bed voor het zaad heeft gespreid; de mineralen en andere stoffen die de spruit hebben gevoed.

De wind die mij naar dit prachtige land – Nederland – gewaaid heeft is de openstellingspolitiek van mijn vaderland – de Volksrepubliek China; de regen die mijn moed om het schrijven voort te zetten begoten heeft is mijn ontdekker Nol van Dijk; de zon die mij in het lange en moeizame schrijfproces met steun bestraald heeft zijn mijn vrienden, onder wie Marlies Roemen, Jan Klerkx en Jeanne Holierhoek; de voedingsstoffen die mijn manuscript nodig had om te groeien, bloeien en vruchten af te werpen zijn mijn tweede ontdekker, mijn uitgever Oscar van Gelderen, en mijn toegewijde redacteur Adriaan Krabbendam. Oscars rotsvaste geloof in mij heeft mijn sluimerende zelfvertrouwen wakker gekust, waardoor ik met overtuiging en overgave mijn schrijven voort kon zetten; Adriaan heeft het manuscript niet alleen vakkundig geredigeerd, maar al doende elk woord, elke zin en elke passage gekoesterd.

Tot de wind, regen, zon en voedingsstoffen behoren natuurlijk ook de mede-directeur van Uitgeverij Vassallucci Lex Spaans, die de randvoorwaarden creëerde voor de publicatie van dit boek. Lex is ook degene die mij aan de literaire agente Linda Michaels voorstelde. Linda – mijn derde ontdekker – heeft mijn boek meteen geïntroduceerd bij vele uitgeverijen in de hele wereld.

Verder dank ik Elsbeth van den Berg, August Hans den Boef, Chaja Polak, Ton Servais, Renée J. Lenders-Stam, Joan van de Ven, Jos Versteegen en Michèle Zwarts voor hun onmisbare bijdragen aan de totstandkoming van dit boek.

Niemands inspanning echter, kan die evenaren van mijn dierbare vriend Will, die mij in de zeven jaar waarin ik aan dit boek werkte al de liefde, aandacht, steun en onschatbare raad heeft geschonken waar ik naar snakte.

Ik kan mijn ouders niet genoeg bedanken, die mij niet alleen op de wereld zetten, maar ook mede hebben opgevoed tot wie ik nu ben. Zij hebben zo veel dromen voor mij gehad, die op onverwachte wijze stuk voor stuk werkelijkheid zijn geworden.

Zwijgend bedankt de watermeloen de Schepper door zichzelf eetbaar te stellen. Vurig hoop ik dat dit boek mijn lezers dienstbaar zal zijn door hun liefde, vreugde en vriendschap te bieden.

Lulu Wang
Maastricht, februari 1997

Noot van de schrijfster

Dit is het verhaal van een opgroeiend meisje in China. Hoewel de in dit boek beschreven gebeurtenissen gebaseerd zijn op mijn persoonlijke ervaringen, rijmen de details niet voor honderd procent met de feiten, en zijn de ten tonele gevoerde personages – op Mao Zedong na – louter fictief.

De namen van de belangrijkste personages werden volgens westers gebruik weergegeven – met de familienaam achter en de voornaam voor. De overige namen werden geschreven volgens de Chinese gewoonte – met de voornaam achter en de achternaam voor.

Bij Chinese namen of woorden wordt de Q uitgesproken als *tsj*, de x als *sj*, en de Y als *j*.

De vertaling van de passages uit het Rode Boekje, alsmede die van de geciteerde Chinese poëzie, zijn van mijn hand.

De zee
van droefenis
strekt zich uit
tot in het oneindige

Maar
keer u om:
aan uw voeten
ligt de veilige kust

boeddhistische spreuk

苦海無邊

回頭是岸

'Welke speelgoedmand wil je hebben? Zeg het maar.'

Ze knikte. Het staartje dat kaarsrecht overeind stond, als een Spaans pepertje, ging op en neer, en haar gezicht fleurde op zoals een waterlelie zich opent, sierlijk en verlegen.

'Welke mand? Die met jimu's, of die met je poppen en knuffelbeesten?'

Ze kruiste haar armen voor haar borst en wiegde met haar bovenlijf.

'Het wordt dus de mand met poppen. Wacht even, Lian.'

Vader ging op een kruk staan. Ze sperde haar ogen zo wijd mogelijk open en volgde elke beweging van zijn armen. Hij zette de mand midden op de vloer en kieperde het ding om. Gretig stortte ze zich op de berg poppen en beesten. Vader ging op zijn hurken zitten en streelde haar rug. Ze duwde een blind beertje tegen haar gezicht, sloot haar ogen en wachtte tot hij klaar was met zijn geknuffel.

Zodra ze hoorde dat hij de deur achter zich dicht getrokken had, stak ze haar vinger in de lege oogkas van een pop. Heb je pijn? vroeg ze met haar ogen. Ach, natuurlijk niet, je bent maar een pop. Ze inspecteerde de verzameling en controleerde bij alle poppen en beren of ze nog ogen hadden. Sommige waren nog in behandeling; hun ogen bengelden naast hun neus. Het garen waarmee het oog aan de kas was verbonden, was zodanig uitgerekt dat de glazen bolletjes als dikke tranen over hun wangen rolden. Ze aaide de ogen, vond het spijtig om ze er in één ruk af te trekken, maar zette op het laatst toch haar tanden in het garen. Katsj! Het was gelukt – het oog stuiterde over de betonnen vloer – ding-ding-ding-ding...

Nu de poten nog. Ze boog ze net zo lang tot ze een knik in het midden vertoonden die niet meer wegging. De nek van de giraffe was vervelend – die was zo stevig dat het heel lang duurde voordat ze er een fatsoenlijke knik in had. 'Ehnnn.' Ze had al haar kracht nodig om de nek te vouwen, en perste haar lippen vastberaden op elkaar. Ten slotte had ze hem geknakt, niet helemaal, maar veel scheelde het niet– in elk geval was hij goed slap geworden. Ze drukte de giraffe tegen haar gezicht en kuste hem, keer op keer, en streelde zijn zachte lichtbruine vacht.

Deel 1

1972

Ik weet niet
hoe Berg Lu eruitziet
Ik zit er middenin

Su Shi, anno 1084

Bomen stonden in bloei, vogels flirtten en vlekken veroverden Lians beide armen. Zoals elke dag smeerde ze een stinkende, plakkerige bruine zalf op de zieke plekken. Ze voelde zich triest en eenzaam. Nooit meer zou ze als de andere kinderen schoon bedden- en ondergoed hebben – de zalf maakte alles smerig.

Die ochtend tijdens het verlofweekend trok Moeder na het bad haar nette kleren aan, die ze vóór haar detinering had gedragen. Wat zag ze er anders uit, nadat ze maandenlang in schooierstenue had rondgesloft! Lian keek haar ogen uit.

Moeder vulde haar chique leren tas die ze speciaal uit de kast geplukt had met lekkernijen die ze van de boeren in de buurt van het strafkamp voor een prikje had gekocht. Ze zouden naar een ex-collega van Vader gaan, een dermatoloog die al met pensioen was. Hij had niet met de rest van het ziekenhuis geëvacueerd hoeven te worden – een maatregel van Mao om het leger en andere overheidsinstanties te beschermen tegen de invasies van Amerikaanse en Russische imperialisten – zoals Vader, die nu al een half jaar in de woestijn van Gansu zat. Zijn vrouw sprong een gat in de lucht toen ze de kastanjes en gepekelde eieren zag: 'Dit hebben wij in járen niet geproefd! Waarom al die peperdure cadeaus? Lians vader en mijn echtgenoot zijn toch goede vrienden?' Dit soort versnaperingen was in de stad onbetaalbaar.

De specialist onderzocht Lian en sprak vervolgens onder vier ogen met Moeder. Een half uur later sleurde Moeder Lian naar huis. Haar ogen straalden een ongekende vastberadenheid uit en haar voeten bonkten op de weg.

Mevrouw Liu had haar verteld dat Moeder al weken rapporten zat te schrijven aan verschillende leiders van haar universiteit – de Universiteit voor Docenten van Peking – in de hoop hun ervan te overtuigen dat het voor Lians gezondheid noodzakelijk was in de buurt van haar kind te blijven en haar aandoening in de gaten te houden.

Tijdens de scheikundeles werd er op de deur geklopt. Lian werd naar buiten geroepen en zag Moeder in de gang staan. Ze wilde haar vragen waarom ze nu al uit het kamp was teruggekomen, maar Moeders gespannen gezicht maande haar tot zwijgen. Gedwee volgde ze haar naar het kantoor van de directeur van de Universiteit voor Docenten.

'Zo, Wijnkopje, ik heb je een half jaar niet gezien en nu ben je van een ondeugend meisje in een charmant dametje veranderd!'

Lian bloosde en wist niet hoe ze zich tegenover hem moest gedragen. Ze kende hem vrij goed, want hij had het project begeleid dat het *Leerboek van de Moderne Geschiedenis van China* tot stand zou brengen, waar Moeder jarenlang aan had meegewerkt.

In de tijd dat de groep historici aan het manuscript werkte ging Lian na school regelmatig naar Moeders kantoor, waar ze de directeur dan meestal aantrof. Hij plaagde haar altijd met het kuiltje op haar rechterwang: 'Als je dat wijnkopje van jou leegdrinkt, moet je bij de buren gaan vragen wat je achternaam ook alweer is! Zo diep is je kuiltje, weet je dat?' Hij was altijd erg amicaal en eenvoudig tegen haar geweest – ze had nooit gedacht dat hij de directeur was.

Moeder duwde haar naar voren: 'Zeg "goedemiddag" tegen Meneer Het Hoofd van het Partijcomité van de Universiteit!' Verlegen liep ze naar hem toe en groette hem.

Hij had intussen een stapel papieren uit een la van zijn bureau gehaald, die hij aandachtig begon te lezen. Het lacherige van zijn gezicht maakte plaats voor een ernst die op Lian overkwam als strengheid. De sfeer in de kamer was bedrukt en ze durfde bijna geen adem te halen. Zonder op te kijken wees hij hun twee chique leren stoelen aan, waarop ze voorzichtig gingen zitten.

Na een paar benauwde minuten pakte hij de papieren op en sprak op gedempte toon: 'Revolutionaire Kameraad Yang, uw dozijn verzoekschriften vraagt van mij het onmogelijke. Hoe kan ik uw detinering onderbreken? Alleen maar omdat u voor uw zieke dochter wilt zorgen? In de vijf jaar sinds de oprichting van het heropvoedingskamp van onze universiteit zijn er veertienhonderd mensen naar toe gestuurd en iedereen heeft zijn straf volledig moeten uitzitten. Zelfs als ze in die periode zélf een ernstige aandoening oplopen, horen ze daar te blijven. Professor Wu, weet u nog, van de faculteit Fysica, stierf toch in het kamp aan leverkanker? Wat is een huidziekte wanneer je het daarmee vergelijkt?' Zijn gezicht ontdooide; met tederheid bekeek hij Lian. 'Wie zegt dat ons Wijnkopje ontsierd is door vitiligo? Ik wilde dat mijn Laihui half zo beeldig was als zij...' Laihui was zijn enige dochter. Ze was vier jaar ouder en zat in de vijfde klas van Lians voormalige middelbare school.

Het compliment viel bij Moeder blijkbaar niet in goede aarde, want ze friemelde zenuwachtig aan haar handtas: 'Gerespecteerde leider, het is waar dat de vlekken nog niet op zichtbare plaatsen zijn verschenen, zoals haar handen en gezicht. Maar wordt het arme kind langer aan haar lot overgelaten, waardoor haar geestelijke en lichamelijke gezondheid verder achteruitgaat, dan is de dag niet ver dat de vlekken ook daar zullen verschijnen. Ik heb met een vooraanstaand dermatoloog gesproken en die vertelde mij dat deze aandoening psychosomatisch is. Een liefdevolle verzorging kan eventueel de verergering ervan remmen.'

De directeur haalde zijn schouders op.

'Barmhartig Hoofd van het Partijcomité, als de ziekte zich in het huidige tempo blijft ontwikkelen, zal Lian binnenkort nooit meer door de maatschappij geaccepteerd worden vanwege haar gestigmatiseerde uiterlijk. U bent ook vader. Als Laihui zoiets overkwam, hoe zou u zich dan voelen? Zou u niet net als ik alles op alles zetten om haar die sombere toekomst te besparen?' Ze pakte een zakdoek en droogde haar tranen.

'Och, Yunxiang,' plotseling noemde hij Moeder bij haar voornaam, 'overdrijf je niet een beetje? Een paar vlekken op je lijf, wat maakt dat nou uit?'

'Een páár?!' Moeders stem werd schor. Lian voelde haar eigen lichaam opeens verstijven.

Na een onheilspellende minuut, waarin beiden zwegen, stond Moeder op en zei: 'Lian, doe je kleren uit en laat meneer de directeur eens zien of ik overdrijf.'

Lian barstte bijna in een schaterlach uit om Moeders grap. Totdat ze haar vastberaden, vinnige gelaatsuitdrukking zag. Moeders dreigende ogen vertelden Lian dat ze er niet over hoefde te piekeren haar bevel te negeren. Ze keek van Moeder – die haar dwong tot iets dat haar de stuipen op het lijf joeg en waarvoor ze zich doodschaamde – naar de man, die een onverschillig gezicht trok. Hij vond blijkbaar echt dat Moeder van een mug een olifant maakte. Aarzelend maakte ze haar riem los en schoof haar broek centimeter voor centimeter naar beneden.

Toen hij haar zachte en tere huid zag, bedekt met aaneengesloten witte vlekken, verbleekte hij en streek met nerveuze vingers door zijn grijze borstelhaar. Moeder merkte dat hij even aan het wankelen werd gebracht en greep de kans om hem helemaal te overtuigen. Met haar door dwangarbeid grover en sterker geworden hand gaf Moeder Lian een harde klap zodat ze haar evenwicht verloor en op de grond viel. Meteen daarop trok ze Lians onderbroek tot op haar enkels naar beneden. Zinsverbijsterende schaamte maakte zich van Lian meester terwijl ze zachtjes lag te schreien – ze was bang dat de directeur kwaad op haar zou worden als ze luidkeels zou huilen.

'Lian, mijn kind, er is niets aan de hand,' zei hij terwijl op haar toesnelde en haar overeind hielp. Ze stikte bijna in haar tranen en vergat haar broek omhoog te trekken. 'Yunxiang, ik heb nooit geweten dat je zo ruw tegen je dochter kan zijn!'

Maar Moeder was nog altijd razend. Ze schopte Lian tegen haar blote achterwerk, greep haar bij haar vlechten en sleurde haar door het kantoor: 'Jij, ondankbaar kind! Waar jank je om? Doe ik het niet voor jóu?!'

'Stóp!' brulde de man, ondersteboven van de aanblik van Lians aandoening en Moeders hysterische, barbaarse gedrag. Zijn forse stem bracht Moeder tot bezinning. Ze omarmde Lian vol zelfverwijt.

'Yunxiang,' hij deed geen moeite om zijn tranen te verbergen, 'hier, achter gesloten deuren, kan ik je deelgenoot maken van mijn dilemma. Als het aan mij lag, zou ik je gisteren al naar huis hebben laten komen vanwege dit kind… Ik geloof mijn ogen niet. Dat Lian in een half jaar tijd zo aangetast is door die vervloekte ziekte…' Moeder hield haar adem in om geen woord te missen. 'Maar… ik kan niets doen dat het Revolutionaire Comité van de Universiteit zeker zal afkeuren.'

Het comité bestond uit studenten, Rode Gardisten, schoonmakers en stookjongens van de campus en belabberde docenten die niets beters te doen hadden dan hun succesvollere collega's onder het mom van de Revolutie te martelen. Gedreven door wraakzucht, ambitie en in sommige gevallen door onwetendheid hadden ze hun geweten afgestaan aan de 'Vader Die Liever Is Dan Onze Biologische Vader, Die Tegelijkertijd De Moeder Is Die Zorgzamer Is Dan Onze Echte Moeder, Die

Tevens De Minnaar Is Die Hartstochtelijker Is Dan Alle Minnaars Bij Elkaar En Die Bovendien De Minnares Is Die Tederder Is Dan Alle Minnaressen Tezamen'. Ze zouden de directeur uit zijn functie ontheffen en linea recta het strafkamp in smijten, als hij zich over een bourgeois intellectueel zou durven ontfermen.

'U hoeft mijn detinering niet te onderbreken. Ik heb gisteren een beter voorstel uitgedacht. Staat u mij alstublieft toe om Lian mee te nemen naar mijn kamp.'

'Ben je helemaal?! Wat moet ze in die deprimerende omgeving doen? Waar moet ze dan naar school?'

'Ik kan haar zelf de A-vakken leren. U weet net als ik dat zich onder mijn kampgenoten de meest briljante lectoren en hoogleraren van ons land bevinden, op alle denkbare vakgebieden. Mijn dochter zal daar alleen maar beter onderwijs krijgen. Wanneer ze bij mij is zal ze zich minder beroerd en een stuk rustiger voelen. Ik zweer bij Mao de Reddende Ster dat haar aandoening zich niet zo snel zal uitbreiden als nu.'

Hulpeloos schudde hij zijn hoofd en schreef een briefje, dat hij vervolgens aan zijn secretaresse overhandigde.

'Maak een *kowtow* voor meneer en dank hem voor zijn genade,' beval Moeder Lian. Maar Lian was nog steeds knalrood van gêne en staarde koppig zwijgend uit het raam.

Tegen zessen ging Moeder voor de tweede keer naar de directiekamer en nam daar een getypt document in ontvangst, waarin stond dat Lian met ingang van 28 mei voor onbepaalde tijd in Moeders kamp zou mogen verblijven.

～

Nadat Moeder zingend het avondmaal had opgediend, weigerde Lian te eten. Ze walgde van zichzelf. Ze had voor een man die geen arts was, en die haar nota bene vier jaar lang goed had gekend en vaak grapjes met haar had gemaakt, haar kleren moeten uitdoen. Ze koesterde rancune jegens Moeder, die haar zonder scrupules had gedwongen tot deze schande.

's Nachts, veilig in haar bed, waar ze niet bang hoefde te zijn beledigd of vernederd te worden, fantaseerde ze dat ze iemand anders was. Iemand die zo vrij was als een vogel, gelukkig als een roze wolkje aan het hemelgewelf en met een normale huid, net als andere kinderen. Om de droom intact te houden, besloot ze de spiegel in de badkamer 'per ongeluk' stuk te slaan.

De ellende eerlijk verdelen

Om vijf uur werd ze uit haar zalige droom gewekt over de andere Lian. Protesterend wreef ze zich in de ogen. Wat zou ze nog graag hebben geslapen!

Toen Lian tegen zevenen in het opvangcentrum terugkeerde, zag iedereen groen en geel van jaloezie. In hun ogen stond het verlaten van het opvangcentrum gelijk aan het binnentreden van het Nirwana. Ineens waren Lians haatgevoelens jegens Moeder verdwenen. Het was Moeder die het mogelijk had gemaakt dat ze hier weg kon en ze wist zeker dat met Moeder in de buurt haar gezondheid zou verbeteren. Voor de eerste keer sinds weken kon ze weer lachen. Maar zelfs tijdens deze vrolijke fractie van een seconde achtervolgde haar het beeld van haar ontblote onderlijf in het kantoor van de directeur... Met wat voor doodschaamte had Lian moeten betalen voor haar bevrijding! Moest ze Moeders wreedheid nu hekelen of haar juist bedanken voor haar redding uit haar ziekmakende eenzaamheid?

's Middags liep Lian opgewekt door de gang van *Gebouw Westerse Kapitalisten Zijn Sprinkhanen Na De Oogsttijd*, waar zij was ondergebracht. Met het vertrek in het vooruitzicht daalde er een nevel van ontspanning over haar neer. Zo had ze zich lang niet gevoeld. Nu pas merkte ze hoe weinig ze de afgelopen maanden op haar omgeving had gelet – haar aandoening had al haar aandacht opgezogen. Het viel haar ineens op dat Qiuju, die vroeger op een stevig boerinnetje had geleken, er slapjes uitzag; naast haar hoofdkussen stonden nu allerlei zakken, grote en kleine, vol tabletten. Lian wachtte geduldig totdat Qiuju de kamer uit was en vroeg Zhuoyue wat er aan de hand was.

'Wist je dat nog niet? Ze heeft sinds een maand een nierontsteking. Heb je haar oogleden gezien? Opgezwollen als twee walnoten! Als je het niet weet, zou je denken dat ze de hele tijd gehuild heeft. Het komt door oedeem, een symptoom van die ziekte, volgens Mevrouw Liu. Wil je weten hoeveel keer ze per nacht naar de wc gaat? Acht! Ik zweer bij het Rode Boekje dat het waar is. Ik heb het wel eens geteld. Mevrouw Liu brengt haar elke week naar het ziekenhuis. Dan plast ze in een flesje.' Ze wees naar haar felrode sjaal en fluisterde in Lians oren: 'Mijn Oude Hemel! Het heeft deze kleur!'

Lian bekeek Zhuoyue. Het spijt me, maar zij lijkt me ook niet helemaal in orde, dacht Lian stilletjes. Zhuoyues wangen waren ingevallen; haar gelaat was geler dan saffraan.

'Wees maar niet bang.' Zhuoyue voelde Lians scherpe blik, sloeg zich op het gezicht opdat het wat kleur kreeg en rommelde aan haar dor geworden haren. 'Ik heb geen geelzucht, hoor. Ik begin nu meer op mijn vader te lijken. Die is van nature verfgeel. Mevrouw Liu heeft mij niet minder dan vijf keer naar de kliniek gebracht. Alleen mijn CT-gehalte blijkt te hoog te zijn. De dokter zegt dat de meeste hepatitispatiënten een hoog CT-gehalte hebben, maar het omgekeerde hoeft niet altijd waar te zijn... Geloof je me niet? Als ik één woord lieg, mag Boeddha mij straffen met koortsuitslag op mijn lippen!'

Hoewel Zhuoyue erop hamerde dat ze niet zo ziek was als Qiuju, was het voor Lian zo klaar als een klontje dat ook haar gezondheid te wensen overliet. Alleen Qianru, het 'prinsesje', bleef in blakende welstand overeind. Dat had Lian niet van haar verwacht. Want Ru was nu eenmaal zo mager en bleek als een bloedarmoedepatiënte. Hoe was het in 's hemelsnaam mogelijk dat uitgerekend Qianru's kamergenootjes, die zo veel sterker oogden, geveld waren maar zíj niet?

Na het avondeten riep Lian Zhuoyue en Qiuju bijeen. Ze deden de deur van de wc op slot en spraken vol venijn over het geluk van Qianru. Na een hevige discussie kwamen ze tot de conclusie dat Ru op de een of andere manier immuun was voor de beroerde situatie waarin zij 'weeskinderen' zich bevonden. Ze was niet kapot te krijgen door eenzaamheid, slechte voeding – ze at ook nog eens bijna niets – en het onafgebroken gesnauw van de leidsters. 'Het is niet eerlijk,' zeiden ze in koor. Zachtjes natuurlijk, want niemand mocht iets van hun geheime vergadering weten. Qiuju urineerde steeds bloed en had voortdurend pijn in haar rug en onderbuik; Zhuoyue had elke middag verhoging en moest vaak overgeven; Lian zat onder de vlekken; van Fangguo en Dong, die in de kamer naast die van hen woonden, wisten ze dat de een onlangs ronde, kale plekjes op zijn hoofd had gekregen en de ander eczeem. Maar Ru had niks. Welk mens met ook maar een greintje rechtvaardigheidsgevoel zou dit aanvaarden? Ze knarsetandden en hun hersenen kraakten: 'Hoe kunnen wij ons op Ru wreken, die kerngezond blijft als een... een...' Ze kwamen even niet op het woord dat hun verontwaardiging het krachtigst kon uitdrukken: '...als een *zeug*?!'

Tijdens hun strijdlustige samenzwering flitste het door Lians hoofd: drie uurtjes geleden heeft Zhuoyue het nog met groot leedvermaak over de nieronsteking van Qiuju gehad, die op haar beurt mijn ondraaglijke zenuwpijn toejuichte. Hoe bestaat het dat we nu plotseling bevriend zijn?

'Pas maar op,' zworen ze, 'Ru zal boeten voor haar mazzel!'

'Het wollen dekentje!' Zhuoyues ogen straalden toen ze dit aankondigde.

'Verrek!' Lian sloeg haar handpalmen tegen elkaar. 'Dat klopt. Dat ik, grootmoeder van een oen, daar niet ben opgekomen! Qiuju, weet je nog dat Ru ons een keertje vertelde dat ze aan het wollen dekentje ruikt als ze zich rot voelt? Dat grijze vodje heeft ze al vanaf haar babyjaren bij zich. Het is een soort amulet voor die trut. Hebben jullie haar ooit naar bed zien gaan zonder dat dekentje tegen haar neus?'

Qiuju boorde haar vuisten slagvaardig in de lucht: 'Morgen stelen wij haar mascotte en dan wil ik wel eens zien of ze nog zo fit blijft als onkruid!'

De volgende dag, vóór de siësta, verborgen ze het dekentje achter een vuilnisemmer in de gang en keken vol ongeduld toe hoe Ru zou reageren. Waarachtig, Ru sliep niet meer en liep onrustig heen en weer. Ze doorzocht elke hoek van hun vertrek, de wc en de gemeenschappelijke zitkamer. Daarna keerde ze terug en kroop onder haar bed. Toen ze er met een rood hoofd onder vandaan kwam, zagen ze dat ook zij de kluts kwijt was.

'Hèhè!' zuchtten ze van opluchting.

'Hebben jullie mijn dekentje gezien?' vroeg Ru wanhopig.

'Wat voor deken? Wij hebben hem niet verstopt.' Qiuju, de druiloor, antwoordde veel te gehaast. Lians handpalmen jeukten en ze wilde Ju een draai om haar oren geven: haar woorden hadden hun geheim verklapt.

En ja hoor, voordat de avondgordijnen gevallen waren, werden de drie samenzweerders naar het kantoor van mevrouw

Xu geroepen. Xu sloeg op het bureau en dreigde een *zwart rapport* over hen naar hun school te sturen als ze de deken niet aan Ru zouden teruggeven.

Lian hield haar poot stijf. De andere twee ook. Ze trokken hun zieligste gezicht en deden alsof ze ten onrechte verdacht werden. 'Nee, mevrouw,' zeiden ze kalm, 'als u onze politieke reputatie met dat rapport wilt ruïneren, kunnen wij u niet tegenhouden, maar wij hebben geen, wat zei u ook al weer, beddek, nee, een deken of zoiets aangeraakt... Trouwens, waarom zouden wij? Dat ding stinkt naar Ru's speeksel en snot...'

'A-há!' Xu stak haar wijsvinger op. 'Hoe kunnen jullie weten dat hij zo onfris ruikt als jullie hem niet gepakt hebben?'

Nu was hun verzet gebroken: 'Mevrouw, als u belooft dat u dit niet aan onze leraar vertelt, ligt het dekentje binnen vijf minuten op Ru's bed.'

Zo was hun wraakactie tegen Ru in de soep gelopen. Maar de drie samenzweerders constateerden tot hun genoegen dat Ru sinds die bewuste siësta niet meer zo rustig en vredig was. Ze voelde wel dat ze door haar kamergenoten benijd en gemeden werd en daar leed ze zichtbaar onder.

Lian nam afscheid van haar klas- en lotgenootjes in het opvangcentrum. Ze crepeerden bijna van nijd. Zhuoyue gaf eindelijk toe dat haar buik, om precies te zijn het gebied rond haar lever, heel vaak pijn deed, waarmee ze haar ouders wilde overhalen om ook haar uit het centrum te redden. Qianru, die nooit eerder haar gevoelens had getoond, zag er terneergeslagen uit. Haar ogen waren rood, niet van het huilen, maar van een infectie. Dit laatste wist Lian omdat ze gisterochtend Ru naar mevrouw Liu had zien rennen om haar zere ogen te laten nakijken. Dit was tenminste een begin; ook zij zou haar portie ellende krijgen.

Naar het kamp

Thuisgekomen begonnen Moeder en Lian een paar plunjezakken vol te stouwen met kleren, schoolboeken en andere spullen die Lian straks nodig zou hebben. Ze kon wel zingen, uit volle borst, zo blij was ze. Eindelijk zou ze weer bij Moeder zijn. Dat dat in een strafkamp was deed er eigenlijk niet toe.

Met gemengde gevoelens keek ze terug op haar tijd in het opvangcentrum. Nu haar eenzaamheid tot het verleden zou gaan behoren, begon ze deze tragische periode alvast te missen. Ze had zich laten vertellen dat men in het Westen, als men een ander land bezocht, een ansichtkaart of iets dergelijks als aandenken kocht. Lian hoefde zich zoiets niet aan te schaffen. De vlekken die op haar lichaam geprent waren zou ze waarschijnlijk haar hele leven met zich meedragen, als een souvenir van haar 'reis naar het eiland Eenzaamheid'.

Toen op de ochtend van vertrek het gebruikelijke afscheidstafereel tussen de weg te voeren ouders en hun huilende kinderen plaatsvond, raakte het Lian niet meer zo diep. Het was alsof ze naar een film zat te kijken: de angst en droefenis die deze scènes bij haar opriepen, bleven op een draaglijk niveau. Ze had makkelijk praten, want zíj stond hier op de bomvolle zandauto ingeklemd tussen Moeder en haar medegevangenen; zíj werd niet van haar moeder weggerukt. Niet dat ze gebrek had aan mededogen met haar leeftijdsgenoten, maar het was nu eenmaal zo. Het intense verdriet van hen die hun vader of moeder, of allebei, met lede ogen gedeporteerd zagen worden, drong in deze omstandigheden gewoon niet tot haar door.

De aan alle kanten krakende vrachtwagen waarin Lian en de anderen zich staande hielden, hobbelde van de benauwde grijze stad naar het frisgeurende groene platteland. De lucht leek blauwer en zuiverder en de hoge druk die over de metropool hing, nam zienderogen af. Lian ademde diep in en was zelfs blij dat ze mee mocht naar de gevangenis in de vrije en bevrijdende natuur.

≈

De zandauto stopte voor een paar rijen huizen. Was dit een strafkamp? Nergens hoge muren, prikkeldraad of gewapende bewakers. De gebouwen werden omringd door grenzeloze smaragdgroene landbouwvelden, bezaaid met boterbloemen, papavers en madeliefjes. Ze staken hun kopjes op en heetten hun als het ware welkom. De verkwikkende rapsodie van kleuren in de open lucht deden Lian denken aan een vakantieoord in plaats van aan een strafkamp. Maar het was de rompslomp niet waard om de huizen te omheinen – de gedetineerden konden toch nergens naar toe als ze zouden willen vluchten. Onwillekeurig dacht Lian aan een van de leuzen die ze van kinds af aan uit het hoofd had moeten leren: *Het Juridische Net van de Dictatuur van het Proletariaat omsluit Aarde en Hemel.*

Lian volgde haar moeder naar een van de *rijtjeskamers* in de derde kolom. *Oef!* Haar neus rimpelde zich krampachtig, toen een muffe geur op haar afkwam. Ze kon met moeite iets onderscheiden; de gordijnen waren zeker nog niet geopend. In het donker tastend liep ze Moeder na, vertrouwend op het geluid van haar voetstappen.

Iemand deed het licht aan. Lian keek om zich heen: in deze slaapzaal waren geen ramen; er waren alleen maar twee luchtgaatjes. De ijzeren spijlen in die gaten vormden het eerste teken van hun gevangenschap. Lian schatte het vertrek op vijfennegentig vierkante meter, ongeveer acht bij twaalf. Er stonden welgeteld vijfentwintig stapelbedden, die zo dicht tegen elkaar aan geprop waren dat men slechts voetje voor voetje bij het bed kon komen. Hier sliepen negenenveertig vrouwen.

Met een dreun liet Moeder Lians bagage op de naakte plank van een bed neerploffen. Een mollig oud vrouwtje wrong zich door een spleet tussen de slaapplaatsen: 'Dit is zeker onze kleine Lian, de jongste bewoonster van het kamp!' Ze trok het meisje kordaat en amicaal in haar armen: 'Welkom in ons midden.' Voorts verhuisde ze de rol van haar beddengoed naar het bovenste deel van het stapelbed, waarmee ze een salvo protestkreten van Moeder uitlokte: 'Maly, u gaat niet boven slapen! U heeft reuma en kunt moeilijk op en neer klimmen. Laat het kind dat maar doen – ze heeft nog lenige benen.'

De oude vrouw schudde haar hoofd zo hevig dat haar bril bijna van haar neus gleed: 'Nee, Yunxiang, *het jong krijgt het malste stuk vlees*. Wij kunnen wegrotten in de gevangenis, maar onze kinderen zullen het beter krijgen.'

Lian zette grote ogen op. Hoe durfde deze oude dame zo negatief over de Glorieuze Proletarische Culturele Revolutie te spreken? Zou haar straf hierdoor niet worden verzwaard?

Een verweerd, ziekelijk bleek gezicht kwam uit een van de

stapelbedden te voorschijn: 'Yunxiang, neem de gunst van Maly maar aan. Ze heeft gelijk. Laten wij als vruchtbare bodem dienen voor de ontluikende bloemen van de jongere generatie.'
Lian stak haar tong uit: waren ze niet bang dat hun verborgen maar toch wel gewaagde kritiek op de politiek door een van hun kamergenoten aan de kampdirectie overgebriefd zou worden? Het was toch algemeen bekend dat verklikkerij onder gevangenen een onzichtbare en onontbeerlijke verrekijker van de Partij was?

Maar wacht eens even, de naam 'Maly' kwam haar bekend voor. Verrek, die stond op *Engels zonder moeite*! Was dit uitgemergelde, grijze vrouwtje met haren als een oude afwasborstel en in bedelaarskleding de schrijfster van die beroemde serie boeken voor zelfstudie?!

Riets-riets. Moeder haalde een armvol geel stro met groenige muffe plekken uit een hoek van de kamer en spreidde het uit over de houten plank van Lians bed. Zo te zien moest dit haar matras voorstellen.

'Kan ik niet zonder?' vroeg Lian gehaast, want het zien van dat spul zette haar maag op z'n kop.

'Nee. Het is hier erg vochtig – kijk maar naar de vloer. Het stro isoleert tenminste een beetje. Je wilt toch geen reuma krijgen op zo'n jonge leeftijd?'

Lian keek omlaag. De grond zweette als een marathonloper.

Nadat Lian haar bed had opgemaakt en haar bagage uitgepakt, hoorde ze haar maag grommen. 'Wanneer gaan we eten?' vroeg ze.

'Ssst!' waarschuwde Moeder haar, 'praat niet zo hard!'

Lian keek om zich heen. De meeste kamergenoten hurkten voor hun bed en wasten hun gezicht of kleren in een bak water. Niemand sliep. Waarom mocht ze niet normaal praten?

'Mama, ik stoor toch geen mens?'

'Hou op met je gekwebbel!' fluisterde ze in Lians oren, 'het is bourgeois om het over lichamelijke behoeften zoals eten en drinken te hebben. Snap je? Stel dat een kamergenote mij wil ruïneren, dan kan ze jouw woorden doorgeven aan de kampleiding en zal ik rijkelijk boeten voor jouw kapitalistische verlangens!'

Lian klapte meteen dicht. Maar door haar hoofd kriskrasten

vraagtekens. Nu snapte ze het helemaal niet meer. Zonet durfden Maly en haar andere buurvrouw openlijk de Culturele Revolutie af te kraken en daar kraaide geen haan naar. Nu was
Moeder plotseling bang, louter en alleen omdat ze gevraagd
had wanneer de kantine voedsel aan hen zou uitdelen. Logi-
scherwijze zou je zeggen dat haar woorden politiek gezien
onschuldiger waren dan die van Maly... 'Ik dacht dat grote
mensen beter konden redeneren,' mompelde ze voor zich uit.
Uit Moeders nerveuze gelaatsuitdrukking maakte Lian echter
op dat ze werkelijk bang was om verraden te worden; ze liet
noodgedwongen dit heikele onderwerp vallen.

Vanaf dat moment begon Lian te twijfelen aan haar eigen
denkvermogen. In dit oerwoud van volwassenen die stuk voor
stuk intellectueel waren, maar die zich op een onverklaarbaar
tegenstrijdige manier gedroegen, begon ze zich minderwaardig te voelen. Telkens als ze iets niet begreep, gaf ze zichzelf
de schuld: domoor, maak haast om jezelf te verbergen – alleen
je aanwezigheid al is een blamage voor dit intelligente milieu...

Precies om vijf uur luidde de bel van de kantine. Ze pakte
een zak, gemaakt van een gebloemde handdoek, waar twee
emaillen kommen en een paar eetstokjes in zaten, en vloog de
kamer uit. Zodra ze haar portie kreeg, verslond ze binnen een
paar tellen het gestoomde maïsbrood dat ongeveer zo groot
was als haar hoofd. Nu pas voelde ze haar keel. De korreltjes
grof gemalen maïs hadden haar keel mat geschuurd doordat ze
zo razendsnel had zitten schransen. De rijstepap en gepekelde
Chinese kool stond ze af aan Moeder, want die kon zulke 'delicatessen' beter gebruiken. Maar Moeder duwde Lians neus in
de pap en zei: 'Eet alles op. Alleen zo kan je lichaam weerstand
bieden aan de vitiligo.'

Roef-roef. Lian goot alles gretig naar binnen en sloeg hierna
met beide handen op haar volle buikje. Hó, wat voel ik me in
de zevende hemel! Lekker gegeten, met Moeder naast me, die
nooit meer van mij afgepakt zal worden, wat wil je nog meer?
Ze dartelde om Moeder heen en zong het liedje *De rode lampion
wijst ons de weg naar het Communistische Paradijs.*

Ineens werd het stil in de rumoerige eetzaal. Lians vrolijke
stem klonk nu veel luider. Toen ze de goedkeurende blik van
Moeder opving, ging ze door met zingen.

Opeens hoorde ze: *tik-tik-tik-tik*. Een man met een versleten strohoed sloeg met zijn stokjes op een rijstkom en gaf zo het ritme aan. Hierdoor aangemoedigd begon ze aan een ander wijsje:

> *Om te varen heb je een kompas nodig*
> *om graan te verbouwen heb je de zon nodig*
> *om te leven heb je Voorzitter Mao nodig*

Nu namen meer stokjes deel aan de achtergrondmuziek. Er werd geklapt en meegezongen; het was een waar concert.

Lian werd op een oorverdovend applaus onthaald, toen ze haar repertoire had afgewerkt en naar haar plek terugkeerde. Eén man klapte extra hard, en bleef hier nog een tijdje mee doorgaan toen de rest al lang uitgeklapt was. Hij zat wat achteraf, maar viel op door zijn glanzende, kale hoofd. Zijn ogen zou Lian niet licht vergeten: ze straalden een mannelijke kracht uit die verzacht werd door iets heel teders. Als ze naar hem keek had ze het idee opgezogen te worden door het licht in zijn ogen. Ze drukte haar duimnagel in de buik van haar wijsvinger: wees niet zo'n sentimentele hamster!

❧

Om zes uur klopte de kampdirecteur aan de deur.

Iedereen zat onmiddellijk rechtop in bed – aangezien er stoelen noch tafels in de slaapzaal waren, zat of lag iedereen altijd op bed wanneer men thuis was. Wie zou er vandaag aan de beurt zijn voor een verrassingsverhoor?

'Kameraad Yunxiang Yang! Kom naar buiten en neem je dochter mee,' beval hij.

Iedereen, Moeder incluis, zuchtte van opluchting, omdat ze wisten dat er geen onheil in de lucht hing als hij 'kameraad' aan de naam toevoegde. Lian sprong uit haar bed en deed de deur open. Het schitterende lentelicht verblindde bijna haar ogen, die gewend waren aan de donkere slaapzaal en ze fronste haar voorhoofd.

De directeur zag Lians gerimpelde neus en toegesnoerde lippen en lachte: 'Kom, grapjurkje. Wij gaan een eindje wandelen.'

Ze huppelde naast hem en keek naar zijn lange, magere en

eigenlijk verfijnde gezicht. Moeder liep een paar passen achter hen aan en volgde hun gesprek nauwlettend.

'Lian Shui, de jongste gast in dit verblijf!' Terwijl hij deze woorden uitsprak draaide hij met zijn hoofd van links naar rechts, kruiste zijn armen achter de rug en liep langzaam en statig, als een respectabele traditionele Chinese leermeester.

Wat een aardige man! Lian huppelde nog darteler naast hem en beaamde: '*Duì!* Klopt.'

'Was je op school lid van de zang-en-dans-propagandabrigade?'

Lian voelde zich gevleid dat hij blijkbaar vond dat ze dat lidmaatschap verdiende: 'Nee, meneer, maar mijn oom is een bekende amateur-operazanger.'

'Zou je het leuk vinden om vaker in de eetzaal te zingen? Het is een ideale ontspanning voor je ooms en tantes die de hele tijd in het veld gewerkt hebben en uitgeput zijn. En bovendien zegt de revolutionaire kameraad, wapenzuster, leerling en echtgenote van de Grote Roerganger Mao – Madam Mao: *Het volk één socialistisch lied te laten horen is leerzamer dan het honderd keer een Partijleus te laten herhalen.*'

Hij sloot bij voorbaat de mogelijkheid uit dat Lian in een opwelling een of ander bourgeoisgezind liedje zou gaan zingen. Hij wist dat kinderen van haar leeftijd slechts vier streng gecensureerde model-Pekingopera's kenden, te weten *Het verhaal van de rode lampion*, *Het vissersdorp Shajiabang*, *Aanval op de Weihu Berg* en *Oorlog in de haven van Shanghai*.

Waarom niet? dacht Lian, dan kan ik ook wat betekenen voor de grote mensen hier, die zo vreselijk in het veld moeten ploeteren en die zichzelf voortdurend dienen te bekritiseren voor hun reactionaire gedachten, en ze antwoordde beleefd: 'Met genoegen.'

Verheugd klopte hij haar op de schouders en bleef doorlopen, alsof hij nog meer met haar te bespreken had. 'In welke klas zat je ook al weer?'

'In de eerste van de middelbare school, meneer.'

'Dan ben je net zo oud als mijn dochtertje Chunhua.'

'Zit zij ook in een jeugdopvangcentrum?' vroeg Lian.

'Nee. Bij de oudste zus van mijn vrouw. In een dorpje in de provincie Shangxi.'

'Mist u haar?'

Plotseling draaide hij zich om en keek Lian verbaasd maar

teder aan. Daarop zei hij tegen haar moeder: 'Dit meiske heeft lef. Niemand in dit kamp durft zo met mij te praten.'

Lian rende naar een kant van het pad en plukte een roze madeliefje: 'Hier, nu hebt u uw dochter bij zich. Haar naam betekent toch "lentebloesem"? Als u hiernaar kijkt, ziet u haar als het ware ook.'

Moeder haalde uit en sloeg haar dochter op de wangen: 'Lian, je weet niet hoe hoog de hemel is en hoe dik de aarde! Heb je hondengal gegeten of zo, dat je het lef hebt om zo oneerbiedig tegen directeur Gao te spreken?!'

Maar de directeur trok Lian onder zijn oksel om haar tegen Moeders slagen te beschermen. Vervolgens nam hij het madeliefje in ontvangst en bedankte haar, zichtbaar ontroerd.

Sinds dit gesprek was hij bijzonder coulant tegen Lian. Ze mocht als enige van het kamp overal binnenkomen, in de enorme keuken van de kantine, de varkensstal, het transistorfabriekje, op de werkplaats van Laifu de timmerman en zelfs in de directiekamer. Ook mocht ze aanwezig zijn bij de zelfkritiek- en aanklachtenbijeenkomsten van de gevangenen.

Via via kwam Lian later te weten dat hij zelf ook een gedetineerde was, een in ongenade gevallen partijfunctionaris om precies te zijn. Door hem de rotbaan in het strafkamp te geven, hadden zijn politieke tegenstanders ervoor gezorgd dat hij wel van zijn voormalige post ontheven, maar toch niet te veel gezichtsverlies geleden had.

De wijn van spijt

Toen Moeder en Lian van de wandeling naar de slaapzaal terugkeerden, zag Lian dat een aantal vrouwen een schrift tegen de knieën hield en zo een brief zat te schrijven. Anderen lazen het in vieren gescheurde *Volksdagblad* en poeierden om de paar minuten hun buren af: 'Sst, wacht je beurt geduldig af. Ik heb het nog maar net in handen gekregen.' Er was maar één krant voor de vijftig bewoners van de zaal. Niet dat er interessante informatie in stond; elk woord was door de Partij gefilterd. De reden waarom de krant zo geliefd was, lag in het feit dat dit de enige drager van woorden was die hier toegestaan werd. Het betrappen van iemand bij het lezen van een

vakboek, roman of tijdschrift leidde zonder pardon tot straf-
verzwaring.

Maly zat op gedempte toon met haar buurvrouw Luosha te
praten: 'Wanneer was de laatste keer dat je een brief uit het
buitenland kreeg?'

Na behoedzaam om zich heen te hebben gekeken, antwoordde Luosha fluisterend: 'Twee jaar geleden, maar met dit
soort zaken weet je het nooit zeker. Jinlan van de faculteit Economie, herinner je je haar nog? Die met dat sportieve kapsel,
die zo swingt als ze loopt? Die heeft twee maanden geleden
nog bericht van haar broer uit Australië gehad.'

Maly en Luosha behoorden tot de weinigen onder hen die
familie in de 'door het kapitalisme verkankerde werelddelen'
hadden wonen.

In 1949, aan de vooravond van de overname door de communisten, had Maly's vader, eigenaar van een hotelketen, besloten naar Hongkong te vluchten. Hij wilde al zijn hebben en
houden meenemen, inclusief zijn goud, zijn vrouw, acht bijvrouwen en een dozijn kinderen. Zijn oudste dochter, Maly,
studeerde destijds aan de universiteit, waar ondergrondse
communisten veel invloed hadden. Ze geloofde heilig in de
schitterende toekomst van het opkomende Rode China en ver-
tikte het om hier weg te gaan. 'Wie zijn hoop vestigt op het rottende Westen is een kip zonder kop,' herhaalde ze een zin die
de propagandisten haar hadden voorgezegd. Mao's leger naderde Peking en het ondergoed van Pa's concubines werd nat,
ditmaal van angst. Ze waren bang dat het Volksbevrijdingsleger
hen eerst zou verkrachten en daarna levend villen, onder het
mom van het elimineren van de kapitalistische parasieten.
Noodgedwongen nam Maly's familie afscheid van haar.

Ze lachte hen uit en zei later tegen de communisten: 'Jullie
zijn aardige mensen. Sommige oenen dachten nota bene dat
jullie wrede rode dictators waren!' Maar haar optimisme
duurde niet lang. Van 1953 tot op de dag van vandaag was haar
'ingewikkelde, verdachte en bourgeois' familieachtergrond
een telkens terugkerende aanleiding tot haar vervolging en
discriminatie.

Vijf jaar geleden had ze een brief ontvangen, via de kapitein
van een buitenlands vrachtschip. Ze las dat haar ouders het in
Hongkong erg naar hun zin hadden. Vanaf 1950 hadden ze daar
vier moderne hotels laten bouwen die, net als voorheen, een

goudmijn werden. Onlangs had de vader ze verkocht; hij ging rentenieren. Er waren twee foto's in de brief bijgesloten. Zo te zien woonden haar ouders met z'n tweeën in een wit huis dat vijf maal zo groot was als de barak en waarin bij wijze van spreken tweehonderdvijftig gevangenen opgesloten hadden kunnen worden. En dat was nog niet alles: de acht bijvrouwen van haar vader hadden ieder een eigen villa, gesitueerd in de acht windrichtingen, opdat Pa overal aan zijn trekken kon komen. Wenshan, haar oudste broer, die vroeger niet half zo goed wilde en kon leren als zij, had nu een advocatenkantoor in de vs. Het lot wilde dat zijn dochter, Caroline geheten, even oud was als haar zoon, Jingdong (*jing* van 'eerbiedigen' en *dong* naar 'Mao Zedong'). Het verschil was alleen dat Jingdong nu in een jeugdopvangcentrum dagelijks *zijn gezicht met tranen waste* en dat Caroline minstens twee keer per jaar met haar ouders naar Europa op vakantie ging.

'Enfin, we kunnen een verdoemd kapitalistisch gebied niet met ons Communistisch Paradijs vergelijken,' trotseerde Maly de westerse decadentie... *De wijn van spijt kun je beter niet proeven.*

Een dakheer

Om negen uur precies werd de stroom afgesloten – het licht van alle slaapzalen ging uit. Van de opwinding die gepaard ging met haar eerste dag in het kamp, viel Lian uitgeput in slaap.

Dong-dong-dong. Midden in de nacht schrok ze wakker van gestommel op het dak. Ze hield haar adem in en analyseerde de bron van het geluid. Zo te horen was het ding dat het kabaal veroorzaakte behoorlijk zwaar, maar als het het dak aanraakte, maakte het een zacht en dof lawaai, als van blote voeten... Voetstappen! Luister, ze klinken ritmisch en voorzichtig. Is dat een dakheer... of een moordenaar? Naar wat of wie zocht hij hier? Overmand door angst durfde ze zich niet meer te bewegen.

Toen ze de volgende ochtend haar oogleden opende, herinnerde ze zich het 'incident' van afgelopen nacht: wat had de dief gepikt? Ze wachtte tot iemand zou gaan schreeuwen: 'Wie heeft me bestolen?!' Niets van dat alles.

Op weg naar de kantine zag ze enge bruine beesten rond de gevelde boomstammen scharrelen. Ze hadden zwarte ogen, een spitse snuit, ronde oren en een lange staart. Ze leken sprekend op ratten, maar waren zeker tien keer zo groot!

'Mama, wat zijn dat?'

'Weet je dat niet? Ratten.'

'Maar ze zijn forser dan katten.'

'Ja, Lian. Dit soort reuzenratten komt veel voor in zo'n waterrijk gebied als hier. Het klimaat is mild, en er is overal wel voedsel te vinden.'

Triiiiiie! Na het eten sommeerde een snerpend fluitsignaal de gedetineerden zich op een pleintje te verzamelen. In vier keurige rijen vertrokken de tweehonderdvijftig dwangarbeiders onder toezicht van acht bewakers naar de rijstvelden, drie kilometer van het kamp. Te voet.

Lian bleef buiten de kantine rondzwerven, op zoek naar een kat. Waar eten is, zijn katten. Daarom vroeg ze een kalende kok om haar de weg te wijzen naar de voorraadkamer. Daar lag in een hoek een kattengezinnetje te spinnen. Lian pakte de vader, een lapjeskat, op en liep naar de ratten, benieuwd of ze bang voor hem zouden zijn. Ze zette hem op een boomstam en bekeek de confrontatie tussen de natuurlijke vijanden.

De gigantische rat wierp een luie blik naar dat besnorde, gestreepte en ijdele ding en sloot verveeld zijn ogen. Lian gooide de laffe kater naar de rat. De kat maakte een dreigend keelgeluid – niet tegen zijn natuurlijke vijand, maar tegen Lian. Hij krabde haar zelfs. Na een minuut of tien liet ze de hoop varen dat de kat de rat ooit zou aanvallen.

De kok zei: 'Wacht maar tot zo'n rat 's nachts op het dak klimt. Dan is het net of er een flinke kerel loopt te ijsberen.'

Een vreemde school

Om half een sjokten Moeder en haar ploeggenoten naar de kantine. Het zweet vormde heldere beekjes langs hun dik bestofte gele gezichten en ze zagen er afgemat uit. Na de lunch echter, knapte Moeder zienderogen op. Ze nam Lian bij de linkerarm, trok haar door de eetzaal en hield stil voor een flinterdun vrouwtje. Ze duwde Lians hoofd bijna tot aan haar

knieën en beval: 'Buig voor mevrouw professor doctor Bao!'
Je had net zo goed tegen een lijk kunnen zeggen: 'Val dood!' –
onder Moeders handen was Lians rug reeds gebogen als een
scampi. Het enige wat ze nu zag waren de bemodderde schoenen van de twee vrouwen. Haar gespannen nekspieren bezorgden haar een ongemakkelijk gevoel en ze probeerde stukje bij
beetje overeind te komen.

Pang! Ditmaal sloeg Moeder Lians kin tegen haar magere
borstkast en krijste: 'Zijn je oren soms afgebeten door de vleer-
muizen? Ik zei dat je moest buigen voor je nieuwe wiskundelerares, hoor je me?!'

De voeten van de andere vrouw stapten naar voren en Lian
werd uit Moeders greep bevrijd. Met een rood hoofd keek ze
dankbaar naar haar redster op. Die zag er inderdaad sympathiek uit. Ze had glanzend zwarte ogen, die als goed geoliede
stalen bolletjes door de kassen rolden. Zelfs als ze niet lachte
wezen haar mondhoeken naar boven, waardoor ze altijd een
vrolijke indruk maakte.

Ze aaide Lian over haar bol en zei: 'Kind, je moeder denkt
dat ik je een gunst bewijs als ik je lesgeef. Hoe komt ze erbij?
Door jou te mogen onderwijzen, krijg ik toestemming om a:
mijn vakboeken in het kamp te lezen, en b: om de andere dag
een half uurtje minder dwangarbeid te verrichten. Waar treft
men tegenwoordig zulk hemels geluk aan?' Hierna wendde ze
zich met een blik van verstandhouding tot Moeder: 'Yunxiang,
krijg je niet de kriebels in je buik als je eindelijk eens de kans
schoon ziet om je oude vak uit te oefenen, na jaren voor slangenbeest en koeiengeest te zijn uitgescholden en als een regenworm in het veld te hebben moeten zwoegen?'

Moeder ontspande haar schouders en zei: 'Professor doctor
Bao, u vindt het dus geen belediging om een leerling van de
middelbare school te onderwijzen? Juist u, die acht jaar geleden de Nationale Prijs voor Wetenschappen in de wacht sleepte en een van de meest succesvolle wiskundigen van ons land
bent...'

'Schei uit, Yunxiang! Je *tilt juist díe ketel van het vuur, waarin
het water nog niet kookt.* Weet je waarom ik behoor tot de bewoners van het kamp die hier het langst zitten? Zeven volle jaren!
Vanwege mijn "grote" bijdrage aan die kapitalistische kennis!'

Ze opende haar mond en toonde het enorme gat in haar ge-
bit: 'Drie tanden hebben de Rode Gardisten eruit geknuppeld

– als eerbetoon aan de likker van de kont van de bourgeois wetenschappen en technologie. Had ik vóór de Revolutie op mijn luie gat gezeten en niets nuttigs uitgevoerd, dan zou ik niet zo zwaar gestraft zijn als nu!' Hierbij trok ze Lians hoofd tot onder haar oksel en zuchtte: 'Ach, eenmaal een contrarevolutionaire geleerde, altijd een contrarevolutionaire geleerde. Als ik de kans zie om te doceren, dan doe ik dat meteen!'

'Is het goed dat de les met ingang van morgen begint? Om half zes bij u in de slaapzaal?'

'Lian, geef mij, als het kan, je leerboeken van tevoren. Ik heb nooit aan kinderen van jouw leeftijd lesgegeven en moet me dus gedegen voorbereiden op het grote gebeuren.'

Hierna had Lian ook voor meneer professor doctor Yu, Fang, Shi en mevrouw professor doctor Zhao een kowtow gemaakt. Ze waren respectievelijk haar leraar/lerares in natuurkunde, scheikunde, biologie, Chinese taal en literatuur. Natuurlijk hoefde Lian niet ver te zoeken naar een lerares Engels: haar bovenbuurvrouw professor Maly was geknipt voor deze vacature. Moeder telde op haar vingers af en zei tegen Lian: 'Nu mis je alleen nog een leraar vaderlandse geschiedenis.'

Gespannen wachtte ze Moeders besluit af. Het lag voor de hand dat Moeder haar in dit vak zou onderwijzen. Ze was immers lector geschiedenis en volgens haar faculteit een zeer gekwalificeerde bovendien, maar... Lian schopte tegen een denkbeeldige kiezelsteen en weigerde als eerste dit onderwerp aan te snijden.

'Wees niet bang,' Moeder tikte haar dochter op de neus en grijnsde veelbetekenend: 'In het begin was ik werkelijk van plan om je zelf les te gaan geven, maar: *monniken van een ander klooster dragen de boeddhistische teksten mooier voor*. Ik weet dat je liever hebt dat een onbekende jou lesgeeft – Mama is vast minder goed dan haar collega's, nietwaar? Haha! Deze keer heb je nog gelijk ook. Hier in het kamp zit de crème de la crème van de historici van het hele land. In hun bijzijn zou ik me rotschamen ook maar met een woord over geschiedenis te reppen. Professor doctor Qin, auteur van de klassieker *Beknopte Geschiedenis van China vanaf de Ming-dynastie*, is een van hen. Het zou een zeldzaam grote eer zijn als je les van hem kon krijgen. In dat geval: zing alvast een lofzang op de Culturele Revolutie, want zonder deze politieke centrifuge zou je nooit zelfs maar in de buurt gekomen zijn van zo veel gerenommeerde intellectuelen. Weet je, vroeger moesten zelfs professoren die van heinde en verre kwamen, maanden wachten op een onderhoud met Qin!'

Ze nam Lian mee naar de uiterste hoek van de kantine, waar niemand te zien was, alleen wat zakken aardappelen en gedroogde maïskorrels. 'Maak een buiging voor professor doctor Qin,' beval ze. Lian speurde de hoek af: waar was hij? Totdat er iets grijs uit een spleet tussen de zakken aardappelen te voorschijn kwam: een in vodden gehulde man die daar neergehurkt zat, kwam overeind. Ze stond oog in oog met wat niet meer leek dan de schaduw van een mens; de gebogen rug, de vale huid en de ingevallen wangen stonden in fel contrast met het doordringende licht dat uit zijn ogen straalde. Ze haastte zich om hem te helpen en viel bijna om toen hij haar met zijn broodmagere, maar blijkbaar sterke armen van zich afstootte.

'Yunxiang, spaar je speeksel en vraag me niets. Ik heb het onderwijzen afgezworen.'

'Maar, professor Qin…'

'Verdwijn uit mijn ogen voordat mijn geduld opraakt!' Hij zwaaide vinnig met zijn handen, alsof hij een stel vliegen van zijn rijstkom verjoeg. Ondertussen keek hij krampachtig de andere kant op.

Waarom meed hij elk oogcontact met hen? Maar wacht eens even, deze man kwam Lian bekend voor. Kende ze hem niet ergens van? Haar geheugenmachine werd gestart.

Met gebogen hoofd verliet Moeder Qins 'territorium' en sleepte Lian met zich mee. Lian draaide zich om en fixeerde haar ogen op de beroemde historicus die er als een schooier uitzag en – *kwalá!* – ineens brak de dam van haar herinneringen door… Deze meneer had ze vijf jaar geleden al eens ontmoet.

Qins bezoek

Op een avond werd er aan de deur geklopt, waarop er een chic geklede heer binnenkwam. Hij schudde Vader en Moeder de hand en bekeek Lian alsof hij nog nooit een zevenjarig meisje had gezien. Er verscheen een curieuze uitdrukking op zijn ge-

36

laat en hij spreidde zijn benen wijd uiteen, zodat hij op een passer leek waarmee een enorme cirkel getrokken kon worden. Hij legde een vinger op haar neus, fronste zijn wenkbrauwen en vroeg in alle ernst: 'Hoe komt het dat jij zo klein bent?'

Zoiets had ze nog nooit gehoord. Ze stak een vinger in haar mond en dacht met hem mee...

Hij nam in kleermakerszit plaats op de bank in de woonkamer en zei: 'Waar zijn jullie bedden gebleven?'

Lian raakte meteen in de ban van deze meneer, vooral omdat hij een opmerking plaatste die niet met zijn gevorderde leeftijd rijmde. Hij trok haar aan als een magneet en mede op zijn voorspraak mocht ze die avond tot in de kleine uurtjes opblijven.

Na zijn bezoek legde Moeder haar uit dat hij pas de week daarvoor uit de best bewaakte staatsgevangenis was vrijgelaten. In de tien jaar dat hij daar had vastgezeten, had hij kinderen noch woonkamers gezien; daarom had hij zulke bizarre vragen gesteld.

ॐ

Toen Moeder met Lian in de slaapzaal terugkwam, troostte ze haar dochter: 'Er is nog geen man overboord, ook al weigert professor Qin je te onderwijzen. Het is zo te zien Boeddha's wil dat ik je geschiedenislerares word. Neem het meneer Qin niet kwalijk. Hij heeft vreselijk veel teleurstellingen moeten incasseren, en wil zich blijkbaar van de wereld afsluiten.'

Lians neerslachtigheid sloeg plotseling om in nieuwsgierigheid: 'Wat voor teleurstellingen?'

Met een vuile sjaal klopte Moeder de verdorde grasprieten en het gele stof uit haar verwarde haren en liet zich als een jutezak vol potaarde op het bed neervallen. Ze zei: 'Dat vertel ik je wel een andere keer. Ik ben doodop en wil even uitrusten voordat ik weer het veld in moet... groe...'

Ze snurkte al.

Wangshi bukan huishou

De volgende morgen beweerde Moeder belangrijkere dingen aan haar hoofd te hebben dan Lian verhaaltjes te vertellen over

Qin. Maar Lian werd allengs slimmer en besloot om concessies te doen.

Sinds jaar en dag moest Lian haar gymschoenen schoonmaken. Waarom wist ze niet, maar ze had in ieder geval een gloeiende hekel aan dit karweitje. Deze ochtend zei ze poeslief: 'Mama, ik ga straks mijn schoenen inzepen.'

Moeder, die dit als een overwinning in de opvoeding van haar kind beschouwde, glunderde en zei: 'Zo hoor ik het graag!' Als beloning kwam ze haar belofte na. Ze zou haar die middag over Qin vertellen.

Na het middagdutje nam Moeder Lian mee naar het rijstveld. Onderweg daarnaar toe kwamen ze niemand tegen – ze konden dus vrijelijk praten.

'Professor Shunxing Qin, ofte wel Wenting Qin, is rond de eeuwwisseling in een rijke boerenfamilie geboren.'

Lian keek op en fronste. 'Hoezo? Heeft Qin twee namen?'

'Ja. De ene gebruikt hij in het dagelijks leven en de andere, de zogenoemde academische naam hanteert hij wanneer hij gedichten of artikelen schrijft of correspondeert met intellectuelen van zijn niveau. Dat is een overblijfsel van een eeuwenoude Chinese traditie.

Op zijn zesde ging hij naar het schooltje in zijn dorp en op zijn twaalfde naar de middelbare school in de dichtstbijzijnde stad. Vanwege zijn uitmuntende studieresultaten werd hij toegelaten tot de Yanjing Universiteit, destijds de beste van heel China. Hij koos voor het vak geschiedenis...'

'Is het niet verwarrend om twee verschillende namen te hebben? Stelt u zich eens voor dat ik zou zeggen: "Gisteren heb ik Shunxing ontmoet", terwijl u Qin alleen maar kent bij zijn geleerde naam, Wenting.'

'Ten eerste gebeurt het maar zelden dat men iemand alleen bij zijn academische naam kent; ten tweede zou jij het zeker prachtig vinden als je vóór de oprichting van de Communistische Volksrepubliek geboren zou zijn en twee namen zou hebben. Kijk me niet zo vragend aan. Ik ben al bezig je het uit te leggen. De eerste, gewone naam drukt altijd een aards verlangen uit. "Shunxing", bij voorbeeld, betekent *een voorspoedig leven leiden*; de tweede naam geeft expressie aan een verheven wens. Zo betekent "Wenting" *literair paviljoen*. Een poëtisch denkbeeld, nietwaar? De dubbele benaming in onze oude cultuur gaf dus de twee kanten van de mens weer: de hang naar materie enerzijds en het streven naar spirituele reinheid anderzijds.'

'Dus als Qin zich Shunxing noemt, denkt hij aan het vergaren van geld en roem; wanneer hij zich Wenting noemt, waant hij zich in een taoïstisch klooster waar hij in meditatie op witte wolken door het zuivere luchtruim zweeft…'

'Zo zou je het kunnen zeggen, ja. De realiteit en het ideaal zijn net als de zon en de maan: ook die ontmoeten elkaar nooit. Misschien hebben we daardoor wel behoefte aan twee namen.'

'Maar…'

'Wil je het verhaal over Qin horen of wil je filosoferen over de naamgeving?'

Lian probeerde haar vragen verder voor zich te houden, opdat Moeder haar relaas ongehinderd kon vervolgen.

'Al tijdens zijn studentenjaren publiceerde Qin boeken en artikelen waarin hij de Chinese en Europese geschiedenis met elkaar vergeleek. Direct na zijn afstuderen werd hij aangesteld als docent van zijn faculteit. In 1934 werd hij de jongste hoogleraar sinds de oprichting van de universiteit.'

'Chic.'

'Dat is geen goede uitdrukking. Zeg liever: "fantastisch".'

'Hoe komt u daarbij? Dat zeggen we allemaal in onze… in mijn oude klas…' Nostalgie stak Lians hart als een bijtje en o, wat miste ze nu ineens het rumoer tijdens de ochtendpauze op haar voormalige school!

Toen zij Lians trieste blik opmerkte, trachtte Moeder haar te troosten: 'Je zit hier toch goed? Wie van je klasgenoten heeft de kans om omringd en onderwezen te worden door zulke hoogwaardige docenten en professoren? Binnen de kortste keren ben je de geleerdste van de hele klas.'

Ja, dat wilde Lian zijn. Geleerd. Niet zozeer om kennis te vergaren, maar om mee te kunnen praten met de volwassenen hier. Te midden van al de gevangenen werd ze de laatste dagen geplaagd door een gevoel van minderwaardigheid. Ze praatten langs haar heen en hoe ze zich ook uitsloofde door op de proppen te komen met vraagstukken die volgens haar 'intellectueel, diepzinnig en interessant' waren, ze kon zich niet aan het gevoel onttrekken dat ze niet meetelde.

Moeder interpreteerde Lians zwijgen als instemming en vervolgde haar verhaal: 'De toentertijd nog zwakke en illegale

Communistische Partij van China, de CPC, richtte overal in het land ondergrondse organisaties op. Natuurlijk was er in de Yanjing Universiteit ook een. Zo'n jong en dus gemakkelijk te beïnvloeden, vooraanstaand hoogleraar als Qin konden ze goed gebruiken. In het begin heette het "met Qin van gedachten wisselen over de moderne geschiedenis van China en over de politieke koers die het meest geschikt zou zijn voor de huidige regering", maar op den duur werd er open en bloot gedebatteerd over de corruptie en wanorde in het land. Het sprak vanzelf dat Qin hoe langer hoe giftiger werd naarmate er dieper op dat onderwerp werd ingegaan. Voordat Qin het zich realiseerde, werd hij voor het karretje van de CPC gespannen. In 1938 drongen de Jappen zonder moeite Peking binnen en deden wat je van indringers kunt verwachten – huizen plunderen en platbranden, mannen doden en vrouwen verkrachten. Onze nationale trots kreeg een onherstelbare deuk: hoe was het mogelijk dat de Japanse dwergen het land van hun voorouders zo onder hun minivoetjes – zoals zo'n dwerggras nu eenmaal heeft – omver konden lopen? Ze gaven het leger van de regerende partij – de Chinese Nationale Partij, de CNP, de schuld, iets wat maar ten dele terecht was. Corrupte officieren besteedden het geld dat bestemd was voor munitie en het bouwen van bunkers liever aan het smokkelen van opium. Van buitenaf onderdrukt door de Jappen en van binnenuit verscheurd door opstandige gevoelens jegens de overheid, raakte het Chinese volk totaal de kluts kwijt. Al jaren probeerde de ondergrondse organisatie van de CPC Qin over te halen om naar het Rode District Yanan te gaan en nu hakte Qin eindelijk de knoop door. Hij had alle vertrouwen in de nationalistische regering verloren en zag in de idealen van de CPC de enige toekomst voor zijn vaderland.'

'Wat waren die idealen dan?'

'Och Lian! Dat hebben ze jullie toch in de eerste les op de kleuterschool uitgelegd en tientallen keren laten opdreunen?'

'Dat weet ik, maar ik dacht dat het alleen maar propagandapraatjes waren. Privé zeggen we toch nooit zulke rare dingen?'

'Het waren juist die woorden die Qin zijn heil deden zoeken bij de CPC: gelijke rechten voor iedereen, de opbrengst van de arbeid eerlijk onder het volk verdelen en een overheid die voor de massa opkomt. Precies de tegenpool van corruptie, iets wat volgens de CPC de wortel van alle problemen van China was.'

Lians ogen begonnen te glimmen. Ze zong:

> *Het is niet erg om van honger te creperen, lalala*
> *Het wordt pas erg als het anderen niet kan deren, tratratra*
> *Dood aan de vette landheren, bontjatja, bontjatja*

Moeder schudde haar hoofd en ging onverstoorbaar verder: 'In het Rode District werkte Qin eerst voor het ministerie van Cultuur en Propaganda, maar hij werd al snel aangesteld als privé-secretaris van W., minister van Buitenlandse Zaken. In 1949 vormde de CPC "de enige regering die de belangen van het volk vertegenwoordigt" en prompt betrok Qin met W. en andere partijbonzen het voormalig keizerlijk paleis. Hij werd hoofd van de secretariële afdeling van het ministerie van Buitenlandse Zaken en had twintig topambtenaren onder zich. Dagelijks kwamen geheime documenten onder zijn ogen, die de ware oorzaken van de aaneenschakeling van moordlustige politieke bewegingen onthulden. Hij schrok hevig, maar hield zijn mond en klampte zich vast aan de overtuiging dat de leider tienduizenden, miljoenen en zelfs tientallen miljoenen koppen liet rollen voor een goed doel. Zijn geweten knaagde aan hem, maar hij verdoofde dat nare gevoel door keihard te werken. Hij vulde zijn vrije tijd met het bijhouden van zijn vak geschiedenis en de ene na de andere academische publicatie verscheen. Waar moest hij de tijd vandaan halen om te leven? Dat hij tot 1954 vrijgezel is gebleven, is dus heel begrijpelijk.

Het was in de zomer van 1955 toen het idool van het paleis, de vijfentwintigjarige poesmooie journaliste Feilan Zhu, die verbonden was aan het Partijorgaan *De Rode Ster*, haar amandelogen op deze nog knappe, succesvolle topambtenaar en hoogleraar Qin liet vallen, terwijl ze voor en achter, links en rechts achternagezeten werd door jongere, meer gespierdere medeaanbidders.

In 1957, op het hoogtepunt van de politieke heksenjachten, uitte Qin zijn – opbouwende – kritiek op de Partij. Zijn directe baas, minister W., was niet van plan Qin hierom te straffen, maar een van Qins rivalen zag zijn kans schoon om zich op hem te wreken. Hij heette Xiangmin Bai en was redacteur bij *De Rode Ster*. Hij verdronk zowat in zijn eigen mondwater zodra hij rook dat Feilan in de buurt was. Hij schreef een anonieme brief aan Mao's secretaris Tong, die er vervolgens voor zorgde dat Qin het gevang in draaide, net op het moment dat W. een staatsbezoek aan de Sovjet Unie aflegde. Hoewel de laatste er snel genoeg achter kwam, stak hij geen vinger uit om zijn trouwe en verdienstelijke medewerker te redden. Kritiek uitoefenen op de regering stond nu eenmaal gelijk aan blasfemie. Wie zijn nek voor zo'n zondaar zou durven uitsteken, zou zelf als een zondaar afgemaakt worden.

Zo belandde Qin in China's strengst bewaakte elite-gevangenis. Hier zaten degenen opgesloten die zich schuldig hadden gemaakt aan het koesteren van een afwijkende gedachtegang ten opzichte van de CPC. Ze hadden een te hoge functie in de overheid bekleed en wisten te veel van de geheime praktijken van de Partij om gemengd te worden met doorsnee-criminelen als moordenaars en verkrachters. Van hieruit schreef Qin zijn verloofde Feilan honderden brieven, zonder ooit één woord terug te ontvangen.

Zo zoetjesaan dachten deze ex-andersdenkenden aan niets anders dan aan eten en poepen. Er was geen reden meer voor de overheid om hen nog langer in toom te houden. Bovendien stroomden de versgebakken politieke criminelen de gevangenis binnen, opgespoeld door de meedogenloze vloedgolf van de Culturele Revolutie. In 1967 werd Qin ten slotte wegens cellentekort vrijgelaten.

Minister W. nodigde hem uit voor een gesprek in het paleis. Zich enigszins schuldig voelend over Qins decenniumlange ellende, maakte W. zijn bereidheid kenbaar om hem voortaan iedere vorm van vervolging te besparen. Verder wilde hij Qin zo veel mogelijk helpen om zijn leven en carrière weer op te bouwen. Maar de ontgoochelde en verbitterde zestiger lachte als een boer die per ongeluk zijn kies als een teentje knoflook had doorgeslikt en had maar één wens: weg van de politiek en zijn allereerste professie – doceren – hervatten. Zijn voorkeur ging uit naar de Universiteit voor Docenten van Peking.

"Nou, dat is dan geregeld," zei W. "Moge de rest van je leven daar gezegend worden."

Via de geruchtenmolen, die trouwens een florerende industrietak is en waarbij diens concurrenten – de officiële media – niets dan muizengepiep zijn, kwamen velen van ons op de universiteit achter het levensverhaal van Qin. Door zijn unieke politieke achtergrond genoot hij vanaf zijn aankomst een uit-zonderingspositie die hem nagenoeg onaantastbaar maakte. Hij mocht mopperen op het regime, de leiding van de universiteit tegenspreken en andere levensgevaarlijke toeren uithalen.

Wat op dit moment werkelijk íedereen van de school over Qin weet is een zogenaamd roze incident.

Het was in 1969. Op een goede dag zat Qin rustig te lezen in zijn kamertje van de Vrijgezellenflat. Plotseling werd er op de deur geklopt. Raad eens wie er binnenwaaide? Zijn gewe-zen droomprinses Feilan Zhu. Ze draaide koket met haar nog altijd welgevormde kont en van haar overdadig opgemaakte gezicht stoof wit pulver in het rond, als uit een opengeklapte poederdoos. Qin herkende ogenblikkelijk haar gladde, tere en uitnodigend blozende huid onder de laag schmink en zijn hart maakte een sprongetje. Te oordelen naar haar ranke figuur – als van een jong hert – dat nog altijd in staat leek hele bataljons mannen het hoofd op hol te brengen, als dolgedraaide windha-nen bij stormachtig weer, kon Qin zien dat haar man, de archi-tect van Qins gevangenschap, in wiens armen ze zich twee weken na Qins opsluiting geworpen had, zuinig op haar was geweest.

Maar nu waren er geen armen meer om haar te omhelzen. Haar echtgenoot was een maand tevoren door de Rode Gardis-ten opgepakt als "volger van de kapitalistische weg". Zij draaide met haar heupen en beklaagde zich als een loopse teef: "Wenting, nú pas zie ik in dat ik met de verkeerde ben ge-trouwd…!"

Qin gooide zijn boek op het bed, tilde haar op en smeet haar al gillend en tegenstribbelend op de gang. Je weet hoe sterk hij is.

Hij heeft geen vrienden meer en wenst er ook geen te hebben. Hij aanvaardt geen hulp en biedt die ook niemand aan. Vijf jaar geleden, toen hij pas uit de gevangenis kwam en ons thuis op-zocht, was hij nog niet zo. Maar later kwamen vele van zijn ex-collega's, studiegenoten en zogenaamde vrienden die door de Revolutie in de problemen waren geraakt, in grote drom-men naar hem toe, stuk voor stuk met een sluwe blik en een onderdanige grijns. Ze papten met hem aan omdat zij wisten dat als hij hen uit de puree wilde halen, hij dat in een handomdraai kon doen – een briefje aan de secretaris van minister W. en dan zou het halleluja zijn. Maar waar waren ze toen Qin achter de tralies zat? Kort na het incident met Feilan zonderde hij zich van zijn omgeving af en sindsdien leidt hij het kluize- naarsbestaan zoals hij dat tijdens zijn tien jaar durende gevan- genschap gewend was…'

'En toen?' vroeg Lian, hopend dat het boeiende verhaal nooit zou eindigen.

'Toen wat? Dat is alles wat ik over professor Qin weet… O ja, er is nog iets. Weet je wat zijn lijfspreuk is?'

'Nee.'

'*Wangshi bukan huishou.*'

'O, maar die uitdrukking ben ik vaak tegengekomen in ontroerende en dus verboden bourgeois romans. Het betekent *Je moet je vooral niet omdraaien, want achter je ligt het schrikbarende verleden.*'

'Goed zo! Je hebt gelijk,' zei Moeder.

Het nut van wiskunde

Na het ontbijt van half acht ging Lian de slaapzaal binnen van haar wiskundelerares, mevrouw professor doctor Bao. Ze zaten op een kruk voor het bed, dat gebruikt werd als schrijftafel en Lian opende haar leerboek. Bao legde haar aan de hand van te- keningen en voorbeelden het eerste hoofdstuk uit en gaf haar oefeningen op als huiswerk.

'Het is lastig om met zijn tweeën één boek te delen en bo- vendien kan ik de lessen niet voorbereiden,' zei ze.

'Als Mama en ik over vijf dagen met weekendverlof naar Pe- king gaan, kopen we een extra exemplaar voor u.'

'Graag! Och kind, ik heb thuis zo veel wiskundeboeken, maar die zijn helaas nog te moeilijk voor je…'

Er opende zich een luikje in Lians geest. Een frisse wind wekte haar: nooit eerder was ze zich zo bewust geweest van het feit dat er zwaardere leerstof bestond die niet in haar schoolboeken opgenomen was. Het idee prikkelde haar en ze nam zich voor om onder leiding van deze eersteklas leraren nieuwe intellectuele terreinen te gaan verkennen… Terug in haar slaapzaal maakte ze niet alleen haar huiswerk af, maar be- reidde ook het hoofdstuk voor dat overmorgen behandeld zou worden. Ze had nooit eerder aan zelfstudie gedaan, maar het lukte haar redelijk. Tot nu toe had ze slechts passief geleerd; de docent legde haar de formules uit en die paste ze toe. Voilà. Door zelf te leren begon ze meer na te denken. Ze ontdekte een verborgen logica en samenhang achter vele theorieën die haar vroeger volstrekt willekeurig toegeschenen hadden. De zinnen die ze niet begreep noteerde ze om er later Bao vragen over te kunnen stellen. Gek was dat, hoe meer ze haar hersenen gebruikte, hoe actiever ze werden. Ze merkte dat ze in staat was om net zo over dingen te denken als de grote mensen.

Buiten tjirpten de krekels. De boombladeren knipoogden naar haar. De blozende zon streelde de flora en fauna totdat ze slap werden, alsof ze van extase in zwijm gevallen waren. Normaal gesproken zou Lian zich terstond in de armen van de verlokkelijke natuur geworpen hebben om zich te laven aan de lentepracht. Nu had ze iets belangrijkers te doen. Ze sloeg haar natuurkundeboek open en bereidde een nieuw hoofdstuk voor. Voor het avondeten zou ze les krijgen van hoogleraar Yu. Ze popelde om te zien hoe hij straks ogen als schoteltjes zou opzetten en zou vragen: 'Heb je dit zélf geleerd, helemaal zonder hulp?'

Langzamerhand had Lian nagenoeg van al haar leraren les gehad. Het viel eigenlijk een beetje tegen. Lian had ruim de tijd om de lessen voor te bereiden. Daarom hoefden de onderwijzers niet veel uit te leggen; nieuwe leerstof hadden ze voorlopig niet. Leraar en leerling zaten elkaar aan te staren, zich geen raad wetend hoe ze het resterende halfuur moesten doden. De docent had recht op zestig minuten vrijstelling van veldarbeid. Als hij de les nu zou afronden, zou hij meteen op pad moeten gaan – dat was waarschijnlijk erger dan opgescheept zitten met een onbenul van een kind. In ieder geval bleef de onderwijzer in de kamer zitten en gaapte van pure verveling. Dus graaide Lian wat gespreksstof bij elkaar, het liefst over hun vakgebied, maar dat liep steevast uit op een fiasco. Wat zij wist was naar hun ontwikkelde smaak uitgekauwde en beschimmelde koek en wat hun interesseerde ging Lian boven de pet. Haar minderwaardigheidscomplex nam ernstige vormen aan. Ze besloot keihard te leren en boeken te verslinden, opdat ze een waardige gesprekspartner van deze intellectuelen zou worden. Net als in die liefdesroman waarin het meisje dat op een grijs muisje leek zei: 'Als je de jongens niet kunt charmeren, choqueer ze dan!', begon Lian de bizarre ideeën uit te werken die de laatste dagen haar hersenen bezochten.

∿

Binnen een kwartier was mevrouw Bao klaar met haar les. Dit was het moment voor de shocktherapie. Lian maande de van opwinding en ongeduld kakelende kuikentjes in haar buik tot stilte en zei zo kalm mogelijk: 'Mevrouw Bao, ik geloof dat er veel oplossingen voor politieke vraagstukken in de wiskunde te vinden zijn.'

Mevrouw Bao keek niet naar Lian, maar naar een plek achter haar, alsof ze de wijsgeer probeerde op te sporen die zich achter het meisje verstopt had.

'De getallenreeks bij voorbeeld, kleedt de klassenstrijd uit en in z'n blootje is het niets anders dan een boevenmentaliteit…'

Haar lerares verbleekte en keek om zich heen. Een onweerstaanbare nieuwsgierigheid wekte haar door jaren gevangenschap ingesluimerde geest uit zijn inertie. Ze bedekte Lians mond met beide handen en fluisterde: 'Pas op, straks word je nog opgepakt wegens je contrarevolutionaire gedachten, net als ik! Maar zeg op, wat heeft de getallenreeks met de klassenstrijd te maken?'

Hoe kon ze nu antwoorden, terwijl Bao's knokige maar ijzersterke vingers haar lippen opeendrukten? Ze knipperde met haar ogen en maakte protesterende keelgeluiden.

'Oké, je bent minderjarig en je mag voorlopig zeggen wat je denkt, maar spreek zachtjes… Om je de waarheid te zeggen, ik heb het altijd fascinerend gevonden om raakvlakken te ontdekken tussen de natuur- en sociaalwetenschappen.'

Lian sprak zo zacht mogelijk en Bao nam een andere houding aan. Zo kon ze met haar ene oog de deur van de slaapzaal in de gaten houden en met haar andere oog Lians lippen lezen.

'De getallenreeks, een begrip dat ik nog maar net van u heb geleerd, is niets anders dan een balk die in tienen is verdeeld. Ieder deel heeft een nummer. Het verschil in getal geeft de afstand tussen de verscheidene delen aan. Zo is het van 1 naar 2 maar één stap, terwijl 1 en 9 acht stappen van elkaar verwijderd zijn. Als we alle getallen één stap voorwaarts laten maken, dan wordt de 1 een 2, de 2 een 3, de 8 een 9, enzovoorts...'

'Waar wil je naar toe?'

'Dit is wat ik bedoel: wat we bij de getallenreeks zien is dat de beginstatus van een getal een grote rol speelt in zijn mogelijkheden om vooruit te komen. Al heeft 1 een stap gemaakt naar 2, hij is nog steeds inferieur aan de oorspronkelijke 2, omdat de laatste dan ook een stap voorwaarts heeft gemaakt. Om 2 te overtreffen moet 1 twee stappen maken, vooropgesteld dat 2 maar één stap heeft gezet. Aan de andere kant, de 1 kan de 2 dan wel hebben ingehaald, maar hij is nog altijd mijlenver verwijderd van bij voorbeeld de 7. Om die te overtreffen moet hij zeven stappen vooruitgaan...'

'En?' Bao zat te twijfelen of ze Lian als een idioot of als een genie moest beschouwen, want alleen die twee soorten mensen halen het in hun hoofd om aan zo'n waarheid als een koe te gaan zitten peuteren.

'Het betekent een grote inspanning voor de 1 om bij voorbeeld de 7 in te halen. En zo hoort het ook, wanneer we puur wiskundig redeneren. Maar als wij deze doodeenvoudige wet toepassen op de politiek, kunnen we onmiddellijk de klassenstrijd ontmaskeren, die voor de meeste mensen zo prachtig lijkt dat ze hun leven en vooral dat van anderen op het spel zullen zetten om zo'n ideaal te verwezenlijken. Stel dat de getallen sociale klassen symboliseren:

1 – zwervers
2 – boeren zonder land of zonder dak boven hun hoofd, die als hulpjes bij landheren hun dagelijkse pap verdienen
3 – pachters
4 – boeren met eigen land
5 – landheren
6 – landheren die ook nog fabriekjes in de stad hebben
7 – grote fabriekseigenaren
8 – bazen van syndicaten
9 – door de politiek sterk vertegenwoordigde bazen van syndicaten
10 – politici die zelf syndicaten bezitten

Het verschil tussen 1 en 10 is zo groot dat een zwerver negen stappen moet maken om een politicus die zelf syndicaten bezit in te halen, op voorwaarde dat die politicus zelf geen stap voorwaarts maakt. Stel dat de landloper ongedurig wordt en geen zin heeft om jaren te zwoegen om al die stappen te maken, wat doet hij dan? Hij pakt een hakmes en roept zijn medezwervers bijeen: "Wij pikken het niet langer dat wij geen dak boven het hoofd hebben, terwijl de vette parasieten in hun paleis op een ivoren bed orgieën houden." Ze vormen een rood leger, slaan de rijkaards de hersenen in en nemen ze hun bezittingen af. En hopla, in één stap heeft de 1 de 10 overtroffen. Dat is de essentie van de klassenstrijd.'

'Maar zwervers en landloze boeren kunnen moeilijk vooruitgaan zonder de hulp van de regering en dus van de politici.'

Ze lacht me niet alleen niet uit, ze gaat zelfs op mijn theorie in! dacht Lian verheugd. 'Ik geef toe dat er sociale plannen gemaakt zouden moeten worden die de 1 en 2 uit hun achterstand redden. Wat ik met de getallenreeks wilde zeggen is dat door mensen die het beter hebben over de kling te jagen en hen te onteigenen, de armen de natuurwet van ontwikkeling hebben genegeerd.'

Bao's gezicht betrok. 'Ik waarschuw je: zeg zulke dingen nóóit tegen de directeur of de bewakers. Ook al ben je minderjarig, je zou zeker gestraft worden vanwege je gevaarlijke, reactionaire ideeën!'

Moeders chique huis

Voor de eerste keer sinds Lians verblijf in het kamp mocht ze met weekendverlof naar huis. Op de zandauto die de gedetineerden vervoerde had ze gezóngen, als een op hol geslagen nachtegaal!

Zodra Moeder de huisdeur opendeed, wist Lian niet wat ze zag. Er waren rámen, grote zelfs, in hun flat. De zon goot zalig warm licht het huis in. Er kropen geen regenwormen over de vloer en overal was het brandschoon en kurkdroog. Er stonden hier nota bene tafels, stoelen en banken, waardoor Lian niet gedwongen was de hele tijd met dubbelgevouwen benen te zitten.

Lian rende naar haar moeder, hield haar handen dankbaar vast en zei: 'Mama, wat is uw huis toch chic!'

Voor een ogenblik begreep Moeder niet waar haar dochter het over had. Ze keek naar Lians vreugdedronken ogen en besefte dat haar dochter, in een roes door dit onverwachte geluk, niet meer goed wist waar ze was.

'Ja, wíj hebben inderdaad een mooi huis. Geniet er maar van nu we anderhalve dag vrij hebben.'

Ondanks Moeders woorden kon ze haar verstand niet overhalen om te geloven dat dit droomhuis ook haar toebehoorde. Ze kon zich ineens levendig voorstellen hoezeer Kim, haar boezemvriendin, onder de indruk was geweest de eerste keer dat ze op bezoek kwam.

Zondagmiddag stuurde Moeder Lian naar het winkeltje in de universiteit om hun rantsoen vlees te halen. Het was dertig graden in de schaduw en Lian droeg een blouse met korte mouwen. Ze keek voortdurend schichtig om zich heen, want als er iemand aankwam, zou ze haar armen moeten verbergen, opdat niemand de vlekken op haar ellebogen zou opmerken en haar zou uitlachen of vervloeken.

De rij voor de vleesafdeling kronkelde de winkel uit naar het weggetje erbuiten, tot aan het postkantoor een stuk verderop. Lian sloot aan en viel staande in slaap door de hitte en de zekerheid dat het minstens een uur zou duren voordat ze aan de beurt zou zijn.

Khenkhen, khenkhen… Een aanhoudend droog gekuch wekte haar uit haar sluimer, niet zozeer omdat dit geluid haar dutje verstoorde, maar omdat ze wist dat het kuchen bedoeld was als een poging een gesprekje met haar aan te knopen. Ze draaide zich om en zag Yuejiao, een jaargenote van haar middelbare school. Het was lang geleden dat ze iemand van haar eigen leeftijd ontmoet had. Door het leven in het kamp neigde ze ernaar zich te identificeren met oude grijze en afgematte gevangenen. Ze reageerde enthousiast: 'Hoi, Yue, fijn jou weer te zien!'

Yue bekeek Lian van top tot teen, fronste haar voorhoofd, maar toverde alsnog een geforceerde grijns op haar gezicht. 'Eh… ja, wederzijds.'

Lian had Yue direct door: ze vindt mij zeker vies met die vlekken op mijn armen. Ze deed snel een paar stappen achteruit en kreeg een levendig medelijden met Yue: wie zou een vitiligopatiënt níet afstotelijk vinden?

'Ik heb je lang niet gezien. Waar zat je?'

'Heb je het niet gehoord? Ruim zes maanden geleden ben ik verhuisd naar het opvangcentrum in de Universiteit voor Industriële Technologie. Mijn moeder is naar het strafkamp gestuurd. Maar sinds twee weken woon ik bij mijn moeder in het kamp.'

'Bah, wat naar voor je! Je krijgt daar varkensvoer te eten, je slaapt in een vochtige, tochtige slaapzaal en je zwoegt van 's ochtends vroeg tot 's avonds laat onder de knoet van de bewakers.'

'Dat is niet waar. Ik hoef niet te zwoegen. Ik ben toch geen politieke crimineel… mijn moeder wel…'

'Maar je hebt daar geen vriendjes, geen school, geen films en geen openbaar vervoer. Wie zou daar nou willen wonen?'

Lian gluurde naar haar armen en overlegde bij zichzelf of ze Yue de ware reden van haar verblijf in het strafkamp zou vertellen. Maar gelukkig sneed Yue het voor Lian zo moeilijk aan te roeren onderwerp zelf aan.

'Wat zijn dat voor vlekken?'

Opgelucht antwoordde ze: 'Vitiligo. Een huidaandoening.'

'O, zo… Doet het pijn, of jeukt het?'

'Nee, ik voel niks.'

Het gesprek liep dood. Yue leek in gedachten verzonken en Lian dacht dat ze heelhuids van de confrontatie met Yue over haar beschamende ziekte afgekomen was toen ze bijna aan de beurt kwam om bediend te worden…

Maar Yue riep opeens: 'Zeg, Lian, kun je mij besmetten?'

Daar stond ze, met haar mond vol tanden. Ze had medelijden met Yue, die twee meter afstand hield, waardoor ze had moeten schreeuwen om zich verstaanbaar te maken en de mensen achter haar telkens ongeduldig hun keel schraapten.

Lian keek naar de hemel, zuchtte en zei langzaam: 'Yue, het zou mooi zijn als het besmettelijk was. Dan zou ik medicijnen krijgen en weer snel beter zijn.'

Dat was een pak van Yue's hart. Ze haalde diep adem, kwam een stapje dichterbij en zag er meteen gerustgesteld uit.

Snel kocht Lian haar rantsoen vlees en liet de mensenmassa achter zich. Elke keer als ze zich moest verontschuldigen door anderen te verzekeren dat ze geen gevaar voor hun gezondheid vormde, stierf ze van binnen een beetje.

Geluk bij ongeluk

Lian en Moeder zaten gehurkt te lunchen in de kantine. Plotseling zagen ze professor Qin op hen af komen. Er hing een zeldzame glimlach op zijn gezicht, die hem met een aura van beminnelijkheid omhulde… Hij zei: 'Mevrouw Yang – of mag ik u Yunxiang noemen – ik heb vanmorgen met directeur Wanli Gao gesproken. Hij vindt het prima dat ik om de dag een uurtje eerder van het veld terugkom om Lian les in de moderne geschiedenis van China te geven.' Meteen daarop wendde hij zich tot Lian: 'Kind, kom je morgen om vijf uur naar mijn slaapzaal?'

Moeder en Lian veegden hun mond af en keken sprakeloos naar Qin: hoorden ze het goed? Waar kwam die draai van honderdtachtig graden in zijn houding ineens vandaan?'

Qin hurkte vlak voor hun neus en zei: 'Eet maar rustig op. Daarna maken we een wandelingetje.'

Alsof moeder en dochter het van tevoren gerepeteerd hadden, stopten ze het maïsbroodje dat ze nog maar voor de helft op hadden in een kom, vlogen naar de waterkraan en wasten de andere kom en de stokjes af. Binnen twee minuten stonden ze bij de deur.

Toen ze buiten waren zei Qin: 'Yunxiang, eergisteren ging ik naar het winkeltje op de campus om wat gehakt varkensvlees te halen. Toen ik in de rij stond, hoorde ik de conversatie tussen je dochter en een van haar klasgenootjes…' Hierna herhaalde hij woord voor woord wat Yue en Lian tegen elkaar hadden gezegd. Lian verwonderde zich over de precisie van zijn verslag. '…toen besefte ik wat een schat van een kind Lian is. Ze heeft de voor een meisje van dertien bijzonder vernederende vraag "Kun je mij besmetten?" op een ingenieuze manier beantwoord. Niet alleen heeft ze dat meisje gerustgesteld, ze heeft er ook voor gezorgd dat ze haar niet in verlegenheid bracht. Haar antwoord was duidelijk, maar lieflijk van toon en haar houding was correct, maar tegelijk zeer sympathiek…'

Moeder bekeek Lian alsof ze een volslagen onbekende was.

Qin vervolgde: 'Je dochter heeft én een hart van goud én

tact. Vriendelijkheid en intellect. Deze twee kwaliteiten redden de wereld en maken een mens onoverwinnelijk.'

Moeder kneep Lian in de handen terwijl ze Qin in de ogen keek.

Hij gaf Moeder een hand en zei: 'Ik ken je niet goed. Als ik mezelf een cijfer moest geven, kreeg ik een viertje. Ik geloof wel dat ik goedaardig ben en dat ik tenminste probéér om rechtvaardig te zijn, maar ik ben te rechttoe rechtaan en daarbij ook nog oliedom. Mensen zoals ik mogen wel veel voor het land willen doen, maar kunnen dat niet. Laten we de jongere generatie leren verstandiger te zijn, opdat zij een mooiere wereld tegemoet gaan dan die waar wij in leven. In mijn laatste levensjaren wil ik nog meemaken dat Lian grote successen boekt op het door haar gekozen pad.'

Lian kwam tussen hen in lopen, greep van beiden een hand en rolde zich op tot een klein balletje. Ze zoefde door de lucht en kirde als een baby die gekieteld wordt.

Zo zie je maar weer, dacht ze, mijn vlekken brengen ellende met zich mee, maar ook zegen.

Geschiedenisles

Meteen de volgende dag liep ze naar de derde rij huizen, waar zich de kamer bevond die professor Qin met achtenveertig andere mannen deelde. Het was pas tien voor vijf – de deur was nog op slot. Precies om vijf uur hoorde ze het bekende gekletter. Huppelend ging ze de bron van het geluid tegemoet. De smeedijzeren schop, die Qin over de aarden weg vol met kiezels groot als eendeneieren sleepte, ketste van de ene steen op de andere en zong in de oren van Lian een liedje:

> *Tjïng-tjang-tja,*
> *het zwoegen van vandaag*
> *zit er godzijdank weer op*

Alleen was het nu een solovoorstelling, want de schare gedetineerden, die normaal gesproken hun ijzeren werktuigen op de terugweg krassend voortsleepten, werkte nog in de rijstvelden. Qin was per slot van rekening een uur eerder thuisgekomen om Lian les te geven.

Met vastgeknoopte wenkbrauwen bladerde de hoogleraar haar schoolboek *Moderne Geschiedenis van China: 1910 tot heden* door. Hij zag eruit als een boeddhistische monnik die per ongeluk een pornoroman in handen had gekregen.

Pang! Hij smeet het leerboek op zijn bed – hun tafel – en zei dreigend: 'Lian, je kunt kiezen: ik lees je de leugens uit dit lesmateriaal voor, of we gooien het op de mesthoop!'

Lian moest zich aan de rand van 'de tafel' vasthouden, zo heftig beefde ze. Ze keek Qin met koeienogen aan. Al wist ze donders goed dat hij niet kwaad op háár was, ze kon het niet helpen dat ze bang was.

Qin had haar verwarring niet in de gaten. Hoeveel mensenkennis kon men nog van hem verwachten na tien jaar eenzame opsluiting? Hij pakte het leerboek op en schudde het zo dat het lilde als een plak tahoe: 'Waar heb je mij als leraar voor nodig? Onthoud de samenvatting van elk hoofdstuk en schrijf die op je toetspapier. Ik garandeer je dat je het examen van de volgende zomer op je sloffen haalt.'

'Ja, waarom leer ik geschiedenis? Dat heb ik me nooit afgevraagd. Moeder zegt dat de geschiedenis een spiegel van het heden is. Misschien kan ik door terug te blikken op het verleden een antwoord vinden op mijn vragen over het huidige regime.'

Qin knikte tevreden en zijn gelaatsspieren ontspanden zich: 'Dan beschouwen wij je lesmateriaal als een noodzakelijk kwaad. Je kunt dat zelf bestuderen en de "belangrijke" stukken uit je hoofd leren. Uitsluitend voor de toets, begrijp je. Ik zal morgen de voornaamste delen met een rode pen markeren. Maar wat ik je ga leren, is de geschiedenis als eerlijk mens en later als verantwoord historicus te aanschouwen. Lijkt dat je wat?'

Lian had het gevoel dat Qin haar niet als een onnozel kind behandelde, maar als gelijkwaardige gesprekspartner. Ze giechelde en was volkomen vergeten dat ze een paar minuten geleden nog had zitten trillen van angst.

'Voordat ik aan de moderne geschiedenis begin, wil ik weten wat je geleerd hebt over de oude geschiedenis, van 345 voor Christus tot 1910.'

Ze stond van haar kruk op, hield haar handen achter haar rug – zoals haar geleerd was te doen als ze vragen van de onderwijzer moest beantwoorden. Naar het plafond kijkend herhaalde ze bijna woordelijk een stuk tekst uit het leerboek van vorig jaar:

> *Het tweeduizend jaar durende feodale systeem van het oude China heeft, miraculeus genoeg, precies de Waarheid aan het licht gebracht die Mao, de Weergaloze Leider, in zijn Rode Boekje op bladzijde 129 heeft vastgelegd: 'De onderdrukte massa duwt de wagen van de geschiedenis voort.' Door haar eeuwige, niet-aflatende en bloedige strijd met de onderdrukkende klasse wierp de massa de ene dynastie na de andere omver en bouwde steeds weer nieuwe op.*

Qins ogen flikkerden – hij was vast en zeker onder de indruk van haar prestatie. Ze keek nog strakker naar het plafond, alsof haar tekst daarop met een diaprojector vertoond werd:

> *Helaas heeft die klassenstrijd niets opgeleverd. Ondanks regelmatige boerenopstanden bleven machthebbers het volk uitbuiten en leefde men in kokende olie en schroeiend vuur. De oorzaak van deze tragedie is dat Mao toen nog niet geboren was.*
>
> *Er kwam een eind aan de donkere dagen van ons vaderland toen Mao, de 'Ster der Redding', in 1893 aan de horizon verscheen. 'Lang leve de Zoon des Drakes!' riepen de bergen en dalen. Ineens kreeg China een gloednieuwe toekomst. Mao heeft het zaad van het Communisme in alle hoeken van ons land gezaaid. Tevens heeft hij de massa eindelijk, na tweeduizend jaar blindelings en vruchteloos te hebben moeten strijden met de uitbuiters, de weg naar het paradijs gewezen. Hiermee is de Moderne Geschiedenis van China, de MGC, begonnen, die eigenlijk in één zin samengevat kan worden: de MGC is de periode waarin Mao, de Grootste Profeet in het Heelal, met telkens opduikende contrarevolutionaire duivels streed om in 1949 de Zalige Staat – de Volksrepubliek China – te stichten.*

Ze haalde heel diep adem, als een popsterretje dat tot haar vreugde constateert dat haar nummer weer een hit is geworden, en ging braaf op haar kruk zitten. Ongeduldig wachtte ze op een pluimpje van Qin, want vorig jaar had ze voor dezelfde prestatie een tien voor de mondelinge toets geschiedenis gekregen.

De hoogleraar bestudeerde haar alsof ze een zeldzaam museumstuk was en zei: 'Meende je wat je daar zei of hou je me voor de gek?!'

Ze schudde haar hoofd, in de hoop dat haar oren dan beter konden horen. Hoezo? Konden grote mensen tegenwoordig kiezen tussen zeggen wat ze denken en liegen voor een bepaald doel? Waarom zou Qin aan de bedoeling van haar woorden twijfelen?

'Eerlijk, meneer Qin, dat is alles wat ik over de oude geschiedenis weet.'

'In dat geval zullen we helemaal opnieuw moeten beginnen. Natuurlijk zal ik de nadruk leggen op de moderne periode, maar ik móet drie à vier lessen wijden aan de oude geschiedenis. Overigens, je had beter kunnen zeggen: "Dat is alles wat mij over de oude geschiedenis is verteld." Er is een groot verschil tussen wat je hebt horen zeggen en wat je weet.'

'Maar horen zeggen is toch de enige manier om iets over geschiedenis te weten te komen? Ik kan toch moeilijk de klok terugdraaien om te zien wat er lang geleden werkelijk heeft plaatsgevonden?'

'Je kunt wel van meer kanten informatie vergaren over dezelfde gebeurtenis en daarna je eigen conclusie trekken. Als je dat doet, kun je pas zeggen: "Dat is alles dat ik wéét over die geschiedenis." Zo is ook de wetenschap ontstaan.'

Nu werd het mysterieus en spannend. Ineens besefte ze dat woorden niet altijd gelijk zijn aan wat ze beschrijven.

'Een voorwaarde voor het goed begrijpen van mijn les is dat je afstand neemt van de propaganda, stopt met dogmatisch denken en zelfstandig leert redeneren. Niet alles wat Mao zegt hoeft een tijdloze waarheid te zijn en bovendien…'

Plotsklaps slikte hij zijn woorden in, want met een *ieouw* ging de deur van de kamer open. Qin staarde bewegingloos voor zich uit – als een braadhaan die net uit de vrieskist was gegraven. Lian keek op Qins horloge: het was pas half zes.

De man die de kamer binnensjokte zei: 'Bewaker Feng heeft mij eerder naar huis laten gaan, omdat ik, kijk…' Hij tilde zijn rechtervoet op, die gezwollen was als een gestoomd brood en paars zag als een varkenslever, 'per ongeluk de schop in mijn voet heb gestoken…'

Qin bleef roerloos voor zich uit staren en verzuimde medeleven te tonen zoals het hoorde. Zijn gespannenheid ontdooide pas toen de gewonde kamergenoot op zijn bed klom en een grapje maakte: 'Achteraf gezien loont het de moeite om af en toe jezelf een beetje te verminken. Het doet wel zeer, maar ik hoef tenminste niet de vernederingen van de bewakers in het rijstveld te ondergaan. Zo langzamerhand begin ik de voorkeur te geven aan lichamelijke pijn. Eskimo's hebben zesendertig woorden voor "sneeuw", zo dadelijk vind ik nog tweeënzeventig woorden voor "kwelling" uit!'

Qin keek Lian strak aan en stukje bij beetje drong het tot haar door wat het was dat hem zo benauwd maakte. Hij vreesde dat de kamergenoot zijn heiligschennende opmerking over Mao gehoord had. En, als dat zo zou zijn, hoe groot was de kans dat hij Qin bij de kampdirectie zou aangeven?

Ze huppelde naar het bed van de gewonde man en zei als een onnozele peuter: 'En, Oom Yu, wat vond u van mijn geschiedenisles? Veel te simpel, hè, voor u als groot mens?'

Yu was lector in psychologie. Hij sloot verveeld zijn ogen en zei: 'Welke les, kind?'

Ze keek Qin aan en knipoogde opgelucht naar hem. Hij lachte, maar direct daarna fronste hij zijn voorhoofd.

Lian wiebelde van de ene voet op de andere, neuriede een liedje dat nergens op sloeg en zei zogenaamd tussen neus en lippen door: 'Hebt u niet gehoord waar meneer Qin het over had, toen u de kamer binnentrad?'

Maar Yu kefte haar af: 'Lian, toch! Laat mij met rust. Die vervloekte voet van mij laat zich nu goed voelen. Auwá! Weet je wat ik tot nu toe heb gehoord? Jouw gekwebbel!'

Ze verborg haar blijdschap en keek Qin voor de tweede keer aan. Haar ingetogen lach reikte Qins glimlach de hand. Ineens verrees er een brug als een regenboog tussen hen in. Naarmate hij haar kant van de brug naderde, werd hij grondiger verlost van zijn ellende en hoe dichter zij zíjn eind van de brug naderde, des te volwassener voelde zij zich. In dit verbond tussen hen was hij haar geestelijke verlichter en zij de bulldozer die zijn angst en zorgen voor hem wegschoof.

Tijdens de tweede les sprak Qin veel zachter. Net als Bao plaatste hij zijn krukje zo dat zijn blik op de deur gericht was. Lian volgde instinctief zijn voorbeeld. Op de momenten dat hij in zijn notitieboek las en de deur niet in de gaten kon houden, nam zij de wacht over; als een stel waakhonden spitsten ze hun oren en signaleerden elke beweging buiten de kamer.

Het offer

Moeder en dochter waren met weekendverlof en zaten heerlijk thuis te lezen. Het was twee uur in de namiddag en de brandende zon transformeerde de wereld buitenshuis in een heteluchtoven.

Tok-tok. Lian stond recht overeind en wisselde een vluchtige blik met Moeder: wie zou dat zijn?

Sinds Moeders verbanning kregen ze nog maar zelden bezoek. Je inlaten met een veroordeelde bourgeois wierp een smet op je naam. Haar kampgenoten hadden weliswaar niets te verliezen, maar ook zij zochten elkaar niet op. *Er bestaan geen muren die geen lucht doorlaten.* Op de een of andere manier zou de kampleiding doorgebriefd krijgen welke gedetineerden elkaar in hun privé-woning hadden ontmoet — dat kon je wel aan je politiek bewuste buren overlaten — en dan begon het gesodemieter. De directie zou de gevangenen verhoren: 'Wat hebben jullie zoal gezegd? Over koetjes en kalfjes gekletst? Dat geloven jullie toch zelf niet! Waarom hebben jullie dat niet in het kamp gedaan, maar stiekem bij jullie thuis?' Men ging uit van een volkswijsheid:

> *Goede dingen kunnen in het openbaar gezegd worden*
> *Slechte dingen houden mensen liever voor zichzelf*

Deze redenering bestempelde het geïmporteerde begrip *privacy* tot een synoniem voor zonde. Daarom meden Moeders kampgenoten, zelfs op hun vrije zondag thuis, honderden kilometers van hun gevangenis verwijderd, het contact met elkaar.

Toen er voor de tiende keer geklopt werd, knikte Moeder naar Lian, die daarop behoedzaam de deur opendeed.

Kim! Ineens stond ze oog in oog met haar liefste vriendin.

Het was alsof de tijd teruggedraaid werd tot ruim een half jaar geleden, toen Kim elke middag bij haar langskwam. Dit moment kwam Lian zo bekend voor dat ze zich verbeeldde dat Kim gekomen was om samen met haar huiswerk te maken.

Snel trok ze Kim naar binnen. Van verbazing en blijdschap was ze glad vergeten hoe ze een gast moest ontvangen. Ze stond in de gang, keek naar Kim, en Kim naar Lian. De een deed een stap naar links en de ander ook. Zo hadden ze, zonder dat ze het in de gaten hadden, minstens vier rondjes gemaakt met de wijzers van de klok mee. Herinneringen aan vroeger stuwden hun emoties op en ze volgden elkaars ogen, op zoek naar de vertrouwde klik waarmee maanden geleden hun harten aaneen waren gesmeed.

Moeder keek naar hen met haar boek in haar handen, te verbaasd over het feit dat er visite was dat ze iets kon bedenken om te zeggen.

Tók-tóktóktók! Een nieuw geluid verbrak de stilte. Het kwam uit de tas die aan Kims rechterarm hing. Lian zag daarin iets heftig bewegen– krachtige stoten werden afgewisseld door protestkreten. Haar ogen begonnen te glimmen: Wittie! Die was ook meegekomen om haar te bezoeken! Het was de huiskip, die de familie van extra inkomsten voorzag met haar eieren, en allerlei herinneringen bij Lian opriep.

Ze aaide de plek waar zich het buikje van Wittie bevond en zei: 'Kim, wat leuk dat je ons onmisbare kameraadje hebt meegenomen. Ik heb jullie allebei zo gemist!' Nu pas begreep ze hoe leeg haar leven was geweest zonder hen.

Lian keek Moeder aan en vroeg met haar ogen of Wittie in huis mocht rondscharrelen. Ze kreeg zwijgend toestemming. De tas waarin Wittie verstopt zat was niet meer dan een lap; Kim had de vier hoeken van de gebloemde stof tot een knotje vastgebonden. Wittie moest er half dubbelgevouwen ingepropt zijn.

Lian begon de knoop los te maken waarmee de tas aan Kims arm vastzat. Tot haar schrik begon Kim heftig met haar arm te schudden, zodat Lians handen ervan afgleden. Met moeite hield ze zich staande en keek Kim vol verbazing aan. Kims lippen stonden strakgespannen en haar ogen waren rood. De tranen rolden over haar wangen. Lian had haar nog nooit zien huilen. Ze wist niet wat ze moest doen.

Kim wendde haar ogen van Lian af en keek naar de muur – ze stonden nu al minutenlang in het halletje van de flat. Al die tijd ging Wittie onvermoeibaar door met haar gekakel. Kim sloeg als een barbaar op de zak en sprak haar eerste woorden sinds haar binnenkomst: 'Kop dicht, druiloor!' Haar tranen plensden nog sneller uit haar ogen en aan haar keel ontsnapte een onderdrukte kreet, snerpend en trillend.

'Wat… wat is er?' vroeg Lian en huilde mee, ook al wist ze niet waarom.

'Ik heb… ik heb gehoord dat je ziek bent. Vi-wat-ligo heb je gekregen. In het begin durfde ik je niet op te zoeken… want ik ben onze afspraak niet nagekomen… ik heb niet meegedaan aan de Herfstspelen… Later kwam ik erachter wat die ligo voor kwaal is. Ik kon niet geloven dat jij dezelfde vlekken zou hebben als het Witte Spook… Ik bedoel Jiangying… Toen heb ik besloten om toch maar te komen… Maar ik had nooit gedacht dat de vlekken zelfs… op je armen en handen gekropen waren. Het Witte Spook, hè!' Ze sloeg zichzelf op de wangen en ging gehaast verder: 'Wat een achterlijk varken ben ik! Ik heb zeker stront in mijn kop in plaats van hersenen. Wat ik zeggen wou, Jiangying heeft al vanaf haar tweede jaar witte vlekken, maar jij hebt ze pas sinds een paar maanden… Alleen Boeddha weet waarom die verdomde rotzooi zich zo snel verspreidt!'

Natuurlijk, Lian was vergeten dat ze er niet meer uitzag zoals vroeger, zoals Kim zich haar herinnerde. Wanneer ze in alle rust naar haar vlekken keek, besefte ze wel dat ze veranderd was. Maar als ze ergens mee bezig was, voelde ze zich nog altijd dezelfde Lian als vroeger, zonder ziekte of zorgen… Kim verdriet doen was wel het laatste in de hele wereld wat ze wilde. Ze was gewend om Kim te helpen en haar hoop te geven, maar nu huilde Kim om Lian.

Ze verborg haar armen achter haar rug en forceerde een glimlach op haar gezicht: 'Kom op, Kim, zo erg zijn die vlekken nu ook weer niet.' Ze kreeg een brok in haar keel en dwong zichzelf om niet treurig te kijken.

Kim draaide haar gezicht naar Lian, en gedurende een lange minuut bestudeerde ze Lian terwijl ze haar snikken zo goed en zo kwaad als ze kon intoomde, waardoor ze alleen nog maar meer moest huilen. Ze gooide de zak met Wittie erin op de grond, greep Lians handen en rukte haar naar zich toe. Ze omhelsde haar vriendin.

'Li-áán!'

Nu begon ook Lian te snikken. Moeder liep naar hen toe, streelde de twee met elkaar verstrengelde vriendinnen en probeerde ze te troosten: 'Kinderen, zo is het leven nu eenmaal. Wanneer jullie groter zijn, zullen jullie weten dat men met veel narigheid moet leren leven.'

Kim worstelde zich uit de omhelzing los en riep: 'Het is niet eerlijk! Negen maanden geleden was Lian nog… het mooiste meisje dat ik ooit gezien had, en nu zit ze onder de vlekken en, en, is ze net zo mager en uitgedroogd als... als ik...!' Ze hurkte neer en maakte in één tel de knoop van de tas los. Ze pakte Wittie bij de vleugels: 'Hier, voor jou. In het werkkamp heb je vast alleen maar gepekelde groente en maïsmeelbroodjes gegeten. Vertel mij wat over het voer in de gevangenis! Erwazi, de tweede zoon van mijn buurvrouw, zat daar ook twee jaar vast. Waarschijnlijk zie je er daarom zo ongezond uit. Mevrouw Yang, ik maak een grote pot kippensoep voor Lian klaar. Dat zal haar goed doen...'

Wátte?! Had ze Wittie niet meegenomen voor de gezelligheid? Maar om... om op te eten...? Lian sloeg met haar handen op haar heupen en stampvoette. Haar tranen droogden ogenblikkelijk.

'Dat is moord! Wittie is net zo nuttig als een vlijtige huisvrouw. Waar halen jullie anders het geld vandaan om zout, zeep, lucifers en schriften te kopen? Hoe haal je het in je hoofd om haar op de snijplank te leggen!!'

Kim beet op haar lip en schreeuwde zo hard dat de hanglamp in de gang meetrilde: 'Waar maak je je druk om? Kijk naar dat uitgedroogde, magere streepje vlees van jou! Noem je dat een gezicht? Als je niet beter eet, zak je straks nog in elkaar en zullen de vlekken je helemaal bedekken!' Ze vloog naar de keuken, pakte in een ommezwaai een hakmes van de muur en... *Katche!* Lian hoorde een hoop kabaal, met als sluitstuk een *dóng!*

Lian trilde over haar hele lijf. Ze durfde niet naar de keuken te gaan. Moeder was Kim snel achternagerend en ook Lian overwon ten slotte haar verlammende angst. In de keuken zag ze wat ze al gevreesd had: het kopje van Wittie was met één slag afgehakt en in de tinnen wasbak getuimeld.

Kim hield het kippenlijkje ondersteboven, zodat Witties bloed vanuit de nek in een grote rijstkom druppelde. Robijnrode parels rolden van de hals van het arme beestje in het etensbakje.

Lian leunde tegen de muur en kneep haar ogen dicht. Maar haar oren kon ze niet sluiten. Die registreerden haarfijn hoe elke bloedparel in de kom in duizend stukjes brak.

Na wat haar een eeuwigheid toescheen, hoorde ze Kim een keukenkastje openen – ze kende Lians huis op haar duimpje.

Kim deed een beetje zout in de kom, opdat het bloed sneller zou stollen. Ze zei: 'Mevrouw Yang, hiermee kunt u de specialiteit Gebakken Wijnrode Dobbelstenen bereiden.'

Woede en verrukking vochten in Lians borst om de heerschappij. Ze was furieus dat Kim de trouwe, gulle financier en beminde 'vriendin' van haar familie zonder pardon had vermoord. Hoe had ze zoiets kunnen doen, na alles wat ze Kim en haar dierbaren had geschonken? Maar op een vreemde manier versterkte de razernij Lians ontroering. Ze besefte dat Kim Wittie voor haar had opgeofferd.

Zonder een woord te zeggen overhandigde Moeder Kim een stuk zeep, waarmee ze haar met bloed besmeurde handen reinigde.

Terwijl Kim haar vingers en nagels als een chirurg een voor een nauwgezet stond te wassen, doorstak een dunne, maar genadeloze naald Lians hart. De koelbloedigheid waarmee Kim Wittie om het leven had gebracht deed haar huiveren. Ineens realiseerde ze zich dat Kim net zo rustig en kalm een mens zou kunnen doden... Ze kneep in haar dijen en dwong zich om niet zo dwaas te denken. Hoe kon ze een kip met een mens vergelijken?

Nadat Kim haar handen had afgedroogd, zocht ze in haar broekzak en haalde er iets uit dat op een stuk hout leek: 'Dit is de wortel van de *hesong*-boom, die niet in onze streek groeit. Mama en ik hebben hem op de Qingchengberg gevonden. Volgens de overgrootmoeder van mijn vaderskant is het sap van deze wortel bloedzuiverend en geneest het blauwe en witte vlekken.'

'Maar Kim, dat is in de provincie Sichuan, meer dan duizend kilometer hiervandaan. Hoe zijn jullie daarnaar toe gegaan?'

'Ik heb zo mijn eigen manier.' Haar ogen flikkerden ondeugend – een teken dat ze heimelijk van haar trucjes genoot, waarvan vele niet bepaald met de wet strookten.

'Heb je weer zwartgereden?'

'Nee. Wij hebben keurig treinkaartjes gekocht.'

'Ik geloof je niet.'

'Waarom vraag je het dan?' Ze grijnsde en vertelde verder: 'Bij het stadje Tongxian, waar de treinen water en steenkool bijvullen, zijn we stiekem op de trein geklommen... O ja, voordat ik het vergeet, mevrouw Yang, de wortel moet in tien stukjes gehakt worden, dan heb je genoeg voor tien weken. Kook iedere week één stuk wortel in een pot water en laat Lian het aftreksel twee keer per dag drinken. Lian, ik garandeer je, nog voordat alle stukjes op zijn, zullen de vlekken spoorloos zijn verdwenen.'

Moeder en dochter lachten breeduit; ze twijfelden geen ogenblik aan de magische kracht van het recept dat van generatie op generatie was overgedragen.

Lian verbrak de stilte: 'Kom mee naar mijn kamer. Wij hebben veel om bij te kletsen.'

Kim deed een stap naar achteren. 'Ik kan niet. Anders moet mijn moeder te lang op mij wachten.'

'Wat bedoel je?'

'Mijn moeder heeft mij hiernaar toe gebracht, omdat ik vreesde dat de portier mij niet binnen zou laten. Een oude grijze vrouw, ook al is zij van de derde kaste, kon hij moeilijk wegsturen, nietwaar? Ze staat nu voor de ingang. Ik wou eigenlijk alleen maar de kip en de medicijn bij jullie afgeven en direct weer teruggaan…'

Moeder rende de flat uit, en twee minuten later werd Kims moeder met veel geduw en getrek het huis binnengewerkt. Toch gaf ze haar protesten niet op: 'Boeddha, doe Uw ogen eens open. Ziet U hoe ongepast en onbeschoft het is dat ik, straatarme, nederige worm van de laagste kaste, bedekt met aardkruimels in het paleis van een dokter en een lector mijn modderige voeten zet. Lieve, lieve Boeddha, vergeeft U mij mijn dikhuidigheid…'

Lian snelde op haar af: 'Mevrouw de moeder van Kim, waar haalt u de verlegenheid vandaan? Uw dochter is mijn beste vriendin. Natuurlijk bent u welkom bij ons.'

Kims moeder streek met haar vingers haar rommelige en halfwitte haar glad: 'Nee, dat is anders. Kinderen van lagere afkomst mogen af en toe hun plaats vergeten en omgaan met rijkeluiskinderen. Maar grote mensen moeten zich gedragen naar de regels van hun kaste. Anders is er geen orde meer in de maatschappij.'

Lians moeder moest lachen: 'Weet u, mevrouw…'

Kims moeder viel haar in de rede: 'O, die rug van mij, scharminkel van een armoedzaaier, is te zwak om deze eer te dragen.'

Moeder deed een stap achteruit en vroeg verbaasd: 'Wat voor eer?'

'Weet u dat niet? De eer om door u, weledelgeleerde lector, "mevrouw" genoemd te worden!'

Lians moeder schudde haar hoofd: 'Hoe komt u daarbij? Ik voel me juist vereerd dat u en uw dochter bij ons... politieke gevangenen langskomen.'

Kims moeder keek naar het plafond. 'Oude Wijze Hemel, alleen U kunt met Uw heldere ogen inzien wat een stront-onzin het is om deze zo onmisbare intellectuelen in een strafkamp op te sluiten. Wat wil de keizer, eh pardon, de Partijvoorzitter, eigenlijk? Dat iedereen zo dom is als het achtereind van een varken en een analfabeet wordt als Kim d'r vader en ik? Wij zijn verdoemd, juist omdát wij niet geschoold zijn. Mevrouw Yang, geloof mij maar, deze zogenaamde, eh... Culturele Revolutie is net als de staart van een konijn – *die zal niet lang zijn, en ook niet lang duren.*' Hierna tilde ze met haar leerachtige handen Lians armen omhoog en zei: 'Juffrouwtje, deze vlekken heb je niet verdiend. Neem het afkooksel van de wortel elke dag in. Je zult zien dat de vlekken met de staart tussen de benen afdruipen!'

Kim begon opnieuw te snikken. Deze keer bleven Lians ogen droog– ze had er genoeg van. Ze wilde niet dat Kim en haar moeder zich alsmaar zorgen maakten om haar; dit was de omgekeerde wereld! Ze rende naar de zitkamer, opende de snoeplade en vulde een grote tas met toffees en chocolade. Haar moeder ging naar haar slaapkamer en haalde een kartonnen doos met walnoten en kastanjes van onder het bed te voorschijn. Tassen vol lekkernij stalden ze voor Kim en haar moeder uit.

'Wij mogen niets aannemen! Anders werkt de medicijn niet.'

Moeder en Lian werden meteen stil. Ze hadden gelijk – het was nu eenmaal de gewoonte nooit dankbaarheid te tonen voordat de ziekte genezen was; anders leek het net alsof het geneesmiddel alleen maar om materieel gewin voorgeschreven was. Gedwee borgen ze het snoepgoed op. Op het kritieke moment waarop beslist zou worden of haar dochters vlekken zouden verdwijnen, boog Moeder alsnog haar hoofd voor deze bijgelovige traditie. Dit ondanks het feit dat ze een wetenschappelijk onderzoekster was die haar studenten leerde om rationeel te denken en wier man nota bene doctor in de moderne geneeskunde was.

Kim ging naar haar moeder en verontschuldigde zich: 'Sorry, Mama, dat ik u zo lang buiten heb laten wachten. Ik heb veel tijd verdaan toen ik ze probeerde te overtuigen Wittie op te eten.'

Lians moeder zei: 'Ik wou het net zeggen, Kim, hoe heb je het hart buiten ons medeweten je moeder zo lang in de zon te laten bakken?'

Kims moeder kwam haar dochter te hulp: 'Het is niet erg hoor, kind. De taaie, versleten huid van je moeder kan wel tegen een stootje. We gaan naar huis. Je vader is het dak aan het repareren, hij kan onze hulp best gebruiken. Mevrouw Yang, geef een gil als de wortel op is. Maar ik weet zeker dat de vlekken dan al verdwenen zijn.'

Lian bracht hen naar de poort van haar wijk en keek hen na totdat ze twee kleine puntjes waren in de groene verte.

Vliegensvlug keerde Lian terug naar huis. Ze liep naar de spiegel in Moeders klerenkast – de enige die ze nog niet 'per ongeluk' aan diggelen had geslagen – en wierp een vernietigende blik op de Lian die haar vanuit het spiegelglas aankeek. Haar broodmagere gezicht was donkergroen en haar lippen waren blauw aangelopen. De jukbeenderen stonden als twee spitse bergjes overeind en haar huid was gekreukeld als perkament.

Zonder een geluid te maken was Moeder achter haar komen staan. Ze zei: 'Kim heeft gelijk. Het eten in de kampkantine is niets voor een opgroeiende puber als jij. Ik beloof je dat ik er iets aan ga doen.'

Lian haalde haar schouders op: 'Mama, waar heeft u het over? Ik ben dolgelukkig in het kamp. Het voedsel stoort mij niet hoor, absoluut niet! Misschien is het tijd om eens wat magerder te worden. Kijk, opa is dun, oma is dun en u bent ook vel over been. Het zit gewoon in de familie.'

Kinderarbeid

Het verlofweekend was weer voorbij. Lian begon al gewend te raken aan haar nieuwe omgeving. Maar Moeder bleef zich zorgen maken over Lians gezondheid. Ze voerde duidelijk iets in haar schild.

Tijdens de lunch nam Moeder Lian mee naar de hurkplek

van professor Qin. Ze zei tegen hem: '*Hoe minder tanden, hoe meer wijsheid.* Daarom ben ik naar ú gekomen voor advies. Kijk eens naar de armpjes en beentjes van mijn dochter: ze lijkt wel een meisje van negen. Ik ben bang dat ze nooit groter zal worden...'

Qin legde zijn maïsbroodje terug in het kommetje, stopte met kauwen en luisterde aandachtig.

Moeder ging verder: 'Ik heb geen dokter nodig voor een diagnose. Het kind is duidelijk ondervoed... Hoe kan ik haar vader onder ogen komen met zijn dochter, als ik haar zo slecht verzorg!'

Qin wachtte geduldig tot Moeders litanie voorbij was. Hij wist dat Moeder verstandig genoeg was om in te zien dat het gezondheidsprobleem van haar kind niet háár schuld was.

'Meneer Qin, eerlijk is eerlijk. Ik ben hier de gevangene, niet mijn dochter. Als het de taak van de directie is om mij kort te houden en uit te hongeren, dan accepteer ik dat. Maar Lian verdient zoiets niet. Is het te veel gevraagd om haar iets beter voedsel te geven?'

'Het antwoord is: ja. De directeur heeft het sowieso al moeilijk met jouw geval. Ik heb gehoord dat sommige gedetineerden bij hem zijn gaan klagen over de "elitaire" privé-lessen van Lian. De kampleiding heeft de beschuldiging van de hand gewezen en gezegd dat juist de jonge generatie tot goede revolutionairen opgeleid dient te worden. Als je nu op de proppen komt met een nieuw verzoek, vrees ik dat je *met een platgedrukte neus terugkomt*.'

Moeder hield Lian nog wat steviger vast, alsof ze daardoor nog dunner zou worden, om ten slotte als een zuchtje wind op te stijgen.

Qin nam zijn kom van de vloer en zei: 'Maar ik heb een idee. Vanmorgen heeft de hoofdbewaker ons gevraagd wie van de zeventigplussers in de korenmolen wilden werken. Nu je het over Lians voeding hebt, denk ik dat ik dat baantje maar aanneem. Wat vind je ervan?'

Zijn bedoeling was duidelijk. Hij wilde dat Lian bij de directeur zou solliciteren om samen met Qin graan te mogen malen. Lian dacht meteen aan het extra nachtmaal dat het personeel van het molenhuis ontving. Dat bestond niet uit het gewone gevangenisvoer, maar uit de delicatessen die bestemd waren voor de Partijfunctionarissen. Ze dartelde om Qin en Moeder heen en juichte: 'Hoera, binnenkort eet ik als een keizer! Vlees, échte groenten, geen gepekelde, pas op, en witte rijst!'

Ze brak haar zin af en slikte haar speeksel door, voordat ze erin stikte. *Auwa!* Haar linkerarm deed afschuwelijk zeer – ze werd linea recta van de wolk van euforie op de ontnuchterende grond gesmeten. Ze keek naar haar arm. Een stervormige blauwe plek werd zichtbaar. Moeder had Lian *geningd.*

Altijd als Moeder kwaad op haar was, klemde ze een stukje van Lians huid tussen duim en wijsvinger. Dan draaide ze het velletje net zo lang tot Lian verging van de pijn en opsprong als een druppel water in een gloeiendhete frituurpan.

Tranen verblindden haar. Maar ze had het kunnen weten. Het intense verdriet zou steevast het sublieme geluk de kop af-hakken. In de dertien jaar dat ze leefde had ze niets anders ge-daan dan elke keer weer boeten voor de blijdschap die als een meteoor haar gitzwarte wereld verlichtte. Het stomme was dat zodra ze een glimp opving van het geluk, ze de angst voor de afstraffing vergat...

'*Chihuo!* De enige hersenen die je hebt, zitten in je maag!' Moeder sloeg Lian in het rond en snauwde verder: 'Je denkt alleen maar aan de voordeeltjes van het werk in het molenhuis. Besef je wel hoe hard je voor dat beetje verse groenten, die paar reepjes vlees en zo'n kommetje witte rijst moet ploeteren?! Tien uur per dag, non-stop! De elektrische korenmolen kent geen vermoeidheid. Bovendien, de atmosfeer daar is verstik-kend: een gordijn van meel. Straks heb je dan wel je honger ge-stild, maar lijken je longen op een stel plakken gepaneerde kipfilet!'

Qin kon Moeder geen ongelijk geven en schudde machte-loos zijn hoofd.

Lian moest met beide handen haar hoofd beschermen tegen de stortregen van Moeders slagen. Ze durfde niet naar harte-lust te huilen – ze was bang dat Moeder haar dan nog harder zou slaan...

Gek, Lian had al een hele minuut geen klappen meer te incas-seren gekregen. Verbaasd keek ze op. Moeders ogen waren rood. Ineens drong het tot haar door waardoor Moeders bloed-dorstige bui overgewaaid was: ze keek naar Lians armen. Het leken wel uitgedroogde bamboestokjes. En haar knieën staken als reuzenknobbels uit haar magere benen.

'Meneer Qin, als mijn dochter niet zo ernstig ondervoed was, zou ik het echt niet over mijn hart kunnen verkrijgen haar in die sterk vervuilde omgeving tien uur per dag te laten zwoegen. Maar ja, het voedzame eten voor het personeel van het molenhuis is voor Lian eigenlijk onontbeerlijk. Ik vraag vanmiddag een onderhoud met de directeur aan…'

Qin stelde haar gerust: 'Yunxiang, maak je geen zorgen. Ik zal mijn best doen om Lian te ontzien. Laat haar wel op tijd komen, om één uur precies, zodat iedereen ziet dat ze inderdaad werkt en haar nachtmaaltje verdient. Zodra het rustiger rond het molenhuis wordt, zeg maar tegen vijven, stuur ik haar naar huis. 's Avonds om tien uur mag ze weer komen, dan is ze mooi op tijd voor het eten van elf uur.'

Lian dacht aan de eindeloos brommende molen en kreeg ineens een idee. 'Dan kan meneer Qin mij tijdens het werk geschiedenisles geven. Zo…' fluisterde ze, eerst in de oren van Moeder en daarna in die van de professor, 'kan niemand horen wat voor contrarevolutionaire ideeën meneer Qin mij vertelt.'

Hij legde zijn wijsvinger tegen Lians voorhoofd: 'Dat ondeugende en slimme karakter van jou is nog niet van de honger omgekomen!' Uit zijn zonnige glimlach maakte Lian op dat hij het met haar eens was.

Later vertelde Moeder Lian dat de directeur haar aanvraag had ingewilligd.

Die avond kon Lian de slaap niet vatten.

Loon naar werken

Klokslag één uur betrad Lian het molenhuis. Haar hart bonsde – niet alleen van de zenuwen omdat het haar eerste dag in het molenhuis was, maar ook omdat het hele gebouw heen en weer, op en neer, van links naar rechts geschud werd, als een schip op de woedende zee, door de gigantische elektrische machine, die brulde als een razende. Qin was er al. Hij stopte haar een muts en een overall in handen. De uitrusting was van dezelfde stof gemaakt als de zakken voor het tarwemeel. Ze keek eerst naar Qin en daarna naar zichzelf: ze waren net twee wandelende meelzakken.

De molen, het pronkstuk van het strafkamp, bestond uit drie delen; het eerste was een vat, dat het formaat en de vorm had van de laadbak van een zandauto. In het vat borrelde de geel-bruine ongepelde tarwe, als een vulkaan die op uitbarsten stond. Het tweede deel was een dikke, oogverblindende aluminium pijp, die zich door het molenhuis kronkelde en uitkwam op een kamergrote machine – deel drie. Deze stond in verbinding met een volgende pijp, waarvan de diameter leek op die van een wasbak. Hieraan werd een meelzak vastgebonden van tachtig bij veertig centimeter. De zak werd als een ballon opgeblazen door de lucht die uit de pijp stroomde. Daar de ballon dicht bij een raam hing, dat door het zonlicht beschenen werd, kon Lian er dwars doorheen kijken. Ze merkte dat er niet alleen maar lucht in zat, maar ook meel, dat zich met de seconde vermenigvuldigde…

'Schiet op!' schreeuwde Qin haar toe en wierp haar een lege zak in de handen, 'Houd één kant goed vast.'

Ze rende naar hem toe en wilde doen wat hij haar opgedragen had. Tevergeefs, want de zak reikte tot haar hals – met geen mogelijkheid was ze in staat de zak tegen de ballon aan te drukken. Qin vloog naar een hoek en pakte een kruk waar ze op kon staan. Ditmaal lukte het hun de lege zak op dezelfde hoogte te houden.

Intussen was de ballon tot barstens toe gevuld met versgemalen meel. Qin maakte de knoop aan de onderkant los. *Hroeff!* In een golf van lawaai en meel donderde de witte massa de lege zak in, die ze precies onder de opening hielden. Het regende meelstofjes. Lian werd erdoor verblind en het benam haar de adem.

Qin trok een stukje touw uit een doos op de vensterbank en snoerde er de zak mee toe. '*Woejou!*' schreeuwde hij, als een reus die op het punt stond een berg te versjouwen, tilde de vracht op en sleepte die naar een andere hoek van de werkplaats. Lieve Boeddha, daar torenden honderden meelzakken, keurig op elkaar gestapeld, als enorme bakstenen.

'Vlug!' schreeuwde Qin in haar oren. 'De zak aan de pijp is alweer half vol. We moeten klaarstaan met de volgende lege zak.'

Geschrokken van het geschreeuw pakte ze een nieuwe zak op. Naast de furieus brommende molen was deze manier van spreken een noodzakelijk kwaad. Als een stel kogels schoten Qin en Lian van de ballon, die, vervloekt de zoon van een ongehuwde moeder, alsmaar sneller volliep, naar de opslagplaats.

Al snel waren ze geheel buiten adem en dropen van het zweet.

Het was pas half twee. Moest ze dit dag in dag uit doen? Dat hield ze nooit vol! Maar ze had nauwelijks tijd om daar aandacht aan te besteden, want de snel groeiende zak aan de pijp hield haar geest en lichaam flink bezig.

Na drie uur keihard sjouwen en rennen was ze er al helemaal aan gewend. De ballon leek zich langzamer te vullen, waardoor de pauzes tussen het vullen van de lege zak, het wegvoeren en wachten tot de ballon weer geleegd diende te worden gelukkig steeds langer leken. Ze keek naar Qin, die als de verschrikkelijke sneeuwman tegenover haar stond en de zak onder de pijp nauwlettend in de gaten hield. Met haar mond tegen zijn oor gedrukt schreeuwde ze: 'Bent u niet moe?'

Hij krabde zijn oren alsof hij haar woorden eruit wilde trekken, en zei: 'Kind, gil niet zo. Ik kan je heus wel verstaan.'

Ze hield haar hoofd schuin en luisterde naar het lawaai op de werkplaats. Gek, het leek ineens veel minder geworden, en met wat oefening kon ze door middel van liplezen Qins woorden op de normale manier horen en begrijpen. Ze vroeg hem nogmaals: 'Bent u niet moe?'

'Moe?' lachte Qin, 'Vergeleken met het ploeteren in het veld is dit een luizenbaantje.' Hoe moeilijk het ook was om hem te geloven – bestond er zwaardere arbeid? – ze nam zijn woorden graag aan. Qin zag er werkelijk gelukkig uit. Hij stond er ontspannen bij, zijn ogen vrolijk glanzend en zijn hoofd ritmisch heen en weer bewegend. Hij zong een liedje en keek onderwijl uit het raam. 'Zie je wel, wat zei ik je? Na vijf uur 's middags lopen er geen mensen meer in de buurt van ons molenhuis. Hupsakee, Lian, naar huis! Maak je huiswerk af en bereid je voor op de lessen van morgen.'

'Ik heb het vanochtend al afgemaakt. Ik laat u toch zeker niet in uw eentje dit zware werk doen?'

'Dit ís bedoeld voor één persoon! Bij dit karwei heb ik eigenlijk niemand nodig. Je bent hier alleen maar om bij de buitenwereld de indruk te wekken dat je niet voor niets je nachtmaal krijgt.'

Het was niet leuk om te horen dat ze niet onmisbaar was. Maar Qin verloor zijn geduld: 'Ga weg! Over minder dan een uur is het etenstijd. Dan komen de mensen die van het veld naar de kantine gaan hier voorbij. Als je dan pas de molen verlaat, ziet iedereen dat je niet voor de volle honderd procent werkt.'

Met tegenzin nam ze afscheid: 'Tot vanavond, meneer Qin. Tien uur.'

Toen het tijd was om weer aan het werk te gaan, gaf Moeder haar een zaklantaarn en zei: 'Let op de plassen op de weg – die kunnen dieper zijn dan je denkt, en ik wil niet dat je je enkels breekt.'

's Avonds in je eentje naar buiten gaan was in het kamp iets heel anders dan in de stad. Hier schuilde het enige gevaar voor de nachtelijke wandelaar in de verraderlijke kuilen op het pad, die door de regen waren volgelopen en daardoor onzichtbaar waren geworden. Lian volgde de gele lichtbundel van de zaklantaarn en ging de frisse omhelzing van de zomernacht tegemoet. De nachtgordijnen waren doorzichtig maar donker, als een hemelsbrede lap zwarte kant. Sterren gluurden fonkelend door het kant en spraken zwijgend van het paradijselijk verhaal daarboven. De lampen van de slaapzalen waren inmiddels gedoofd, en daarmee ook de geluiden. Overal was het muisstil, op het getjirp van de krekels en het gekwaak van de kikkers na, die op de grassprieten en waterlelies bij het meer achter het kamp over de vervlogen lange hete zomerdag zaten na te kletsen.

De molen werkte onvermoeibaar door.

Qin glimlachte toen Lian op de werkplaats verscheen. Hij zag er niet meer zo fris uit als die middag – hij had nagenoeg geen pauze gehad. Lian stond erop dat zíj de meelzak naar de opslagruimte sleepte, hetgeen hij ditmaal zonder tegenstribbelen aanvaardde.

Om elf uur deed hij eindelijk de machines uit. Ineens waande Lian zich in een geluidsvacuüm. Nog nooit had ze de stilte zo innig liefgehad als nu. Ze nam haar zak met kommen en stokjes en huppelde naast Qin naar de VIP-kamer van de kantine. Het was vijf minuten lopen. Onderweg wisselden ze geen woord, maar ze wist dat híj wist dat ze op dit moment de gelukkigste mensen op aarde waren.

Er brandde fel licht in de kamer waarin het speciale eten werd klaargemaakt voor de kampdirectie – die zogenaamd tot laat in de avond vergaderde – de nachtwakers en het personeel van het molenhuis. De wok waaruit de kok het gerecht opschepte was buitengewoon klein, zo klein als een wasbak, terwijl de wok die overdag gebruikt werd groter was dan een ligbad. De kleine wok werd geassocieerd met lekker eten, en niet geheel ten onrechte.

Lian hield haar kom tegen de rand van de wok en wachtte met bonzend hart op de keizerlijke delicatesse. Ze sloot haar ogen als een kind dat op zijn verjaarscadeautje wacht om het vervolgens vol verlangen te openen: gebakken lente-uitjes met repen knapperig gebakken varkensvlees! Zoiets had ze in maanden niet gegeten – van blijdschap verloor ze bijna haar verstand.

Ze wist niet wat haar bezielde, maar ze was niet van de wok weg te slaan en hield haar kom opnieuw voor, in de hoop dat de kok er nog een schepje in zou doen. Haar ogen moesten er wel zeer gulzig hebben uitgezien, want de kok barstte in een schaterlach uit en zei tegen de kokkin naast hem: 'Dit kleine ding hier weet van wanten, hoor! Kijk, ze wil nog een portie,' en verwezenlijkte daarop Lians verlangen. Ze kreeg een rood hoofd van schaamte over haar gulzigheid, maar het verlokkelijk geurende gerecht en de dampende, spierwitte rijst deden haar snel alles vergeten. Ze rende naar een hoek van de keuken, hurkte neer en verslond haar eten.

Qin kwam naar haar toe en zei: 'Lian, deze kamer is anders dan de kantine. Zie je niet dat de tafels en stoelen stuk voor stuk onbezet zijn? Kom, wij gaan heerlijk zittend eten.'

Ze maakte van haar rug een grote boog en uitte een dreigend keelgeluid, als een zwerfhond die in de vuilnisbak een botje gevonden heeft dat hij met alle geweld wil verdedigen tegen de grijpgrage kaken van zijn hongerige soortgenoten, en bleef de lente-uitjes met vlees in haar mond proppen. Het voedsel puilde uit haar mond – het was zo erg dat zelfs haar ogen bijna uit hun kassen verdrongen werden. Qins ogen werden vochtig en hij hurkte naast haar neer. Hij bezag haar ongemanierde geschrans en schoof zelf alleen rijst tussen zijn lippen. Hij kneep met de stokjes alle vleesstrookjes uit zijn kom en legde die op Lians rijst.

Verbaasd stond ze op, terwijl Qin zei: 'Blijf zitten en ga door met eten. Oom Qin is oud. *De ogen van een oud paard zijn groter dan zijn maagbuidel.* Het vlees dat ik naar binnen werk wordt toch niet meer goed verteerd. Waarom zou ik het jou niet geven, mijn kind? Jij moet nog groeien.'

Met trillende stokjes stopte Lian de reepjes vlees in haar mond. Qins ogen glinsterden van ontroering. Lian voelde zich vertroeteld en getroost.

Na het diner bracht Qin Lian naar haar slaapzaal. Zachtjes sloop ze naar haar bed en lag wakker van geluk. Eerst dacht ze aan Kim, die halsbrekende toeren had uitgehaald om stiekem op de trein te klimmen en de medicinale wortelen op de bergtoppen te zoeken, en die haar kameraad Wittie gedood had om Lian te redden. Ook het gezicht van Kims moeder zweefde haar voor ogen. Hierna dacht ze aan Qin. Hij onderwees en beschermde haar en stond zijn eigen voedsel aan haar af. Ze wist zich geborgen en veilig. Haar zenuwen, die vanaf het vertrek van Vader continu gespannen waren geweest, kwamen draadje voor draadje los.

Het lelietheater

Zoals Qin en Lian gehoopt en gepland hadden, werd de geschiedenisles tijdens het werk in de molen voortgezet, in de pauze die ze vonden tussen het opslaan van de gevulde zak en het moment dat de ballon aan de pijp weer vol raakte. Qin hoefde niet bang meer te zijn dat iemand zijn contrarevolutionaire uitlatingen zou horen, daar de grommende machine de beste camouflagemuziek speelde. Hij kon vrijuit zijn eigen visie op het verleden van het oeroude China ten beste geven. Hij sprak op zo'n heldere en intrigerende toon dat Lian de lessen voor de eerste maal niet als verplichting, maar als plezier ervoer. Aandachtig luisterde ze naar zijn lezing en ze leefde intens mee met de ups en downs van haar vaderland, net zoals ze op driejarige leeftijd van de verhaaltjes van haar kindermeisje had genoten, juichend wanneer de goede fee het gewonde hert genas en terugbracht naar zijn moeder, treurend wanneer de boze heks het prinsesje in een uil omtoverde. Wat haar betreft kon Qin urenlang doorgaan – ze werd het nooit moe.

Lian was apetrots op haar nieuwverworven kennis en ze wilde niets liever dan die op anderen overdragen. Maar... op wie? De volwassenen om haar heen waren allemaal gevangengenomen 'menselijk onkruid', die overdag dwangarbeid verrichtten en 's avonds te uitgeput waren om iets anders te kunnen doen dan doezelen; kinderen waren er verder niet in het kamp. Toch wilde ze communiceren – desnoods met de muur.

Op de ochtend van haar derde werkdag, nadat ze een uur later dan haar zaalgenoten was opgestaan en had ontbeten, ging ze naar het meertje achter de barakken. Ze zat op het gras, wierp een plat steentje op het meer en verbeeldde zich dat het geluid – *ting-tong-tong* – dat de steen veroorzaakte een hartelijke begroeting was van de plas. Aan de planten en aan de kikkers die van de ene op de andere waterlelie sprongen, vertelde ze wat ze geleerd had.

Telkens als ze naar het roerloze wateroppervlak keek, meende ze het gerimpelde gezicht van Qin erin weerspiegeld te zien. Hij luisterde aandachtig, en met liefdevolle welwillendheid verdroeg hij haar gewaagde en vaak dwaze opmerkingen en haar kinderlijke interpretaties van allerlei historische gebeurtenissen. Zijn geduld, zijn begrip en zijn totale aanvaarding van Lians naïviteit deden een verschuiving in haar hart plaatsvinden…

De volgende ochtend trok ze weer naar het meer. Ze had de plek inmiddels tot 'lelietheater' omgedoopt, een naam die haar fantasie prikkelde en haar idee dat de kikkers en krekels naar haar luisterden, versterkte. Hier besprak ze de dingen die Qin haar geleerd had. Ze hield haar handen achter haar rug en liep opzettelijk traag en voorovergebogen, zoals het een eerbiedwaardige leermeester betaamt. Met duim en wijsvinger van haar rechterhand wreef ze over de brug van haar neus en deed alsof ze haar bril, het symbool van geleerdheid, omhoogschoof.

Ze vroeg de natuur om zich heen: 'Weten jullie, toeschouwers van het lelietheater, iets van de glorie van het Chinese keizerrijk? Nee? Oké, luister dan goed naar mij,' en ze stak een vinger in de lucht, als een echte lerares.

De krekels trokken zich niets van haar georeer aan en tjirpten alsof hun miljoenen jaren de mond gesnoerd was geweest. De kikkers bliezen hun elastische buik op, kwaakten gewoon door en negeerden openlijk het 'Ssst…!' van Lian. Het bluste haar enthousiasme allerminst.

'Heel, heel lang geleden, toen de Europeanen nog in de bomen klauterden, stond het Chinese Keizerrijk al in volle bloei. En wat voor een keizerrijk! Maar liefst tweehonderddertig keer zo groot als Nederland bij voorbeeld, een landje ergens in West-Europa...

De Chinese maatschappij was keurig georganiseerd. Aan de top zat de keizer, die belastingen inde via zijn ministers, die op hun beurt hun ondergeschikten aansloegen. Onder aan de ladder kropen de boeren, die het hele land van voedsel en gebruiksvoorwerpen voorzagen en die zich als kanonnenvlees lieten opdienen zodra het land in oorlog was.

Het was een droomland; iedereen kende zijn plaats, iedereen gehoorzaamde zijn superieuren en deed wat van hem verlangd werd. De boeren zwoegden, ambtenaren en ministers buitten de boeren uit – om op hun beurt uitgezogen te worden door de "Zoon des Drakes", zoals onze keizer genoemd werd. Een perfectere kringloop konden we ons voor de mensenwereld niet wensen.

Het jonge "reptiel" leerde ervoor te zorgen dat hij veilig op zijn troon bleef zitten, terwijl hij zijn concurrenten vergiftigde, verminkte of desnoods afslachtte. Tegen de tijd dat het draakje geslachtsrijp werd, kreeg hij er een taak bij, eentje die hij met plezier volbracht: meer reptielen produceren. Alleen zo kon het keizerrijk tenslotte aan behoorlijke heersers komen, nietwaar?

Uniformiteit was essentieel om deze enorme staat te regeren, anders kon de keizerlijke macht niet tot de verste uithoeken van het land doordringen. Aangezien elk district of regio zijn eigen taal sprak, zou het onbegonnen werk zijn om de bevelen van de overheid in die honderden talen te vertalen. Daarom werd er één schriftelijke taal bedacht, het *Wenyan*. Ieder die hogerop wilde komen moest haar leren, dan konden alle plaatselijke ambtenaren de documenten van de regering lezen. Zij moesten erop toezien dat de ongeletterde boeren naar de pijpen van de overheid dansten.

In die tijd was er nog geen telefoon en werden er nog geen telegrammen verstuurd; zelfs brieven in de moderne zin des woords bestonden nog niet. Hoe konden de decreten van de keizer de verafgelegen dorpen bereiken? Door speciale postkoetsen te sturen. Doordat de wegen in de verschillende gebieden niet allemaal even breed waren, konden de wagens er soms niet door. Dus schreef het staatshoofd één officiële breedte voor alle wegen in het rijk voor.

Belangrijker nog was de uniformiteit van gedachten. Iedereen moest met hart en ziel het beleid van de regering toejuichen. Stel je voor dat een idiote boer of dronken minister zou zeggen dat de keizer dit of dat niet goed gedaan had! Dan zou er pure chaos ontstaan. Zo'n negatieve opmerking zou zich snel verspreiden, en wie zou kunnen ontkennen dat ook een keizer fouten maakte? Aangezien er in dit land geen enkele mogelijkheid bestond om kritiek op de overheid te uiten, zou dit soort commentaar werken als een vonk in een droge hooiberg. Binnen de kortste keren zou er een opstand uitbreken, waarna een burgeroorlog onvermijdelijk zou zijn. De plaatselijke ambtenaren zouden hun legers inschakelen en de kans schoon zien om hun macht te verbreiden door naburige hoge ambtenaren van hun positie te verdrijven. De staat zou verdrinken in bloed en geen boer zou nog de rust hebben om het land te bewerken. Als je niet door de strijdende legers doodgestoken werd, zou je op den duur wel van de honger sterven. Zie je, het toestaan van kritiek op de keizer zou een nationale ramp betekenen. Om dit te voorkomen werd een rechtsstelsel in het leven geroepen, dat uniek was.

Weten jullie wat de zwaarste misdaad was? Niet moord, landverraad of diefstal, maar: betwijfelen of het politieke besluit van de keizer voor honderd procent geniaal was. Als iemand dat waagde, kreeg hij de maximale straf. Zo iemand werd niet opgehangen of een kopje kleiner gemaakt, nee, dat zou te mild zijn geweest. Hij werd in een enorme frituurpan gegooid en er pas uitgezeefd wanneer hij tot een krokant kluifje gebakken was.

Dit soort maatregelen verzekerde de stabiliteit van het rijk, waardoor de economie floreerde. In de tijd dat de Europeanen nog vruchten uit de bomen plukten en daarmee hun harige buik vulden, wisten de Chinezen hun schuren al tot aan het plafond met graan vol te stouwen. Ze verbeterden hun landbouwmethoden en verhoogden stap voor stap de productie. Het irrigatiesysteem verminderde de afhankelijkheid van het weer en ijzeren werktuigen bewerkten het veld dieper, sneller en grondiger. In de tijd dat de Europeanen vruchten nog met schil, pitten en al opaten en zich erover verwonderden hoe het mogelijk was dat er een appelboom uit de grond schoot op de plek waar zij eerder hun buik geledigd hadden, werd in China het magnetische kompas uitgevonden. Wagens konden regelrecht naar de gewenste bestemming rijden, zonder te verdwalen. Bovendien werd het eerste buskruit gemaakt. Het peil van cultuur en wetenschappen schoot omhoog – een grootse beschaving was geboren.

Helaas is hiermee alles gezegd waar het de roem van ons land betreft. De rest van de Chinese geschiedenis werd gekenmerkt door conservatisme, jaloezie en geniepigheid…'

Hier stolde haar woordenstroom. Het gezicht van Qin, dat ze in het meer weerspiegeld zag, werd steeds duidelijker en levendiger. Het was net alsof hij werkelijk voor haar stond en geduldig naar haar lezing luisterde. Hij moedigde haar aan om door te gaan met haar verhaal en maande haar af en toe tot bezinning wanneer ze onverantwoorde uitspraken deed.

Vanaf Qins eerste les had ze ernaar verlangd vrijuit te kunnen spreken. Nu ze bij het meer gevonden had wat ze zocht, hunkerde ze naar de controle over wat ze dacht en zei. Ergens moest toch een grens bestaan tussen waarheid en waanzin? Lian wenste zich een vriendelijke grensbewaker met een open geest, die begrip zou tonen voor Lians onorthodoxe ideeën en haar er tegelijkertijd op zou attenderen dat sommige krankzinnige gedachten ongeoorloofd waren. Nu ze alle vrijheid had die ze zich wenste, verlangde ze naar de hoogstnoodzakelijke beperkingen. Wat zou ze graag willen dat Qin er bij was!

Moeder placht haar altijd zo raar, afkeurend en spottend aan te kijken wanneer zij met een of andere diepzinnige opmerking over het leven op de proppen kwam. Nee, ze wilde niet weten dat haar dochter aan het veranderen was en snoeide zonder pardon elke nieuwe tak van de boom van Lians bewustwording. En Vader was zo ver van haar vandaan, daar in Gansu; ze was eerlijk gezegd zelfs vergeten hoe hij eruitzag. Bovendien, zelfs al zou hij hier zijn, ze zou toch niet graag haar filosofische ideeën aan zijn kritiek blootstellen. Hij was altijd zo afwezig, in beslag genomen door zijn werk en de zorg voor zijn patiënten.

Ze wist niet hoe het kwam, maar ze was de laatste tijd erg gevoelig geworden. Eén ongedurig gebaar of één hard woord van Moeders kant en haar hart kromp ineen.

Qin was nooit ongeduldig. De rimpels op zijn gezicht waren

even zovele tekenen van zijn intellectuele verdraagzaamheid en geestelijke zachtheid, zijn stem klonk altijd zo rustig en teder…

Zou ze toch maar proberen hem over te halen naar het meer te komen om haar lezing bij te wonen? Lian gaf zichzelf weinig kans van slagen, want tussen twaalf uur 's nachts en één uur 's middags had hij al zijn tijd nodig om te slapen en de volgende dag voldoende uitgerust weer aan het werk te kunnen. Hij was al tweeënzeventig en moest zuinig omspringen met z'n energie, wilde hij de dagelijkse tien uur zwoegen in het molenhuis volhouden.

❧

De vraag brandde in Lians keel, maar ze was doodsbenauwd om afgewezen te worden. Ze kon zich niet meer concentreren op het werk en had al een zak vol tarwemeel uit haar handen laten glippen. Ze was er erg van geschrokken, maar het 'nee' dat ze eventueel te horen zou krijgen als ze haar verzoek eindelijk zou durven ophoesten, joeg haar nog meer schrik aan. Ten einde raad besloot ze het via een omweg te berde te brengen, in steeds kleiner wordende cirkels…

'Meneer Qin, je hebt ook mensen van míjn leeftijd die iets interessants te vertellen hebben, hoor.'

Hij keek haar over zijn schouder aan – ze waren een zak tarwemeel naar de opslagruimte aan het sjouwen; hij liep voorop en Lian achter hem – en lachte: 'Mensjes van jouw leeftijd hebben veel boeiende dingen te verkondigen. Wij grote mensen menen dat we alles beter weten, maar als dat werkelijk het geval zou zijn, zou er niet zo veel leed en onenigheid bestaan.'

Van blijdschap liet ze de zak bijna opnieuw vallen en zei gehaast: 'Dus u vindt wat ik te zeggen heb niet áltijd onvolwassen?'

Hij stond stil, hield zijn kant van de zak met één hand vast en zwaaide met de wijsvinger van zijn andere hand naar haar neus: 'Lian, onthoud dit: "volwassen zijn" is niet synoniem aan "wijs zijn". Kijk maar eens naar zuigelingen, hoe zij hun gevoelens en behoeften uiten en ervoor opkomen: *Bie tíle!* Dat is zo iets geweldigs *dat het door het plafond schiet!* Wij grote mensen verloochenen vaak onze natuur en dragen er ook nog eens toe bij dat anderen zich schamen voor hun eigen natuur.'

'Dus ik hoef mij niet te schamen voor mijn ideeën?'

'Waarom zou je?' Hij gaf de meelzak een paar klappen om hem vlakker te krijgen, zodat de volgende zak er makkelijker op gelegd kon worden. 'Schaamte dient van de aardbodem weggevaagd te worden. Het is een totaal nutteloos gevoel. Schaamte verlamt je tot je niet meer voor- of achteruit kunt.'

Lian ging voor de meelzak staan en liet de brandende vraag als een vuurbal uit haar keel schieten: 'Ik heb mijn eigen verhaal over de Chinese geschiedenis in elkaar geflanst. Komt u eens een keertje luisteren? Maar u moet me niet uitlachen, beloofd?' Ondertussen klopte ze krachtig op de meelzak, zodat ze Qin niet in de ogen hoefde te kijken.

Hij tikte haar op de schouders en vroeg: 'Waar heb je het over? Wil je ook geschiedenisles geven? Aan míj?'

Zo kwam ze van de regen in de drup. Ze wist nog altijd niet of hij naar haar lezing zou komen, maar ondertussen had ze hem wel de indruk gegeven dat ze hem wilde onderwijzen! Ze sprong op, als een kat die per ongeluk op een hete braadpan was beland: 'Eh... nee, meneer, nee, ik zeg alleen maar hardop wat ik van u heb geleerd, tegen de kikkers en krekels bij het meer achter onze slaapzaal.'

'Och, wat jammer! Ik dacht dat je door mijn lessen echt je eigen mening had kunnen vormen.'

'Zou u dat willen?'

'Dat zou in ieder geval een teken van je toenemende wijsheid zijn.'

'Maar dan bén ik wijs! Ik heb voor het lelietheater al een lezing over de Chinese geschiedenis gegeven. Alstublieft, komt u mee?'

'Waarnaar toe? Had je het over een theater?'

'O, wist u dat niet? Dat is het meer achter de barakken.'

'Wat een mooie naam! Heb je dat zelf verzonnen?'

'Ik dacht dat iedereen het zo noemde.'

Qin schoot in de lach en trok haar naar zich toe.

Een eenkoppig publiek

Lian zocht het hele veldje voor het meer af, in de hoop een stukje grond zonder brandnetels en doornstruiken en met mals gras te vinden, waar Qin kon plaatsnemen. Haar bewegingen

hadden blijkbaar het ochtendhumeur van de kikkers aangestoken, want ze wierpen met uitpuilende ogen vijandige blikken
op haar en sprongen geërgerd op de vredige leliebladeren vol
parelende druppels dauw. Qin zei dat hij niet per se hoefde te
zitten, maar Lian zag dat zijn rug krom stond van slaaptekort.
Geeuwend ging hij op het plekje zitten dat Lian zorgvuldig
voor hem had uitgezocht en hij wreef zijn rode, vermoeide
ogen tot ze wat helderder stonden. Ze wendde haar gezicht af
om haar tranen te verbergen. Hoeveel moest Qin wel niet om
haar geven om zijn broodnodige rust voor haar op te offeren!

Om te toetsen wat ze verkeerd had gevonden aan haar vorige
lezing, besloot ze vandaag een beknoptere versie ten beste te
geven…

'Hooggeacht publiek! Hier volgt mijn lezing over de
geschiedenis van het oude China. Toen de Europeanen nog in
de bomen klauterden, was het Chinese Keizerrijk al in volle
bloei…'

'Hóhó, wat zei je daar?' Qin was opeens klaarwakker, '"Toen
de Europeanen nog in de bomen klauterden"? Wie geeft je
het recht om je zo denigrerend over andere volkeren uit te laten? Zou jij het leuk vinden als de Europeanen van nu, die de
snelste computers en de hoogste wolkenkrabbers ter wereld
bouwen, over ons zouden zeggen: "Terwijl de spleetogige
Chinezen achter de kont van de karbouwen aan lopen en hun
rijstvelden op prehistorische wijze ploegen, rijden er over ons
deel van de aardbol de modernste tractoren die het werk van
de boeren reduceren tot het indrukken van een paar knoppen"?'

'Niet léuk? Ik zou ze racisten noemen!'

'En wat ben jij dan? Gelijk men zaait, zo zal men oogsten.
Net zoals jij de westerlingen vernedert, zul je door hen vernederd worden.'

Lian zweeg en liet Qins woorden op zich inwerken. Daarna
zei ze: 'Meneer Qin, ik begrijp dat ik zo niet over de Europeanen kan praten, maar vindt u het goed dat ik daar even niet
op let? Anders raak ik de draad kwijt en weet ik niet hoe ik het
contrast tussen China en het Westen moet uitleggen.'

'Alles kan, als je maar bereid bent de consequenties ervan
te dragen.'

'Welke zijn dat dan?'

'Tja, als je door de westerlingen bij voorbeeld wordt uitgescholden voor "geelhuidige armoedzaaier", moet je je realiseren dat je dat enigszins verdiend hebt.'

Ze moest even slikken. Maar ze wilde haar verhaal zo graag kwijt dat ze daar op dit moment geen rekening mee kon houden. Ze ging op een grote platte steen staan, met haar gezicht naar het meer, en vervolgde haar betoog.

'...De productiemethoden van de landbouw, die voorheen onze staat naar een hoogtepunt van beschaving hadden gebracht, raakten uitgeput. Terwijl de bevolkingsgroei explosief toenam en er steeds meer vraag naar voedsel was, bleef de agrarische productie – nog altijd de enige bron van levensonderhoud – gelijk. Daar kwam nog bij dat de behoefte aan luxe van de keizer en diens hoge ambtenaren alleen maar groter werd. De eerste keizer had zich nog tevreden gesteld met twee landhuizen, één karbonade per dag op zijn bord en tien vrouwen in zijn harem; een latere keizer overwoog zelfs zelfmoord te plegen, omdat hij over *slechts* tien paleizen, twintig kippenborsten per maaltijd en een paar duizend concubines beschikte... Ministers en andere hoge pieten volgden zijn voorbeeld en haalden de boeren door de wringer om hun laatste druppeltjes bloed uit te persen.

Gebrek aan voedsel door de bevolkingsexplosie aan de ene kant en grootschalige extravagantie van de bovenlaag aan de andere kant deden woede en onrust onder de bevolking ontstaan. Boerenopstanden vonden plaats met de regelmaat van de vier jaargetijden, ondanks de zware straffen die daarop stonden. Want wat kon dat de boeren schelen? Of ze crepeerden van de honger, doordat praktisch hun hele oogst door de overheid was ingepikt, of ze werden samen met hun rebellerende broeders door het keizerlijk leger gedood. Lenin had gelijk: *Proletariërs hebben behalve hun ketenen niets te verliezen.*

De keizer had toch al veel aan zijn hoofd – hij moest tenslotte elke avond met zichzelf in conclaaf gaan over de keuze van zijn bijslaap – geen gemakkelijke opgaaf met zo'n drieduizend kandidaten. Verder maakte hij zich ernstige zorgen waarom dat dingetje tussen zijn keizerlijke benen de hemelse almacht van de Zoon des Drakes maar niet wilde onderschrijven. Daarbij kwam nog de lastige kwestie hoe hij de boeren in toom kon houden.

Politieke, juridische en administratieve maatregelen werden om de andere dag vernieuwd; wetenschappers, wijsgeren en kunstenaars dienden zich uitsluitend bezig te houden met het bedenken van systemen waarmee de bevolking onder de duim gehouden kon worden.

Niets hielp. De boeren bleven strijden en de keizer ging door met zijn bloedige wijze van onderdrukken. Geen van beiden gaf het gevecht op. Het werd een obsessie: beide partijen geloofden er heilig in dat een greep naar de macht de enige manier was om aan genoeg voedsel en luxe te komen. Door de nimmer aflatende oorlog kwam het bij niemand op dat de bron van ieders welvaart wel eens ergens anders zou kunnen liggen dan op het slagveld; bij voorbeeld in het uitvinden en toepassen van nieuwe productiemiddelen, ofte wel in het vergroten van de voedselvoorraad door zichzelf beperkingen op te leggen... Nee, voor zo'n slap idee had men geen tijd. De zwaarden moesten blijven zwaaien en de koppen moesten blijven rollen. Hiermee was de typische Chinese ideologie tot stand gekomen: het geluk en de rijkdom van de ene persoon diende verhaald te worden op de andere, door die van zijn bestaansrecht te beroven.

Afgunst wortelde steeds dieper in de Chinese psyche en pepte de mensen voortdurend op om iedereen die rijker was dan zijzelf aan te vallen. De rijkere koesterde van de weeromstuit een aangeboren angst, haat en wreedheid jegens de armere. De vernietigende strijd die hieruit voortvloeide zoog alle productieve energie op.

In de tijd dat de Europeanen uit de bomen klommen om met beide voeten op de grond te staan, en zich ontwikkelden tot landbouwers, pottenbakkers, ijzersmeden en winkeliers, hielden Chinese wetenschappers zich bezig met het schrijven van artikelen over de manier waarop de regering de boeren nog harder kon doen ploeteren, ze hun oogst kon afpakken en hen desondanks in bedwang kon houden. Terwijl in Londen de eerste beurs geopend werd, bespraken onze ministers welk deel van het lichaam ze het best konden afsnijden, als de persoon in kwestie op- en aanmerkingen gemaakt had op de keizer, of leider van een boerenopstand was: zijn onrustzaaiende orgaan – de tong – of zijn nieuwe-rebelletjesscheppende orgaan?

Langzaamaan sloeg de strijd tussen keizer en onderdanen

over op de strijd tussen de onderdanen onderling. Ze waren kwaad op de machthebbers, die in weelde zwommen, terwijl zíj uitgehongerd doodvielen, als muggen in de winterkou. Tegelijkertijd gunde het ene deel van het volk het andere het licht in de ogen niet, alleen omdat de laatste een lepeltje pap meer te eten had. Jaloezie verdeelde en verzwakte het volk, iets waarvan de regering gretig gebruikmaakte om het als geheel onder controle te houden; het was pure verdeel- en heerspolitiek. Er werd een systeem ingevoerd waarbij klikken royaal werd beloond. Pisnijdige boeren gaven hun buren aan als "opstandige elementen" en werden geprezen als "aan de keizer loyale burgers". Hierdoor kon de strijd tussen de boeren en de keizer nooit door de boeren gewonnen worden, ook al hadden ze alle reden om hun uitbuiters van hun positie te stoten. Oorlog en intriges, haat en nijd, verraad en machtsstrijd stagneerden de ontwikkeling van China.

Terwijl Europa zijn blik op de rest van de wereld wierp, ontdekkingsreizigers erop uitstuurde, nieuwe continenten ontdekte en onuitputtelijke bronnen van welvaart aanboorde lagen de Chinezen met elkaar in de clinch over een korreltje rijst meer of minder. De buitenwereld en nieuwe wegen naar overvloed lieten ons koud; de redenatie was: als wij op de een of andere manier, hetzij politiek of militair, het eten van onze buren kunnen afpakken, zullen we rijk en gelukkig zijn.

Ondanks het continue bloedvergieten en de ontberingen hielden de Chinezen het hoofd boven water. Totdat… de Europese kolonialisten met hun kanonnen de ijzeren poort van ons "Eeuwige Keizerrijk" openbraken, het land gedeeltelijk bezetten en met hun harige voeten over onze "door de Hemel geschonken" superioriteit heen liepen… Vol schrik beseften we dat Chinezen niet de enige bewoners waren van deze aarde en dat er economisch en militair sterkere volkeren bestonden. Deze traumatische ontdekking sleurde China in een moeras van verwarring. Ten einde raad vonden we troost in onze oeroude beschaving. Schuimbekkend van woede en schaamte scholden we de Europeanen uit voor "blonde apen met oksels die naar vos ruiken". Een ziekelijke nationale trots hield ons in dit beschamende tijdperk op de been. Maar dit weerhield de westerlingen er niet van om met hun jeeps, die vele malen sneller reden dan de edelste en snelste paarden van onze keizer, ons de ogen uit te steken en ons zelfvertrouwen plat te walsen.

Wat nu? Onze oude regering, die in haar genen alles wat nieuw en onbekend was hekelde, zag in dat modernisatie een noodzaak was. Veelbelovende jonge mensen werden naar het buitenland gestuurd om de westerse wetenschappen en cultuur te bestuderen. Toen ze een paar jaar later terugkwamen, wilden ze China hervormen naar Europees model. Dat schoot de traditionele machthebbers in het verkeerde keelgat. Ze stonden niet toe dat hun monopolie doorbroken werd door een stel betweterige snotneuzen, die een paar jaar stinkspul – kaas – en rauw vlees hadden gevreten en daardoor hun plaats niet meer kenden. Zo werd de strijd tussen westers opgeleide Chinese hervormers en de oude garde ingeluid... ingeluid... ingeluid...'

Als een plaat met een barst erin herhaalde Lian het laatste woord. Ze wist niet hoe het verder moest, want dit was het punt waarop Qins laatste les geëindigd was.

Qin wierp het boomtakje dat hij had gebruikt om op de grond notities te maken weg en stond moeizaam op, zich steunend met zijn hand op de rug. Hij maakte de spieren van zijn benen los en keek naar zijn voeten.

Lian wachtte met kloppend hart op zijn commentaar...

'Weet je, Lian, ik heb je geen les in geschiedenis gegeven om je zo denigrerend te laten denken over het verleden van China, noch dat van Europa. Je visie is angstaanjagend negatief en dat stemt me treurig...'

Haar neus begon te gloeien. De tranen liepen langs haar gezicht. Het was waar. Sinds Vader naar Gansu was vertrokken, waren de lichten in haar leven gedoofd. En wat haar nog triester maakte, was dat Qin desondanks een en al oor was voor haar mening en niet de geringste intentie had om haar de mantel uit te vegen, hoe onsympathiek en foutief haar interpretatie van de geschiedenis ook was. Hoezeer had ze zijn tolerantie op de proef gesteld?

Ze keek naar de lange, dunne schaduw die Qin op het gras achter zich wierp terwijl de bijna onweerstaanbare neiging in haar opkwam om hém 'Vader' te noemen. Maar dat was dwaasheid – ze riep die gedachte meteen een halt toe.

Qin schudde zijn hoofd en mompelde: 'Lian, ik moet toegeven dat ik zelf ook niet weet hoe je anders tegen de geschiedenis zou moeten aankijken. Rationeel gezien zou ik zeggen dat een sombere kijk op de wereld van een ongezonde en onjuiste manier van denken getuigt, maar hoe je vrolijk en optimistisch kunt blijven wanneer je de moderne geschiedenis van China aanschouwt, is ook mij een raadsel…'

Betrapt

Het was pas twee uur 's middags, maar de gedetineerden waren toch al van hun taak ontheven. In Lians slaapzaal was iedereen bezig de vuile was samen met de bij de boeren ingekochte noten en fruit in één jutezak te proppen. Er werd gezongen en uitbundig gekletst. Er hing iets feestelijks in de lucht: zo dadelijk mochten ze naar huis.

Ineens werd de vreugde ruw verstoord. Er werd op de deur gebonkt en de stem van een bewaker klonk: 'Yunxiang Yang, naar de directeur! Onmiddellijk!'

De kletsradio van de slaapzaal werd opeens uitgedraaid. Het was doodstil. Iedereen staakte zijn bezigheid.

Lian keek naar Moeder en wilde naar haar toe rennen, maar haar benen gehoorzaamden niet aan haar commando.

Moeder liet haar zak op de vloer vallen en liep naar Lian. Zo kalm mogelijk klopte ze haar op de schouders en vertrok zonder een woord te zeggen.

Het rumoer in de slaapzaal keerde schoorvoetend terug, maar ditmaal was er niemand die een liedje neuriede en er werd niet meer gelachen. Net als Lian vroegen haar kamergenoten zich huiverend af wat voor rampspoed boven Moeders hoofd hing.

Na een hele tijd kwam Moeder terug. Ze deed de deur achter zich dicht en wilde eigenlijk meteen doorgaan met inpakken. Maar de angstige ogen om haar heen dwongen haar om haar zaalgenoten gerust te stellen: 'Het was niks, hoor. Een routine-controleronde. Over wie het afgelopen verlofweekend bij ons op bezoek was. En verder moet ik ons privé-gesprek van die zondag op papier zetten en aan de directie rapporteren.'

Ineens fleurde de kamer weer op. Er werden zelfs luidkeels moppen getapt.

Alleen Lian deed er niet aan mee. Ze was woedend, omdat

ze besefte dat de kampdirectie haar verbood met Kim en Kims moeder om te gaan.

Moeder probeerde het haar uit te leggen: 'Lian, er werd mij gezegd dat wij gevangenen geen recht hebben om met onze bourgeois ideeën een kind van rode proletarische boerenarbeiders te besmetten.'

'Mam, ik ben pas dertien en Kim is vijftien. Wij hebben het nóóit over politiek. Mogen we niet eens meer samen spelen?'

Ze slikte de rest van haar woorden in. Wat won de Partij ermee zich te bemoeien met de meest onbenullige, onschuldige en persoonlijke dingen van hun leven, die op geen enkele wijze de Dictatuur van het Proletariaat konden schaden? De Culturele Revolutie was er de oorzaak van dat haar vader was weggestuurd. Nu zou haar dierbaarste vriendin ook uit haar leven verdwijnen. Naast Moeder had ze nu alleen nog Qin.

~⛵

Túútúú! Een fluitsignaal kondigde het vertrek van de zandauto's aan. *Fst!* Lian schoot de kamer uit, op naar de wagens, die hen zouden wegbrengen. Thuis zijn! Dit vooruitzicht maakte haar zo blij dat ze al haar zorgen ineens *achter haar hoofd slingerde.*

Onderweg zag ze vanuit haar ooghoeken het gezicht van mevrouw Tang, dat triest stond. Het leek alsof ze had gehuild. En dat vlak voor het verlofweekend! Eenmaal op de zandauto geklommen, zocht ze haar – ze zat in geen van de vier wagens.

'Mama, gaat mevrouw Tang niet mee naar huis?'

Moeder duwde haar vuist tegen Lians mond. IJskoude rillingen liepen langs haar rug: de overige passagiers keken plotseling allemaal haar kant op.

Zodra ze hun flat binnenkwamen, opende Lian opnieuw het offensief: 'Toe, Mama, vertel mij nu wat er met mevrouw Tang aan de hand is.'

Moeder kneep haar oogleden zo dreigend dicht dat Lian het idee had dat ze een stel scheermesjes zag.

'Oké, als u het mij niet wilt vertellen, vraag ik het wel aan de andere mensen van het kamp.'

Dit was dé manier om Moeder op de kast te jagen. Ze sloeg haar jutezak tegen de muur en schreeuwde: 'Ik scheur je mond open tot aan je oren, als je dát durft te doen!'

Dit werd spannend. Er was vast iets ernstigs aan de hand als Moeder zo reageerde. Lian negeerde het dreigement en begon overdreven rustig haar eigen zak uit te pakken.

Moeder beende op haar af en zei: 'Lian, wil je ooit heelhuids uit het kamp komen, dan moet je één ding laten: je bemoeien met het lot van je kampgenoten.'

Lian zweeg en voerde de psychische druk nog wat op. Ze wist dat als ze geen woord zei, haar moeder niet meer zou weten wat ze moest doen. Moeder was blijkbaar als de dood voor de mogelijkheid dat Lian bij anderen naar mevrouw Tang zou informeren.

'Goed, Lian de Treiteraar. Ik zal je vertellen wat er aan de hand is met mevrouw Tang. Maar beloof me dat je het er met niemand over zult hebben.'

Lian trok Moeder met zich mee naar de bank in de zitkamer. Ze gingen zitten, met stoffige kleren en al, hun handen en gezicht nog helemaal onder het zand. Moeder zei: 'Acht dagen geleden, diep in de nacht – jij sliep al – werd het echtpaar Tang op heterdaad betrapt. In een grot achter het meer.'

Lian schrok: 'Hebben ze iemand vermoord?'

'Nee... je bent nog te jong om dit te begrijpen... Ze lagen daar te... te vrijen.'

'Is dat alles?'

'Dat is een van de ergste contrarevolutionaire misdaden!'

'De directeur en de bewakers vrijen toch ook met hun vrouw? Wat is dat nou! Iedereen doet dat toch? Waar komen anders die miljoenen Chinezen vandaan?!'

'Zie je wel, ik was er al bang voor. Lian, ik waarschuw je, spreek nimmer, met wie dan ook over dit onderwerp. Je rechtse ideeën zijn levensgevaarlijk! Kijk, je kunt bourgeois slangenbeesten zoals wij niet met revolutionairen vergelijken. Vooral gevangenen in het kamp mogen onder geen beding geslachtsgemeenschap hebben.'

'Maar de Tangs zijn man en vrouw! Ik vond het al raar van de directie dat de echtparen onder de kampleden elkaar niet eens onder vier ogen mogen spreken, laat staan in één ruimte slapen.'

'Op bladzijde 45 van het Rode Boekje staat: *Revolutie betekent*

*ontkenning van menselijke gevoelens. Wie dat niet kan, is onze vij-
and.'*

'O. Wij mogen niet van het leven genieten. Zíj wel. De bewakers en de directeur kunnen om de drie dagen met de jeep naar
huis om lekker met hun vrouw in hun zachte bed *de zaken van
regen en wolken te bedrijven.* Jullie bourgeois docenten worden
als moordenaars aan de schandpaal genageld wanneer jullie
ten einde raad een keertje in een vochtige grot wat met elkaar
knuffelen.'

Moeder schudde haar hoofd: 'Omdat ze dit misdrijf gepleegd hebben, mogen de Tangs het kamp zes maanden lang
niet meer verlaten; voor hen voorlopig geen verlofweekenden
meer.'

Lian werd er misselijk van.

Het Roze Varken

Lian kreeg een tic. Zonder dat ze het wilde, trok ze om de halve minuut haar buikspieren samen om ze hierna meteen weer
te ontspannen. Het ene moment was haar buik net een krater
en onmiddellijk daarop leek het wel een volleybal.

Alsof dat nog niet erg genoeg was, zat Moeder Lian steeds
op de huid: 'Kap ermee! Je buik is geen fietsband – je hoeft
hem niet voortdurend op te pompen.' Alsof ze er iets aan kon
doen! Hoe meer ze besefte dat dit gedrag niet door de beugel
kon, des te minder controle had ze over zichzelf.

De ziekelijke drang escaleerde en ze kon aan niets anders
meer denken. Ook haar lessen vielen in duigen. Hoe kon ze nu
opletten wanneer de leraren haar iets probeerden bij te brengen? Hoe ze ook redetwistte met haar buik, in de hoop dat hij
haar met rust zou laten, het resultaat was hetzelfde: haar buik
bleef haar de baas.

Tijdens de lunchpauze, terwijl Lian en Moeder hurkend hun
maal verorberden, zag ze drie van haar leraren op hen afkomen.
Ze stopte met het vermalen van haar maïsbroodje en luisterde
naar hun beklag: 'Yunxiang, de lessen kunnen net zo goed ge-
staakt worden; er gaat geen woord de oren van het kind in…'

Mooi was dat – ze spraken dus over haar waar ze bij was, alsof ze een hamster was die niets van hun gesprek begreep.

Om half vijf kwam Moeder onverwachts naar het molenhuis. Ze nam het werk van professor Qin over en zei: 'Dit kan toch niet? Nu heeft Lian alweer een nieuwe kwaal. Het is geen gezicht. Haar buik lijkt wel het deksel van een pruttelende kookpan.'

Terwijl Moeder dat zei, kwam Lian tot de ontdekking dat ze het afgelopen halfuur domweg vergeten was haar buikspieren te spannen. Qin deed een stap terug, bekeek Lian van een afstand, als een kunstkenner die een kalligrafisch schilderij uit de Tang-dynastie gadesloeg, en zei geamuseerd: 'Zo, Lian, je moeder beweert dat je iets met je buik doet. Gek dat ik er niets van heb gemerkt.'

Lian draaide zich naar hem toe en wilde bewijzen dat ze wel degelijk niet in orde was. Raar, deze keer ging het samentrekken en loslaten van haar buikspieren niet gepaard met het heimelijke genoegen dat ze er eerst aan beleefd had...

Qin zei tegen Moeder: 'Laat haar met rust, dan gaat het vanzelf over.'

Moeder zakte bijna door de grond van moedeloosheid. Ze smeekte Qin: 'Professor, help Lian alstublieft. Het kind heeft al zo veel te verduren...' Ze onderbrak zichzelf om haar dochter tot de orde te roepen: 'Lian! Spaar me en maak geen misbruik van mijn drukte om je buik weer op te pompen!'

Qin klopte haar op de schouders en gaf toe: 'Niet zo somber kijken, Yunxiang. Als je niet in haar natuurlijke genezing gelooft, zal ik er wel iets aan doen.'

Lian hield haar adem in, nieuwsgierig hoe Qin haar van haar kwaal zou gaan afhelpen.

Qin meed Moeders ogen: 'Vind je het een goed idee om haar naar doctor Fu te sturen? Hij was een van de beroemdste psychiaters van Peking.'

Moeder bloosde en zocht naar woorden: '...Eh, ja! Hoe komt het dat ik daar zelf niet aan gedacht heb?'

'Wie is dat?' vroeg Lian. Ze kende nagenoeg alle bewoners van het kamp, maar van een psychiater Fu had ze nog nooit gehoord.

Moeder legde uit: 'De oom die een beetje mollig is, je kent hem wel. De bewakers noemen hem Roze Varken.'

De eerste keer dat Lian doctor Fu gezien had was ongeveer een maand geleden. Op een ochtend na het ontbijt stonden de gevangenen in vier rijen opgesteld. Een van de bewakers opende de deur van een schuur en sleepte er vijf grote zakken kunstmest uit. Ze hadden maanden op elkaar gestapeld gelegen, waardoor de mest tot een harde koek was samengeperst. 'Roze Varken, kom hier en stamp de mest los!' beval de bewaker.

Een dikke man met een opmerkelijk fijne en blanke huid kwam uit de derde rij naar voren. Hij bloosde als een rijpe tomaat en keek schichtig naar de bewaarder, in de hoop dat het maar een grapje was en dat hij niet voor de ogen van tweehonderdvijftig gevangenen zo vernederd zou worden.

'Schiet op!'

Aarzelend ging hij op de zakken staan en begon langzaam de mest los te stampen. Het schouwspel trok de aandacht van een stel andere bewakers. Ze lachten zich een ongeluk. De 'regisseur' van het toneelstuk voelde zich gevleid en zei: 'Hihi! Het gewicht van het varken komt goed van pas! Sneller, vetzak! We hebben de mest straks nodig om over het veld te strooien!'

Doctor Fu bewoog zich sneller. Zijn dubbele kin, vloeibare buik en massieve benen trilden en zijn ogen straalden vernedering en verdriet uit.

'Ben je doof?! Ik zei snéller!' De bewaker gilde alsof zijn edele delen door een krokodil werden afgebeten.

Het leek wel of Fu onder stroom stond. Zijn hele lichaam danste op en neer als de klep van een stoommachine. De vrouwelijke gedetineerden hielden hun handen voor hun ogen. Lian kon ze als het ware horen klappertanden. Haar maag draaide zich in haar om als een wastrommel en ze vreesde dat ze flauw zou vallen.

'Hihihi, hahaha! Ik neuk je overgrootmoeder! Zo'n kostelijke pret hebben wij lang niet meer gehad. We wisten niet dat Roze Varken zo'n goede tapdanser was.' De bewakers hielden hun buik vast en lachten als hyena's.

Tijdens de middagpauze volgden Moeder en Lian Qin naar zijn kamer, waar ook doctor Fu woonde. Met een verlegen glimlach heette de doctor hun welkom en liet hen op zijn bed plaatsnemen. Moeder opende haar mond maar Fu legde een vinger op zijn lippen. Nu zag hij er niet meer zo verlegen uit; hij trok een echt doktersgezicht.

Fu zei tegen Lian: 'Meisje, om te beginnen moet ik je een geheimpje vertellen: ik weet veel over je. Bij voorbeeld dat je later geschiedkundige wilt worden en regelmatig naar het lelietheater gaat...'

'Hoe weet u dat?'

'Ik heb zo mijn eigen inlichtingendienst.' Vervolgens keek hij veelbetekenend naar Qin.

Moeder bloosde opnieuw.

Wat is er toch aan de hand? dacht Lian.

Plotseling vroeg de doctor: 'Wees eens eerlijk, Lian, waar heb je die tic voor nodig?'

'Wát?!' Ze stond ineens overeind, 'Hoe komt u daarbij? Ik haat die tic tot in het diepst van mijn gal. Hoe zou ik die kwaal nuttig kunnen vinden?'

'Als dat zo zou zijn had je deze gewoonte al lang opgegeven en zou je er al lang van genezen zijn.' Hij keek haar indringend aan en zweeg.

'Oom Fu, ik wil van die tic af.'

'Waarom? Zolang je het prettig vindt om dat ongemak te koesteren, en dus jezelf beklaagt en je wrok tegen het lot in stand houdt, moet je dat vooral doen. Want...'

Moeder viel hem in de rede: 'Maar doctor...'

Fu ging onverstoorbaar verder: 'Lian, één ding moet je van nu af aan leren: voel je vrij om te doen waar jij zin in hebt. De rest komt vanzelf wel in orde.'

Tongxinglian

Moeder en Lian hadden in het veld boterbloemen, paarde-bloemen en papavers geplukt voor doctor Fu, om hem te bedanken. Lian beschouwde hem als een magiër en zocht telkens naar een gelegenheid om met hem te babbelen. In plaats van historicus wilde ze nu plotseling psycholoog worden. Dat vak leek haar werkelijk het mooiste – het zou haar leren de geest van de mens te doorgronden.

Lian ging naar doctor Fu om hem te vragen hoe je kon raden wat een ander dacht. Als ze die techniek – volgens haar de kern van de psychologie – onder de knie zou krijgen, zou ze de gedachten van de Voorzitter kunnen lezen. Ze zou kunnen voorspellen wanneer hij eindelijk genoeg zou krijgen van zijn meesterwerk, de Culturele Revolutie. Dan zouden haar ouders en zijzelf weer een normaal leven kunnen leiden.

Het pad onder haar voeten voelde aan als lijm – de zomerzon had het asfalt bijna tot dril gekookt. Het was drie uur 's middags; gewoonlijk zouden de gevangenen om deze tijd in het veld ploeteren maar 's zaterdags hielden ze om twee uur al op met werken. Het was stil in het kamp. Iedereen die niet bedlegerig was, was naar de markt.

Tijdens hun middagdutje slaakten de cicaden af en toe een luie zucht, louter om aan hun soortgenoten over te seinen dat ze het prinsheerlijk naar hun zin hadden.

Lian wist dat doctor Fu thuis zou zijn, want hij stond alom bekend om zijn antipathie jegens 'energieverslindende lichamelijke bewegingen'. Hij werd daarom ook wel Zoujia, de Huismus, genoemd. Toen Lian de slaapzaal binnentrad, zag ze twee mannen op een bed zitten. Ze hadden hun armen om elkaars schouders geslagen en mompelden iets wat Lian vanwege de afstand niet kon verstaan. Zulk intiem gedrag had ze nooit eerder gezien– zelfs Vader en Moeder raakten elkaar in Lians aanwezigheid niet aan. Ze wilde stiekem het vertrek verlaten; het leek nu zelfs te klein voor drie personen. Maar voordat ze zich uit de voeten had kunnen maken, hoorde ze kleren ritselen. De twee heren hadden haar ontdekt en stonden geschrokken op. Opeens was er een geluidsvacuüm ontstaan.

Na een lange, vreemde stilte zei Fu met hese stem: 'Goedemiddag, Lian. Ga zitten.'

Centimeter voor centimeter schoof ze naar hen toe zonder hen aan te durven kijken.

Qin lachte: 'Ik dacht dat je een spook was. Al onze kamergenoten zijn naar de markt. Ik vroeg me al af wie er zo snel weer naar huis teruggekeerd was… En dan blijkt het ons nimfje Lian te zijn!'

Zijn grapje ontzenuwde haar verlegenheid en ze keek naar hen op. De wangen van de beide heren waren mooi rood, net vier rijpe perziken, iets wat ze nooit eerder bij hen had opgemerkt.

's Avonds in bed dacht Lian aan Qin en Fu. Hoe kwam het dat ze er zo knap en gelukkig hadden uitgezien? Was het *Le Grand*

Amour, zoals het in de bourgeois romans voor volwassenen heette…?

🙠

Zodra Lian het molenhuis binnenkwam, zei ze tegen Qin: 'Sorry, oom, dat ik jullie afgelopen zaterdag aan het schrikken heb gemaakt.'

Hij dribbelde een paar stappen naar achteren, schudde zijn hoofd en opende zijn mond. Maar er kwamen geen woorden. Onder zijn donkerbruine gezichtshuid schemerden blosjes. Je kon zeggen wat je wilde, maar zo dom was ze nu ook weer niet: dit was een heel ander soort blozen dan wat ze twee dagen geleden bij Qin en Fu had waargenomen. Toen was het van gelukzaligheid geweest; dit was van gêne. Qin was duidelijk van zijn apropos gebracht en Lian voelde zich schuldig.

Hij kwam naar haar toe en fluisterde in haar oren, alsof dat in het grommende en trillende molenhuis nodig was: 'Kind, ik kan dit geheim niet voor je verbergen, ook al begrijp je het niet: Fu en ik houden van elkaar. Ssst! Zeg dit nooit ofte nimmer tegen wie dan ook!'

Ze sprong bijna een gat in de lucht: 'Maar dat is prachtig! Eindelijk ontmoet ik iemand die toegeeft dat hij verliefd is. Ik hoor van boven tot beneden en van links naar rechts alleen maar dat mensen elkaar rauw lusten. En ze geven er nog een chique naam aan ook: klassenstrijd.'

Hij zette grote ogen op en stamelde: 'Besef je dat… dat Fu en ik… twee mannen… dus…'

Opgewonden viel ze hem in de rede: 'Hé, dan zijn wij hetzelfde: ik houd van Kim en wij zijn allebei meisjes…! Is het dáárom, dat u zich in het kamp hebt laten opsluiten? Dat hoefde toch niet? De minister van Buitenlandse Zaken had u toch beloofd u voor de rest van uw leven politieke vervolging te besparen?'

Qin zuchtte als een pianist die voor een koe moet spelen: 'Eh… eh… eigenlijk wel… Fu is twee jaar geleden bijna doodgemarteld door de linkse extremisten van de universiteit. In die periode leerde ik hem kennen en ik kwam te weten dat hij al een paar keer een zelfmoordpoging had gedaan. Ik beloofde hem dat ik hem uit de muil van de tijgers zou bevrijden. Door mijn tussenkomst kreeg Fu de gouden kans om in het straf-

kamp toegelaten te worden. Hier wordt tenminste voorgeschreven wat voor lijfstraffen wel of niet zijn toegestaan.'

'Dus… u heeft zich vrijwillig als gevangene opgegeven?
Om Fu morele en emotionele steun te geven?'

'Min of meer.'

'Is uw liefde zo veel waard?'

'Voor mij wel.' Zijn ogen werden wazig en triest.

In een flits van wervelende gedachten dacht Lian aan Feilan,
Qins vroegere vriendin. Die had hem juist in zijn moeilijkste
tijd gedumpt. Zou het zijn teleurstelling in vrouwen zijn dat
Qin de voorkeur gaf aan een mannelijke geliefde? Maar geen
van de jongens had haar ooit zo'n verdriet gedaan en toch hield
zij ook van iemand van haar eigen geslacht.

'Homosexualiteit is in ons land officieel taboe, wist je dat?
Zwijg dus alsjeblieft in alle talen over dit onderwerp. Beloofd?'

'Wat? *Tongxinglian*: mensen met dezelfde achternaam die
verliefd zijn op elkaar?'

'Lian, Lian, hoe kwam ik ooit op het idee het hierover met
je te hebben?!'

Ze kon zichzelf wel bont en blauw slaan. O, wat was ze toch
een oen. Zo dom! Oerdom! Ze begreep ook nergens ene moer
van.

Maar ze gaf haar erewoord dat ze met niemand over Qin en
Fu zou spreken. En daarmee was het onderwerp afgesloten.

Ook al hield Lian zich aan haar belofte en repte ze met geen
woord over Qin en Fu, toch keek ze Moeder altijd geheimzinnig aan wanneer hun namen toevallig ter sprake kwamen. Telkens als Lian zich blij voelde over het feit dat Qin en Fu van
elkaar hielden, welden de woorden op uit haar mond. Ze wilde
deze vreugde zo graag met Moeder delen en haar vertellen
dat de wereld er tederder uitzag als er genegenheid in plaats
van moordlust in de lucht hing.

Als Lian het goed begreep, was Moeder geamuseerd wanneer haar dochter zo gewichtig keek. Maar geen van beiden
durfde als eerste het precaire onderwerp aan te snijden. Ze zaten als het ware ieder aan een kant van een papieren kamer-
scherm; ze wisten van elkaar dat ze iets over Qin en Fu

verborgen hielden maar niemand zou als eerste haar wijsvinger likken om daarmee een gaatje in het scherm te smelten.

Op een dag kon Lian het niet langer voor zich houden. Ze leidde Moeder naar een stil hoekje achter de barakken en fluisterde: 'Weet de Partij wel dat Qin en Fu eh... vrienden van elkaar zijn?'

'Kind, waarom dacht je dat Qin in ons kamp zit? De directie van het kamp zou het niet gek vinden als iemand uit zichzelf de gevangenis in wil? Dit soort liefde staat de door Mao verordonneerde liefde voor de Vader, Moeder, Minnaar en Minnares in Een niet in de weg. Het wordt niet gevaarlijk gevonden omdat het minder bevredigend zou zijn.'

'Zijn er nog meer mensen om ons heen die op zo'n manier van elkaar houden?'

'Je wilt altijd het naadje van de kous weten, hè? Dat gaat jou niet aan. Je bent nog te jong om over het stichten van een gezin te denken.'

Tasten in het duister

Toen Qin en Lian bij het meer aankwamen, bescheen een felle zon het water. Er stond een briesje en het oppervlak was precies de geschudde huid van een goudrode karper. Qin ging op zijn vertrouwde plekje zitten en Lian stapte op haar kleine podium. Het was er zo mooi dat ze beiden lange tijd zwegen. Toen Qin ten slotte zogenaamd zijn keel moest schrapen begon Lian haar college.

Ze vertelde over de invloed die de oktoberrevolutie op de Chinese samenleving had gehad, de Vierde Mei Beweging, de opkomst van de Nationalistische Partij en de strijd tussen de Nationalistische Partij toen die aan de macht was en de Communistische Partij.

Qin luisterde met belangstelling naar haar verhaal, maar zijn gezicht was bedekt met zwarte wolken...

Het kon ook niet anders; Lians vertelling was doordrenkt met historische feiten: militaire conflicten, politieke intriges, moordlustige razzia's en geraffineerd geweld.

Nadat Lian van de platte steen afgestapt was, kreeg ze griezelige visioenen. Cynisme en pessimisme trokken als twee hongerige beren aan haar benen en trachtten haar als het ware uit haar boom van levenslust naar beneden te sleuren.

Ze ging naast Qin op het gras zitten en vroeg hem om raad. Hij hield een rolkei tussen zijn vingers en kneep er knarsetandend in, alsof het een eendenei was dat hij wilde vermorzelen. Hij schoof demonstratief van Lian weg en zei op afstandelijke toon: 'Wat wil je, Lian? Een positief beeld krijgen van China's verleden en van zijn historische figuren? Zonder vrees in het heden leven? Optimistisch zijn?' Hij stond op en hield Lian stevig vast. Ze hoorde zijn hersens kraken. Hij zocht naar troostende woorden, die hij niet vinden kon…

Ze kroop onder zijn armen vandaan. Ze geloofde niet dat het leven zo somber was als hij het afschilderde. Of liever, ze wílde het niet geloven. Qin had te lang in het moeras van de ontgoocheling gezeten om eruit te willen. Al leefde ze met hem mee, ze was pas dertien en wilde eenvoudig niet geloven dat het waar was wat hij suggereerde… maar hoe was het dan wel?

Een hongerstaker

Het was zes uur 's middags. Zoals gewoonlijk wachtte Lian bij de poort van de gevangenis op Moeder en haar lotgenoten. IJzeren schoppen krasten over het pad, dat opengebarsten was door de zomerse droogte en groeven vertoonde als die op de rug van een schildpad. Het vertrouwde geluid kondigde de terugkeer van de arbeiders aan en daarmee etenstijd.

Zodra ze de ingang bereikten, riep bewaker Kong: 'Halt! Revolutionair Gebed 459!'

De dwangarbeiders legden hun gereedschappen subiet op de grond, hielden automatisch hun adem in en richtten hun ogen vroom naar het oosten, *waar de zon opkomt en waar de Nooit Ondergaande Zon zetelt*. In koor schreeuwden ze:

> *Mao, Barmhartige Ster der Redding,*
> *vergeef ons onze bourgeois zonden van vandaag*
> *en help ons de poepgeurige geest uit onze*
> *kapitalistische slangenkop te spoelen*
> *Dank U hiervoor!*

Hierna zei Kong: 'Jullie kunnen gaan.'

Als honden die eindelijk uitgelaten werden, maakten ze zich huppelend uit de kolonne los en begonnen gretig door elkaar te kletsen.

'Lian, kijk eens wat oom voor je heeft meegebracht!' Een lange, broodmagere en tanige meneer, die haar aan een stuk vergeeld riet deed denken, snelde op haar toe. Onder zijn bezwete blauwe jas bewoog iets.

Haar gezicht fleurde op en ze rende hem tegemoet: 'Oom Yie, wat hebt u daar?'

Hij graaide in zijn jas, zijn lippen op elkaar geperst van de inspanning, en daar kwam het: een vogel!

'Hemel, wat is hij mooi!' riep ze. Het beest had pikzwarte glanzende veren, fonkelende ogen en een fel oranje snavel, die prachtig contrasteerde met zijn effen zwarte lijf.

Yie hield het dier bij de poten vast en legde uit: 'Dit is een kraai. Ik zag hem in het rijstveld en het kostte me weinig moeite om hem te vangen.'

'Een kraai!' herhaalde ze de naam van dit wonderbare schepsel, dat ze nog nooit van dichtbij had gezien. 'Mama, mag ik hem houden?' smeekte ze.

Moeder keek hen aan en zei: 'Het is omdat we hier in het kamp zitten, dat ik het je toesta.'

'Juist,' kwam Yie Lian te hulp, 'anders heeft het kind geen enkel speelkameraadje.'

Lian aaide de kraai over zijn kop. Wat waren zijn veren warm en zacht! Het leek wel fluweel.

Yie bood aan om een kooi voor de vogel te zoeken, die nu uit alle macht probeerde zijn poten uit Yie's greep te bevrijden. Na veel speurwerk vonden ze een reuzenmand van gevlochten bamboe die was gebruikt om aardappelen en suikerbieten in te vervoeren.

Lian plaatste haar kleinste emaillen kom als voederbakje en een oude jampot als waterkan onder de mand. Klaar. Nu werd ook de kraai onder de mand gezet. Lian zat nog uren voor zijn huisje te peinzen. Het gefladder van zijn vleugels verontrustte haar: vond hij het niet fijn om kant en klaar eten en drinken te hebben, en nog een vriendinnetje ook? Haar vreugde woog zwaarder dan haar bezorgdheid. Het was als had ze een zieltje gevonden met hetzelfde ritme en dezelfde vibraties als zijzelf. Met deze vogel voelde ze zich meer verbonden dan met Moeder, meer zelfs dan met Qin.

Bij het avondmaal hield ze vier lepels pap en twee hapjes maïsbrood apart: voor haar kraai.

✑

Voorzichtig tilde Lian de mand op en zag haar zwarte beestje bewegingloos op de grond zitten. Geen korrel van het eten van gisteren had hij aangeroerd. Het potje met water was nog even vol. Zo ging dat nu al twee dagen. Hoe kon dat nu? Hield hij niet van dit soort voedsel? Ze knielde op de grond en smeekte hem om wat te eten. Ze vertelde hem geheimen die ze aan niemand anders in het kamp zou willen prijsgeven, maar hij bleef apathisch voor zich uit staren. Misschien wilde hij wel vliegen.

Ze rende naar de keuken en vroeg de koks om raad. Ze vertelden haar dat kraaien liever ongekookt graan hebben. 'Vooruit dan maar,' gaven ze toe, 'voor deze ene keer mag je een handvol ongepelde rijst uit de voorraadkamer halen.'

Zij gaf maar al te graag gehoor aan hun aanbod, snelde met het kraaienvoedsel naar haar vogel en strooide het voorzichtig voor zijn snavel.

Met veel geslijm en gezeur was het Lian de volgende dag opnieuw gelukt wat ongepelde rijst van de koks los te peuteren. En weer stoof ze ermee naar haar vriendje.

Maar wat was dit?! Ze vond de kraai onder de mand, roerloos, dood, hartstikke dood – met al het eten dat Lian met zo veel moeite voor hem had vergaard nog voor zijn levenloze kop.

Ze zakte door haar knieën en streelde de vogel voor de eerste keer heel lang en ongestoord, nu hij niet meer tegenstribbelde. De veren waren nog steeds beeldschoon, als een lap gitzwart fluweel. De snavel die slapjes op de grond rustte, leek onveranderd op een stuk oranje edelsteen. Maar door zijn lijf stroomde geen *ki* meer. Zijn ziel was weggevlogen. Naar de hemel.

Ze voelde zich beroerd. Was zíj de moordenaar? Ze trachtte overeind te komen om naar de kantine te rennen, maar de moed zonk haar in de schoenen. Ze sleepte zich naar de kantine. In de keuken heerste een onheilspellende stilte die haar tot bezinning bracht. Ze liep stap voor stap naar de rijen fornuizen, waar gewoonlijk een groot aantal koks en kokkinnen stond te werken, moppen tappend en elkaar plagend. Deze keer was er geen kip te bekennen. Vaag drong het stemmenrumoer tot haar door dat kenmerkend was voor een aanklachtenbijeenkomst. Vliegensvlug rende ze naar de eetzaal, waar het geluid vandaan scheen te komen. Wat vreemd, zei ze onderweg tegen zichzelf, ze houden anders nooit zulke vergaderingen. Aangezien het kantinepersoneel voornamelijk uit ongeletterden bestond, waren ze geen doelwit van proletarische zuiveringsacties.

Maar ja hoor, het was een echte aanklachtenbijeenkomst. Er werd weer eens iemand in de 'vliegtuigpositie' gemanoeuvreerd. Twee stevige kerels drukten met de ene hand het hoofd van een man tegen de grond en draaiden met de andere hand de armen van de zielepoot achter z'n rug, als een uitgewrongen dweil.

Flarden woorden bereikten Lians trommelvliezen: '…denk na en gebruik nu eens één keer in een miljoen jaar je hersens, ook al lijken ze meer op een kom bedorven eieren. Geef antwoord: wie heb je liever: de Vader, Moeder, Minnaar en Minnares in Een of de kapitalistische teef uit wier buik je eenenvijftig jaar geleden bent gerold…?'

Normaal gesproken zou Lian zich over deze praktijken kwaad maken, maar vandaag was ze even niet in politiek geïnteresseerd. Ze sloop stiekem de zaal uit, in de wetenschap dat ze hier niets en niemand te zoeken had, want om tijdens zo'n serieuze bijeenkomst over een dode vogel te beginnen zou gelijk staan aan contrarevolutionaire sabotage.

Radeloos doolde ze in het kamp rond. Alle gedetineerden waren naar het veld vertrokken. De enige overgeblevenen waren de koks, die op dit moment klassenstrijd bedreven. Het beeld van de dode kraai zweefde haar voor ogen en allerlei vragen spookten door haar hoofd. Ten einde raad dacht ze aan directeur Gao. Ja, die hoefde niet te werken, en de bijeenkomst van de koks was niet belangrijk genoeg voor hem om bij te wonen. Gestuwd door haar wanhoop klopte ze aan bij de directeur.

'Kom binnen.'

'Meneer, mijn kraai is gestorven!' Ze stormde zijn kantoor binnen en barstte eindelijk in snikken uit, nu ze een luisterend oor had gevonden.

De directeur legde de krant die hij op z'n gemak had zitten lezen naast zijn stomende theekan en troostte haar: 'Och, wat erg! Is ie dood? En je hebt hem pas drie dagen!'

'Hij is vast en zeker verhongerd, want hij heeft niets gegeten en gedronken...'

De directeur haalde een bamboewaaier van zijn bed – zijn kantoor was tevens zijn slaapkamer – en koelde Lians betraande en bezwete gezicht: 'Kom op, mijn kind. Zo afgrijselijk is het nu ook weer niet. Wil je een nieuwe vogel? Dan vraag ik de bewakers er eentje voor je te vangen.'

'Nóóit meer!' Ze duwde de waaier van de directeur van zich af en stampte met haar voeten. 'Vogels gaan bij mij toch maar dood... O, o, wat heb ik fout gedaan dat mijn kraai doodging? Ik heb hem het verkeerde eten gegeven. Ik heb hem vermoord!'

De gewoonlijk strenge directeur verloor zijn geduld niet. Integendeel, hij hurkte voor haar neer en keek haar handenwringend aan, niet wetend hoe hij haar tot bedaren kon brengen. Hij zocht naar zijn sleutels in zijn broekzakken, in de laden van zijn bureau en onder zijn hoofdkussen, maar kon ze nergens vinden: 'Kom, Lian. Deze keer doe ik de deur maar niet op slot. We gaan naar je kraai toe en ik zal eens onderzoeken waaraan hij is gestorven.' Gewillig dribbelde ze achter hem aan.

Nadat hij de kraai nauwkeurig had onderzocht, verklaarde de directeur: 'Kind, het lag niet aan het voedsel... De kraai is doodgegaan aan verdriet en eenzaamheid.'

'Kunt u dan zien hoe de vogel zich voelde?'

'Nee, meisje, maar zo is het nu eenmaal. De vogel voelde zich ellendig omdat hij gevangenzat, ver van zijn familie, misschien wel een nest vol baby's. Hij was geïsoleerd van de groene weide waar hij vroeger naar hartelust kon rondvliegen. Het staat als een paal boven water dat hij boos en bedroefd was; daarom lustte hij geen eten, hoe lekker het ook was. Lian, ken je het woord "doodongelukkig"? De kraai is letterlijk en figuurlijk gestorven omdat hij zich doodongelukkig voelde.'

'Echt?'

'Wie maakt er nou grappen over zulke ernstige zaken? Vogels houden van vrijheid. Ze horen thuis in de grenzeloze natuur. Ze vangen en in een kooi zetten betekent meestal hun dood.'

Lian opende haar ogen zo wijd mogelijk: gek, dat ménsen

niet sterven als ze gevangenzitten. Zij was al twee maanden in het strafkamp, maar ze had nog niemand in een doodkist weggevoerd zien worden, terwijl het toch duidelijk was dat ook mensen hun vrijheid niet kunnen missen. Haar ogen blonken als die van een ondeugend kind dat op het punt staat een trucje uit te halen. Ze verlangde ernaar de directeur ronduit in zijn gezicht te zeggen wat ze op dit moment dacht en zijn reactie hierop te zien. Hij kon als het ware haar gedachten lezen en draaide zich om. Zijn gewoonlijk hoog opgetrokken schouders zakten in als een paar rollen deeg en hij haastte zich halsoverkop terug naar zijn veilige oord – de directiekamer, waar de kleurenfoto van de Grote Roerganger hem opwachtte.

Moeder of Mao

Tijdens de lunchpauze zag Lian dat zich her en der in de kantine groepjes hadden gevormd. Ze schenen over iets geheimzinnigs te discussiëren. Moeder en Lian stonden net uit te kienen bij welke groep ze zich het beste konden voegen, toen Lian een gil gaf: iemand was bijna tegen haar kommetje maïspap aan gelopen.

'Sorry, ik heb… niet goed gekeken.' Maly verontschuldigde zich onhandig en draaide haar met zorgen bedekte gezicht de andere kant op.

Moeder vroeg verontrust: 'Wat is er? Kan ik je ergens mee helpen?'

Tante Maly schudde haar hoofd en wilde van hen weglopen. Maar Lian had haar linkermouw vast. Toen bedacht ze zich en verzuchtte: 'Daar, in de hoek. Laten wij daar gaan zitten, dan vertel ik je over een nieuwe ramp.'

Lian voelde zich gevleid dat Maly hun haar geheim wilde toevertrouwen en rende vlug achter de twee grote mensen aan. De saus van haar gerecht liep over de rand van haar kom en Moeder vitte: 'Juist in die saus zitten de vitaminen die je zo broodnodig hebt. Wil je alsjeblieft wat rustiger aan doen?'

Toen ze op hun plekje zaten, keek Maly eerst voorzichtig om zich heen en vertelde toen in één lange adem het hele verhaal: 'Gisteren is er een aanklachtenbijeenkomst geweest…'

Lian knikte wijs. Ze was apetrots dat ze afwist van iets wat de volwassenen nu pas ter ore kwam.

'…tegen de oude kok You.'

'Wat? De goede oom You? Die zo lekker gebakken aubergines kan klaarmaken? Die is zo lief. Hij zou het zichzelf nog niet vergeven als hij toevallig op een regenworm zou stappen!' riep Lian uit. En ze dacht: dat is waar, door de dood van mijn kraai heb ik gisteren niet eens opgelet wie het doelwit van de aanklachtenbijeenkomst in de kantine was.

Moeder gaf haar een por en Maly vertelde verder.

'Toen You een paar maanden oud was, ergens in de jaren twintig, is zijn vader op een stoomschip gaan werken dat tussen Amerika en China voer. Door de burgeroorlogen in de jaren dertig kon hij niet meer naar zijn vrouw en enige zoon terugkeren. Hij bleef in de v s terwijl You door zijn moeder werd grootgebracht. In 1948, vlak voor de oprichting van de Volksrepubliek China, stuurde hij zijn vrouw al zijn spaarcenten, zodat ze naar Amerika kon komen, met de bedoeling dat hij, zodra hij genoeg geld bijeengesprokkeld had, ook You kon laten overkomen. Je kent het verhaal, dat is niet gelukt.

Na 1949, toen de grenzen gesloten werden, vervloekte You's vader zichzelf dat hij zo stom was geweest om geen geld te hebben geleend voor een bootkaartje voor zijn kind. Ze zijn elkaar altijd blijven schrijven. Tot een week geleden. Toen kreeg de kampdirectie bevel om álle post van de kampbewoners te openen en te lezen, zelfs als de geadresseerden geen contrarevolutionaire gevangenen, maar 'schone' mensen zijn, zoals het meeste personeel van de kantine en de varkensstallen. En nu is You tegen de lamp gelopen. Vorige week donderdag controleerde de directeur de brief van You's moeder. Enfin, de inhoud had niets verdachts, de gebruikelijke koetjes en kalfjes. Zijn moeder schreef dat haar gezondheid achteruitging en dat ze You en zijn twee kinderen, haar enige kleinkinderen, vreselijk miste. Maar het feit alleen al dat You contact onderhield met iemand uit het decadente Westen, nota bene uit het centrum van het kapitalisme, was reeds voldoende om You als staatsvijand en spion te brandmerken. De directeur droeg het hoofd van de kantine op om You zwart op wit te doen beloven dat hij zijn moeder zou verloochenen en tot zijn dood toe geen brief meer aan haar zou laten schrijven, want anders…

Maar die You is toch zo'n simpele ziel! De Culturele Revolutie is aan hem, de godgezegende analfabeet, onopgemerkt voorbijgegaan. Hij is kok. Vóór de Revolutie maakte hij vlees-

en groentegerechten klaar, en nu, tijdens de Revolutie, maakt hij vlees- en groentegerechten klaar. Voor hem is de wereld dezelfde gebleven. Daarom dacht hij eerst dat het een mislukte grap was, toen zijn superieur hem dwong het contact met zijn moeder te verbreken: "Hoofd van de Partij Afdeling Keuken, wij hebben allemaal een hart en dat hart is van vlees gemaakt. Of niet soms? Voelt u daarin niet de liefde en dankbaarheid jegens uw moeder? Of gelooft u dat wij als bamboescheutjes aan een rotsblok ontsproten zijn?"

Zijn baas heeft van alles geprobeerd om You van de ernst van de zaak te overtuigen, maar You klopte zich op de borst en zei dat hij liever dood zou gaan dan zijn moeder niet meer te erkennen. Vandaar de aanklachtenbijeenkomst tegen hem...'

Maly zweeg. Haar gerimpelde oogleden werden rood en ze slikte. 'Nu begrijp ik waarom ik al anderhalf jaar geen post meer van mijn ouders heb gekregen. Ik ben slechter dan You. De directie heeft jarenlang mijn brieven uit Hongkong gelezen en verbrand!'

Lian trilde van woede.

Moeder zei snel: 'Maly, denk niet zo negatief. Je bent er toch niet zeker van of ze werkelijk je post achterhouden? Misschien heeft je familie het te druk gehad om je te schrijven...'

Lian keek schaapachtig de andere kant op. Ze wist ook wel dat haar moeder loog.

Een ongenode viervoeter

Lian ontwaakte uit haar middagdutje en stapte de deur uit. Het koele gelaat van de herfstzon keek Lian onverschillig aan. Desondanks was het zonlicht blijkbaar heet genoeg om de bladeren van de esdoorn vuurrood te kleuren. Onder de azuurblauwe hemel, waar her en der klontjes witte wolken dreven, leken ze laaiende vlammen die klaagden over het vertrek van de levenslustige zomer.

Scha - - - scha - - -. Een opgestoken bries nodigde de koperbruine bladeren uit om van de grond op te staan en danste er gearmd zwevend mee weg. De frisse wind verdreef Lians slaperigheid. Ze had meteen zin om ergens naar toe te gaan. Haar huiswerk had ze vanochtend al gemaakt en de les zou pas over twee uur beginnen. Ze kon zich dus met een gerust hart gaan vermaken.

Waar zou ze eens naar toe gaan? Niet naar de kantine, want het keukenpersoneel kreeg rond deze tijd zijn dagelijkse portie politieke studie toegediend. Naar Laifu, de timmerman, kon ze ook niet, want ze mocht van Moeder niet alleen met een jongeman praten. Volgens Moeder zou het kunnen gebeuren dat zo'n kerel met een bijl haar hoofd zou openhakken, als een rijpe watermeloen – ook al kon Lian zich niet voorstellen dat die amicale meneer daartoe in staat zou zijn. Enfin, ze nam het zekere maar voor het onzekere en bleef liever uit zijn buurt.

Ineens had ze een goed idee: ze ging op bezoek in de varkensstal. De voeders daar konden het zich niet veroorloven om zich bezig te houden met een geestelijke wasbeurt: de zwijnen lapten nu eenmaal aan hun poten wat de overheid dicteerde. Ze pikten het simpelweg niet als de verzorger ze niet om het uur te eten en te drinken gaf of als hij hun poep niet tijdig uit de stal verwijderde.

Van mijlen ver rook ze de stal al. Zure varkensmest, bedorven etensresten van de kantine, muf, gedroogd gras en gistende groente, dit alles verdreef de frisse landlucht en creëerde een eiland van een misselijkmakend aroma. Maar het plezier dat ze daar zou vinden en dat haar chronische eenzaamheid eventjes kon stillen, maakte haar bij voorbaat immuun voor de stank.

Pia, pia. Een meneer met grijze haren goot een dikke pap van groente en gras in de trog, onderwijl lieve dingen mompelend tegen de beesten. Wat een stelletje gulzigaards! Ze konden niet eens wachten tot de man de bak gevuld had. Zodra ze het eerste *pia* hoorden, begonnen ze al te schrokken, zonder hun dikke kop uit de voederbak te trekken, waardoor hun hals en kop bedekt werden door het groezelige voer dat langs hun hals de trog weer in druppelde.

'Oom Rui, bent u bezig?'

'Hoi, Lian, ben je gekomen?'

Nadat ze de routinegroet gewisseld hadden, zei Rui: 'Wacht even, als ik met deze rij beerputten klaar ben, laat ik je iets héél leuks zien.'

Verveeld met het monotone leven in het kamp was haar nieuwsgierigheid uitermate ontvlambaar: 'Oom, als ik u help met het verdelen van het voer, dan zijn we eerder klaar.'

Ze schoot het schuurtje in en haalde er een kleine emmer uit. Vliegensvlug dompelde ze die in de bak met varkensvoer. Hierna trok ze de emmer op, die tot de rand gevuld was, en liet de inhoud in een van de putten plenzen.

'Verdeel het voer gelijkmatiger, kind.'

'Goed, oom.'

In haar hart was ze het echter niet met hem eens: kijk eens hoe hij als een Pietje precies het varkensvoer verdeelt, alsof hij met zijn chemicaliën in de weer is in zijn laboratorium... Je kon wel zien dat hij professor was geweest.

Eindelijk! Met kloppend hart volgde ze Rui een half uur later naar zijn kamer. Hij ging als eerste naar binnen en liet haar na een paar tellen een mand zien, waarin...

'Och, het is niet waar! Een puppy! O, kijk eens naar de donzige haartjes rond zijn nek. Doe je oogjes eens open, alsjeblieft. Oom, hij heeft twee pik- en pikzwarte knikkerronde ogen!'

Ze aaide het hondje over zijn kop en een pijl van pijn schoot haar door het hart. Ze was zo verrukt en verrast dat ze er bang van werd.

Lian besefte heel goed dat het houden van huisdieren verboden was. Waarom snapte ze niet. Wel wist ze dat ze zich altijd als een verrader van de Vader, Moeder, Minnaar en Minnares in Een voelde, als ze haar liefde moest verdelen over een poes of een goudvis en de Viereenheid. Het was haar immers ingeprent om tot de laatste snik honderd procent trouw te zijn aan de Grote Roerganger.

Lian vreesde dat ook Rui enge straffen zou krijgen als hij de puppy hield: 'Maar oom, dat mág toch helemaal niet?'

'O, ja hoor, vanmorgen heb ik de kampdirecteur het hondje laten zien. Weet je,' hij knuffelde het beestje op de satijnachtige vacht van zijn buik, 'het was de eerste keer dat ik de directeur zag lachen! Snel somde ik een lange lijst diensten op die de hond zou kunnen bewijzen als hij eenmaal volgroeid was, zoals: op de varkens letten, wanneer zij in de net geoogste velden of op de vuilnisbelt losgelaten worden om naar eten te zoeken; op de kippen passen zodat de wezels niet meer durven te komen...

Maar, kind, dat was allemaal niet eens nodig. De directeur zei kortweg: "Ik weet wat een hulp een hond kan zijn... Per slot van rekening hadden wij thuis drie honden toen ik een kleine jongen was... Overdag kan de hond jullie een handje helpen. 's Avonds wil ik graag dat hij bij mij komt slapen."' Rui grijnsde. 'Ik merkte meteen dat de directeur een zwak voor honden heeft.'

Lian maakte een sprongetje en gilde: 'Hoera! We mogen het hondje houden!'

De puppy schrok en keek alert om zich heen. Lian zou zelfs op haar kop gaan staan, als dat het beestje plezier zou doen!

'Hoe heet hij?'

'Ik heb hem pas gistermiddag onder een boom langs de weg gevonden. Ik heb er nog niet aan gedacht hem een naam te geven.'

'Ahuang,' zei ze, 'de hond met de goudgele vacht.'

'Mmm, dat lijkt me prima.'

De stank van de varkensstal drong vandaag niet eens tot haar door, nu Ahuang haar hart had gestolen. Onder haar armen smokkelde ze een hele voorraad voor de puppy mee. Haar wollen rode sjaal met groene blokjes, die nu Ahuangs dekentje zou worden, een stukje maïsbrood dat ze gisteren bij het avondmaal stiekem in haar broekzak had gestopt en een wollen balletje dat oorspronkelijk aan de punt van haar wintermuts bungelde en zij er vanochtend heimelijk had afgeknipt. Een babyhond moest toch iets hebben om mee te spelen?

Rui weekte het broodje in een kom water en zette het voor de hond neer. Warempel, hij schrokte het naar binnen, met een boel lawaai. Met zijn rossige tong likte hij de kom in een ommezien glimmend schoon.

De varkenshoeder en bioloog, professor doctor Rui, schudde zijn hoofd: 'Eigenlijk zou het beter zijn als hij wat melk krijgt. Zo te zien is hij hoogstens drie à vier weken oud en puppy's van die leeftijd hebben moedermelk nodig.'

Waar moest ze die melk vandaan halen? In het halfjaar dat Lian hier was, had ze niet eens melk geroken. Alleen de directieleden en de hoofdbewakers hadden recht op melk...

Hebbes! 'Oom Rui, mag ik Ahuang voor een half uurtje in de mand meenemen?' vroeg ze.

'Geen pure melk, hoor! Leng het met wat water aan, anders krijgt Ahuang diarree.' Rui snapte meteen wat ze van plan was en gaf haar alvast instructies.

Ze ging met de puppy naar de kantine. Tante Liu, díe moest ze hebben! Want ze wist dat zij degene was die altijd het speciale eten voor de bevoorrechte hoge heren bereidde. Eerst wist ze tante te vertederen met de aanblik van het schattige beestje. Zodra haar ogen begonnen te glimmen, smeekte Lian haar om een kopje melk.

Liu trok meteen een lang gezicht en zei op vervaarlijk donkere toon: 'Ik loop het risico net als je moeder dwangarbeid te moeten verrichten, als zíj,' en hierbij gebaarde ze met haar hoofd naar boven, 'ontdekken dat ik het levenssap, dat uitsluitend bedoeld is voor revolutionairen, aan een viervoeter geef.'

Lian gluurde naar het pannetje waarmee Liu de melk voor de elite opwarmde en zei: 'Weet u wat, gooit u het water waarmee u de pan spoelt niet weg, maar bewaar het in een flesje voor Ahuang.'

'Sluwerik!' Liu drukte haar middelvinger tegen Lians voorhoofd en gaf haar haar zin.

❧

Een paar dagen later fluisterde tante Liu een opwindend nieuwtje in Lians oren: 'Gisterochtend ging ik als gewoonlijk om zeven uur naar de directeur om hem zijn kom warme melk te brengen. Ik zette de kom op tafel en ging de kamer uit. Toen ik een paar stappen in de richting van de kantine had gezet, kwam het plotseling bij mij op dat ik vergeten was de rieten warmhouder mee te nemen. Ik ging terug naar de directiekamer en keek door het raam – niet met opzet hoor, Boeddha is mijn getuige – maar, Barmhartige Hemel, Lian, mijn kind, wat zag ik? De directeur voedde Ahuang met zijn kom melk! Zo geduldig en bijna menselijk heb ik onze leider nog nooit meegemaakt.'

Al snel deed het gerucht dat de directeur zijn kostbare voedsel aan een hond gaf in het hele kamp de ronde. Maar gek genoeg was niemand jaloers op Ahuang, ook al zou iedereen dolgraag – al was het maar voor één slokje melk – met de hond willen ruilen. Er fonkelde nu een timide vriendelijkheid in de ogen van de gedetineerden wanneer zij de directeur tegen het lijf liepen. Blijkbaar gloorde bij hen de hoop dat hij door de hond zachtaardiger en minder martel- en moordlustig zou worden.

Ahuang was een kanjer van een hond geworden. Als hij rende, kon Lian hem niet bijbenen en als hij blafte, vielen de takjes van de bomen. Overdag hielp hij Rui op de varkens, kippen en eenden passen en 's avonds krulde hij zich tegen de voeten van de directeur. Nieuwsgierig als hij was, besnuffelde hij iedere gevangene die voorbijkwam. Dan zwaaide hij met zijn pluimstaart en draafde terug naar Rui of naar de directeur.

Hoewel de neus van een hond volgens zeggen tientallen keren scherper is dan die van de mens, was Ahuang de enige bewoner van het kamp die de politieke spanning niet rook. Hij dartelde er maar op los en behandelde iedereen als zijn gelijke. Met hun afgestompte gevoelens vonden de gevangenen het een troost om te zien dat er op deze planeet nog één soort beest overbleef dat menselijkheid en genegenheid in stand hield.

De Almachtige Souffleur

Bomen werden door de winterse vingers uitgekleed tot op het schors en de hemel was vaker staalgrijs dan helderblauw. De winterbries zwol op tot een snijdende wind. De grond was nu bikkelhard geworden en de gevangenen ondergingen langere sessies van geestelijke omvorming.

Vandaag was het Algemene Vergadering. De kantine was tot barstens toe gevuld met gedetineerden en kamppersoneel. De vier directieleden zaten op het podium. De huid van hun gelaat stond strakker gespannen dan de blaaswand van een nalatige wc-ganger. Het gerucht ging dat er een belangrijke mededeling zou worden gedaan.

Niemand in de slaapzaal van Moeder en Lian had de afgelopen nacht een oog dicht gedaan; iedereen piekerde over wat het nieuws zou kunnen zijn. Ze hoopten stiekem dat de Communistische Partij vóór Chinees Nieuwjaar een aantal gevangenen zou vrijlaten en vroegen zich af wie de gelukkigen zouden zijn…

Gewoonlijk was de vergaderruimte net een bazaar waar verkopers een keel opzetten en uit volle borst hun goederen aanprezen, terwijl potentiële kopers luidkeels afdongen, alsof hun leven van een paar dubbeltjes meer of minder afhing. Vandaag was de zaal muisstil. Lian zat naast Moeder en kreeg het benauwd van de hoop, onrust en onzekerheid die elkaar in het hart van de gedetineerden de loef afstaken.

Na een ellenlang revolutionair ritueel, met ingrediënten als het zingen van *Mao, de Zon die nooit ondergaat*, het drie maal roepen van 'Lang leve Mao de Partijvoorzitter' en 'Gezondheid voor de Vice-Partijvoorzitter', en het hardop bekennen van de bourgeois gedachten die die ochtend in het hoofd van de gevangenen rondspookten, kregen ze eindelijk te horen waar het om ging.

Er was geen sprake van vrijlating. De directeur vertelde hun dat er op 15 januari, een week voor Chinees Nieuwjaar, een inspectieteam van het Centraal Comité naar hun kamp zou komen. Verder zette de directeur uiteen hoe ze zich hierop moesten voorbereiden: 'Het is onze révólútionáááíre taak om de inspecteur te laten zien hoe jullie, bourgeois intellectuelen, je gebeterd hebben! En hoeveel geestelijke zuiverheid jullie reeds bereikt hebben!' Hij schreeuwde de woorden uit, alsof zijn voet onder de poot van een nijlpaard was terechtgekomen, en loog als de grootvader van alle leugenaars. Iedereen wist wat hij werkelijk bedoelde: hij was bang voor zijn eigen hachje. Als het team zou ontdekken onder wat voor erbarmelijke omstandigheden de gedetineerden zich hier in leven moesten houden en moesten ploeteren en wat voor een beestachtige behandeling ze hier moesten verduren, dan *zou hij het eten dat hij niet op kon krijgen ingepakt moeten meenemen…*

Vroeg in de ochtend waren de gevangenen al opgetrommeld om het kamp schoon te maken – eerst de slaapzalen, dan de kantine en de vergaderruimten en als laatste de binnenplaats. De inspecteur moest vooral overtuigd worden van de hygiënische omstandigheden waarin de gevangenen verkeerden.

'Hygiëne… nooit van gehoord,' mopperde Maly. 'In de vier jaar dat ik hier vastzit is het kamp geen enkele keer schoongemaakt. De directeur is net *een ezel die een stronk prei in zijn neusgat steekt en denkt dat hij een olifant is.*'

Ze had gelijk. Ook Lian had in het afgelopen halfjaar geen enkele keer iemand de vloer van hun slaapzaal zien boenen. De dwangarbeiders waren totaal afgemat als zij van het veld thuiskwamen. Ze hadden zelfs de fut niet meer om hun gezicht te wassen. Waar zouden ze dan de energie vandaan moeten halen om de slaapzaal te poetsen? Bovendien stonden de bedden zo dicht bij elkaar dat er nauwelijks ruimte was om er een bezem tussen te wrikken.

Een maand geleden had Lian hun een plezier willen doen en de vloer in de was gezet. Maar het water had maar liefst drie weken nodig gehad om te verdampen – er waren geen ramen; zon en wind konden er niet in. Tegen het eind van de derde week hadden de muskieten besloten het water als broedplaats te gebruiken en er massa's eieren in gelegd. Lian werd met de nek aangekeken. Ten einde raad had Moeder van de directeur een stapel oude kranten geleend en over de vloer uitgespreid. Na een paar dagen was het water door de kranten geabsorbeerd en Moeder gebood Lian in bloemrijke, dreigende bewoordingen voortaan de vieze kamer met rust te laten.

De gedetineerden konden fluiten naar de gebruikelijke viering van het westers Nieuwjaar. De directie had ze niet alleen hun verlofweekend afgepakt, maar ze ook gedwongen op zondag door te werken. Zo hadden ze dus nieuwjaarsdag schrobbend, poetsend en boenend doorgebracht.

De volgende dag moesten gevangenen de varkensstal en de kippenhokken aan een grondige boenbeurt onderwerpen. Voor de eerste keer sinds de oprichting van het kamp werd de mestkuil met een mat van gevlochten stro bedekt, om het inspectieteam de stank van de beesten te besparen. Dit snap ik niet, dacht Lian, die hoge pieten hebben ons toch juist geleerd dat *stank voor de neus parfum is voor de proletarische geest*? En daarbij, de varkensstal lag buiten de geplande route van de rondleiding van het inspectieteam. De directeur wilde blijkbaar op safe spelen.

Ook 's avonds werden de kampleden niet met rust gelaten. Per slaapzaal werd een aanvoerder gekozen, die de spraakoefeningen moest regisseren. Iedereen hield een stencil in zijn hand, geschreven en gedrukt door de directie. Daarop stonden de vragen die blijkbaar door de inspecteur gesteld zouden worden, zoals:

> *Heeft de dwangarbeid volgens jou bijgedragen tot*
> *de vorming van een gloednieuwe proletarische denkwijze?*
> *Hoe ziet een normale dag in het kamp eruit?*
> *Kun je hem in het kort beschrijven?*

Onder elke vraag stond een standaardantwoord.

De spraakoefeningen hielden in dat de gevangenen de vragen en vooral de voorgeschreven antwoorden op het stencil van buiten leerden, zodat zij die zonder haperen konden opdreunen wanneer ze door de inspecteur werden aangesproken.

Voor Lian was het een waar, zij het pervers genoegen om te zien hoe de volwassenen zich door de aanvoerder lieten dresseren. Het scheen bijzonder moeilijk voor de grote mensen te zijn om de antwoorden te onthouden. En als ze daar wel in slaagden, vergaten ze welk antwoord bij welke vraag hoorde. Of deden ze maar alsof? Op de vraag:

> Wat eten jullie meestal als lunch?

plakten ze het antwoord:

> Revolutionaire Partij-functionaris, dank zij het briljante leiderschap van ons kamp krijgen wij hier een efficiënte ideologische transformatie. Ik verwacht dat ik binnenkort uit mijn oude bourgeois slangenhuid zal kruipen en zal veranderen in een proletarische draak.

En op de vraag:

> Hoe verloopt je revolutionaire hersenspoeling?

zeiden ze:

> Kippensoep met réuzenstukken kippenvlees erin, roergebakken Chinese kool met reepjes vléés en gestoomde broodjes van tárwemeel.

Er stonden klemtonen op bepaalde woorden en de gedetineerden werden gedwongen om die woorden met nadruk uit te spreken. Elke keer als iemand het verkeerde antwoord gaf, ontplofte de slaapzaal van het geschater. Lian begon te vermoeden dat ze het met opzet deden. En dit vermoeden werd versterkt door het feit dat het gelach steeds uitbundiger en sarcastischer werd. Er waren er zelfs die zich op de wangen sloegen als ze per ongeluk het juiste antwoord opdreunden.

Lian likte gulzig haar lippen als ze zich het beschreven menu probeerde voor te stellen. Zulk eten had ze in de kantine nog nooit gehad, het nachtmaal van het molenhuis niet meegerekend. Het was een pure leugen die er bij de gedetineerden werd ingeramd. Minachting voor deze praktijken steeg op in haar borst en hetzelfde gevoel ontdekte ze bij de grote mensen om zich heen – ze sloten hun ogen, dreunden de woorden van het stencil op en ginnegapten als ze van tijd tot tijd helder werden en beseften wat ze uitkraamden.

Het hele gedoe had veel weg van een klucht, maar het feit dat niemand zijn rol in dit toneelstuk durfde te weigeren maakte het eerder tot een tragedie. Het hoogtepunt van de voorstelling was het dreigement van de directeur: wie van de aangegeven antwoorden durfde af te wijken en de inspecteur het ware verhaal over het kamp zou vertellen, diens strafmaat zou hij 'eigenhandig' verdubbelen.

Een ware dierenliefhebber

Aangezien het team een volle dag bij hen in het kamp zou doorbrengen, zou het met eigen ogen de lunch en het avondmaal van de gevangenen zien. Dit baarde de directeur grote zorgen. Hij kon zijn kampleden wel dwingen om over het menu te liegen, maar hij zou niet kunnen voorkomen dat de inspecteur het eten – of, exacter geformuleerd, het varkensvoer – van de gedetineerden met eigen ogen zou aanschouwen, laat staan opeten. De jaarlijkse subsidie die de overheid hem uitkeerde om menswaardiger voedsel voor de gevangenen te kopen, had hij voornamelijk aangewend om de bewakers en zichzelf vet te mesten; reservegeld had hij niet. Hoe had hij kunnen voorzien dat die verdomde pottenkijkers langs zouden komen?

Het kamp beschikte over zo'n tachtig varkens, tweehonderd eenden en vierhonderd kippen, maar die mochten pas na de herfst van volgend jaar geslacht worden, anders zou er een enorm financieel tekort ontstaan. Links en rechts verzamelde de directie geld om twintig kilo van de goedkoopste groente en twee kilo vlees op de kop te tikken. Het keukenpersoneel kwam in opstand omdat de directeur eiste dat het een feestelijke maaltijd bereidde, maar waarmee moesten ze dat doen? Met de groente ging het nog wel; flink water toevoegen kon ze doen opzwellen en heel wat doen lijken. Maar het vlees? Zelfs als ze het tot naaldpuntjes zouden fijnsnijden, was het bij lange na niet genoeg om er een fatsoenlijk gerecht voor tweehonderdvijftig personen mee te voorschijn te toveren. Morgen zou het zover zijn en de directeur zat in zak en as.

'Hoeveel kilo zei je dat je nog nodig had?' vroeg hij geïrriteerd aan de cheffin van de kantine.

'Meneer de directeur, ik wil het u echt niet te moeilijk maken, maar zonder zo'n tien kilo extra vlees kan ik de gerechten niet klaarmaken. Ik ben kokkin en geen toverheks die een koe uit haar mouw kan schudden.'

'Ga terug naar de keuken. Ik kom zo naar jullie toe.' De ogen van de directeur schitterden ineens van inspiratie. Hij vloog regelrecht naar de varkensstal: 'Ahuang, kom hier.'

Zijn trouwe vriend kwispelde blij en keek naar hem op. Zijn fluweelzachte oogleden knipperden en uit zijn hele houding sprak verbazing: de hemel is nog blauw; hoe komt het dat u mij nú al ophaalt om naar bed te gaan?

Een tedere glimlach bekroop het gezicht van de kampdirecteur, maar hij kuchte snel om het gevaarlijke sentiment uit zijn borst te verwijderen. Rui, die over een beerput gebogen stond, keek op toen hij Ahuang zo uitbundig hoorde blaffen.

De directeur zei: 'Vanavond krijgt je het besluit van de kampleiding over Ahuang te horen.' Hierna riep hij de hond en maakte zich snel uit de voeten.

De zevenenzestigjarige Rui had in zijn leven veel meegemaakt en er restte nauwelijks iets dat hem diep kon grieven, maar nu kriskrasten troebele tranen over zijn verweerde gezicht...

De kampleider ging eerst naar het kantoor van de twee adjunctdirecteuren; daarna liep hij met hen naar de keuken. 'Ahuang, schat, spring eens op de weegschaal,' lokte de directeur zijn nieuwsgierig kijkende maatje, 'hoeps! Blijf even stilstaan! Vijftien kilo weegt hij al – mijn ochtendmelk heeft hem goed gedaan...' Hij deed zich nonchalant en zelfs een beetje wreed voor, zodat zijn collega-directeuren hem niet zouden uitlachen en voor een zwakkeling houden, die genegenheid voor een hond koesterde. Volgens de Partij was een mens pas een rasechte revolutionair als hij zijn bloedeigen moeder opofferde voor een communistisch doel. En nu was dat doel: een goede indruk maken op het inspectieteam.

Zonder uitleg begreep het keukenpersoneel wat dit alles te betekenen had. Oom Dong, een breedgeschouderde kok van rond de vijftig, werd aangesteld om de nodige voorbereidingen te treffen.

Hoog bezoek

Lian en haar zaalgenoten werden ruw uit hun slaap gerukt door een onophoudelijk gebons op de deur. Tante Qu, wier slaapplaats zich het dichtst bij de deur bevond, worstelde zich uit haar warme deken en ging op de rand van haar bed zitten. Ze mopperde: 'Wat is dat nu weer voor gedonder? In het holst van de nacht!'

Het was tante Wen, de cheffin van het keukenpersoneel, die letterlijk en figuurlijk met de deur in huis viel: 'Nieuw bevel van de directie: jullie moeten straks tijdens de lunch de reepjes vlees in het gerecht Gebakken Chinese Kool goed zichtbaar boven op de groente leggen. Bewaar ze goed en begin er pas aan als de kool op is.'

Slaapdronken gegiechel was het resultaat. Alsof ook dit was ingestudeerd, beaamde iedereen in koor: 'Ja hoor, wij zullen ervoor zórgen dat de inspecteur dúidelijk ziet dat wij vléés bij het eten krijgen.' Lian walgde ervan en draaide zich om. Ze probeerde weer in slaap te vallen en te dromen dat ze naar een ander land vloog, waarin ze niet hoefde te liegen om in leven te blijven.

De almachtige luidsprekers piepten, knerpten en kraakten net zo lang tot iedereen klaarwakker was. Het irritante gebral ging maar door; het was zenuwslopend. Trompetgeschal jengelde over het kamp en het ochtendlied riep op tot actie:

> *Vooruit, vooruit!*
> *Wij bestormen het hoofdkwartier*
> *van de kapitalistische burcht!*

Na het ontbijt was er appèl. De gevangenen stonden zoals gewoonlijk keurig in het gelid op het pleintje. De directeur kwam hoogstpersoonlijk de presentielijst doornemen.

'Nummer één!'

Een grijsaard strompelde naar voren en antwoordde met matgeschuurde stem: '*Dao*, present.'

De kampleider trok zijn neus op en bekeek het menselijk wrak dat zich met moeite staande hield. Hij blafte hem toe: 'Ben je net uit bed gekropen of zo? Had je je haar niet kunnen kammen? En waarom denk je dat we jullie water geven? Om je smoel te wassen! Ik neuk je grootvader!' Ineens begon iedereen zijn haar plat te drukken en het zo goed en zo kwaad als het ging met de vingers te kammen. 'En die vodden aan je lijf, nummer één. Het lijken wel de ondergepoepte luiers van een baby! Draag je die lompen met opzet, om lucht te geven aan je verachting voor de Dictatuur van het Proletariaat?!'

De horde dwangarbeiders verbleekte. Iedereen begon aan zijn vieze, versleten kleren te sjorren en te trekken. *Sjie-sjie-sjie*... Het geluid van scheurend textiel ging als een golf door de rijen.

Dit wekte alleen maar meer irritatie bij de directeur. Hij schreeuwde: 'Wáár-óm moeten jullie je úítgerekend vandáág presenteren als een stel karbouwen dat net uit de modder komt gekropen?! Jullie zien eruit als doodzieke bedelaars! Is het soms de bedoeling om voor de ogen van het inspectieteam roet op mijn gezicht te smeren? Vervloekte kinderen van een ongehuwde moeder! Terug naar de barakken! Was en kleed jezelf nu eens één maal in de tien generaties fatsoenlijk! Als ik over een half uur nog één zo'n smerige armoedzaaier in mijn kamp bespeur, dan kan hij een maand bij de varkens logeren!'

Verongelijkt persten de gevangenen hun lippen op elkaar. Ze hadden er altijd zo uitgezien. En nu was het opeens een misdaad? Maar niemand durfde het bevel van de directeur te negeren. Ze verzorgden zich zo goed mogelijk, zoals ze dat jaren geleden gewend waren, in de tijd dat ze nog niet in slangenbeesten en koeiengeesten waren omgetoverd.

Toen ze een half uur later hun slaapzalen wilden verlaten, werd hun de weg versperd. Ze mochten niet naar buiten: de inspecteur was gearriveerd en deed zijn ronde door het schone, ordelijke en politiek correcte strafkamp. Als een kudde schapen werden ze een kleine ruimte in gedreven. 'Niet zo hard praten!' werd er geroepen. De bewakers deden vandaag extra hun best.

Om elf uur werden ze naar de kantine geleid. Onderweg

gilde de hoofdbewaker: 'Ik waarschuw jullie: wie één woord van het stencil afwijkt is er geweest!'

Lian volgde de dwangarbeiders op een afstand en ging na hen de kantine binnen. De muren waren bedekt met posters. In grote karakters stond er:

> *Wij heten het revolutionaire inspectieteam, dat met een alomvattend aura ons strafkamp komt verlichten, hartelijk welkom! Wij bourgeois intellectuelen zijn vastbesloten niet dood te gaan voordat we tot proletariërs zijn omgevormd. Mochten we voordien per ongeluk sterven, dan zullen we ervoor zorgen dat we onze ogen niet sluiten!*

Op het podium zat een rij mensen in grijze Mao-pakken. De vrouwen zagen eruit als vechtlustige hanen, terwijl de mannen meer leken op de gefrusteerde concubines van een oude geilaard. Lian zocht de rij af, maar kon nergens uit opmaken wie van hen de inspecteur was.

'Stilte!' riep de directeur.

Een van de mannen op het podium was op een stoel geklommen omdat hij anders niet bij de microfoon kon. Hij begon een tekst van een stapeltje papier op te lezen:

> *De oostenwind onderdrukt de westenwind. De rivieren stromen naar zee; alle volkeren in de wereld lopen over naar het communistisch kamp. Wie de meeste koppen laat rollen, is de grootste held; wie de ergste rellen schopt, is Mao's trouwste volgeling...*

Na elke zin krabde hij zich onder zijn oksels, alsof hij onder de luizen zat. Moest dát de inspecteur voorstellen...?!

Toen het mannetje eindelijk zijn voordracht besloten had, werd het eten opgediend. Iedereen kreeg een kommetje rijst met daarbovenop wat roergebakken Chinese kool en een paar reepjes vlees. Gewoonlijk zou Lian krankzinnig geworden zijn van de aanblik alleen al, maar vandaag bekroop haar een raar, onaangenaam gevoel. De vleesstrookjes waren donkerrood en mager, helemaal niet zo rossig en vet als ze gewend was. Ze kon zich er niet toe brengen een hap te nemen en keek om zich heen. Er waren er die zaten te schransen als betrof het een feestmaal, maar anderen kregen nauwelijks een hap door hun keel.

Het avondmaal werd opgeluisterd met een ongekende lekkernij: rijstepap met groene bonen én dadels! De kampbewoners stonden in de rij voor een tweede kom pap. Vandaag konden ze onbeperkt bijhalen. De pap was zo dun dat je de rijstkorrels en bonen op de vingers van één hand kon tellen. De enige manier om voldoende te krijgen was de ene kom na de andere naar binnen te werken.

Tegen acht uur, bijna twee uur na aanvang van het feestmaal, vielen de eerste mannen erbij neer. Ze lagen op hun rug en konden zich niet meer bewegen. De waterige pap had hun buik opgeblazen: rond als een omgekeerde wok en zwaar als een molensteen. Ze lagen onbeschaamd te kreunen. Als ze te hard gilden, bubbelde hun buikvel als een bord bottengelei.

Gelukkig was de inspecteur tegen die tijd alweer vertrokken. De directeur verzamelde twintig jongemannen om een tiental kruiwagens uit de schuur te halen. De veelvraten werden met buik en al op de wagens gelegd en in de slaapzaal gedumpt. Het leken eerder zwangere vrouwen die de operatiekamer werden binnengereden, met dit verschil dat hun buik niets anders te bieden had dan vocht, met hier en daar een rijstkorreltje…

Toch kon niemand erom lachen.

꿈

Ze zat op Vaders nek en gilde van opwinding. Want, Opa Hemel en Oma Aarde! een geit, gekleed in een goudgele mantel met rode strepen, was aan het koorddansen; een jongedame speelde op haar erhoe met twee snaren van gedroogde schapendarmen een orensplijtend liedje:

> *Wusong slaat met vuisten bloot*
> *de tijger Jinqianbao dood*

De spanning werd dusdanig opgevoerd dat Lian bijna in haar broek plaste.

'Ahuangs koorddans!' kondigde een man in een clownspak aan. Hé, wat deed de kampdirecteur in het circus?

Lian volgde de wijsvinger van de clown en zag in plaats van een koord de dwarsbalk van een portaal net als bij de ingang van het kamp. Die was zo breed dat de behendige hond er met gesloten ogen overheen zou kunnen draven. Wat was daar voor bijzonders aan? Of ging

Ahuang een ander kunstje doen, iets veel moeilijkers? Lian zocht de gezichten van het publiek af naar een verklaring. Ze snoof een neusvol lucht op – het rook naar kruit.

Een dresseur klom het portaal op en wierp er een lang touw overheen. Hij sprong als een lenige aap op de grond en maakte een lus aan het eind van het touw.

'Ahuang, leg je hoofd in de lus!' riep Gao de Clown. De hond wilde niet luisteren en liep maar in het rond. Maar Gao was een goede clown. Hij maakte zijn stem zacht en zei op zingende toon: 'Ahuang, mijn zoete kind. Kom bij mij, dan gaan wij lekker botten kluiven.' En waarachtig, binnen luttele seconden zat de hond vol verwachting aan zijn voeten. Luidruchtig instrueerde de clown zijn assistent de lus voor Ahuangs snuit te houden, en hoepla! Ahuang had zijn kop er keurig in gestoken. De dresseur rende naar het andere eind van het touw, trok eraan – rrrrrrrrrrrrrrrrrrrrrr – en Ahuang bungelde al aan het hoogste punt van het portaal. De Acrobaat met de Goudgele Vacht schopte krachtig met zijn vier poten in het rond en zwaaide met zijn hoofd.

Lian kreeg het gevoel alsof ze gekeeld werd. Ze wilde het uitschreeuwen, maar ze kon het niet. Ze probeerde te ademen, maar dat lukte maar nauwelijks. Ze barstte uit in een schaterlach en sprong op en neer als een te enthousiast opgepompte basketbal: 'O, o, Ahuang voert een prachtig kunstje uit! Turnen met een lus om zijn nek! Met een lus om zijn nek…!' Ze keerde zich naar het publiek, sloeg zich op haar wangen, borst en buik en gilde als een waanzinnige: 'Ahuang is de beste acrobaat van de hele wereld! Hij heeft een ijzersterke techniek! Leve A-hu-ang!!!'

Fhoet, fhoet… Achter haar rug worstelde Ahuang met zijn leven. Lian draaide zich om en lachte nóg uitbundiger: 'Dommerdje, niet zo tegenstribbelen, dat trekt de lus alleen maar strakker! Meneer de clown, beste ooms en tantes, kijk: het touw zit veel te strak! Zo kan hij het kunstje niet goed uitvoeren…' Ze vloog als een bezetene heen en weer door de piste van de clown naar de stomgeslagen omstanders. Ze leek zelf wel het middelpunt van de voorstelling geworden, want iedereen keek naar háár. Terwijl daarboven Ahuang met zijn poten om zich heen schopte. Zijn ogen puilden uit.

Ze keek naar haar vriendje. Ineens had hij geen zin meer in het circus. Hij gaf het op. Daar hing hij.

Opnieuw begon ze hysterisch te lachen: 'Hééé! Stop nu maar, Ahuang, je maakt ons bang. Doe je ogen eens open…'

Maar Ahuang deed alsof hij haar niet hoorde. Het publiek applau-

disseerde en lachte zonder geluid. Maar niemand stak een poot uit om de acrobaat uit zijn benarde positie te bevrijden. Lian knielde neer en maakte onophoudelijk kowtows voor iedereen – donggg-donggg-donggg. Ze bonkte met haar hoofd op de verdroogde grond, als een knikker op een marmeren vloer. Bloed verkleurde de bruine aarde. Ze sprong op en graaide naar boven. Ze huilde en lachte tegelijk en riep naar de dresseur: 'Wordt het geen tijd Ahuang naar beneden te halen en hem zijn beloning te geven?'

Maar de voorstelling was afgelopen en het publiek ging tevreden babbelend naar de uitgang. Vader pakte Lian en sleurde haar naar huis. Lian zette haar tanden in Vaders hand en wist zich uit zijn greep los te maken.

Ze rende naar Gao de Clown en keek hem in de ogen: 'Wat heeft u met Ahuang gedaan?!' De clown ontweek haar blik, maar ze bleef hem aankijken en volgde zijn ogen als een magneet. Auwa! Hij schopte haar recht in haar buik! Ze viel op de grond en schoof nog een eind door tot haar achterwerk een slipspoor van twee meter achterliet…

Gillend werd ze wakker. Ze tastte haar weg naar Moeders bed en riep: 'Mama, waar is Ahuang?'

'Ennn…' Van alle kanten klonk een slaperig gekreun. Moeder trok haar deken over Lians hoofd en fluisterde: 'Sst, het was maar een droom. Probeer te slapen. Er is niets aan de hand.'

'Echt waar? Ik was zo bang.'

Ze hoorde Moeder zuchten en kroop tussen de klamme dekens. Ze kon de slaap niet meer vatten.

De raad van Qin

Onverwachts sneed Qin een onderwerp aan dat Lian al een hele tijd behoedzaam ontweken had: het lelietheater.

'Lian, wanneer was de laatste keer dat je je lezing over geschiedenis gaf?'

'Meneer, sorry, ik…'

'Je bent me geen verontschuldiging of uitleg schuldig. Is het niet zo dat je een vieze smaak in je mond overhoudt iedere keer als je je negatief over China's verleden en de historische figuren uitlaat?'

Ze knikte gretig – hoe wist hij dat?

'Kind, hiervoor krijg je een pluimpje van mij. Je schikt je blijkbaar niet in het sombere beeld dat ons land oproept en zoekt naar verlossing. Daar heb ik bewondering voor. Ik ben verstokt en meen dat het leven niets anders te bieden heeft. Daarom doet het me deugd om te zien dat de jongere generatie naar een andere levensvisie snakt.'

Nooit had ze gedacht dat datgene waarvoor ze maandenlang bang was geweest, zo'n fantastische wending zou kunnen nemen: in plaats van bekritiseerd te worden voor haar gebrek aan doorzettingsvermogen wat haar lezingen aan het lelietheater betreft, werd ze geprezen om haar behoefte aan een andere kijk op de wereld.

'Lian, al zegt mijn verstand dat ik positief over de geschiedenis hoor te denken, mijn zienswijze lijdt aan aderverkalking en staat me niet toe om dit daadwerkelijk te doen. Ken je het gezegde: *Men kan een oude ezel geen nieuwe trucjes leren?*'

Lian vlijde haar hoofd tegen zijn borst en omarmde zijn middel. Ze beefden allebei. Met zijn tweeën vormden ze een levend bewijs van machteloosheid. Van Moeder kreeg ze in haar zoektocht naar optimisme en vreugde geen steun; bij Qin vond ze die weliswaar ook niet, maar hij wilde haar die zó graag geven... Ze kwam erachter dat ook volwassenen met bepaalde zaken geen raad wisten. Wat was de wereld toch eng! Ondanks Qins stevige armen om haar heen, beefde ze als een herfstblaadje.

'Huil alsjeblieft niet meer, anders voel ik me nog ellendiger. De laatste tijd heb ik veel nagedacht: hoe kan ik je verder helpen? Lian, mijn kind, ik moet toegeven dat ik niets in mijn mars heb om je een vreugdevolle interpretatie van het verleden en heden bij te brengen. Ik laat je los.'

Ze sjorde en trok aan zijn jas en schreide haar longen uit haar lijf: 'Oom Qin, laat me niet vallen! Wat moet ik beginnen zonder u?!'

'Lian, meisje, je loslaten is iets anders dan je laten vallen. Een gewetensvolle arts laat een patiënt die hij niet kan behandelen los, opdat de zieke naar een betere geneesheer kan gaan. Kind, kind, je bent de zonnestraal van mijn oude dag en, och, je weet niet half hoe je mijn leven hebt verlicht! Ik zal je nooit in de steek laten. Op mijn woord. Het is het woord van een gevangene die tien jaar lang oog in oog met de dood heeft gestaan.'

Ze stopte met snikken en keek argwanend naar hem op. Hij meende wat hij zei! Ze greep zijn rechterhand en ze trok hem naar een stapel meelzakken, waar ze naast elkaar gingen zitten.

Qin zei: 'Een paar dagen geleden schoot me een bekend gezegde te binnen: *Wetenschap is de samenvatting van alle verschijnselen in het heelal en godsdienst is de samenvatting van alle wetenschappen.* Snap je deze zin? Dat wil zeggen, als we met onze ratio geen kant meer op kunnen, kunnen we ons alsnog wenden tot de godsdienst.'

'Maar godsdienst is opium voor de geest.'

'Wie heeft je dat geleerd? Karl Marx zei: "Godsdienst is opium *van* het volk". Dat is iets heel anders.'

'Dat snap ik niet. Wat is dan het verschil?'

'Marx' woorden zijn veel genuanceerder. Zij oordelen niet. Letterlijk zegt hij dat godsdienst een "verzuchting" is van wie in nood verkeren, in "een harteloze wereld". Godsdienst is onmisbaar voor degene die in moeilijkheden verkeert. Dat is een heel milde visie.'

'Denkt u dat hij gelijk had?'

'Dat moet je zelf uitzoeken, Lian. Mijn kind, als ik je één raad mag geven: laat niemand je voorschrijven wat je moet denken. Boeddha heeft je verstand gegeven; doe er iets mee. En nu komt mijn voorstel: vertel voortaan je geschiedenisverhalen aan Kannibaal.'

'Kannibaal? U bedoelt de Gloeilamp?'

'Ja, de Monnik.'

'De Kwijlende Aanbidder van de Vader, Moeder, Minnaar en Minnares in Een?'

'Juist, de Eeuwige Lachebek.'

'Dat meent u niet!'

'Vroeger dacht ik net zo over hem als jij nu, maar de laatste tijd ben ik er niet meer zo zeker van… sterker nog, ik heb het vermoeden dat, mocht er een uitweg uit de doolhof van je pessimisme bestaan, die bij Kannibaal te vinden is. Hij kan jouw gids zijn.'

Ze zweeg. Wat moest ze tegen hem zeggen? Dat ze ten zeerste twijfelde aan de zinnigheid van zijn voorstel? Meestal waren de dingen die hij zei veel wijzer dan ze op het eerste gezicht leken.

De namen van de monnik

Zomaar naar Kannibaal stappen! Het idee was zo vreemd dat ze tijd nodig had om eraan te wennen. Ze haalde herinneringen aan hem op en trachtte zich voor te stellen wie hij in werkelijkheid was. Maar het was onbegonnen werk, want hij was als een *yaojing*. Net als ze zich een gedaante van hem voor de geest had gehaald, veranderde hij weer in iets anders.

Wat moest ze doen? Ze wilde dat ze het met iemand kon bespreken, iemand die haar wijze raad zou geven. Tot Qin durfde ze zich niet te wenden. 'Hoezo?' zou hij haar vragen, 'ben je nog niet bij hem geweest?!' Wat zou ze hierop moeten antwoorden? Van Moeder kon ze alleen maar moraliserende preken krijgen, en dat was wel het laatste waar ze behoefte aan had.

Ineens wist ze wat ze moest doen. Ze zou naar haar stille vriend en trouwe toehoorder gaan – het lelietheater.

～

Van verre kwamen de typische lentegeluiden haar tegemoet. Vogels tjilpten, krekels tjirpten, kikkers kwaakten en talloze insecten waar ze de naam niet eens van kende zongen met vertederend schrille stemmetjes een lofzang op het levenbroedende jaargetijde. Een bries stak zijn liefkozende vingers in Lians haren, maar verspreidde de slierten in zijn onhandige kalverliefde juist slordig over haar hele gezicht. Ze schudde met haar hoofd, lachte hem plagerig uit en maakte hem attent op het doel van haar wandeling: het meer.

'Weet je, toeschouwers van het lelietheater, Kannibaal is toch maar een rare. Wat zeg je? Heeft hij geen gewone naam zoals de anderen? Dat zou ik niet weten. In ieder geval, sinds ik bijna een jaar geleden hier ben ingetrokken heet hij zo. Ik heb wel meegemaakt hoe hij aan zijn andere namen kwam, maar dat komt straks wel. Alles op zijn tijd. Allereerst zal ik jullie vertellen hoe hij aan zijn bijnaam "Kannibaal" gekomen is. Maly, mijn bovenbuurvrouw – die van het stapelbed, weten jullie nog – heeft me ingewijd.

Op de Nationale Feestdag van 1 oktober drie jaar geleden – toen Moeder hier nog niet zat – kregen de gevangenen een feestelijk maal, volgens Maly honderd keer beter dan dat van een paar weken terug, toen het inspectieteam ons kamp bezocht. Er zaten duimdikke repen vlees in het gerecht. Maly hurkte in een hoek en slokte als een stofzuiger het vlees op. Toen ze haar kom vol spijt aflikte, zag ze een enorme kring mensen om Kannibaal heen staan. Alleen heette hij toen nog niet zo, snap je? Uit nieuwsgierigheid ging ze ernaar toe. *Ptjíe!* Ze schoot in de lach: de grote kerels en oudere vrouwen, die al opgroeiende kinderen hadden, stonden met open mond naar de eetstokjes van Kannibaal te kijken. Van tijd tot tijd pikte hij een reep vlees uit zijn Chinese kool om die in een van de uitgestoken kommen van de omstanders te deponeren...

Pas nadat zijn kom leeg was en er niets meer van hem te verwachten viel, veranderde de stemming. Velen klopten zich op de buik, boerden zoals het hoort en vroegen Kannibaal op plagende, zelfs minachtende toon: "Hé, waarom eet je dat vlees zelf niet op? Ben je bang voor lintwormen of zo?"

Kannibaal zette zijn eetgerei op de vloer en zei: "Vóór de Culturele Revolutie was ik boeddhist. Nu mag ik mijn godsdienst helaas niet meer beoefenen." Voorzichtig monsterde hij zijn publiek. "Althans niet openlijk. En daarom noem ik mezelf tegenwoordig vegetariër."

"Een groentevreter," legde iemand in de mensenhaag honend aan de rest uit. "Krijg je dan wel genoeg eiwit en andere noodzakelijke voedingsstoffen binnen om fysiek sterk te blijven?"

"Kijk naar een gorilla. Hij kan je als een pingpongballetje naar de andere kant van de kantine gooien – toch eet hij alleen bananen en ander fruit."

Hier hadden de omstanders niet van terug. Totdat iemand zei: "Kun je me vertellen wat voor theologische gedachtegang achter dat vegetarisme van de boeddhisten schuilgaat?"

Kannibaals gezicht klaarde op: "In het Rode Boekje staat: *Godsdiensten zijn kinderlijke misvattingen van de verschijnselen in het heelal.* Dus, geachte aanwezigen, gebruik dit revolutionaire geestelijke bestrijdingsmiddel om wat ik jullie nu ga vertellen mee te besproeien: reïncarnatie is het antwoord. Een levend wezen kan in verschillende levens verschillende gedaanten aannemen. In het ene leven is dat een mens, in een ander leven kan dat net zo goed een varken zijn. Daarom is het best mogelijk dat als ik dit vlees eet, ik mijn opa aan het oppeuzelen ben, als die na zijn dood in een varken is gereïncarneerd."

"Wóóóó, wóóóó!" De menigte klapte dubbel van het lachen. Ze gilden de hele kantine bij elkaar. Sommigen waren werkelijk geamuseerd door deze visie; anderen verborgen op deze manier hun angst – stel je voor dat hij gelijk had!

Maar een man met een bleek smoelwerk schreeuwde nijdig: "Je opa opvreten! Wat een kannibalistisch idee!" Hoho, dat bracht de bende op een averechtse gedachte. Ze gilden in koor: "Je bent een kannibaal!"

Eerlijk gezegd zijn er in dit kamp veel mensen die alles behalve vleiende bijnamen hebben, zoals "De Weg is Bobbelig" – de manke – "De Pitloze Meloen" – de man die geen zoon heeft verwekt – et cetera... Maar ze worden zelden open en bloot met deze naam aangeduid, hoogstens achter hun rug, wanneer er geroddeld wordt. Kannibaal vormt hierop een uitzondering. Soms zie ik de hartgrondige haat waarmee sommigen hem met deze naam aanspreken, alsof ze alleen op die manier wraak kunnen nemen. Hij heeft niets anders gedaan dan zijn kampgenoten kennis bijbrengen over reïncarnatie, maar dat nemen ze hem jaren later nog kwalijk.

En weet je hoe Kannibaal aan zijn tweede naam, "Gloeilamp", kwam? Eens in de twee maanden mogen de mannelijke gevangenen naar de kapper in het dichtstbijzijnde dorp. Elke keer dat hij daar komt, zegt Kannibaal: "Scheer mijn hoofd kaal."

"Helemaal kaal?"

"Ja, als een gloeilamp."

De bijnaam "Monnik" heeft hij gekregen toen hij vorig jaar het geschop en gevloek van de bewakers niet meer kon verdragen, en een verzoek bij de kampdirectie indiende. Hij smeekte om weer naar de Qingyuntempel in het Wutaigebergte te mogen gaan. Daar hoopte hij zijn oude meditatiemeester op te zoeken en zijn monnikenbestaan weer op te vatten. Hij was vanaf zijn vijfde jaar al bij die meester in de leer en het was de bedoeling dat hij hem zou opvolgen. Begin jaren vijftig werd hij echter nieuwsgierig naar de nieuwe "communistische" staat die Mao had opgericht; dat was volgens zeggen een paradijs op aarde. Hij nam afscheid van zijn leraar, verliet de bergen en trok het land in. Vanwege het feit dat hij een van de weinigen was die nog Sanskriet kon lezen en vanwege zijn grondige kennis van het boeddhisme, werd hem een baan aan de Universiteit voor Docenten aangeboden. De nietsontziende politieke bewegingen sinds 1953 schokten hem hevig, maar hij heeft nooit ook maar één gedachte gewijd aan een eventuele terugkeer naar het veilige oord van Wutai... Tot verleden jaar.

Je kunt je het antwoord van de directie wel voorstellen: "Zeg maar tegen je moeder dat ze je terug in haar baarmoeder neemt, omdat het leven hier buiten je nu ineens niet meer bevalt. Opportunist! Je wilt van twee walletjes eten, hè? Wanneer het er in de lekenwereld plezierig aan toe gaat, verlaat je de tempel, maar zodra het je hier te heet onder de voeten wordt, wil je de bergen weer in. Komt niks van in!" De kampdirecteur vond het heerlijk om aan de honingpot van zijn macht te likken, Kannibaal als een hulpeloos konijntje in zijn berenklauwen rond te draaien, hem een beetje te krabben en te knijpen; zo kon hij zijn treitergenot eindeloos rekken.

"De Eeuwige Lachebek" is een recente uitvinding van de kampgenoten. Ik kan niet meer achterhalen wanneer het voor het eerst opgemerkt werd, maar in ieder geval lacht Kannibaal het afgelopen halfjaar steeds vaker, steeds hartgrondiger en steeds onbevangener – net een baby die door zijn liefdevolle moeder gewiegd en vertroeteld wordt. Zelfs het meest afmattende karwei in het veld en de meest vernederende aanklachtenbijeenkomsten kunnen Kannibaals optimisme en vrolijkheid niet blussen. Hij is de enige die fluitend door het kamp gaat en ik ben er zeker van dat, ware hij niet tweeënzeventig en slecht ter been, hij er zelfs bij zou huppelen. Hij is uniek in zijn opvatting over zijn gevangenschap: "Het is toch heerlijk hier? We hoeven ons het hoofd niet te breken over hoe we een origineel wetenschappelijk onderzoek moeten doen of een academisch verantwoord boek horen te schrijven; we hoeven geen boodschappen te doen; drie keer per dag wordt er voor ons gekookt. En waar vinden we in Peking zulke frisse lucht? Hier leven we gezond en verrichten fysieke arbeid in de vrije natuur. Dit is precies wat de oude meesters eeuwen geleden als het voorrecht van de onsterfelijken bezongen. Trouwens, probeer je eens in te leven in Mao, de Grootste en Wijste Leider van het Heelal. Wat moet hij aanvangen met een stelletje intellectuelen zoals wij, die te veel weten van idealen en te weinig snappen van de realiteit? Ik kan me wel voorstellen waarom hij ons in een kamp heeft gestopt: om ons met onze neus op de feiten te drukken. We moeten niet verwachten dat een democratisch stelsel naar westers model binnen een paar jaar gerealiseerd kan worden in dit boerenland."

Dat had hij vooral niet moeten zeggen. Hoewel er talloze verraders onder ons zijn, keurt niemand Mao's beleid ten opzichte van de intelligentsia goed. Aan deze uitspraak heeft Kannibaal zijn afschuwelijkste bijnaam te danken: "Kwijlende Aanbidder van de Vader, Moeder, Minnaar en Minnares in Een".'

Toen Lian uitgesproken was, nam het concert van de natuur het over. Een onverbrekelijk geluidssnoer omhelsde alle levende wezens en fluisterde tedere woorden in Lians oren – in de naam van de liefde, van het leven en van de liefde voor het leven. Waarom maakte ze zich nog druk over ideologie en al dat lastige gedoe? Kon ze niet gewoon genieten van het *zijn* op zich?

Nee, zo eenvoudig was het niet. Ze wilde het naadje van de kous weten – ze meende dat dáár haar geluk in schuilde. Ze haastte zich om te vragen: 'Zeg toeschouwers van het lelietheater, wat vinden jullie van Kannibaal? Is het een halvegare of een genie? Zal hij mij van mijn zwartgalligheid kunnen verlossen of niet?'

De groene zee

Twee maanden lang repte Lian met geen woord over haar geschiedenisvertellerij en over Kannibaal tegen Qin, totdat ze op een zonnige dag naar het meertje terugging. Ze ging op haar vertrouwde steen staan en zei: 'Dag, toeschouwers van het lelietheater! Het is lang geleden dat ik bij jullie op bezoek was. Nemen jullie me dat kwalijk? Toe, doe het niet, want ik wílde jullie wel opzoeken, maar ik was zo in de war. Dat vertellen over de Chinese geschiedenis breekt me op, en een paar maanden geleden heb ik me voorgenomen op te houden me zorgen te maken over het sombere verleden en heden van mijn vaderland. Zie je, toeschouwers van het lelietheater, zonder mijn bezorgdheid blijft de aardbol ook wel draaien.'

De alomvattende stilte en de tot elke porie van het levende organisme doordringende frisse lucht omringden haar, alsof er tussen hen niets aan de hand was geweest. De zachte wind fluisterde haar in de oren: 'Ha Lian! Je bent er weer. Eindelijk! Welkom thuis!' Geen naaldpuntje verwijt was er in zijn stem te bespeuren. Ze ontspande zich volkomen, maar tegelijkertijd stonden haar zintuigen op scherp...

Ruik! De lente was in de lucht. Slierten frisse, harsachtige geur streelden Lians reukorgaan en versnelden haar hartslag. Ontluikende bloemen bliezen hun zoete adem uit en brachten haar bijna in trance. Uit sommige bruine takken staken de lichtgroene knoppen hun schuchtere hoofdjes op en andere toonden brutaal en uitbundig al felgele bloemen. Wilde bloempjes waren over het gras uitgestrooid als sterren aan het nachtelijke firmament. Wanneer een bries langs hen dartelde, knipperden ze met hun ogen, de ondeugende kijkers van een flirtende schoonheid. De bladeren van de waterplanten in de vijver oogden frisser en glansden oogverblindend in de zon.

Op een zilverberk was een stel roodborstjes druk in de weer een nest te bouwen. Ergens anders deden twee merels stemoefeningen om straks hun liefdesliedjes nog verlokkelijker ten beste te kunnen geven. Hun muziek mengde zich met het geruis van de beek die langs de vijver naar het graanveld liep; ze zongen het duet dat *Lentesonate* heet.

Lian volgde het riviertje en bereikte het veld: een hoogpolig donkergroen tapijt. De wind stak op en ineens werd het kleed mintgroen – de planten bogen zich en toonden de onderkant van hun rokje, dat lichter van kleur was. Lian rende de groene zee in en liet zich in haar armen wegzinken... Haar angsten, twijfels en zorgen verdampten. De grens tussen Lian en haar omgeving vervaagde. Ze smolt erin weg, bestond niet meer...

> *vrij als een zwaluw*
> *open als het graanveld*
> *doorzichtig als de zwangere lentelucht*
> *licht als dansende pollen*
> *vreugdevol als de glimlachende bloemen*

Voel! De wind was in dit seizoen teder en fluweelachtig als de strelende hand van Moeder. Lians poriën openden zich en een krachtige stroom bloed baande zich een weg door haar bloedvaten en werd naar al haar ledematen gepompt.

De lente-energie ontwaakte uit haar winterslaap. Ze duwde van onder de grond het gras omhoog, nodigde de bloemen uit hun knoppen, verfde de takken groen en fluisterde als een ervaren minnaar in de oren van de maagdelijk blanke winterzon, totdat ze ten slotte mateloos moest blozen.

Kijk! De natuur groeit en bloeit, ongeacht hoe wreed mensen onder welk voorwendsel dan ook elkaar vervolgen of uitmoorden. Het heelal staat boven de menselijke dwaasheid en gaat zijn eigen gang, jaar in jaar uit. Niets en niemand, hoe machtig en angstaanjagend ook, kan de natuurlijke kringloop tegenhouden.

Hoor! De stille, maar duidelijk hoorbare stem van de natuur. Was dit de weg uit haar pessimisme, de weg waar ze al zo lang naar had gezocht?
De fleurige planten, de geparfumeerde lucht en de ontdooide rivier die Lian jodelend voorbij danste, zongen in koor:

> *Leef en beleef!*
> *Er bestaat maar één ding in de kosmos*
> *en dat is: het leven*
> *De rest is illusie,*
> *illusie en niets dan illusie...*

Moest ze tastbare zaken als dwangarbeid, hersenspoeling en aanklachtenbijeenkomsten dan als waanvoorstellingen beschouwen? Waren het heropvoedingskamp, het varkensvoer dat ze elke dag voorgeschoteld kreeg en de smerige slaapzaal zonder een enkel raampje, maar met legers kakkerlakken alleen maar waanideeën? Misschien wel. Het klonk allemaal wel gewichtig, maar hier in het grenzeloze, geurige en kleurige graanveld leek het eerder een mug die een concert poogt te verstoren.
Lian draaide in het rond, keek omhoog, liet de oranje zon in haar ogen schijnen en gaf de natuur gelijk.

Ze rende terug naar haar slaapzaal, voelde onder het stro op haar bed en haalde de driehoekige glasscherf te voorschijn die haar spiegel was. Lian had de scherf vier maanden geleden op weg naar de openbare wc gevonden. Om niet in de gaten te lopen bij sommige van haar klikgrage zaalgenoten hield ze hem veilig onder het stro verborgen. Af en toe, als iedereen het veld was ingegaan, haalde ze hem te voorschijn.

Maar dat was al meer dan een maand geleden. Waarom ze vandaag plotseling zin had om zichzelf te bekijken, wist ze niet precies.

Was zíj dat? Die slonzige griet? Haar linkervlecht was onregelmatig gevlochten, er zat een dikke knobbel in het midden. Slierten warrig haar hingen als een verdroogde dweil over haar gezicht. Ik zie eruit als een verwaarloosde poedel, dacht ze hardop.

Maar daar onder het rommelige haar dansten poppetjes in haar ogen. Nog nooit had ze zulke opwindende lichtjes bij zichzelf gezien. Waar kwamen die opeens vandaan? Wat deden die daar? Ze bracht haar handen naar haar hoofd en kamde de slierten met haar vingers naar achteren.

Maar hoe kon dat? De witte vlekken op haar handen en armen waren spoorloos verdwenen! Snel rolde ze haar broekspijpen op. Boeddha Almachtige! Ze staarde naar de fijne egale huid op haar schenen en was sprakeloos.

'Je meent het niet!' schreeuwde ze na een lange stilte tegen haar verbaasde spiegelbeeld, alsof die andere Lian haar voor de gek hield, 'de hardnekkige vitiligo kan toch niet zomaar helemaal verdwenen zijn?!'

Tien minuten verstreken. Maar de vlekken keerden niet terug. Nog altijd vertoonde haar huid niet de geringste smet. Ze begreep er niets van. Denk na, beval ze zichzelf, hoe ben ik van de vitiligo genezen? Het wortelsap dat Kim haar had gegeven, had ze hoogstens veertig dagen gebruikt, en dat was alweer bijna een jaar geleden. Daarna mocht ze van de kampdirecteur niet meer met Kim en haar familie omgaan, opdat ze niet met haar giftige bourgeois ideeën onschuldige boerenarbeiders besmetten zou. Daardoor had ze verder niets aan de huidziekte kunnen doen. Waarom wist ze niet precies, maar de lievelingsspreuk van haar opa in Qingdao speelde haar door het hoofd:

Als je geen verlangen meer hebt,
word je met geluk begoten

Ze zette de inspectie voort. De grijze broek, die oorspronkelijk hemelsblauw was geweest, hing als een vod rond haar taille. Haar jas glinsterde als een harnas van zwart metaal. Stofdeeltjes en vet vormden een dikke, groezelige laag, die het lamplicht van het slaapvertrek weerkaatste. Waar haalde ze het lef vandaan om zulke gore kleren te dragen? Hoe had ze zichzelf zo slecht kunnen verzorgen?

Ze sleepte een houten kist van onder Moeders bed en zocht een stel schone kleren uit. Hierna ging ze naar buiten. Ze wist ook niet precies waarom. Gewoon om te pronken, vreesde ze. Maar behalve het keukenpersoneel en de mensen van de varkensstal waren slechts de directieleden achtergebleven. En zelfs die zaten binnenshuis. Het pleintje van het kamp was uitgestorven. Toch lette ze extra op haar houding. Liep ze met rechte rug en hield ze haar buik in? Dribbelde ze niet als die arme Ahuang? Ze had het idee dat er duizenden ogen op haar gericht waren, die elk klein foutje in haar houding detecteerden en haar daarvoor cijfers toekenden.

Ze dacht aan haar nicht Fengyi, de droomprinses van haar dorp, hoe die haar stappen zette. Zó: heel langzaam en sierlijk. Lian probeerde Fengyi op onopvallende wijze na te bootsen, maar Opa Hemel, ze kon zich toch niet de hele tijd op die manier voortbewegen? Om naar de poort te gaan, die maar tweehonderd meter van haar verwijderd was, zou ze zo meer dan een uur nodig hebben!

Ontwaken

Na zijn besluit kwam Qin niet meer naar het lelietheater om Lians lezingen bij te wonen. Maar zijn geschiedenislessen gingen gewoon door. Op een dag vertelde hij haar over de tweede landbouwhervorming, in de jaren vijftig. Tijdens die campagne werden de landheren gedwongen al hun bezittingen op te geven, hun bijvrouwen incluis.

Lian wist bij Boeddha niet waarom, maar stelde de hoogleraar een idiote vraag: 'Is het waar dat de bijvrouwen van de landheren er meestal leuk uitzagen?'

Hij schudde zijn hoofd, zuchtte en moest ten slotte glimlachen: 'Lian, je bent een groot meisje geworden.'

Deze keer was het haar beurt om overdonderd te zijn. Waar had hij het over?

Qin vervolgde: 'Je hoort hier niet thuis. Je zit in een periode waarin je jezelf pas echt leert kennen door met je leeftijdgenoten om te gaan.'

Lian was eigenlijk helemaal vergeten dat ze minderjarig was. In de elf maanden dat ze in het kamp woonde had ze zich aangepast aan de grote mensen om haar heen. De behoefte om met haar jaargenoten te spelen was ze al lang ontgroeid. De enige die ze miste was Kim. Maar zelfs aan haar dacht ze weinig. Hoe zou het met haar gaan? Voor het eerst sinds maanden kwam deze vraag weer naar boven…

❧

Tijdens het verlofweekend had Moeder Lian gevraagd boodschappen te doen. Toen ze naar het winkeltje van de universiteit slenterde, bestudeerde ze de voorbijgangers. Vooral meisjes van haar leeftijd trokken haar aandacht. De een had een platte neus, een ander te dikke lippen en een volgende mooi gevormde benen. Oei, Lian durfde geen stap meer te zetten; háár benen hadden meer weg van de bamboestokken waarmee je een klamboe opzette.

Gek dat ik tegenwoordig zo veel belangstelling voor meisjes heb, dacht Lian. Jongens en volwassenen zeiden haar niets. Allereerst omdat de jongens van haar leeftijd, of ouder, van die stoppels op hun bovenlip – sommigen zelfs op hun kin! – hadden. Ze zagen er verre van fris uit en hun stem klonk als een verroeste zaag. Maar vooral, en dat was het meest weerzinwekkende aan hen, ze stonken. Ze verbreidden een onbestemd odeur, als… net als… nu wist ze het: als bedorven bloemkool. Ze meed de jongens als de pest.

Het kon natuurlijk ook aan háár liggen, dat ze last van hun geur had. Ze was erg gevoelig geworden. Haar zintuigen waren de laatste tijd vlijmscherp geworden. Als iemand mijlenver een liedje neuriede, kon ze hem haarfijn horen; dan zong ze met hem mee, in zíjn ritme. En als ze hem dan minuten later tegenkwam, ontdekte ze dat ze beiden op het woord af bij dezelfde frase van het lied waren aanbeland. Bloemen rook Lian van heinde en verre; ze kon precies zeggen met wat voor soort ze te maken had.

Volwassenen roken weliswaar niet naar bedorven bloemkool, maar ook die vond ze niet aantrekkelijk. Ze spraken alleen maar over weinig prozaïsche dingen zoals bekritiseringsbijeenkomsten, de nieuwste ontwikkelingen in de politiek, zwoegen in het veld en, als het moest, over koken en kleren wassen. Ze bloosden nooit als ze een complimentje kregen en werden zelden neerslachtig als hun een negatief commentaar toegevoegd werd. Ze maanden Lian tot 'normaal doen', wanneer ze giechelde of in haar enthousiasme opsprong. Alsof zíj de norm in pacht hadden...

De stoute schoenen

Precies drie maanden nadat Qin Lian had aangeraden om naar Kannibaal te gaan, besloot ze de kans op verlossing van haar zwartgalligheid te wagen.

Ze liep naar de zuidelijke hoek van de kantine, waar Kannibaal moederziel alleen zijn lunch soldaat maakte.

'Zo, Lian, ben je gekomen.'

Er was iets in zijn stem dat haar hogelijk verbaasde, maar wat? Ze hurkte naast hem neer en begon tegen hem aan te kletsen over koetjes en kalfjes. Zijn schijnbaar alwetende blik ging haar door merg en been. Ineens begreep ze dat hij allang had geweten dat ze op hem af zou stappen. Zijn 'ben je gekomen' was geen standaardgroet geweest, maar eerder zoiets als 'eindelijk, daar ben je dan!'

Ze hield haar hoofd schuin, bestudeerde hem aandachtig en vroeg zich af waarom deze volwassen man zo kinderachtig deed. Alleen jonge, onnozele kinderen gaven toe aan dit soort voorgevoelens, terwijl deze man zonder gêne duidelijk maakte dat hij wist dat ze zou komen... Ze liet haar praatjes over koetjes en kalfjes varen, want ze merkte wel dat Kannibaal geduldig wachtte tot ze op de proppen zou komen met de eigenlijke aanleiding van haar bezoek. Hij wist dat ze vroeg of laat haar vraag zou stellen.

Maar, nog voordat zij erover begon, zei hij al: 'Ik kan niet beoordelen of je verhalen geschiedgetrouw zijn. Daar heb ik niet de juiste opleiding voor gehad. Ik kan alleen maar je visie op de door jou als waar aangenomen historische feiten becommentariëren.'

Haastig antwoordde ze: 'Meer vraag ik u ook niet.'

'Wanneer wil je beginnen?'

'Eh…' Dat was waar ook. Ze had reeds voor alle vakken een privé-leraar gekregen en Moeder kon het niet maken de kampdirecteur om nog een extra docent te vragen. Als het niet overdag kon, zou het zeker niet doorgaan. 's Avonds na het zwoegen in het veld was hij zeker uitgeteld en zou hij geen tijd meer voor haar hebben…

Maar hij kwam zelf met een oplossing. 'Zullen we dan op zondagmiddag afspreken, als de aanklachtenbijeenkomsten afgelopen zijn? Ik bedoel, wanneer we geen verlof hebben, en tante Xiulan en ik niet haar huis kunnen?'

'O, maar moet u dan niet naar de zwarte markt om eieren en noten te kopen?' Ze had meteen spijt van haar loslippigheid: Kannibaal at immers nóóit een ei, het embryo van een levend wezen, zoals hij het vol eerbied noemde.

Hij keek haar alleen maar aan en stond op om zijn kommetje te gaan spoelen.

Lian riep hem na: 'Bij het meer achter de barakken!'

Een nieuw gezichtspunt

Lian kende de schoonheid van het lelietheater vooral van de ochtenden dat zij er met Qin op bezoek ging, wanneer de ochtendnevel een sluier legde over het meer en zij de kikkers probeerden te overstemmen met haar geschiedkundige verhalen. Ditmaal was de sluier verdreven door de hartstocht van de middagzon. In plaats van de mysterieuze, serene ochtendsfeer waren het nu de helderheid en vitaliteit van het decor die Lian ontroerden.

Haar mond viel open van verbazing. Wat was dat nu? De kobaltblauwe heuvel in de verte was ineens smaragdgroen geworden. En dat niet alleen. De heuvel had een tweelingzus gekregen, met dit verschil dat deze op haar hoofd stond. Een lentebries deed haar als schone lakens deinen in de wind. Het gezichtsbedrog dat het spiegelbeeld bij Lian teweegbracht, kwam haar als mystiek voor – wat was werkelijkheid en wat illusie? Van tijd tot tijd leek de spiegeling op het wateroppervlak, waarin ze ooit Qins gezicht had gezien, op zo'n absurde manier reëel…

Riets-riets-riets… Het geluid van tegen elkaar aan wrijvende stukken textiel verbrak de stilte. Toen Lian omkeek, zag ze Kannibaal een plekje uitzoeken. Ze slikte haar neiging hem hierbij te helpen in, want hij zag er niet uit alsof hij hulp nodig had. Ze dacht aan Qin: die zou als zij niet voor een droog plekje zorgde, desnoods in de modder zijn gaan zitten. Maar Kannibaal zocht op z'n gemak een geschikt plekje, nam de lotushouding aan en sloot zijn ogen.

Ze keek naar haar nieuwe publiek en vroeg zich stiekem af of hij in deze meditatieve toestand nog wel oor voor haar verhaal zou hebben. Maar ze wuifde die gedachte weg en begon, vertrouwend op Kannibaals volledige aandacht, haar lezing over de politieke manoeuvres die de Wijste Leider van het Heelal sinds 1949 had uitgedacht en uitgevoerd, teneinde zijn tegenstanders stelselmatig uit te roeien. Ook sprak ze over de tientallen bloedige massabewegingen die Hij in het leven had geroepen, zogenaamd ten behoeve van het opbouwen van het Communistische Paradijs maar in werkelijkheid om Zijn eigen troonzetel te verankeren.

Ze begon net goed op dreef te raken, toen ze plotseling opschrok van het stemgeluid van Kannibaal…

'Lian, Lian,' Kannibaal schudde zijn hoofd en zei, 'Wat een rancune koester je toch jegens de Nooit Ondergaande Zon! Ik moet bij je uit de buurt blijven, anders ontploft de bom van je woede nog en vlieg ik samen met Hem de lucht in.'

'Keurt u wat Hij heeft gedaan dan goed?! Zijn manipulatie van de leden van de cpc om zijn eigen keizersdromen te verwezenlijken?'

'Ken je het gezegde: *Een vlieg zuigt niet aan een ei zonder barst*? Hadden de communisten hun hersenen gebruikt en niet zomaar blindelings geloofd in wat Hij verkondigde, dan zou het Hem nooit gelukt zijn om ze voor zijn karretje te spannen, of in jouw woorden, om hun revolutionaire enthousiasme aan te wenden voor zijn privé-doeleinden.'

Ze stond met haar mond vol tanden, maar in haar buik welde er een enorme ballon van woede. Met dat rotte gezegde kon je Zijn daden toch niet goed praten!

Kannibaal wist blijkbaar precies wat ze dacht: 'Ik praat het ook niet goed, meisje, maar ik wil je het verband tussen oorzaak en gevolg laten zien. Het probleem ligt niet bij Hem alleen, maar bij Hem én Zijn fanatieke aanbidders. Eerlijk gezegd heeft Hij ze niets anders aangedaan dan ze de vruchten van hun eigen onnadenkendheid laten plukken.'

Dit deed de ballon in haar buik alleen nog maar groter worden. 'Het volk had nauwelijks onderwijs genoten en was niet in staat tot rationaliseren. Het was toch niet eerlijk van de slimmere om misbruik te maken van dat onvermogen?!'

'*C'est la vie*, kind. Heb je van Darwins evolutietheorie gehoord?' Lian luisterde niet meer. Bitter teleurgesteld wendde ze zich van de cynische man af. Maar hij ging onverstoorbaar verder: 'Dat is juist de meest gemaakte gedachtefout: het gros van onze landgenoten, waaronder jij, verwijt de Grote Roerganger hun lijden onder het communistische regime, maar het kan en wil zich niet realiseren dat zonder hun medewerking de onderdrukking niet in stand zou kunnen worden gehouden.'

'Meewerken? Niemand doet dat! Wij zijn niet gek.'

'Maar wel dom. Want, wat doen we? We kijken eerst naar de buren. Verzetten zíj zich tegen Hem? Nee? Waarom zouden wíj dan onze nek uitsteken? Het is een vicieuze cirkel. Hoe minder mensen dat durven, hoe gevaarlijker het voor een individu wordt om ook maar iets te ondernemen. En wie oogst de winst hiervan? De Onoverwinnelijke Leider!'

Het ijs in haar buik brandde en een stekende pijn ging door haar heen: 'Boeddha nog aan toe! Sorry dat ik vloeken moet, anders ontplof ik echt van verontwaardiging. Als ik u moet geloven, worden wij klootjesvolk als straathonden in het rond geschopt, maar we mogen ons niet eens beklagen, omdat we het er zelf naar hebben gemaakt! Wat een, een... ten hemel schreiend onrecht!'

'Lian, dit kunnen we best rechtzetten hoor. Niet door de zondebok verbaal of fysiek af te slachten, maar door ons bewust te worden van onze daden en de consequenties ervan te aanvaarden.'

'Noemt u Hem onze zondebok?'

'Ja. Hij heeft in wezen niets fouts gedaan. Hij heeft alleen maar gedaan waar zijn hart naar verlangde: zijn ideeën over het staatsbestuur en over zijn eigen leven doorvoeren. Is dat niet wat ieder mens wil? Ik ben ervan overtuigd dat als een eenvoudige boer de talenten, het lef en de kansen van Mao zou hebben, hij waarschijnlijk op dezelfde manier zou handelen. Maak je geen illusies over "heiligen". Wij zijn allemaal mensen, met onze behoeften en begeerten. Het punt is alleen dat we eindelijk eens moeten ophouden alleen Hem de schuld te geven van onze ellende. In plaats daarvan zouden we ons kunnen toeleggen op het verbeteren van onszelf.'

'Hoe dan?'

'Door de verantwoordelijkheid voor ons geluk op onze eigen schouders te nemen. Opdat we niet langer een leider hoeven te verafgoden en ons lot door hem laten bepalen. Als het ons dan slecht gaat, hebben we het geheel aan onszelf te wijten, niet aan de god die we gecreëerd hebben.'

Een ogenblik lang voelde Lian zich verkwikt door de toekomst die Kannibaal haar voorschilderde. Hij had gelijk: je hebt het in eigen handen hoe je leven eruitziet. Toch speelde het gevoel in haar buik de baas. O, Boeddha, hoe kon ze Hem en de CPC níet de schuld geven van de misère? Kijk elke ochtend naar de verse lijken op het Wilgenmeer achter de universiteit – de lichamen van de gemartelde professoren en docenten, die ten einde raad een verlossende dood verkozen boven een levende hel; hoor het hartverscheurende gehuil van de kinderen wier ouders voor hun ogen gedeporteerd worden; hoor de klachten van de echtgenoten die zo haastig van elkaar afscheid moeten nemen, omdat ze naar twee verschillende strafkampen gestuurd worden en bij Boeddha niet weten wanneer en óf ze elkaar nog zullen weerzien; ruik de trieste lucht die in de ziekenhuizen hangt, waarin geestelijk en lichamelijk geschonden mensen liggen te kreunen…

Ze wierp zich op het gras en sloeg met haar vuisten op de grond. Machteloosheid en woede overmeesterden haar, en ze richtte al haar kwaadheid op Kannibaal. Ze pakte hem bij zijn polsen en schopte hem tegen de schenen: 'Het is niet eerlijk! Oom Kannibaal, vertel mij hoe we onszelf kunnen overreden om níet kwaad te zijn op sommige partijleiders, die er niet voor terugdeinzen om de bijna één miljard tellende bevolking op te offeren ter wille van hun machtsstrijd. Uw hart is opgeslokt door de haaien die u verstand noemt! U kunt ons leed niet meer voelen en u pleit de Partij vrij… Hoe kúnt u?!'

Hij liet haar begaan, verdroeg haar trappen, keek haar rustig, onbewogen aan en hield haar bij de armen vast opdat ze haar evenwicht niet verloor. Ten slotte zakte ze uitgeput op de grond.

'Lian, kijk naar je oom. Alsjeblieft, kijk me aan, al is het maar voor één ogenblik. Denk je heus dat ík geen redenen heb om het regime te haten? Mijn enige broer, een eersteklas hersenchirurg, werd drie jaar geleden doodgeknuppeld; zijn lijk werd op de spoorbaan gelegd om het op zelfmoord te laten lijken. En dat alleen maar omdat hij ooit had gezegd dat het onthouden van de woorden uit het Rode Boekje niet voldoende was om de tumor uit het hoofd van een patiënt te verwijderen. Weet jij waarom ik vorig jaar niet naar de Wutaiberg kon gaan om in de Qingyuntempel mijn monnikenbestaan te hervatten? Dat de kampdirecteur er geen toestemming voor gaf was maar bijzaak; dacht je dat ik het niet zou hebben gewaagd om te ontsnappen? Luister, je bent de enige aan wie ik dit vertel: een paar maanden geleden heb ik via een van mijn vroegere broedermonniken te horen gekregen dat onze meditatiemeester, de eerbiedwaardige monnik Qingyun, reeds in 1969 door de Rode Gardisten levend verbrand werd. Hij was toen honderdzesendertig jaar jong. Na één dynastie, twee keizers en tien presidenten van de Chinese Republiek te hebben overleefd, stierf hij onder de leren riemen van een stelletje snotneuzen dat zich Rode Gardisten noemt. Ik was wees; meester Qinyun was als een vader voor mij. Kun je je voorstellen hoezeer ik het regime van ons land haat? Denk je werkelijk dat ik niet kan aanvoelen hoe afgrijselijk jij je voelt, een kind dat nota bene al op dertienjarige leeftijd zo veel ellende heeft meegemaakt?'

Hij voelde hoe de spieren van Lians armen zich ontspanden en keek haar lief aan: 'Maar, mijn kleine Lian, als ik me door jouw droefheid en de mijne laat meeslepen, kunnen we hier nog maar één ding doen: janken, janken zonder einde en klagen tot we niet meer weten wie we zijn. Wat heeft dat voor zin? Ik móet het je aan het verstand brengen, zodat je deze problemen kunt overstijgen en achter de donkere wolken het eeuwige zonnelicht ziet. Daarvoor ben ik een volwassene en daartoe voel ik me ten opzichte van jou verplicht. Begrijp je me nu? Je heb me niet opgezocht om mij mee te slepen in jouw lijden ten gevolge van de Culturele Revolutie, maar om hier inzicht in te krijgen, opdat je ervan wordt bevrijd, nietwaar? Haat je je oom nu nog?'

Lian keek op, en ze lachte door haar tranen heen. Ze wierp zich in de armen van Kannibaal. Met zijn knokige vingers streek hij de warboel van haar haar glad en zei zachtjes: 'Kind, kind, ooit komt de tijd dat je als gelukkig mens zult leven, zonder angst, kommer en kwel, dat verzeker ik je. Je oom heeft dit al ervaren toen hij in de Qingyuntempel voor zijn monnikschap leerde. Dat was een zalig gevoel... alsof ik een zuchtje wolk was dat langzaam door de ijle ruimte zweefde, één met het heelal, één met mijn hart en ziel...'

Voorlopig hoefde Lian nog niet voor monnik te leren. Hier bij Kannibaal waande ze zich al in de zevende hemel. Qin had gelijk. Als er iemand was die haar van haar pessimisme af kon helpen en haar een nieuwe horizon in het leven kon wijzen, dan was het Kannibaal.

Klimaatwisseling

'Attentie, attentie! Heden om half negen wordt er een spoedvergadering voor alle gedetineerden en het kamppersoneel gehouden. Plaats: de kantine. Iedereen is verplicht om haar bij te wonen. Het ploegwerk in het veld wordt voor één dag opgeschort.' De luidsprekers herhaalden dit bericht net zo lang tot Lians vindingrijke onderbewustzijn het lawaai niet meer in haar droom kon weven.

Alweer een aardbeving. Boven haar draaide professor Maly zich om, met als gevolg dat het stapelbed schokte en kraakte. Strepen ochtendgloed kropen voorzichtig via de luchtgaten de slaapzaal binnen en hingen als zilveren linten door de kamer. Bij het gebroken licht dat ze verspreidden, zag Lian de graaiende vingers van Moeder, die in het bed naast het hare lag. Na veel gemopper en gemompel was het Moeder gelukt om haar horloge onder haar hoofdkussen vandaan te spitten: 'Het is pas vijf uur! Wat is er zo dringend om ons zo hanenvroeg wakker te maken?!'

'Hmmm...' Moeders woorden ontlokten een golf van slaperige en klagerige keelgeluiden aan haar zaalgenoten. Hoewel iedereen zich ergerde aan de luidsprekers die hun nachtrust – het enige waar de Partij zich doorgaans niet mee bemoeide – verstoorden, was niemand echt kwaad. Dit maakte Lian op uit de lange en ontspannen eindklank van de 'hmmms'. Sinds een paar maanden koesterden ze het vermoeden dat er zich een positieve verandering in de Culturele Revolutie zou voordoen. De ideologische tyfoon had inmiddels zeven jaar gewoed, en had het uithoudingsvermogen van het uitgehongerde en vernederde volk zwaar op de proef gesteld. Een massale woede-uitbarsting kon niet lang meer uitblijven. De Wijste Leider van het Heelal zou de Wijste Leider van het Heelal niet zijn, als Hij niet tijdig zijn politieke bombardement zou staken. Want alle 'goede' heersers in de geschiedenis wisten precies tot hoever ze hun onderdanen ontberingen, oorlog, angst en pijn konden opleggen, zonder dat ze tegen hen in opstand kwamen. Zou het mogelijk zijn dat zij vandaag het nieuws over de langverwachte verandering te horen zouden krijgen? Er was natuurlijk niemand die deze stoute droom hardop durfde uitspreken.

Net als alle andere ochtenden kropen ze uit hun bed, poetsten hun tanden bij de stinkende sloot voor de slaapzaal en schuurden zwijgzaam hun gezicht droog met de grijs geworden handdoek. Om half negen zaten ze keurig in het gelid op de houten banken van de kantine. Het geklets en geschreeuw dat een politieke bijeenkomst doorgaans kenmerkte, bleef vandaag uit. Iedereen hield zijn adem in.

Lian zat naast Moeder. Kort nadat ze in het kamp was aangekomen had de directeur gezegd dat het geen kwaad kon als Lian, ook al was ze nog een kind, de vergaderingen zou bijwonen. Integendeel: zo kon ze al vroeg beginnen met het kweken van een proletarisch bewustzijn.

'Kijk, Mama, het portret van de vice-voorzitter van de CPC hangt er niet meer!' fluisterde Lian in Moeders oren, maar hard genoeg dat de mensen binnen een straal van vijf meter haar woordelijk konden verstaan, en wees naar het podium. Moeder bracht haar rechterhand omhoog en beschreef een halve cirkel. Voordat haar handpalm op Lians linkerwang knalde, kromp ze al ineen: ze voorzag dat deze slag minstens twee van haar kiezen zou ontwortelen.

Pia! Lian viel met haar gezicht op de grond. Ondanks de pijn voelde ze allereerst aan haar tanden, vurig hopend dat er een paar uit zouden vallen. Dan kon ze met bloedende mond opstaan, zouden alle ooms en tantes medelijden met haar krijgen en Moeder berispen. Maar helaas, van haar voorhoofd, wangen en neusbrug was slechts de huid diep geschaafd. Moeder sloeg nooit hard genoeg om verontwaardiging bij anderen op te wekken; ze kon haar dochter dus ongestraft blijven afranselen.

Waarachtig. De vice-voorzitter had zich in de nesten gewerkt. Blijkens de documenten van de overheid, waar ze nu naar zaten te luisteren, was Mao's partijtop op het nippertje aan een fatale crisis ontsnapt. Naar verluidt hadden de vice-voorzitter en een paar ministers en staatssecretarissen – zijn zogeheten medeplichtigen – geprobeerd de regering omver te werpen. Toen hun plan uitlekte, liet Mao hen arresteren en lanceerde een anti-revisionistische campagne tegen hen.

Met pijn aan haar linkerwang en vraagtekens in haar hoofd fronste Lian haar wenkbrauwen tot een opgerold egeltje: was dit nu goed of slecht nieuws? Ze durfde het niet meer aan Moeder te vragen en probeerde het zelf uit te dokteren. Dat de Vader, Moeder, Minnaar en Minnares in Een een nieuwe lichting tegenstanders opgeruimd had imponeerde Lian niet in het minst, want dat had Hij al tientallen keren gepresteerd. Wat haar wel bezighield was de vraag: heeft dit incident de leider enigszins tot bezinning gebracht? Zou hij nu eindelijk inzien dat de onophoudelijke politieke massabewegingen het land binnenkort naar de verdoemenis zouden helpen?

Zoals te verwachten viel gaf het document in voorzichtige bewoordingen toe dat de regering bezorgd was over de sociale wanorde en de economische recessie die reeds acht jaar in de staat heersten, maar... dat kwam allemaal door het beleid van de contrarevolutionaire en revisionistische bende, aldus Mao. Nu het duivelse complot ontmaskerd was, kon de regering gelukkig weer haar routine oppakken en het volk begeleiden bij de wederopbouw van orde en welvaart. Maar Lians hart sprong op van blijdschap toen ze de laatste alinea van het document hoorde: de Partij stelde versoepeling van het heropvoedingsbeleid en strafvermindering voor bourgeois intellectuelen in het vooruitzicht. Er was dus hoop dat Moeder binnenkort vrijgelaten werd en dat ook Vader ten langen leste thuis zou komen.

Tegenstrijdige gevoelens

Lian zat in de slaapzaal haar huiswerk te maken. Plotseling ging de deur open: Moeder was terug. Het was drie uur 's middags. 'Is er niets meer te doen in het rijstveld?' vroeg Lian verbaasd.

Moeder probeerde de modderspatten van haar gezicht te vegen, waardoor ze ze uitsmeerde tot een bruin masker: 'Er is daar altijd wel iets te doen, maar ik moet naar de directie voor een gesprek.' Met snelle vingerbewegingen streek ze haar opgerolde broekspijpen glad en liep op een drafje naar de directeur.

'Moet u uw gezicht niet wassen?' riep Lian haar na, stomverbaasd dat een zo op hygiëne gestelde vrouw als Moeder met zo'n smerig smoelwerk naar de kampleider durfde te gaan.

Drie kwartier later keerde Moeder glunderend terug: 'Lian, vanaf vandaag ben ik een vrij mens! Morgen gaan we naar huis, voorgoed!'

Het plafond draaide voor Lians ogen – ze leek wel te zweven. De tranen stroomden langs haar gezicht. In plaats van vreugde ervoer ze juist verdriet. Verdriet over het onrecht en de wanhoop die Moeder en zij de afgelopen anderhalf jaar hadden moeten verduren. Ze rende naar Moeder, omklemde haar en begroef haar hoofd in haar armen opdat zij haar niet zou zien schreien.

Beelden van vroeger werden teruggespoeld. Ze zag Vader op de rijdende trein naar hen zwaaien; weer hoorde ze Moeder huilen als een baby, en vroeg ze zich af waarom Moeder zo bedroefd was; opnieuw proefde ze de gele stofwolken achter de vrachtwagens die Moeder en haar kampgenoten wegvoerden en die de kinderen alleen in het kille opvangcentrum achterlieten.

Moeder streelde Lians haren en zei: 'Niet zo veel lawaai maken, anders horen de anderen dat wij zulke geluksvogels zijn. Ik behoor tot de eerste vier gevangenen die het kamp mogen verlaten. De andere tweehonderdzesenveertig moeten nog – Boeddha weet hoe lang – wachten op hun vrijlating. Verdubbel hun pijn niet door je emoties zo openlijk te tonen.'

'Maar waarom mag u dan eerder naar huis? Moet u... moet u... weer nieuwe leerboeken met leugens vullen?'

'Ssst…! Pas op met je blasfemische uitspraken! Zo spreek je niet over de Partij! Nee, kind, deze keer godzijdank niet. De nieuwe vice-voorzitter van de cpc heeft onlangs een nieuwe politieke koers uitgestippeld. Hij beveelt ons onder meer het onderwijs opnieuw te starten. Oom Yie – herinner je je hem nog, de lange, magere meneer van wie je die kraai gekregen hebt? – was vroeger rector van de Universiteit voor Docenten. Men heeft hem gevraagd voorbereidingen te treffen om nieuwe studenten voor het komende jaar te werven. Voor de eerste keer in zeven jaar zal er weer college aan onze universiteit worden gegeven! Professor He en ik kregen de opdracht een boek te schrijven dat *Mondelinge Moderne Geschiedenis van China, 1911 tot 1949* moet gaan heten. Ik heb net de brief van de vice-voorzitter aan onze faculteit gelezen: de term "geschiedgetrouw" moet de basis en hét criterium vormen voor ons project. Wat vind je ervan? Het gaat de goede kant op met ons land!'

'Maar waarom is juist dit project ineens zo belangrijk?'

'Wat ben je toch een dommerd, Lian. Met het instellen van dit onderzoek wil de Partij ervoor zorgen dat de ervaring, de kennis en het inzicht van de generaals en hoge partijfunctionarissen die nog niet door de Culturele Revolutie de dood zijn in gejaagd, tijdig op papier gezet worden. Als hij nog langer wacht, houdt hij geen levende mensen van de periode van vóór de oprichting van de Volksrepubliek meer over.'

'Hoe laat vertrekken wij morgen?'

'Rond acht uur. Oom Yie en de twee andere heren die ook op vrije voeten zijn gesteld, willen liever aanstaande zaterdag meerijden met de kampleden die met weekendverlof gaan. Ik niet. Ik wil hier geen minuut langer blijven. Daarom heb ik bij de directie geïnformeerd of er misschien al eerder een voertuig naar Peking rijdt. Toevallig gaat er morgen een tractor naar de hoofdstad om nieuw gereedschap voor het zomerseizoen in te kopen. Wij mogen mee.'

Oef, wat kostte het Lian moeite om haar gezicht in de plooi te houden. Ze was bijna krankzinnig van blijdschap, maar Moeder had haar op het hart gedrukt niet te lachen en de achterblijvers de ogen uit te steken.

Moeder bond haar een gigantische rol op de rug. Ze had er haar donsdeken, hoofdkussen, kleren, toiletspullen, wasbak en stapels boeken in gepropt. Beladen met deze vracht kon ze niet meer rechtop lopen; ze zag alleen nog maar de modderige weg onder haar voeten. De bagage op Moeders rug was nog indrukwekkender; en zij droeg ook nog eens twee dikke tassen met een thermoskan, een vliegenmepper, een opklapbaar krukje, geëmailleerde kommen en borden, schoenen, rubberlaarzen en wat niet al.

Maar ze waren Boeddha dankbaar dat hun gezicht naar de grond gericht was, want afscheid nemen van hun voormalige lotgenoten leek hun geen pretje. Wat moesten ze tegen hen zeggen? Dat ze dolgelukkig waren deze levende hel te ontvluchten? Dat ze ook snel aan de beurt zouden komen om in vrijheid gesteld te worden? Wie waren Moeder en Lian om dat te kunnen voorspellen? De Wijste Leider van het Heelal wisselde van beleid, zoals de dag de nacht vervangt.

Opeens voelde Lians bagage lichter aan. Voorzichtig draaide ze zich om. Eerst zag ze twee armen en vervolgens een paar lieve ogen. Professor Maly tilde Lians bagagerol omhoog en verdeelde zo het gewicht tussen haar handen en Lians rug. Maly zweeg en Lian was doodsbenauwd om iets te zeggen dat haar zou kunnen kwetsen. Ze hoorde nog meer voetstappen, de grond trilde en kreunde. Ze voelde de verbondenheid met haar voormalige kampgenoten, die nu blijkbaar zonder een woord te zeggen het fortuinlijke tweetal achternaliepen om hen uit te zwaaien. Tranen mengden zich met de modder voor haar voeten; eigenlijk wilde ze rechtsomkeert maken om terug te gaan naar de vertrouwde slaapzaal.

Tuuututú! De tractor begon te grommen en Lian zag Moeder de bagage in de open laadbak werpen. Maly bevrijdde haar leerlinge van de rol en zette die ook in de bak. De chauffeur, Tiangui, een jongeman die gewoonlijk in de keuken groente hakte, klom op de bestuurdersstoel en draaide met zijn handen aan de stuurstangen. Meteen maakte het voertuig een sprongetje, waarbij het een oorverdovend kabaal verspreidde over de acht windstreken. Zwarte rook ontsnapte aan de uitlaat, die uit de bolle neus van de tractor omhoogstak. Lian raakte gefascineerd door deze wondermachine. Hoe bestuurde je zo'n ding?

Haar gedachten werden onderbroken door Tiangui's geroep: 'Lian, klim op de laadbak, ga zitten en hou je stevig vast aan die spijlen daar. De tractor kan flink schommelen!'

Op dat moment pakte Maly Lians armen en zei met tranen in haar ogen: 'Mijn kind, gefeliciteerd met jullie vrijlating. Doe goed je best op school en maak iets moois van je leven!'

Haar woorden werkten als een lont die ruim tweehonderd stemmen aanstak: 'Yunxiang en Lian, proficiat! Het ga jullie goed!'

Een grijze massa uitgemergelde gezichten en klonterige haren stond met magere armen uitbundig naar hen te zwaaien, zonder ook maar een korreltje afgunst, vol liefde en gemeende gelukwensen. Moeder, die reeds op de laadbak stond en die gewoonlijk haar emoties niet toonde, rukte de voddige sjaal van haar hals, sloeg daarmee op haar knieën en uitte hartbrekende kreten – schaamteloos onelegant, vond Lian: als een boerin die haar enige melkkoe ziet sterven. Lian dook de mensenhaag in, greep in het wilde weg de handen van ooms en tantes vast en riep: 'Wij gaan samen naar huis! Wij gaan samen naar huis!' Ze bonkte links en rechts met haar hoofd tegen de borst van wie ze maar zag en voor een moment meende ze te creperen van droefenis, hulpeloosheid en tegenstrijdige gevoelens die in haar overkookten.

Twee stevige handen grepen Lian beet en sleepten haar in de richting van de tractor. Ze wist dat dit professor Qin was; hij pakte haar op zoals hij de meelzakken in het molenhuis optilde... De herinneringen aan het molenhuis, aan de reepjes vlees die hij in haar rijstkom placht te leggen, sloegen als huizenhoge golven over haar heen. Ze liet zich zwaar in zijn handen hangen en poogde haar gewicht te verdubbelen, zodat Qin nog meer aan haar moest trekken. Opa Hemel, zou dit het laatste contact tussen hen zijn? Ze wilde het ogenblik rekken tot een eeuwigheid...

'Luister naar mij, Lian, wil je naar huis of niet?!' Qin klonk angstaanjagend streng.

Vreemd genoeg vond ze zijn stem liever dan ooit. Zelfs als hij tegen haar gebruld had, zou ze nog van hem houden.

'Oom Qin! Ik wíl niet naar huis! Ik wil bij u zijn! Laten we opnieuw beginnen. Van voren af aan. Deze keer... deze keer zal ik niet meer zo negatief over de geschiedenis praten, echt waar, beloofd! Oom Qin, we gaan weer...'

Qins greep verslapte en Lian zakte bijna op de grond. Hij keek snel de andere kant op, maar Lian had zijn tranen wel gezien. Ze stond snel overeind en hield zich aan zijn broekspijpen vast.

'Oom Qin, wat moet ik doen? Zeg me wat ik moet doen. Ik wil wel vrij zijn en naar huis gaan, maar ik kan niet zonder u.'

Qin knielde en pakte haar bij de schouders: 'Kind, kind! Ik zal altijd bij je zijn, want je hebt een nestje in mijn hart gebouwd. Je leeft in mij, net als in oom Kannibaal...'

Lian keek om zich heen. Waar was Kannibaal?

'Wees maar gerust. Die komt heus wel te voorschijn. Op zijn eigen tijd. Hij houdt nog meer van je dan ik... omdat, omdat hij beter is in liefhebben...'

'Lian, kom je naast mij achter het stuur zitten?' Tiangui hoopte haar met dit lokkertje tot bedaren te brengen. Door de kraalgordijnen van haar tranen heen keek Lian naar de brommende wondermachine en naar de twee bestuurdersstangen, die met rode plastic bandjes omwikkeld waren. Haar nieuwsgierigheid won het van haar droefenis.

Vijf minuten later hobbelden ze over het kronkelige paadje naar de stad. Lian had haar comfortabele plaats naast Tiangui aan Moeder afgestaan. Zelf was ze in de laadbak gaan zitten. Toen ze de laatste strook landbouwveld passeerden die tot hun kamp behoorde, dook er uit het niets een mannenfiguur op. Tiangui schrok, maar hield de bestuurdersstangen vakkundig in bedwang, zodat de tractor niet van het pad afweek. Ergens in haar achterhoofd wist Lian dat dit iets met haar te maken had. Ze kneep haar ogen samen, zodat ze beter in de verte kon zien. Het was Kannibaal.

Deze man van bijna zeventig rende het groene rijstveld uit, onderwijl voortdurend met zijn stokmagere armen naar Lian zwaaiend. Ze wilde naar hem terugzwaaien, maar haar armen waren loodzwaar geworden. Gelukkig vroeg Moeder aan Tiangui even te stoppen. Lian wilde uit de tractor springen en zich in Kannibaals armen werpen, maar tegelijkertijd leek het of ze niets anders kon dan met trillende knieën op de laadbak blijven liggen.

Kannibaal leunde tegen de zijkant van de tractor en keek

Lian zwijgend aan. De herinnering aan hun samenzijn bij het lelietheater kwam naar boven: hoe hij haar genadeloos bekritiseerd had, maar haar tegelijkertijd krachtig steunde in haar ontsnappingspogingen uit de valkuil van haar pessimisme, en haar op weg hielp naar een lichtende horizon van hoop. Wat moest ze beginnen zonder zijn begeleiding, nu ze terugkeerde naar het normale leven? Zou het haar lukken om daar weer te aarden?

Kannibaal trok zijn rechtermouw over zijn hand en droogde Lians ogen en wangen: 'Kind, je bent een grote meid geworden en grote meiden huilen niet gauw.'

'Noemt u dat "gauw"?! Ik kan u niet meer meenemen naar het lelietheater en we zullen nooit meer over de Chinese geschiedenis kunnen discussiëren. Nooit meer!'

'Wie zegt dat?'

Ze stopte abrupt met snikken en keek hem verbaasd aan: 'Wordt u dan ook binnenkort vrijgelaten?'

'Dat bedoel ik niet. Och meisje, ik heb geen verlangens meer. Wensloze mensen kunnen niet meer teleurgesteld worden.'

Ze dacht: dat is nou typisch Kannibaal. Al dat gefilosofeer. Moet hij nu uitgerekend op dit moment zo'n diepzinnig onderwerp aansnijden?

Hij zag haar onbegrip en haastte zich te zeggen: 'Ik bedoel, ik zal hier nog wel lang vastzitten. Maar ik kan nog altijd naar je geschiedenisverhalen komen luisteren.'

Haar ogen glinsterden: 'Dat is waar ook! Tijdens het verlofweekend natuurlijk! Spreken we af dat ik dan bij u langskom?'

Tiangui draaide ongeduldig aan de bestuurdersstangen. De tractor morde en mokte en Moeder porde Lian in de rug: 'We moeten gaan.'

Kannibaal verstevigde zijn greep op de zijkant van het voertuig en antwoordde Lian: 'Afgesproken. Flat 307, gebouw 24. Onthoud mijn huisnummer. Tot over twee dagen!'

Ineens voelde Lian de kracht in haar benen terugkeren. Ze stond overeind en wilde uit de laadbak springen. Kannibaal had haar bewust gemaakt van het gevoel dat in haar buik zeurde: ze had nu al een onberedeneerbaar heimwee naar het kamp; ze wilde eigenlijk helemaal niet weg. Ze wilde bij Kannibaal blijven en 'de vrijheid leren ervaren onder het juk van de detinering', zoals hij het uitdrukte…

Ze wilde, ze wilde, ze wilde... Wat dacht ze wel! Balancerend op de vertrekkende tractor keek ze naar de oude Kannibaal die hen probeerde bij te benen en besefte dat ze niets te willen had... Ze voelde zich als een willoos kiezeltje dat door de stroom van de revolutie meegevoerd werd.

'Oom Kannibaal! Ik zal u nooit vergeten! Ik zoek u elk verlofweekend op!'

Wolken stof deden de figuur die hen naliep vervagen...

Een godendrank

De frisse wind droogde langzamerhand Lians tranen en de rust keerde schoorvoetend in haar terug. Haar aandacht werd getrokken door de velden van groente en graan en door de gebruinde ruggen van de boeren die aan het wieden waren.

De weg was nauwelijks een weg te noemen; de tractor leek wel een hobbelpaard. In het begin leek het nog wel aardig om zo te zitten schommelen, maar een paar uur achter elkaar in deze toestand verkeren was bepaald geen pretje.

Drie uur gingen voorbij, maar ze hadden pas de helft van de afstand afgelegd. De lentezon bakte Lians gezicht tot een vuurbal en haar keel stond in brand. Tiangui had daar waarschijnlijk ook last van; hij stelde voor ergens wat te gaan drinken.

Er waren hier op het platteland nauwelijks winkels. De boeren kregen aan het eind van het jaar een paar tientjes als loon voor hun arbeid van het hele jaar. Waar moesten ze het geld vandaan halen om te consumeren? Cafés bestonden sowieso niet en de theehuizen waren al vanaf het begin van de Culturele Revolutie gesloten.

Tiangui stopte de motor en liet Moeder en Lian onder een bejaarde wilg wachten. Hij rende naar het dichtstbijzijnde dorp en een half uur later kwam hij hijgend terug, met goed nieuws: 'Vijf kilometer hiervandaan in het grote dorp *Communisme Is Zonder Meer Het Beste* is een winkeltje. Daar gaan we naar toe.' Hij stapte in en zag er bijzonder tevreden uit.

De drie dorstige reizigers betraden het winkeltje, een pikdonker kamertje van twee bij drie. Onder het dimlicht van een met vliegenpoep bedekte gloeilamp zat een stokoud mannetje met een sik. De goederen op de rekken waren zowat van dezelfde leeftijd als de verkoper. Thermoskannen, zeep, tandpasta, rubberschoenen en handlantaarns, allemaal van het merk *Arbeiders, Boeren en Soldaten zijn de Leiders van ons Vaderland*, vormden viervijfde van de spullen die hier verkrijgbaar waren. Alles was bedekt met een dikke laag stof.

Moeder keek in het rond en vroeg zonder veel overtuiging: 'Kunnen wij hier een paar flesjes limonade krijgen?'

De grijsaard zwaaide met zijn rechterhand, om in één beweging de bromvlieg te verdrijven die op zijn opgezwollen paarse neus zat te keutelen. Na veel nadenken kneep hij zijn rimpelige oogleden samen en vroeg: 'Vrouwelijke kameraad, wat zei u daarnet?'

Tiangui werd ongedurig: 'Zeg, opa, heeft u iets te drinken?'

'Thee, bedoelt u?'

'Eh… ja, als u niets anders hebt. Was de kommen met zeep, voordat u de thee inschenkt.' Tiangui kwam vaker onder de boeren en wist dat ze gewoon waren de rand van de gebruikte theekommetjes met de wijsvinger af te vegen alvorens de gasten thee aan te bieden.

Lian had gehoord dat het graven van een waterput een kapitaal kostte. De meeste boeren haalden hun drinkwater uit een verafgelegen bron, hetgeen vaak een halve dag werk betekende. Geen wonder dat ze er zo zuinig mee omsprongen.

Nadat ze gedrieën een hele pot hadden gedronken, vroeg Moeder: 'Hoeveel zijn wij u schuldig?'

'Twee cent…' verontschuldigde de grijsaard zich, 'Kijk, normaal gesproken kost het één cent, maar ik heb de kopjes met waspoeder schoongemaakt en u weet hoe kostbaar zeep is…'

Moeder legde een vijfcentstuk op de toonbank. Op weg naar de tractor hoorden ze de versleten stem van de oude heer hen naroepen: 'Dank u allen! Dank u allen! Boeddha zegene u! Met die drie centen kan ik eindelijk de geneeskrachtige kruiden halen die de dokter mijn kleinzoon heeft voorgeschreven. Vier maanden heeft dat arme joch met een darmontsteking rondgelopen; ziet u, die kruiden zijn moordend duur!'

Moeder bloosde.

Na nog eens twee uur hobbelen kwamen de buitenwijken van Peking in zicht. De wegen waarlangs winkels stonden waren nu goeddeels geasfalteerd; de kleren van de voorbijgangers waren niet meer modderig, sjofel en ouderwets en sommige vrouwen hadden zelfs hun haar modieus gekapt. De drie reizigers hadden ditmaal niet alleen dorst maar ook honger. Tiangui bracht hen naar een drukke straat, waar ze een heuse winkel binnenstapten.

Lian, die gewend was aan grijze, stoffige en eentonige koopwaar, en het vorige verlofweekend al weer helemaal vergeten was, werd bijna verblind door de kleurenrijkdom van de uitgestalde goederen: het rood van de appels, het geel van de bananen, het oranje van de sinaasappels, de witte broodjes en zilveren papiertjes waarin allerlei snoepjes gewikkeld waren — het scheen haar allemaal heel onwerkelijk toe. Ze greep Moeders hand en er ontsnapten opgewonden kreten aan haar keel: 'Goede genade, Mam, kijk, wat een lekkers!'

Moeder trok haar naar de toonbank en zei: 'Lian, wil je limonade met sinaasappel- of met ananassmaak?'

Ze keek haar moeder stomverbaasd aan. Wat was dat nou voor een vraag?! Ze had net zo goed een uitgehongerde bedelaar voor de keuze kunnen stellen: wilt u uw zalmforel met room- of wijnsaus?

Ze nam haar flesje limonade mee naar een rustig hoekje en liet de godendrank druppel voor druppel in haar keel sijpelen. Het zoete, geurige sap verwijdde haar bloedvaten. Langzaam maar zeker maakte ze plek voor het nieuwe geluk. Mijn plezierige leventje begint opnieuw, zong het in haar hart.

De frisdrank kostte vijftien cent.

Deel 11

1971

In de hemel als één biyi-vogel
elk één vleugel en één oog
eenzelfde ritme en eenzelfde doel
Twee lianli-takken hier op aarde
ontsproten aan één wortel

Bai Juyi, anno 807

De pechvogel

Met kloppend hart zette Lian haar eerste stappen in Middelbare School Nummer 58. In de rumoerige gang, tussen rennende jongens en giechelende meisjes, zocht ze naar leslokaal 005. Daar zat groep 3, leerjaar 1 van de onderbouw, waartoe ze behoorde.

Uit één lokaal klonk een schrille meisjesstem.

'Ik neuk je moeder!'

In een reflex keek Lian naar de deuropening waar het gescheld vandaan kwam. Op de deur stond het nummer dat ze zocht: 005. Binnen, op de grond naast het podium, bewoog iets. Het bleek een meisje te zijn, dat op haar buik lag. Op het achterwerk van haar voddige broek stond de stoffige afdruk van een schoen. Even later krabbelde ze met een van pijn verwrongen gezicht overeind, veegde wat bloeddruppels van haar bovenlip en klopte haar broek min of meer schoon. Geen spoor van tranen in haar ogen. En dat voor een meisje!

Iedereen in het klaslokaal zette ogen op als schoteltjes. Waar vinden we een gekniptere pispaal van de klas? hoorde Lian hun hersenen kraken.

Een korte en lenige etter in een Mao-pak sprong als een kungfu-meester één meter van de grond en verkocht het meisje een tweede vernietigende trap. Deze keer viel ze met haar hoofd tegen de houten rand van het schoolbord. Vrijwel meteen verscheen er een glanzende bult op haar voorhoofd.

'Ik neuk de grootmoeder van je vaders kant!' Haterig, hysterisch, maar zonder het geringste vertoon van gekwetstheid slingerde ze de kwelgeest de verwensing naar het hoofd.

Lian stond als versteend voor haar zitplaats. Ze had wel eens gehoord dat het er op de middelbare school barbaars aan toe ging wanneer de 'pechvogel van de klas' gepest werd, maar dat het zo erg zou zijn had ze nooit verwacht.

Toen het meisje naar haar stoel kroop, ledigde een volgende etter een volle vuilnisemmer over haar hoofd. Ze schudde de troep uit het 'vogelnest', zoals haar haardos genoemd werd, en schold: 'Ik neuk je hele familiestam bij elkaar!'

Pts! Lian schoot in de lach. Petje af voor de taalkundige vindingrijkheid van dit meisje, dat in haar ellende nog in staat bleek de doordeweekse vloek om te bouwen tot zo'n efficiënte, allesomvattende variant.

'Hihi, hahaha!' De klas was een en al leedvermaak en juichte de pestkoppen toe. Lian balde haar vuisten. Het liefst zou ze tegen haar klasgenoten geschreeuwd hebben: kwelduivels, hebben jullie je geweten soms als ontlasting uitgepoept?! Maar ze wist maar al te goed dat het alles behalve verstandig zou zijn als ze aan die neiging zou toegeven.

De pechvogel heette Kim Zhang. Er ging geen dag voorbij of ze werd gemarteld. De een sleep zijn potlood en strooide het slijpsel rustig op haar hoofd; een ander verstopte haar leerboeken in het herentoilet. Maar Kim hield stand. Ze huilde niet en gaf niet toe. Het enige wat ze deed was onafgebroken schelden. Ze zag ook wel in dat tranen het granieten hart van haar kwelgeesten niet week konden maken.

Het werd een obsessie voor de klasgenoten om haar te treiteren. De bedoeling was natuurlijk dat ze voor hen door de knieën zou gaan en zou smeken ermee op te houden. Maar dat genoegen schonk ze haar folteraars niet. De capitulatie bleef uit. Er zat niets anders op dan haar knarsetandend te blijven sarren.

Lian ontdekte langzaam maar zeker wat de 'redenen' waren voor deze mishandeling – hoe het kwam dat Kim deze mishandeling 'verdiende'. De klas was samengesteld uit kinderen van drie verschillende kasten, die elkaar trapsgewijze minachtten, vernederden en onderdrukten. In zo'n systeem moest er wel iemand uitgepikt worden om als voetenbankje te fungeren. Op die manier kreeg de kastehaat een gezamenlijke schoorsteen, waarlangs alle vooroordelen, frustraties en marteldrang gelucht konden worden.

Kim voldeed aan alle eisen voor de titel 'pechvogel van de klas'. Ten eerste was haar vader een boerenarbeider, waardoor ze tot de laagste kaste behoorde; ten tweede deed hij het minst betaalde, vuilste en meest beschamende werk dat er te vinden was.

Lian had Kims vader al eens ontmoet. Dat was twee jaar geleden. Het was een koude wintermiddag. De snijdende wind floot tussen de kale boomtakken en geselde Lians gezicht met fikse, ijskoude klappen. Ze liep een straat in die steil omhoog ging. Plotseling doemde een voortschuivende kolenberg voor haar op. Ze deinsde terug en bekeek de zwarte massa aandachtig. De berg bleek te zijn opgebouwd uit honderden 'bijenkorven' – een soort steenkool dat gebruikt werd voor het bereiden van het eten. De banden van het voertuig werden bijna platgedrukt door de enorme vracht. Lian keek links en rechts, maar zag nergens een bestuurder. De steenkoolberg had haar gezichtsveld geheel geblokkeerd.

Waar wachtte ze nog op? Ze sloeg zichzelf op de wangen om haar klunzigheid. Met een ruk gooide ze haar schooltas over haar schouder en begon te duwen. Een minuut lang waande ze zich in een droom: hoe hard ze ook duwde, de wagen bleef doodgemoedereerd in zijn eigen tempo voortsukkelen. Net als in een nachtmerrie, wanneer je vruchteloos tracht te vluchten. Alleen de zweetdruppels die haar gewatteerde jas bevochtigden leverden het bewijs dat ze niet droomde.

De straat was uitgestorven. De wind was opeens gaan liggen. Het enige dat ze hoorde was het gehijg van de bestuurder – die ze nog altijd niet kon zien – en het kraken van de as van de driewieler. Al snel wist ze haar kuit- en rugspieren krachtiger te spannen en haar voeten steviger tegen de grond te drukken. De kolenberg bewoog zich nu sneller voort. Tot het moment waarop de weg omlaag ging. Toen rolde het vervoermiddel gladjes voort, alsof de vracht uit 'nietswegende veertjes' bestond. Ze liep meteen naar de voorkant van de driewieler. Daar was de bestuurder. Hij zat niet op het zadel. Blijkbaar had hij de wagen de hele weg voortgeduwd.

Nu hij minder hard hoefde te zwoegen, had hij tijd om zich naar Lian om te draaien. Er verscheen iets wits in zijn gitzwarte gezicht – hij lachte naar haar. Zijn tanden staken af tegen zijn zwarte huid.

Lian onderdrukte met moeite de neiging zich uit de voeten te maken. Van kinds af aan had ze er niet tegen gekund wanneer mensen haar bedankten; ze wist van verlegenheid niet waar ze moest kijken. Maar ditmaal was ze te zeer onder de indruk van het werk van de man om weg te lopen. Zonder met haar ogen te knipperen keek ze hem aan. Zijn hoofd was net een stoompan. Warm zweet hulde zijn gezicht in een dampkring. Hij pakte een antracietkleurige doek die om zijn hals hing en veegde er de zweetvloed mee af. Een, twee, drie lichtbruine strepen tekenden zich af op zijn gelaat. Zijn ware huidskleur werd nu zichtbaar. Hij was bruin.

Lian verborg haar verbazing en schopte tegen een paar kiezelsteentjes die haar ineens hinderlijk voorkwamen. Opnieuw wierp ze nieuwsgierige blikken op de man. Hij was klein voor een volwassen mens. Nog geen één meter zestig, schatte ze. Zijn borst was ingezonken, waardoor zijn bovenlijf eerder een ondiepe kuil leek. Ze keek naar zijn broodmagere ledematen en vroeg zich af waar hij de berenkracht vandaan haalde om zo'n enorme lading voort te slepen. De vraag brandde op haar lippen, maar ze durfde haar niet te stellen: waarom deed hij dit afgrijselijke werk? Ze wist dat men niet zo direct mocht zijn.

Wat zijn werk nog afschuwelijker maakte was dat hij het in het openbaar verrichtte, direct voor en onder de ogen van voetgangers, fietsers en passagiers in de langsrijdende bussen, met een rug gebogen als een scampi en van top tot teen bedekt met steenkoolpoeder, dat hem in een zwarte versie van de verschrikkelijke sneeuwman omtoverde.

Als je honger lijdt, sla dan op je wangen tot ze opzwellen
Zo kan niemand zien dat je broodmager bent

Om deze wijsheid kon geen zichzelf respecterende Chinees heen. Alle ontberingen kunnen worden verdragen, mits anderen ze maar niet ontdekken. Er werd vooral op Kims vader neergekeken omdat hij niet in staat was het meest schandelijke te ontlopen: hij moest zijn erbarmelijke lot zichtbaar voor iedereen ondergaan.

Een derde-kaster

Kims moeder had geen vaste baan. Af en toe vond ze hier en daar wat klusjes om te klaren. Zo droeg ze haar steentje bij tot het levensonderhoud van het gezin. Een van de weinige manieren waarop werklozen als zij wat geld konden verdienen, was het maken van luciferdoosjes. Ze haalde een stapel karton van anderhalve meter lang en één meter breed, bedrukt met ontwerpen, die uitgeknipt en in de vorm van doosjes gevouwen dienden te worden. Vervolgens moesten de stukjes karton gelijmd worden. Honderd doosjes brachten een dubbeltje op. Als zij dit werk van 's ochtends vroeg tot 's avonds laat voortzette, kon ze er vijfhonderd afkrijgen. Dat betekende een dagloon van vijftig cent. Dertig dagen maal vijftig cent was vijftien *yuan*, de helft van wat haar man verdiende. Niet gek voor een stuk 'goedkoop spul', zoals er over vrouwen gesproken werd.

Hoewel er maar twee kinderen waren in Kims familie – Kim zelf en haar zusje Jiening – was het inkomen per hoofd slechts elf yuan per maand, minder dan de helft van dat van een eerste-kaster. Als boerenarbeider kon Kims vader ook niet meer verwachten. Kims moeder was niet in staat veertien uur per dag luciferdoosjes te vouwen; ze had last van duizeligheid. Volgens Xiuhua, haar zus, leed ze aan bloedarmoede. Volgens Lian was het eenvoudig 'voedselarmoede'.

Kim zelf was ook een probleemgeval. Ze zag er onooglijk uit. Haar gezicht leek niet op een gewone kiwi, maar eentje die per ongeluk onder iemands voeten was terechtgekomen. Het was ingevallen en geelgroen. Ze had het figuur van een tienjarige, terwijl ze twee jaar ouder was dan haar klasgenoten – vorig jaar was ze blijven zitten. Haar haren vormden een boze woestenij; Kim kamde en waste ze hoogstens één keer per jaar. Als Lian bij haar in de buurt kwam, moest ze bijna overgeven van de stank. Tussen haar neusgaten en mond pendelden twee troebele beken. Als ze– *tjiéé* – haar neusvleugels optrok, keerden de beken terug naar de bron; als ze ergens mee bezig was en niet oplette, drupten ze op haar schoolschrift. Handschoenen waren voor haar onbetaalbaar. In de winter zwollen haar handen op tot donkerrode kwabbige klauwtjes met paarse bulten die na een tijdje tot uitbarsting kwamen. Dan stroomde er bloed en pus naar buiten. Ze stonken naar rottende ratten.

Haar kleren waren een verschrikking. Ze droeg ingenomen mannenkleren. Lian hoefde er niet naar te raden: ze waren gemaakt van de overalls die haar vader eens per jaar uitgereikt kreeg. Hij deed drie jaar met één overall, zodat hij er twee voor zijn gezin uitspaarde. Kims moeder verstelde ze tot twee paar jasjes en broeken. Aan de gulp was natuurlijk niets te doen;

Kim stond voor gek in zo'n broek. Welk meisje droeg nou een broek met sluiting van voren?

Het was nog maar de vraag of ze een meisje was. Ze gedroeg zich helemaal niet vrouwelijk. Vrouwen werden weliswaar als oud vuil behandeld, maar gedroegen ze zich ook nog eens niet als vrouw, dan was hun leven totaal geruïneerd. Als een meisje een tafel moest verplaatsen – het maakte niet uit hoe licht het ding was – deed ze alsof ze niet de kracht bezat die op te tillen. Ze hoorde dan een verleidelijke zucht te slaken, waarmee ze de aandacht van een jongen tien meter verderop kon trekken. Die voelde zich daardoor in zijn mannelijkheid gestreeld en joeg het meisje op een brutale manier weg. Vervolgens tilde hij de tafel met één hand op. Gedroeg een man zich beleefd tegenover een vrouw, dan werd hij uitgemaakt voor mietje of slappe lul.

Kim vroeg nooit een jongen om hulp. Zo ging ze beledigingen uit de weg, want er zou toch niemand voor haar in de bres springen. Maar ze kon twee tafels tegelijkertijd optillen en die precies op de gewenste plaats weer neerzetten. Daarom werd ze 'wild zwijn' genoemd. Tot haar verbazing constateerde Lian dat de kleine en magere Kim de berenkracht van haar vader had geërfd.

Niemand had Kim ooit zien huilen. Hoe was het mogelijk dat een vrouw niet eens in staat was een paar traantjes weg te pinken? Juist Kim: die had er alle reden toe.

De laatste, maar zeker niet minst belangrijke reden om Kim als pechvogel van de klas te betitelen was dat ze blijkbaar niet goed kon leren. Ze was immers vorig jaar blijven zitten? Het was een hele prestatie om het jaar te moeten overdoen. Negenennegentig procent van de leerlingen ging moeiteloos door naar het volgende leerjaar. De onderwijsinstellingen waren meer dan overbezet. Oogluikend lieten leraren slechte leerlingen doorstromen naar het hogere jaar. Alleen degenen die werkelijk helemaal niets van de leerstof begrepen werden eruit gepikt.

Extra werk bezorgde Kim de onderwijzers niet; ze hoefden haar huiswerk of toetsen niet na te kijken. Met gesloten ogen noteerden ze een 30– en dat was dan nog een compliment. Ze stelde geen vragen tijdens de les, ook al snapte ze er geen barst van. Ze keek zeer verstandig naar de leraar. Zo bespaarde ze hem de moeite haar de basisbegrippen uit te leggen die ze het jaar daarvoor al had moeten kennen. Maar Kim gunde haar klasgenoten hun felbegeerde leedvermaak niet. Stel je voor hoe de etters zouden gieren van pret als bleek dat Kim de les niet kon volgen!

Toch ging ze elke dag trouw naar school. Als ze niet zou gaan, zou ze thuis toch maar luciferdoosjes moeten vouwen; ze knapte na schooltijd al zo veel karweitjes voor haar ouders op.

Het propaganda-plankje

Om tien uur klonk de verlossende schoolbel. De leerlingen vlogen het leslokaal uit als vogels uit een opengezette kooi. De jongens flitsten als vuurpijlen door de gang, terwijl de meisjes de allerlaatste roddels uitwisselden. Twee meisjes waren in het lokaal achtergebleven: Kim en Lian.

Gedurende de afgelopen week had Kim aan den lijve ondervonden hoe gevaarlijk het was binnen het gezichtsveld van haar medeleerlingen te komen. Toen ze vijf dagen geleden voor het eerst in de gang verscheen, stonden de jongens onmiddellijk stil. Hierna gingen ze een wedstrijd aan wie de meeste schoppen op Kims achterste kon plaatsen binnen een afgesproken tijdsduur.

De meisjes bekeken het spel vol walging. Niet omdat ze afkeurden dat Kim gemarteld werd, welnee: ze vonden dat Kim zelf schuldig was. Als ze niet zo zielig en weerzinwekkend zou zijn, dan zouden de jongens zich immers niet genoodzaakt voelen haar zo af te tuigen. Hoe het ook zij, Kim hoedde zich er wel voor binnen schootsafstand te komen tijdens de pauze.

Vorige week had Lian haar enkel verstuikt tijdens de gymles; vandaag bleef ze ook in het lokaal achter. Haar bank stond drie rijen achter die van Kim.

Kim keek om zich heen en haar belangstelling werd gewekt door het bont beschilderde schoolbord aan de achterwand. Ze aarzelde en overwoog of het geoorloofd was om het intrigerende bord van nabij te bestuderen. Voorzichtig stond ze op en ging er voetje voor voetje naar toe.

Het bord had dezelfde afmetingen als dat aan de voorkant van de lesruimte. Officieel heette het Het Politieke Slachtveld, maar in de volksmond werd het 'het propaganda-plankje' genoemd. Er waren met kleurkrijt geschreven artikelen op te be-

wonderen, die de politieke situatie van het hele land toelicht-
ten. Zo kon men er bij voorbeeld vernemen welke campagne
er op dit moment gaande was of wat voor nieuwe leus Mao had
uitgedacht; ook werden Mao's meest recente decreten in voor
de jeugd toegankelijke taal uiteengezet. Zo werd hun duidelijk
gemaakt dat Mao's bevel om Confucius te verbrijzelen betekende dat 'we de minister van Buitenlandse Zaken de grond in
moesten boren'. Waaruit in 's hemelsnaam de overeenkomst
bestond tussen de filosoof die de wijsheid had gehad om ruim
tweeduizend jaar voor Mao ten grave te dalen en de hedendaagse diplomaat, werd niet uit de doeken gedaan. Verder gingen de artikelen in op de gedragingen van individuele
leerlingen. Revolutionaire elementen werden geprezen en
bourgeois-gezinden bekritiseerd. Zo werd Shunzi een keertje
in het zonnetje gezet, omdat hij de ramen van het leslokaal
'stiekem' gelapt had. Hiermee had hij blijk gegeven van zijn
proletarisch geloof in Mao's leer:

> *Dien het volk ijverig,*
> *als een karbouw die het rijstveld ploegt*

Rond de strookjes tekst werden meestal een rode zon – symbool van de Grote Roerganger – en daaromheen gegroepeerde
zonnebloemen – symbool van het hem gehoorzamende volk
– getekend. Hier en daar stond ook een takje rozen of een tros
viooltjes bij wijze van versiering. Dit oogstrelend kleurrijke
bord oefende een onweerstaanbare aantrekkingskracht uit op
de scholieren.

Het plankje was pas opnieuw beschreven; Kim wilde weten
wat er stond. Lian bewoog haar enkel van links naar rechts
om te voelen of hij nog pijn deed – dat viel gelukkig mee.
Moeizaam richtte ze zich op en liep naar het plankje. Ze zag
Kims nekspieren verstijven; Kim schoof meteen van haar plek
voor het midden van het bord, waar ze het hoofdartikel aan
het bestuderen was, naar de rechterkant. Lians hart kromp ineen: was Kim zó bang van haar? Vijf meter van het plankje
hield ze stil. Ze had ineens geen zin meer om het te lezen.

Kim verroerde geen vin. Aan haar gespannen houding
merkte Lian dat ze in de war was. Ze wist blijkbaar niet wat ze
moest doen. Om Kim het gevoel te geven dat ze niets te vrezen
had, liep ze weer naar het bord. Voordat ze het in de gaten

had, was Kim al tot voor de rand van het plankje gevlucht. Wat ze nu nog kon lezen was de houten lijst.

Lian ging naar de linkerrand van het bord om Kim duidelijk te maken dat ze zich niet voor haar hoefde te verbergen. Het gebaar had geen effect. Kim stond als aan de grond genageld. Er bleef maar één ding over: iets zeggen.

Een vage angst kneep haar keel dicht. Ze had nog nooit iemand met Kim zien praten – of je moest brullen en uitschelden praten noemen. Als ze Kim zou aanspreken, zou ze zich van haar klasgenoten afzonderen. Ze zou gemeden worden als verraadster van haar eigen kaste. Aan de andere kant – en daar was ze de Partij nu eens dankbaar voor – had ze een stok achter de deur. De Wijste Leider Aller Tijden hamerde er immers voortdurend op dat boerenarbeiders tot de eerste klasse behoorden en dat alle andere klassen door hen opnieuw opgevoed moesten worden. Hoewel zijn leer niet met de praktijk overeenstemde – de andere klassen gebruikten de rug van boerenarbeiders als deurmat – zou niemand Lian openlijk durven beschuldigen van sympathie voor hen. De klasgenoten zouden Lian hoogstens stiekem kunnen veroordelen. Want wie leefde er nu écht met de boerenarbeiders mee? Wie dat deed, deed dat alleen maar om de Leider te laten zien dat hij Zijn woorden zogenaamd volgde. Zo iemand was een schijnheilige, een kontlikker! En mocht hij niet zulke bijbedoelingen hebben, dan was het een imbeciel. Maar dit soort etiketten schrok Lian niet af. Ze was zo zeker van haar bevoorrechte positie als eerste-kaster dat ze dacht wel een potje te kunnen breken. Bovendien zou ze er wel voor zorgen dat ze haar sympathie voor Kim absoluut geheimhield.

De kust was veilig, want er was verder niemand in het klaslokaal. 'Kom, Kim, laten we het hoofdartikel samen lezen,' zei ze zo natuurlijk mogelijk, alsof het de gewoonste zaak van de wereld was dat ze een derde-kaster aansprak.

Als een opgejaagd hert wendde Kim het hoofd naar Lian. Diepe rimpels kropen over haar gezicht. Hoe was het mogelijk? Een eerste-kaster die zo vriendelijk tegen haar sprak? Lian hoorde haar hersenen kraken.

Om haar oprechte bedoeling tot Kim te laten doordringen, liep Lian glimlachend naar haar toe. Maar dit werd Kim te veel. Ze raakte in paniek, schoof tafels en stoelen opzij en rende naar haar toevluchtsoord– haar zitplaats, pal tegenover het podium. De leraren hadden haar vlak voor hun neus gezet, opdat niemand haar tijdens de les zou durven pesten.

De tranen stonden in Lians ogen. Ze voelde hoe haar hart opengereten werd door Kims ingebakken angst en wantrouwen ten opzichte van hogere-kasters. De beelden van haar kinderjaren kwamen weer naar boven: hoe ze, als enige dochter van een docente en een cardioloog, opgroeide in een beschermd milieu, totdat de Wijste Leider Aller Tijden de Culturele Revolutie ontketende en een eind maakte aan haar veilige leventje…

Een zuurverdiend koekje

Lian kon Vader nergens vinden.

'Mama, waar is Papa?'

'Vader is door zijn ziekenhuis naar het zuiden gezonden, naar de provincie Yunan, duizenden kilometers hiervandaan. Daar moet hij boeren leren hoe je "volgers van de kapitalistische weg" signaleert en uitroeit,' legde Moeder uit.

Ze wist niet wat die gewichtige termen inhielden, maar voelde zich alles behalve prettig. Een huis zonder Vader leek haar niets. Ze klampte zich aan Moeders benen vast en kon alleen maar zwijgen.

Twee weken later zag ze Moeder haar kleertjes inpakken. Ze werd ineens heel bang.

Moeder zei: 'Lian, mis je opa en oma?'

Ze knikte braaf. De angst vloeide uit haar ogen.

Moeder vertelde wat er aan de hand was: 'Nu is het mijn beurt om, net als Papa, naar een afgelegen dorp gestuurd te worden. Ik breng je naar opa en oma; anders is er niemand die op je past.'

Lian rende naar haar kamertje en drukte Misja, haar knuffelbeer, tegen haar borst. Ze keek verstrooid naar de blinde poppen en beesten die op de vensterbank zaten. Het bedje met z'n melkachtige geur voelde ineens buitengewoon comfortabel aan. Ze dacht aan haar vriendjes op de kleuterschool en wist niet hoe ze zich voelen moest.

Lians grootouders woonden in Qingdao, een provinciestadje ongeveer negenhonderd kilometer van Peking. Na een treinreis van bijna zestien uur kwamen ze er aan. Qingdao genoot stadsrechten, maar in Lians ogen was het niet meer dan een dorp. Voor een van de huisjes zag Lian oma, die zich vasthield aan de deurpost. Haar voetjes leken wel een paar zoete aardappeltjes, puntig en te klein om het gewicht van zo'n groot mollig mens te dragen. Zodra ze haar kleindochter ontwaarde, liep ze naar haar toe, wankelend als een peuter die net had leren staan.

Opa volgde haar. Hij was donker, mager en enorm gerimpeld. Uit zijn mond staken twee lange gele tanden. Onwillekeurig dacht Lian aan de slagtanden van een olifant.

'Lian! Kom eens hier. Wat ben jij groot geworden, zeg!' zeiden ze in koor.

Ze werd opgetild en op de *kang* gezet. Oma klom er ook op. Ze nam de kleermakerszit aan, zette Lian op haar knieën en drukte haar tegen haar borsten, die zowel in de lengte als in de breedte waren uitgerekt en haar hele bovenlichaam bedekten. Met haar bovenlijf omgeven door oma's zachte en gezellige borsten, begon er een hete stroom in Lians neus te borrelen. Ze keek met het ene oog naar Moeder, bij wie ze altijd troost en liefde gevonden had, en met het andere naar oma, bij wie ze zich direct thuisvoelde.

Voor het raam verscheen een rij hoofden. Een heel arsenaal kinderen was uitgelopen om haar te zien. In het provinciestadje was de komst van een gast uit de hoofdstad groter nieuws dan het uitbreken van de Derde Wereldoorlog.

'Ga maar naar je nieuwe maatjes,' moedigde oma Lian aan, 'ze hebben al een week op je gewacht.' Ze gaf haar een net, vastgemaakt aan een lange stok. In de zwangere zomerlucht dansten witte, blauwe en gele vlinders. Met dit net kon ze ze vangen.

'Oóóóó!' Ze gilde van opwinding. Haar tegenstrijdige gevoelens verdwenen als sneeuw voor de zon.

's Avonds werden haar speelkameraadjes een voor een door hun ouders naar binnen geroepen.

'Het is etenstijd,' zei Lihua, een meisje uit de groep, tegen Lian. Ze bracht haar naar huis.

'Kijk! Ik heb er tien gevangen!' Ze hield de glazen fles tegen de lamp en wilde Moeder haar prachtige vlinders laten zien.

'Lian, kom hier.' Oma opende haar armen.

Lian zocht op het bed, onder het bed, achter de deur en zelfs in het steenkoolhok. Geen spoor van Moeder.

'Je moeder had haast,' zei opa, 'ze is vertrokken.'

Lian voelde zich als een baby die in een diep meer geworpen was; nergens had ze enig houvast, overal was het ijskoude water. Ze kon er niet tegen schoppen of protesteren, want de vloeistof bood immers geen weerstand. Ze kon zich nergens aan vastklampen, omdat het water meedogenloos glibberig en vormloos was. Ze draaide de dop van de fles. 'Ga maar naar jullie moeder,' zei ze tegen de vlinders.

Die avond had ze geen trek. Ondanks oma's armen om haar heen werd ze overmand door eenzaamheid. Ze voelde zich bedrogen. Ze kon er toch niets aan doen dat ze haar verdriet in één klap vergeten was toen ze met haar nieuwe kameraadjes vlinders ging vangen! Ze dachten zeker dat ze het niet erg zou vinden als Moeder stiekem zou vertrekken.

Lian werd gewekt door het geluid van oma's fornuis. Het was van bakstenen gemaakt. Aan de onderkant zat een ronde opening. Met haar linkerhand deed oma er om de twee minuten een schepje steenkoolpoeder in, en met haar rechterhand trok ze aan een houten stok, die met een blaasbalg verbonden was. Elk van haar bewegingen wakkerde sissende vlammen aan. De zak zong een ritmisch liedje: *hien-tja-tja, hien-tja-tja, hien-tja-tja.*

Opa was niet thuis. Hij was naar de Vossenheuvels gegaan om brandhout te hakken.

'Sta op, Lian. Opa kan elk ogenblik thuiskomen. Dan gaan we ontbijten,' zei oma vanuit de keuken.

'Nog héél eventjes,' antwoordde ze en kroop nog wat dieper onder haar deken. Ze wilde een poosje langer in het behaaglijke bed blijven.

Oma zweeg.

Lian had nog niet de tijd genomen de woning van haar grootouders goed te bekijken. Ze bestond uit een kamer van drie bij vier en een keuken van twee bij twee. De kang nam tweederde van het vertrek in beslag. De smalle strook die van de ruimte overbleef, diende als gang naar de keuken. Het enige meubelstuk in huis was een kast van één meter hoog en zestig centimeter lang. Deze stond op de kang. Aan de muren hingen vier lapjes, waarachter vierkante gaten zaten. Ze waren in de wanden gekliefd om er servies, bestek en dergelijke in op te bergen.

Alles werd op de kang gedaan: slapen, plassen (in een nachtpot), eten, drinken, lezen, schrijven, kleren verstellen, wateremmers repareren, gasten ontvangen en die laten logeren. Terwijl Lian zich aankleedde, rolde oma het beddengoed op, om plaats te maken voor de eettafel – niet meer dan een houten dienblad. Ze zette een schaaltje met reepjes gepekelde Chinese kool neer, een bord met drie gestoomde broodjes en een pan vol maïspap.

Jíe-ááá... De poort van het voortuintje klaagde als een droomkoning die in zijn sluimer gestoord wordt. Lian zag een stapel boomtakken de binnenplaats op schuiven. Even later zag ze opa's bezwete gezicht te voorschijn komen. Hij plaatste de brandstof naast het kippenhok en ging naar de keuken om zich te wassen. Hij was over de zeventig, maar liep elke ochtend de vier kilometer naar de heuvels om hout te hakken, en keerde zwaarbeladen weer terug – geen wonder dat hij zo gezond bleef.

In kleermakerszit namen ze rond het dienblad plaats. Opa schonk maïspap in ieders kom. Ze hielden de kom voor hun hoofd en – *hsjeeee* – slurpten de vloeistof naar binnen.

Lian had haar laatste hap nog niet achter de kiezen of Lihua stond al voor de deur. 'Tante, Lian en ik gaan touwtjespringen. Om de hoek, onder de wilgen,' zei ze tegen oma.

Na een paar uur spelen kreeg Lian honger. Ze ging naar huis voor een tussendoortje en klom op de kang. Door een van de ruiten van de kast zag ze een oranje koektrommel, maar de deurtjes waren op slot. Ze keek oma lief aan. Ze wist dat je niet om voedsel hoorde te vragen, maar haar maag trommelde een protestlied. Oma draaide haar hoofd de andere kant op en deed of ze haar niet begreep. Lian snapte het al; de koekjes waren bedoeld voor speciale gelegenheden. Ze zocht overal naar enige andere vorm van eetwaar. Zonder succes.

'Ga eens thee voor me zetten,' zei opa tegen oma. Oma waggelde naar de keuken. Plotseling werden opa's ogen mild. Hij keek Lian guitig aan. Hij stond op zijn tenen en greep naar een rieten mandje dat hoog aan de muur hing. Geheimzinnig verborg hij zijn rechterhand achter zijn rug en zei: 'Raad eens, moppie, wat ik hier heb.'

Lian rende om hem heen en keek in zijn handpalm: rauwe pinda's! Van opwinding opende ze haar ogen zo wijd mogelijk, alsof ze dáármee zou smullen, in plaats van met haar mond. 'Een, twee, drie, vier.' Vier noten had ze gekregen. Haar kaken kraakten en haar speeksel verzamelde zich.

'Dank u, opa!' riep ze blij.

'Ssst! Zeg het niet tegen oma. Niemand mag hier aankomen,' fluisterde hij in haar oren.

Lian repte zich naar buiten.

Naast het kippenhok lag een verrot boomstammetje. Met de rug tegen de muur, de voeten op het zachte stammetje en het gezicht naar de hemel gericht vermaalde ze in alle rust haar pinda's, oneindig langzaam, een voor een. Ze wist niet dat rauwe apenoten zo zalig konden smaken.

Eindelijk was de lunchtijd aangebroken. Dit was de hoofdmaaltijd, het menu was wat uitgebreider. Op het dienblad stonden een bord roergebakken Chinese kool, een kom gestoomde broodjes en een schaaltje grijze pasta.

De pasta rook naar tenenkaas. Oma smeerde het op Lians brood en zei: 'Dit is erg voedzaam.' Het was een kooksel van bijna bedorven garnalenkoppen, visjes en schaaldiertjes, luisterend naar de fraaie naam: *garnalenpasta*. Twee dubbeltjes per kilo.

Voor het avondmaal kreeg ze een *mantou* die uitgedroogd, keihard en koud was; je kon er een spijker mee in de muur slaan. Oma smeerde een laagje *huangjiang* op het broodje. Vervolgens sneed ze een stukje uit het witte deel van een stronk prei en stopte het in Lians handen. 'Ga maar naar buiten,' zei ze.

Ze ging de straat op. Het schemerde al. Een lange rij kinderen stond tegen de buitenmuur te wachten. Ze maakten plaats voor Lian. Ieder van hen had eenzelfde broodje in de hand. Van hen leerde ze hoe je ervan moest genieten. Bij elk hapje van het brood met huangjiang hoorde je een hapje prei te nemen. Lian merkte al snel hoe goed de saus bij de prei paste.

Lian raakte snel gewend aan het leven in het dorp. Ze begon te vergeten dat ze Vader en Moeder miste.

꙾

Het kwam allemaal door haar rusteloze maag. Het was niet dat ze honger leed: brood was er genoeg in huis. Maar na een maand uitsluitend tarwebloem, maïsmeel, gepekelde en gebakken Chinese kool, begon ze te dromen. Ze verlangde hevig naar variatie, en vooral: naar zoetigheid. Snoep en koekjes kreeg ze niet. Zodra ze maar even liet merken dat ze daarnaar verlangde, maakte oma een gebaar waaruit ze opmaakte dat ze zich rot moest schamen voor haar gulzigheid.

Lian had er een gewoonte van gemaakt naar een speciale winkel te gaan. De kleurige verpakking van de toffees in een van de stopflessen trok haar ogen aan als een magneet een paar ijzeren knopen. Wanneer er een klant binnenkwam, opende de winkeljuffrouw de dop van de fles. Dan ging Lian zo dicht mogelijk bij de fles staan. Ze moest zich aan de toonbank vasthouden om niet flauw te vallen. De hemelse geur streelde haar neus en riep ongekende fantasieën op.

'Opdonderen, kleine vreetzak!'

Haar zalige droom werd keer op keer aan flarden geschoten door het gesnauw van de winkelbediende.

Thuis gluurde ze steeds gretiger naar de koektrommel, die zich veilig achter de glazen deur van de kast verschool. Soms ging ze gewoon voor de kast zitten en liet haar speeksel de vrije loop. Oma zag het wel, maar deed niets. Opa durfde slechts af en toe een stuk of vier rauwe pinda's voor haar te stelen. Ook hij mocht niet aan de kast komen.

꙾

Het regende pijpenstelen. Na het ontbijt trok Oma een lang gezicht. Ze had er zo te zien schoon genoeg van voortdurend te doen alsof ze Lians begerige blikken naar de koekjes niet begreep. Ze ging demonstratief op de kang zitten. 'Kind, vandaag krijg je een koekje van me,' kondigde ze aan en wierp er haar een toe.

Lians hart sprong op, als een puppy die een kluifje ruikt. Met wijdgeopende, trillende handen ving ze het op.

'Eet maar op, slokop wier huid dikker is dan de hoek van de Lange Muur!' schreeuwde oma. Lian stopte met kauwen. 'Waar heb ik het aan verdiend dat je mij zulke dure eetwaar afhandig maakt?' ging ze verder. 'Je Moeder is een ondankbare, krenterige dochter.' Het koekje bleef in Lians keel steken. Ze slikte, maar de droge klont wilde maar niet weggaan. Ze trok aan het vel van haar hals – ook dat hielp niet. Oma was niet meer te stuiten: 'Ze verdient zesenvijftig yuan per maand. Hoeveel stuurt ze ons? Een peulenschilletje! Ja, nu jíj hier bent, nu stuurt ze wel wat meer!' Het zo vurig begeerde snoepgoed bleek ongeluk te brengen. Lian barstte in snikken uit. 'Als je moeder ons cadeaus in plaats van geld gaf, was het ook goed geweest. Raad eens wat ik vorig jaar van haar heb gekregen?' Ze tilde haar voetjes op en zwaaide ermee. Ze spotte: 'Eén paar sokken dat na drie keer wassen slap wordt als de buikhuid van een moeder die een dozijn kinderen heeft gebaard! Wil je weten wat je oudste tante me toegestuurd heeft?' vervolge ze, 'twee paar synthetische sokken! Lian d'r opa, zit daar niet te suffen! Wil je soms als zwakzinnige verkocht worden?! Haal die juweeltjes eens uit de doos te voorschijn. Daar in het middelste gat aan de oostelijke wand.'

Opa reageerde aanvankelijk niet, maar toen zijn ogen de hare ontmoetten, sprong hij halsoverkop naar het gat en reikte oma tante's cadeau aan.

Oma wapperde met de flinterdunne spierwitte sokken en zei: 'Nou, vergelijk ze maar met wat ik nu aanheb. Zie je het verschil tussen je dankbare tante en die gierige moeder van jou?'

Lian zag niets meer. Traangordijnen bedekten haar ogen.

Opa sloeg zijn pijp op de asbak en zei: 'Lian d'r oma, hou toch alsjeblieft op!'

Maar daar moest oma niets van hebben. Ze verhief haar stem: 'Zóóó, opa, je vindt het zeker gênant, hè, dat een zesjarige zoiets te horen krijgt? Kijk in je tabaksdoos. Hoeveel blaadjes tabak heb je van je geleerde dochter gekregen? Nog geen grammetje! Is dat de beloning die we krijgen voor het feit dat we haar hebben laten studeren?!'

Oma's hals was net een knalrode ballon, opgeblazen van woede. Haar handen waren tot vuisten gebald. Opa hield zijn pijp krampachtig vast en keek beurtelings verontwaardigd in haar richting en hulpeloos naar Lian.

Lian huilde tranen met tuiten. Haar hart, maag en darmen trilden van droefenis, schoten als het ware naar boven en wilden door haar keel naar buiten vliegen.

'En jij hebt nog het lef om te huilen? Kind van een kreng van een moeder! Leg me nou eens uit: huil je omdat ik je moeder bekritiseer of omdat je meelij hebt met ons, zielige oudjes?'

Opeens stond opa overeind. Zijn magere lichaam trilde van ontzetting: 'Nog één woord en ik sla de wok aan diggelen!'

Lian bibberde van top tot teen. Opa kennende vreesde ze dat hij zich aan zijn belofte zou houden ook. Ze wist dat een wok maar één maal per generatie werd aangeschaft. Een wok breken betekende een regelrechte ramp voor de familie. En dat allemaal vanwege het wangedrag van haar moeder!

Maar ook oma schrok. Ze ontspande wijselijk haar vuisten en zag er al een stuk minder haatdragend uit.

Nu was het opa's beurt: 'Lian is pas zes. Ze weet nog maar nauwelijks wat geld is. Wat heeft zíj te maken met haar moeders daden? Kan zij daar iets aan veranderen?'

Het was een schot in de roos. Waarom beschuldigde oma haar moeder in haar bijzijn? Wie kon ze nog geloven? Moeder, de liefste op aarde, die door oma als een harteloze gierigaard werd afgeschilderd? Oma, die haar opzadelde met problemen waar zij niets van begreep? Of opa, die niet opgewassen was tegen het geweld van oma en haar niet kon beschermen?

Maar oma kon niet tegen het geschrei van haar kleindochter. Ze was ondanks alles een mens… Ze opende de trommel en haalde er maar liefst twee koekjes uit. 'Hier, Lian. Eet op en hou op met dat gejank.'

Op het moment dat Lian oma de trommel zag openen, had ze bij hoog en bij laag gezworen dat ze de lekkernij heldhaftig zou weigeren en in de lucht zou gooien. Vervolgens zou ze het huis uitrennen. De hele dag én de ganse nacht zou ze buiten rondzwerven. Maar nu de koekjes zo verlokkelijk voor haar neus prijkten, bleef er niets van haar voornemen over. De delicatesse wekte een niet te bedwingen verlangen in haar op, dat haar verstand naar de uiterste hoek van haar hersenen wegdrong.

Helemaal in de wolken en een en al eerbied ving ze de koekjes op, met natte handen. Door het matglas van haar tranen lachte ze de lekkernij toe. Ze droogde haar tranen. Dat was geen gemakkelijk karwei. Het gesnotter had haar gelaat tot een modderpoel gemaakt. Ze wist niet meer waar haar ogen eindigden en haar neus begon.

In één beweging stak ze allebei de koekjes in haar mond.

Sinds die dag leefde ze onophoudelijk in angst. Bij het geringste teken van oma's volgende aanval van verwijt, kromp ze ineen. Het gebeurde met de regelmaat van de klok. Precies twee keer per week kreeg ze een dergelijke scheldkanonnade te verduren.

Na een half jaar was ze ook daaraan gewend.

De drie deugden

Drie dagen waren verstreken sinds Kim uit paniek van het propaganda-plankje en Lian was weggevlucht. Intussen had Lian een strategie bedacht om Kim uit haar pechvogelstatus te redden. Ze zou haar helpen om gekozen te worden tot Leerling van de Drie Deugden.

De Drie Deugden waren:

1. proletarische, dus progressieve gevoelens koesteren
2. hoge cijfers halen voor alle toetsen
3. goede sportprestaties leveren en over een goede gezondheid beschikken

De verkiezing werd twee maal per jaar gehouden, in februari voor Chinees Nieuwjaar en in juli voor de zomervakantie. Per honderd leerlingen hoorden vier leerlingen over De Drie Deugden te beschikken. Per klas van zestig man kwamen er dus twee à drie leerlingen voor in aanmerking. Iedereen, ongeacht klasse of kaste, mocht deze onderscheiding ambiëren. Als Kim tot de uitverkorenen zou behoren, zouden de klasgenoten zich wel drie keer bedenken voordat ze nog eens een poot optilden om haar tegen de schenen te schoppen.

Aan het eerste criterium voldeed Kim automatisch. Als dochter van een boerenarbeider koesterde ze vanzelfsprekend proletarische gevoelens. In de praktijk betekende dit dat je gebrand moest zijn op vuile en zware arbeid en op allerlei geestelijke en fysieke ontberingen, én: je moest de Partij onvoorwaardelijk gehoorzamen.

Het tweede criterium lag wat moeilijker. Om goede studieresultaten te boeken, moest Kim heel wat lessen inhalen. Lian nam zich voor haar met haar huiswerk te gaan helpen en haar bijles te geven. Het inhaalproces zou wel een tijdje duren, maar het bood de hoop dat Kim ooit door de klas als een volwaardige medeleerling geaccepteerd zou worden.

Het derde criterium was een cadeautje. De kleine en magere Kim was oersterk. Als ze regelmatig oefende, maakte ze een goede kans op het winnen van een aantal wedstrijden bij de Herfstspelen. Dat zou bewijzen dat ze ook de derde van De Drie Deugden in huis had.

Lians denkmolen stond stil: opeens realiseerde ze zich dat ze een plan aan het maken was voor iemand met wie ze nog nooit een woord had kunnen wisselen. Daar viel iets aan te doen, maar wat? Op school durfde Lian haar niet openlijk aan te spreken. Buiten schooltijd dan? Ze kon naar Kims huis gaan. Maar daarvoor zou ze de kastegrenzen moeten overschrijden. Bij het idee alleen al liepen de rillingen over haar rug.

Een indringer

Twee zomers geleden was Lian in de woonwijk van de derde-kasters geweest.

Moeder gaf Lian een zak in de vorm van een kussensloop en zei: 'Kun jij vandaag tarwebloem halen bij de graanwinkel?' Dit was eigenlijk Vaders werk, maar hij was al twee weken weg en het meel was bijna op.

Lian keek Moeder angstig aan. Om bij die zaak te komen moest ze de buurt van de derde-kasters passeren. Het was algemeen bekend dat het gevaarlijk was voor een kind van de eerste kaste om die wijk binnen te gaan.

'Alleen voor deze ene keer, beloofd! Zodra Vader van de marxistische studiegroep vrijgelaten wordt, doet hij de inkopen weer. Je weet dat Mama de laatste maanden last heeft van spataderen. Als ik goed kon lopen, zou ik je heus niet met zoiets opzadelen.'

Lian vermande zich en zei: 'Goed, Mama.'

Het eerste stuk van de tocht verliep zonder problemen. Ze genoot zelfs van het mooie weer. De zomerse zon gaf de boombladeren een lik glazuur, waardoor ze als groene spiegeltjes in Lians ogen schenen. Krekels flirtten met elkaar door eindeloos refreinen toe te voegen aan hun smartlappen.

Toen ze de wijk van de boerenarbeiders naderde, werd alles ineens stil. Zelfs de bladeren hielden op met ritselen.

'Dóe het!' verbrak een meisjesstem de stilte.

Lian deed het bijna in haar broek.

'Je bent zeker behekst door dat mooie meisje, hè?!'

'...Hou je bek! Ikke? Gecharmeerd van die chique trut?' Een geïrriteerde jongensstem golfde door de smalle stegen.

Lians bloed zakte tot in haar hielen; haar vingertoppen werden ijsklompjes.

'Bewijs eens dat je haar niets vindt! Leugenaar...'

Wóeóeóe-dóng! Een koude windvlaag vloog langs Lians linkeroor en een grote baksteen spatte voor haar voeten uiteen. Haar benen werden opeens zo slap als slierten gekookte mie en ze zakte op de grond. Nu werd haar rug geraakt door kleinere stenen en naast haar benen sprongen kiezels op, die hun doel net gemist hadden. De angst spoot kracht in Lians lijf; ze stond op en rende als een bezetene terug naar huis.

Toen Moeder die avond thuiskwam, kreeg Lian op haar kop.

Lian zweeg. Ze durfde Moeder niet te vertellen wat er gebeurd was.

Het voorstel

Zou ze het voor Kim over hebben om haar nachtmerrie opnieuw te beleven? Het antwoord liet zich raden. Als Lian eenmaal ergens haar zinnen op had gezet, liet ze er geen gras over groeien. Haar plan om Kim te helpen was nog geen twee dagen oud of ze begon *haar hoofd tot een punt te slijpen om in de schatkamer van de kans te kruipen.*

Om twee uur luidde de schoolbel. Het was zaterdag, en de lessen eindigden vandaag een uur eerder. De klasgenoten vochten zich een weg het klaslokaal uit, alsof wie achterbleef door de haaien verslonden zou worden. Kim bleef waar ze was en wachtte geduldig haar beurt af om het lokaal te mogen verlaten – als laatste. Lian keek naar buiten. De volwassen herfstzon opende zijn armen en uit zijn borst stroomde een strelende warmte; het schonk haar moed en rust. Dit is hét moment om Kim m'n voorstel te doen, zei ze tegen zichzelf. Ze nam een schrift uit haar schooltas, bekeek het zogenaamd aandachtig, stopte het terug en nam het er nogmaals uit. Zo zou het niet opvallen dat ze opzettelijk tijd aan het rekken was.

Het leslokaal was nu leeg, op Kim en Lian na. Buiten schitterde de zon zo fel op de bomen dat je zou denken dat de bladeren kristallen waren.

'Kim, over ruim een maand vinden de Herfstspelen plaats. Je bent heel goed in het langeafstandrennen…'

Ze keek Lian verbaasd aan en rimpelde haar gezicht, dat in het zonlicht op een uitgewrongen sinaasappel leek.

Lian ging onverstoorbaar door: 'Als je geregeld traint, haal je misschien nog de eerste plaats van de vijftienhonderd meter hardlopen. Heb je zin om met mij te trainen? Elke ochtend, voor we naar school gaan?' In één adem had ze haar meermalen gerepeteerde monoloog uitgesproken. Die ene adem had als het ware alle energie verbruikt die ze in huis had. Ze leunde tegen een tafel en wachtte zenuwachtig op Kims antwoord.

Het oudemannetjesgezicht fronste en spande de dunne lippen. De rest van Kims lichaam was roerloos als een bezemsteel. Lian beet op haar lip om de rivier van woorden die uit haar hart opwelde te stoppen: Kim, geloof me, ik ben niet je vijand, maar je lotgenote. Vijf jaar geleden, toen ik bij mijn opa en oma in Qingdao logeerde, was ik net zo weerloos en beroerd als jij nu.

Ze wilde Kim zo veel vertellen. Dat ze intens met haar meeleefde en haar wilde helpen aan haar pechvogelpositie te ontsnappen. Maar haar tong was tot een zenuwachtige knoop gedraaid.

Buiten tjirpten de krekels onverminderd voort; mussen kletsten over koetjes en kalfjes; kraaien krasten elkaar de oren van het hoofd. Maar binnen hing een onheilspellende zwijgzaamheid in de lucht. Lian hield het niet meer vol – ze moest de drukkende stilte verbreken voordat deze haar brak.

'Kim, vind je me niet goed genoeg om mee te gaan trainen? Ik kan best hollen, hoor. Wil je eens zien hoe snel ik ren?'

Kim stond met haar rug tegen het raam. De zon schetste haar

silhouet op de vloer. Een paar seconden na Lians toespraak maakte het schaduwportret een abrupte beweging. *Dóng!* Kim slingerde de schooltas over haar benige rug, sloeg met haar vuist op tafel en schreeuwde: 'Jij, rijke parasiet! Rot toch op!'

Lian deed van schrik een stap achteruit. Haar benen stootten tegen de tafel waarop ze had geleund.

Buiten waren de mussen inmiddels overgegaan op liefdesverklaringen; binnen kon men een speld horen vallen.

's Avonds in bed zei Lian tegen zichzelf: Ik ga gewoon door en lanceer net zo veel beminnelijke aanvallen op Kims citadel van vooroordelen tot zij haar verzet opgeeft. Maar de volgende keer moet ik het wel slimmer aanpakken.

Zoete aardappelen

De azuurblauwe hemel was versierd met schapenwolkjes; er hing een zoete geur in de lucht. Lian haalde diep adem en poogde de bron van de lekkere geur te lokaliseren. Uit de keukenraampjes van de flatgebouwen ontsnapte het aroma van… Dat was waar ook! De tijd van de zoete aardappelen was aangebroken! Haar neusvleugels trilden; het zinnenstrelend aroma voerde haar mee naar het rijk der fantasie…

Als muziek klonk de spreuk *Geroosterde zoete aardappelen doen niet onder voor gepofte kastanjes* haar in de oren. Alle kinderen waren hier gek op en Lian deed niet voor hen onder, eens te meer omdat de gerantsoeneerde suiker per korrel geconsumeerd werd en ze constant op zoek was naar zoetigheid. De zoete aardappelen vormden een verrukkelijke aanvulling op het eentonige voedselpatroon.

Maar toen ze aan de eindeloze mensenslangen voor de winkels dacht, zakte de moed haar in de schoenen. Zelfs als ze de ijzeren wil opbracht om het in zo'n rij vol te houden, kon ze het resultaat ervan niet aanzien. Met de grootste welwillendheid – reken maar dat kinderen als zij die in overvloed hadden – kon slechts de helft van de vijf kilo per gezin eetbaar worden verklaard. De rest kon je ter plekke weggooien. Sommige aardappelen zaten onder de butsen, waar een slijmerige, onwelriekende vloeistof uit droop; andere waren bedekt met zwarte plekken – als die gestoomd werden, smaakten ze naar zaagsel.

Het winkelpersoneel dat de vrachtwagens uitlaadde, koos de mooiste uit voor zichzelf. Vervolgens liet men de chauffeur de kwetsbare vracht op een open plek kieperen. Het droomvoedsel lag open en bloot op een pleintje, in de vrieskou en onder de natte sneeuw.

Kims moeder verbouwde zelf zoete aardappelen. Omdat derde-kasters niet voor een huurwoning van de staat in aanmerking kwamen, hadden Kims ouders tien jaar geleden besloten een modderhuis te bouwen. De enige plek die ze daarvoor konden vinden, was aan de rand van de stad, naast een modderplas waarin de omwonenden hun nachtpotten leegkieperden. Omdat de waterratten de omgeving terroriseerden, was dit plekje nog vrij. Kims ouders waren opgetogen. Ze bouwden een klein huis en legden een omvangrijke moestuin aan, waar Kims moeder groente en graan verbouwde. Zo had Kim jaarlijks tientallen kilo's van de verrukkelijke zoete aardappelen in huis. En dat liet ze haar watertandende klasgenoten weten ook.

Op een dag kwam Kim naar school met haar broekzakken vol zoete aardappelen. In de pauze haalde ze er eentje uit. Eerst schilde ze hem met haar tanden. Er zat vaak nog een flinke laag vruchtvlees aan de schil, maar die spuugde ze – *poeh!* – doodleuk uit. Haar klasgenoten tuurden naar de grond en gilden het bijna uit. Wat zouden ze graag die dikke schillen opgeraapt en in hun mond gestopt hebben! Maar dat zou onherstelbaar gezichtsverlies betekend hebben; ze hielden zich groot.

Kim sloot opzettelijk haar ogen en kreunde met volle mond: 'Mmm...' louter en alleen om hen te jennen. Als ze kauwde, kauwden de anderen met haar mee; als ze de delicatesse doorslikte, slikten de anderen met haar mee. De climax werd bereikt wanneer ze de halfopgegeten zoete aardappel niet meer lustte en – *pja!* – op de stoffige grond gooide: het vereiste een stalen wil om niet automatisch te knielen en het stukje in de mond te stoppen. De paar dagen wanneer er in haar moeders moestuin aardappelen geoogst werden, vormden een eiland van gelukzaligheid te midden van Kims hondenleven gedurende de rest van het jaar. De aardappelen waren haar zoete wraak.

Lian had niet eens gemerkt dat ze bij de schoolpoort aangekomen was, zo diep was ze in gedachten verzonken. De zoete aardappelen hadden haar op het idee gebracht hoe ze Kim ditmaal met succes zou kunnen benaderen. Ze moest het plan in alle rust uitwerken. Dat kon ze mooi doen terwijl meneer Kong, de leraar politieke opvoeding, zijn gebruikelijke preek over de noodzaak van de klassenstrijd afstak.

Om kwart over vier stond Lian bij de uitgang van de school Kim op te wachten. Zodra Kim in zicht kwam, zwaaide Lian met haar schooltas als een op hol geslagen windmolen. Een regen van pennen, potloden, gummetjes, boeken en schriften stortte over haar hoofd. De klep van haar tas zat blijkbaar los. Ze sloeg beslist een gek figuur in Kims ogen, maar dat hinderde niet, zolang ze haar aandacht maar trok.

Kim stond maar even stil en liep vervolgens met een boog om haar heen. Lian riep: 'Ik moet snel naar huis! Hoera, mijn tante uit Qingdao komt bij ons op bezoek! Ze brengt een hele grote zak zoete aardappelen mee!' Ondertussen hield ze Kim goed in de gaten. Keek ze wel naar haar? Kwam ze haar kant op? Al gillend en zwaaiend met haar tas bad ze tot Boeddha: 'Zegent U mij, alstublieft.'

Kim spuugde op de grond en spotte: 'Tjé, een zielepoot die niet eens wéét dat ie zielig is!'

De vis naderde de haak.

Lian smeet haar schooltas op de grond en zei gespeeld verontwaardigd: 'Wat bedoel je daarmee?!'

'Ik heb geen ooms en tantes nodig voor zoete aardappelen. In onze moestuin lusten zelfs de ratten die rotzooi niet!'

Lian hield haar buik vast, alsof ze zich bescheurde van het lachen: 'Het is pas drie uur. Zie je dat het nog klaarlichte dag is? Je zit nu al te dromen! Wie laat er nou zoete aardappelen in het veld rotten? De zon zou morgen in het westen opgaan, als ik je woorden zou moeten geloven!'

'Kom zelf kijken! Onze moestuin is een schatkamer!' Kim greep Lian bij de linkerpols. Kims hand leek wel een waterpomptang. Lian deed alsof ze tegenstribbelde, maar liet zich gedwee naar Kims huis slepen.

Na een paar passen liet Kim Lians pols los. De verontwaardiging op haar gezicht had inmiddels plaatsgemaakt voor behoedzaamheid – haar overlevingstechniek. Rechts van de schoolpoort was een brede asfaltweg, die naar de 'rijtjeskamerbuurt' leidde, waar de tweede-kasters woonden. Daarachter was de 'modderhuisbuurt' van de derde-kasters. De weg werd smaller naarmate de rijtjeskamers in zicht kwamen. Lians akelige herinneringen aan dit gedeelte van de stad voerden een spookdans uit voor haar ogen. Ze rende achter Kim aan.

Kim voelde zich hier juist op haar gemak. Ze liep met rasse schreden en keek recht voor zich uit. Met Kim aan haar zijde voelde Lian zich veilig. De asfaltweg liep ten slotte uit op een pad van betonblokken, die onder de barsten en deuken zaten. Amper één meter naast het pad bevonden zich de deuren van de rijtjeskamers. Elke kamer huisvestte een gezin, ongeacht hoeveel leden het telde – in de meeste gevallen woonden er een man of acht in een kamer van zo'n vier bij vier meter. Voor elke deur lag een plas geelgroen ijs.

Poef! Lian gleed uit en viel languit op zo'n stuk ijs. Kim bekeek Lians gestuntel vol minachting en hield er flink de pas in. Lian krabbelde zo snel ze kon overeind en probeerde Kim in te halen. Ditmaal lette ze beter op waar ze haar voeten zette.

Tjiaaa… Vlak voor hen werd een gammele deur geopend. 'Pas op je kleren!' Een vrouw van een jaar of veertig kwam naar buiten om een bak te legen. Nog net op tijd trok Kim Lian drie stappen terug en – *huah!* – een gordijn lichtgroen afvalwater belandde op de grond. Dus dáár kwam dat groene ijs vandaan!

De geur van de openbare wc, ruim honderdvijftig meter verderop, kwam haar tegemoet. Er was één zo'n voorziening op de vier rijen woningen, dat wil zeggen dat veertig gezinnen, meer dan driehonderd mensen, erop aangewezen waren. En wie nam er nu de moeite om 's nachts de kou te trotseren en in het pikkedonker een afstand van honderdvijftig meter af te leggen voor een kleine boodschap? Twintig meter verderop stond een gemetselde wasbak; de kraan was omzwachteld met stro. Hier moesten de bewoners binnen een straal van tweehonderd meter hun drinkwater halen.

Aan Lians linkerkant rende een jongetje zijn huis uit. 'Doe de deur dicht!' werd hem nageroepen.

Dit soort woningen had geen portiek; voor de meeste deuren hing een gewatteerde deken. De helft van de voorkant van de kamers werd meestal aan het oog onttrokken door een geïmproviseerd keukentje. Zo nu en dan dook er een meisje of vrouw naar binnen om de waterketel op het kolenfornuis te zetten of om eten klaar te maken. Ze waren tot de tanden toe gewapend tegen de kou.

Het betonnen pad ging over in een aarden weg. Door haar schoenen heen voelde Lian de tot keiharde richels bevroren sporen van wagens. De kleur van de woningen veranderde van het roodbruin van baksteen in het bruingeel van modder. Slierten stro staken uit de muren. Ze waren in de modderhuisbuurt aangekomen.

Het weggetje zigzagde. De huizen waren niet door de staat gebouwd, maar door individuele boerenarbeiders, in verschillende perioden. Van enige ruimtelijke ordening was geen sprake. De meeste huisjes werden omringd door hoge muren. De traditionele Chinese bouwstijl was hier bewaard gebleven; de regering had hier niets te vertellen.

Tjiiie, kraakte de poort van maïsstengels. Ze stonden al op de binnenplaats van Kims huis.

'Mam, bezoek!'

Groeh, groeh, knorden twee pikzwarte varkens, die voor Lians voeten kuierden. Een witte kip fladderde op en sprong op de vensterbank. Uit een manshoog modderkeukentje dook een flinterdun, uitgedroogd vrouwtje op. Ze wreef haar handen droog aan haar schort en spoedde zich naar Lian. Ze groette haar met een knik en blies de plukken haar weg, die als een plumeau voor haar ogen bengelden. Nu pas zag Lian haar gezicht. Verbazing en eerbied, een combinatie die het geplooide gezicht een komisch aanzien gaf.

'Lieve Opa Hemel, wat een gunstige wind hebben we vandaag, die een azalea van een juffrouw naar onze sloppenwijk gevoerd heeft! Kom binnen, alstublieft. Pas op, trap niet in de varkenspoep. Sorry voor de viezigheid. O, waar kan ik mijn beschaamde oude smoel verbergen! Ik ben er nog niet aan toe gekomen de binnenplaats te vegen. Ziet u, juffrouw,' ze wees op een grote houten teil in de keuken, 'ik zit de hele dag kleren te wassen.' Ze strekte haar hals en zei tegen een schaduw in de kamer: 'Kim d'r vader, hier is een gedistingeerde gast.'

Lian wilde al naar binnen stappen, maar Kims moeder glipte als een paling voor haar langs.

'Kim d'r Pa, hier, doe deze jas over je knieën.' Ondertussen lachte ze verlegen naar haar bezoek.

Lians pupillen verwijdden zich. In het enige raampje zat

178

geen glas, maar een stuk gelig rijstpapier. Met veel moeite kon ze de meubels onderscheiden. In het duister stond een kang en een houten standaard met een wasbakje erop.

'Neemt u plaats,' zei de schaduw op de kang. Dat moest Kims vader zijn. Uit de klank van zijn stem maakte ze op dat hij een pijp tussen zijn tanden hield. Hij schoof op, zodat ze naast hem op het bed kon zitten.

'Goedemiddag, Oom Zhang,' zei Lian.

'Lach Kim d'r vader niet uit.' De moeder wist niet waar ze haar handen laten moest. 'Hij ziet er vandaag niet uit, want hij heeft een oude broek van mij aan. Ziet u, ik zat net zijn kleren te wassen.'

'Hou je snater!' De man verhief zijn stem, rukte een deken naar zich toe en dekte er zijn – of liever gezegd, haar – broek mee toe.

'Je hoeft je niet te schamen voor deze juffrouw, Kim d'r Pa. Dat handjevol levensjaren van mij, een afgetakelde muile-zelin, heeft me aardig wat mensenkennis bijgebracht. Kijk, ze heeft een sympathiek gezicht, alsof ze een van ons is.' Glimla-chend dribbelde ze naar Lian en vervolgde: 'Morgen gaat mijn ouwe naar een bruiloft, van de jongste neef van de zwager van Kims tante van vaderskant. Dan moet hij er toch netjes uitzien? Daarom heb ik zijn kleren eens goed in 't sop gezet. Ouwe, denk je dat de kleren voor morgenmiddag droog zullen zijn?'

'Mam, is mijn klasgenote gekomen om naar uw verhalen te luisteren?' zei Kim.

'Nu je het zegt, dat is waar ook. Kind, haal eens even wat brandhout. We gaan thee voor onze gast zetten.' Ze sjorde haar jas omhoog, sloot haar ogen om zich beter te kunnen concen-treren: ze zocht iets dat aan haar stoffen riem hing. Ten slotte haalde ze een sleuteltje te voorschijn en kroop ermee naar een houten doos op de kang. Ze opende die en nam er een verze-geld potje theeblaadjes uit.

Lian aarzelde even. Toen zei ze: 'Tante Zhang, ik hoef geen thee.'

'Houdt u niet van thee? Zal ik eiersoep voor u klaarmaken?' Ze bukte zich om een aarden pot met rijst van onder de kang te voorschijn te halen. Ze stak haar hand erin en roerde door de rijst. Haar wangen werden vuurrood. Ze mompelde: 'Waar zijn ze toch gebleven? Hoe kan dat nu? Ach, ja... Jiening heeft vorige week het laatste ei gekregen, toen ze griep had.' Ze keek naar buiten en zong: 'Kóóó-kokoko! Wít-tie! Kóm!'

De kip waar ze op doelde, bleef gewoon rondfladderen. Kims moeder vloog naar buiten en probeerde haar te pakken. Wittie sloeg met haar vleugels. De veren dwarrelden door de lucht om vervolgens op de grond te sneeuwen. De moeder sleepte een rieten mand met zich mee en plaatste die met een zwaai precies over de onwillige kip. Ze greep het beest stevig vast en drukte met duim en wijsvinger kundig op haar achterwerk. Na een minuut zei ze teleurgesteld: 'Ik voel geen knobbel in d'r kont. Geen eieren vandaag.'

'Máá-am!' Kim stampte met haar voeten en zei: 'Lian is gekomen om naar de zoete aardappelen in de moestuin te kijken. Ze hoeft geen eiersoep.'

'O, houdt u van zoete aardappelen? Och, had u dat maar eerder gezegd!' Haar gezicht klaarde ogenblikkelijk op. 'Kim, pak een schop uit de keuken en graaf net zo veel aardappelen uit als de juffrouw hebben wil.' Opgelucht liep ze naar de keuken, zette zich op een kruk, trok de houten teil naar zich toe en ging verder met het schuren van de kleren tegen het wasbord.

De twee meisjes wilden net naar de tuin gaan, toen er een fragiel stemmetje uit het duister opklonk: 'Komt deze chic geklede juffrouw ook al eten te kort aan het eind van de maand?'

Lian gluurde naar de kang. Warempel, in een hoek bleek nog iemand te zitten: Kims zusje Jiening, die zich tot nu toe stilgehouden had. Kim deed alsof ze het niet hoorde en gebaarde naar Lian om gewoon door te lopen. De moeder tilde haar door het ijskoude zeepwater paars geworden handen uit de wasbak en brulde in de richting van de stem: 'Jiening! Praat niet zo dom! De juffrouw heeft trek in zoete aardappelen omdat ze er genoeg van heeft om áltijd maar duur tarwemeel en rijst te eten.'

Lians oog viel op de dakrand; daar hingen zeker twintig vlechten gedroogde zoete-aardappelschijfjes. Natuurlijk, de boerenarbeiders bewaarden dit voedsel als noodrantsoen voor het einde van de maand, wanneer ze door het huishoudgeld heen raakten. Hoe haalde zij, verwende gulzigaard, het in haar hoofd deze mensen hun noodvoorraad afhandig te maken!

Zodra Kim de schop in de grond stak, bekende Lian: 'Er is

helemaal geen tante uit Qingdao die zoete aardappelen voor ons meebrengt. Ik heb dat verhaal verzonnen, alleen maar om met je te kunnen praten. Zie je, anders had ik nooit bij je thuis mogen komen.' Kim liet de schop rechtop in de aarde staan. Uit haar vierkante kaken maakte Lian op dat ze met haar tanden knarste; ze verwachtte een woede-uitbarsting. Kim zou zich zeker bedrogen voelen.

Een tijd lang bleef het stil. Geen reactie. Lian durfde Kim nauwelijks aan te kijken. Zou Kim sprakeloos van ontroering zijn over Lians poging tot het aanknopen van vriendschap?

Een minuut ging voorbij. Nog steeds geen reactie. Kim trok de schop uit de aarde en liep de kamer in. Uit het gat onder de kachel haalde ze drie zoete aardappelen te voorschijn, die door de hete as gaar geroosterd waren. Mmm, ze ruiken naar honing, dacht Lian. Kim stopte de delicatesse in Lians jaszakken en sleepte haar naar de keuken: 'Mama, Lian vindt geroosterde zoete aardappelen lekkerder. Ik heb haar er drie gegeven. Ze moet nú naar huis.'

Kim duwde Lian naar buiten. 'Zeg dat je verdwaald bent, als mijn buren je vragen waarom je hier rondloopt.' Ze sloot de voordeur achter Lian.

De hele weg naar huis liep Lian te piekeren. Was Kim kwaad dat ze gelogen had? Of was ze juist blij dat ze vriendschap met haar wilde sluiten…?

Een bleke atlete

Om vijf voor acht de volgende ochtend zat Lian alweer op haar plaats. Ze keek reikhalzend uit naar de komst van 'haar vriendin'. Na twee lange minuten wachten sloop Kim eindelijk naar binnen. Net als anders liet Kim haar hoofd hangen en meed elk oogcontact met haar klasgenoten. Uit niets bleek dat hun ontmoeting van gisteren invloed op haar had.

Terwijl Kim nog meters ver van haar stoel was, boog ze haar bovenlijf en benen, alsof ze zich alvast gereedmaakte voor de zithouding. Maar eigenlijk maakte ze zich zo klein mogelijk om minder op te vallen en een minder duidelijk doelwit te vormen voor de pesterijen van haar klasgenoten.

Even daarvoor had Lian nog gehoopt dat Kim haar kant op zou kijken en haar heimelijk zou groeten. Maar dat was wel erg naïef. Hoe had ze zoiets kunnen verwachten? Zonder om te kijken plofte Kim op haar stoel en staarde de leraar aan zoals ze gewend was.

❧

Lian rommelde wat in haar schooltas en wachtte totdat het leslokaal leegliep. Ze durfde Kim niet meer aan te spreken: dat zou verkeerd opgevat kunnen worden. Maar waarom bleef ze dan toch zitten? Haar verlangen om Kim te leren kennen en haar vriendin te worden was sterker dan haar verstand. Ze geloofde in een wonder.

Het klaslokaal was inmiddels leeggestroomd. Opnieuw was ze met Kim alleen. Het moment van het wonder naderde. Lians zenuwen waren dermate gespannen dat ze in haar hoofd een keel opzetten.

Kim stond op en liep naar de deur. De wanklanken in Lians hoofd vermenigvuldigden zich, ze loeiden als een orkaan.

Kim draaide zich naar haar om. Lian kreeg het idee dat ze naar een stomme film zat te kijken, want ze hoorde niets maar zag wel Kims lippen bewegen. Haar oren waren in bezit genomen door een eentonig *wóóóóen*... Al haar moed bij elkaar sprokkelend stond ze op en vroeg: 'Wat zei je, Kim?'

Kim fronste haar voorhoofd, keek Lian vreemd aan en zei: 'Morgenochtend, om half zeven, bij jullie poort.' Hierna maakte ze zich pijlsnel uit de voeten.

Dit kon niet waar zijn! Ze sprak niet alleen met haar, ze wilde ook nog samen oefenen voor de Herfstspelen! Zelfs het tijdstip had ze vastgesteld.

Om vijf voor half zeven wachtte Lian bij de ingang van haar wijk op Kim. In aanwezigheid van de gastvrouw zouden de bewakers de routineuze, vaak vernederende controle op derdekasters als Kim minder uitvoerig verrichten. Om het iets warmer te krijgen stampte Lian met haar voeten op de bevroren grond. De lucht was net een zwart laken. Als ze niet onder de lamp van het wachthuis zou staan, zou ze haar eigen vingers niet eens kunnen zien.

Kim was er precies om half zeven.

'Goedemorgen!' zei Lian.

Geen groet terug.

Een beetje onwennig zocht Lian naar een gespreksthema: 'Koud, hé?'

Kim ging er niet op in.

'Het sportveld van onze wijk is tien minuten lopen van hier. Zullen we ernaar toe rennen?'

Zwijgend volgde Kim Lian zodra die het op een holletje zette. Er waren veel mensen op het sportveld. De grond dreunde onder hun voetstappen. De wind botste tegen Lians wangen en deed haar huid tintelen. 'Zullen we eerst een warming-up doen?' stelde ze voor.

En na de warming-up: 'Zullen we de vijftienhonderd meter oefenen?'

Tot haar verbazing zei Kim ditmaal iets terug.

'Liever de tweeduizend meter.'

Bij de startlijn hield Kim halt. Ze tilde haar rechtervoet op en plaatste die achter de linker. Ondertussen rende Lian de streep voorbij. Binnen een paar tellen had Kim haar ingehaald.

Na de eerste ronde van vierhonderd meter trilden Lians benen van de inspanning en ze belandde op het gras naast de baan. Het was net een tapijt van ijsnaalden. Voor een eerste maal is deze afstand wel genoeg, troostte ze zichzelf.

Het zwarte laken verkleurde tot lichtgrijs. Lian kon nu de contouren van de sporters zien. De magere gestalte van Kim naderde de startstreep: ze had bijna de tweede ronde afgemaakt.

Het laken werd doorzichtig. Lian kon de voorbijschietende Kim inmiddels haarfijn onderscheiden. Er viel haar iets vreemds op. Anders dan de rest van de renners, wier gezichten knalrood waren, was dat van Kim wasbleek. Het lichaam van de anderen werd omlijst door een witte zweetdamp, terwijl dat van Kim kurkdroog bleef. Wat Lian nog meer verontrustte was dat hoe langer Kim hardliep, des te bleker haar gezicht werd. Toch passeerde ze de een na de ander in een verbazingwekkend hoog tempo. Ze hijgde niet en haar gelaat vertoonde geen enkele uitdrukking. Lian werd er bang van: het leek wel een rennend lijk!

Op de een of andere manier dwong dit geheimzinnige meisje Lian respect af. Haar hele wezen straalde een vastberadenheid uit, zó intens dat het beangstigend was. Deze wilskracht stuwde Kim naar de derde, vierde, vijfde en de zesde ronde en nog steeds wees niets erop dat ze ging stoppen. Ze had nota bene al achtentwintighonderd meter afgelegd…

Na een poos kwam ze naar Lian toe. Ze hield haar handen in haar zij, alsof ze zo meer lucht zou krijgen. Maar al gauw was ze uit haar ademnood. 'Ik moet zeggen, dat er zo vroeg in de ochtend al behoorlijk veel mensen op het sportveld zijn,' probeerde ze een gesprek op gang te brengen.

Deze keer waren de rollen omgekeerd. Lian zweeg.

'Als ik elke dag train, maak ik kans om een eerste plaats te winnen bij de Herfstspelen, of niet?'

Dit was de eerste keer dat Lian haar zo zelfverzekerd hoorde praten. Ze wilde 'Nou en of!' zeggen, maar haar stem weigerde dienst. Ze greep Kim bij de arm om zichzelf ervan te overtuigen dat ze niet droomde en dat Kim écht voor haar stond. Deze ochtend had ze een heel andere Kim gezien. Déze Kim was onvermoeibaar en stevende recht op haar doel af; ze was nimmer tevreden met wat ze bereikt had en stelde steeds hogere eisen aan zichzelf. Wat zou dit meisje in de weg staan om ook op school vooruitgang te boeken?

Het modderhuis

De dag nadat ze met Kim op het sportveld getraind had, vroeg ze of Kim voortaan samen met haar huiswerk wilde maken.

'Niet elke dag,' zei ze.

'Waarom niet?'

'Mama heeft vaak mijn hulp bij het huishouden nodig, snap je?'

Eerlijk gezegd snapte Lian het níet: Kims moeder had geen vaste baan. Wat deed ze dan de hele dag thuis? Kon ze dat kleine beetje huishoudelijk werk niet alleen af? Maar Lian kon zich niet veroorloven lelijke dingen over Kims moeder te zeggen.

Ze gooide het over een andere boeg: 'Dan ga ik met jou mee naar huis. Eerst help ik je met de klusjes en daarna gaan we samen huiswerk maken.'

'Wij hebben geen tafel thuis.' Kim keek verlegen de andere kant op.

'Waar schrijf jij dan op? Op de kang zeker? Dat kan ik ook. Mijn grootouders in Qingdao doen dat ook.'

Hier had Kim niets meer op te zeggen.

'Zullen we vandaag beginnen?'

Kim versmalde haar ogen en hield haar lippen met moeite op elkaar om niet in lachen uit te barsten. Ze zei: 'Dan moet je mee naar de Wezelheuvel. Ik moet brandhout hakken voor het fornuis.'

Lian volgde Kim maar al te graag naar de modderhuisjes. Deze keer plaagden de nare herinneringen aan deze buurt haar niet meer. Ze zette er net als Kim flink de pas in en keek recht voor zich uit.

'Ik hoef niet elke dag hout te hakken, hoor,' legde Kim haar onderweg uit, 'meestal doet Mama het, maar vandaag is ze om vijf uur 's ochtends vertrokken naar slagerij *Revolutionaire Karbouwen* in het Haidian-district.'

'Waarom zo vroeg? En we hebben hier toch ook slagerijen? Waarom gaat ze naar een slager vijfentwintig kilometer hiervandaan?'

'Je vergist je, Lian, tegen de tijd dat ze daar aankomt, is het twaalf uur. Ze loopt pakweg vier kilometer per uur. Reken maar uit.'

Lian had zich niet vergist – ze had alleen een ander idee over het afleggen van afstanden. Zij ging ervan uit, dat je de bus nam. In dat geval duurde de reis naar Haidian hoogstens anderhalf uur.

'Bij de *Revolutionaire Karbouwen* werkt een neef van een schoonzus van moederskant. Hij tipt ons altijd wanneer ze hele varkens binnen krijgen, die ze meteen uitbenen. Aan sommige botten zit nog wat vlees en die worden op de vuilnisbelt gedumpt – meestal tegen een uur of twaalf. Daarom zorgt mijn moeder ervoor dat ze daar tijdig gereedstaat. Zo hebben we drie dagen in de maand een koninklijke maaltijd, zonder dat we de vleesbonnen hoeven te gebruiken.'

Lian keek naar Kims magere, groenige gezicht en slikte haar tranen in. Hoe kon Kim nou groeien, als haar ouders zich niet eens het halve kilootje gerantsoeneerde vlees per gezin per maand konden veroorloven?

De deur van Kims huis stond wagenwijd open.

'Kim, je bent vanochtend vergeten de deur dicht te doen.'

'Helemaal niet. O ja, toen je de vorige keer kwam, was de kachel aan. Mama wilde Papa's kleren erop te drogen leggen.

Normaal gesproken is die nooit aan. Voel maar. Wat is het verschil tussen buiten en binnen? Precies even koud. Dus waarom zouden we het raam en de deur dichthouden?'

'Je vader werkt toch in een steenkoolfabriek?'

'Klopt. Hij krijgt vijftig procent korting op brandstof. Maar dan kost het nog steeds geld, of niet soms?'

'Is het dáárom dat jullie geen steenkool gebruiken voor het koken?' Lian voelde zich net een detective.

'Goed geraden.' Kim pakte een verroest hakmes uit de keuken. Daarna nam ze een aanloop, maakte een sprong en trok een stuk touw van een spijker in de muur. 'We gaan.'

Anderhalf uur later kwamen ze met een bundel hout terug, amper genoeg om twee hoofdmaaltijden mee klaar te maken. Lian was doodop. Kims moeder moest uren hout hakken, voer voor de varkens en de kip zien te vinden, constant de poep van de beesten wegvegen en kilometers afleggen voor een hapje vlees... Was het gek dat ze Kims hulp nodig had?

Toen Lian de kamer binnenkwam, deed ze gewoontegetrouw haar overjas uit.

'Niet doen! Wil je kouvatten of zo?' zei Kim.

Snel pakte Lian haar jas weer op. Wat deden haar armspieren pijn! Ze wilde net op de kang gaan zitten, toen Kim schreeuwde: 'Kijk uit voor de poep!'

Lian kreeg er de zenuwen van – ze deed hier ook nooit iets goed.

Kim zei: 'Wittie is weer op de kang gesprongen. Zie je haar gele poep niet? Dáár, naast je linkerhand.' Ze nam een schepje en veegde het uitwerpseltje vakkundig op. Hierna pakte ze een doek van de wasbakstandaard en veegde de rieten mat op het bed schoon. Ze keek naar Lian, die zich geen houding wist te geven, en ging naar de keuken.

Toen ze terugkwam, gaf ze Lian een stuk geroosterde zoete aardappel als troost: 'Niet warm, maar toch lekker.'

Lian keek naar buiten. De antracietkleurige gordijnen van het avondduister waren gevallen. De klok wees kwart voor zes. Ze zei gehaast: 'Ik moet naar huis!'

'Ik heb eigenlijk ook geen tijd meer voor het huiswerk. Mama komt over een uur thuis. Ze is altijd doodmoe als ze terugkomt. Ik moet zorgen dat het eten klaar is.' Het klonk als een verontschuldiging.

Lian pakte haar ongeopende schooltas en stelde haar gerust: 'Ik vind het niet erg hoor, Kim, dat we voor die ene keer geen huiswerk kunnen maken. Ik doe het vanavond wel.'

Kim lachte als een boer met kiespijn.

Kansberekening

De volgende dag stonden Kim en Lian weer bij de schoolpoort. Kim stelde opnieuw voor om bij haar thuis huiswerk te maken.

'Mij best,' zei Lian, 'maar ik zou het leuk vinden als je eens bij míj komt. Omdat... als je ons huis ziet...'

'Ik wil ook wel naar jouw huis. Alleen... Vinden je ouders dat goed?' Weer keek ze van Lian weg.

'Waar hou je mijn ouders voor? Ze zijn anders dan de meeste eerste-kasters. Ze hebben mij van kinds af aan aangemoedigd om mensen in nood te helpen.' Hier loog Lian een beetje, want Vader wilde liever niet gezien worden in gezelschap van derde-kasters.

Kim zweeg.

O jee, nu had ze zich weer versproken met haar 'mensen in nood'.

Na wat een eeuwigheid leek, zei Kim: 'Ik geef toe dat mijn lot niet zo best is...'

Lian raakte in paniek: 'Zo bedoelde ik het niet...'

Kim schudde haar hoofd en wuifde Lians verontschuldiging weg: 'Hoe pijnlijk het ook is wat je allemaal zegt, één ding weet ik zeker: jij bent de enige die het goed met mij voorheeft...' Ze keek naar de hemel en liet haar tranen terugvloeien in haar neus. 'Mijn opa heeft me eens gezegd: "Het noodlot is net als een spook. Als je er bang voor bent, gaat hij jou op de kop zitten. Maar als je tegen hem zegt: 'Zoek het maar uit, ik heb geen last van je', heeft ie ineens geen zin meer om je te pesten."'

Lian deed een stap naar voren en zei snel: 'Daarom stelde ik ook voor om samen te leren en te sporten. Dan gaat het beter op school.'

Kim vertelde verder: 'Vroeger wilde ik tegen het lot vechten door zo veel mogelijk mijn ouders te helpen. Maar mijn vader en moeder zeggen dat ze mij willen ontzien. Ik wilde na de middelbare school een baantje zoeken in een fabriek. Maar dat kan tegenwoordig niet meer, door Mao's Bevel Nummer 41. Nu moeten opeens "Alle afgestudeerden van de middelbare school zich volledig wortelen op het platteland". Ik wist niet meer hoe het verder moest… Toen kwam jij. Nu heb ik weer hoop gekregen. Ik wil een goede leerling worden. Dan kan ik misschien naar de universiteit.'

Dit was weer de andere Kim, de Kim die ze op het sportveld had ontdekt, die recht op haar doel afstormde, vol energie en zelfvertrouwen.

Lian popelde van ongeduld: 'Laten we naar jouw huis gaan om te leren.'

Thuis namen ze plaats op een kruk en legden hun schoolboeken en schriften op de kang – hun tafel.

'Met welk vak zullen we beginnen?'

'Wiskunde graag,' zei Kim, 'want dat gedoe met die evenredigheid gaat me echt boven m'n pet. Hoe kunnen twee getallen noù gelijk zijn aan twee volstrekt andere getallen?'

'Kijk,' antwoordde Lian, 'twee getallen kunnen qua verhouding gelijk zijn aan twee andere. Dit is bij voorbeeld zo'n vergelijking. $1 : 5 = 2 : 10$. Vijf is vijf maal zo veel als één. Tien is op zijn beurt vijf maal zo veel als twee.'

'Maar dat isgelijkteken betekent toch "is"? Nou dan. $1 + 5 = 6$ en $2 + 10 = 12$. Hoe kan zes gelijk zijn aan twaalf?' Ze was blijkbaar bijzonder in haar nopjes met haar redenatie, want ze keek Lian triomfantelijk aan, alsof ze haar verslagen had: jij met je evenredigheid!

Lian was sprakeloos. Het duurde even voor ze wist wat ze hierop moest zeggen. Ze herinnerde zich dat mevrouw Tian, hun wiskundelerares, altijd een voorbeeld gaf wanneer ze een moeilijk begrip uitlegde.

'Er zijn twee boeren,' zei ze ten slotte, 'de ene heeft vorig jaar één ton maïs geoogst en dit jaar twee ton. Zijn productie is verdubbeld. Oké? De andere heeft vorig jaar twee ton binnengehaald en dit jaar vier. Zijn productie is óók verdubbeld. Als je hun oogst als een wiskundige formule uitdrukt, krijg je een gelijkheid. $1 : 2 = 2 : 4$. De twee boeren staan dus gelijk wat de groei van hun productie betreft.'

'Noem je dat gelijk?' viel Kim haar aan, 'de tweede boer heeft mooi twee ton meer maïs in zijn schuur dan de eerste.'

Niet wanhopen, zei Lian tegen zichzelf, ik moet de nadruk

leggen op de verhouding. 'Het is namelijk zo,' zei ze wat harder tegen Kim, die met haar vingers tegen haar slapen drukte en vermoeid uit haar ogen keek, 'bij evenredigheden gaat het om de verhouding tussen getallen. Een ander voorbeeld: Laoda fietst twee keer per week naar zijn werk; Lao'er vier keer. Stel dat de verhouding tussen het aantal keer fietsen en de kans op een verkeersongeluk 1000 : 1 is, dan heeft Lao'er dubbel zo veel kans op een ongeluk dan Laoda. De verhouding tussen het aantal keer fietsen en de kans op een ongeluk blijft echter dezelfde, namelijk 1000 : 1. Daarom staat er een isgelijkteken tussen die twee paar getallen…'

Nu begonnen Kims ogen te glinsteren. Ze lachte zich een kriek: 'Boeddha, help! Dat is de grootste onzin die ik ooit heb gehoord! Volgens jouw theorie krijgt degene die vaker fietst meer ongelukken dan degene die minder vaak fietst. Mijn vader heeft vijftien jaar steenkool op de driewieler bezorgd, maar hij heeft nooit een ongeluk gehad. Ergou, ons buurjongetje, fietst nog geen jaar, maar heeft al twee keer zijn armen gebroken. Daar gaat je theorie van de verhouding. 1000 : 1, nota bene!'

'Ik zei *de kans op*, en niet *het reële aantal* ongelukken,' verdedigde Lian zich. Maar ze moest toegeven dat ze aan het eind van haar Latijn was.

De wandelende weegschaal

Na school zei Kim tegen Lian: 'Vandaag is het waterhaaldag. Kom je met me mee naar huis? Deze keer zal het karwei niet langer dan een half uur duren.'

'Natuurlijk,' antwoordde Lian, 'als we maar samen zijn, dan is het voor mij goed.'

Kims moeder was weer niet thuis. 'Ze is naar de fabriek om nieuw karton te halen voor de luciferdoosjes,' legde Kim haar uit.

'Hm.' Ze knikte begrijpend.

Kim ging de keuken in.

Tóngggg! Waar kwam dat geluid nu weer vandaan! Ze volgde Kim de donkere keuken in. In een hoek stond een aarden ton. Hij moest meer dan een meter hoog zijn, want hij kwam Lian bijna tot de schouders. Er zat nog maar een bodempje water in.

Kim had zeker tegen de wand van de ton geklopt. Er dreef iets geels op het water, maar Lian kon in het duister niet goed zien wat het was.

Met haar linkerhand hield Kim zich aan de rand van de ton vast en dook erin. Hoe dieper ze haar bovenlichaam erin stak, hoe hoger haar voeten de lucht in zwiepten. Lian vreesde dat Kim met het hoofd op de bodem van de ton zou terechtkomen en hield haar bij haar middel vast.

Wóennnn, klonk het vanuit de ton, 'Laat me los! Je kietelt me. Kèkèkè…! Ik val er écht in hoor!' Kims benen schudden van het lachen. Met haar rechterhand viste ze naar het gele ding en kroop er weer uit, met het ding in haar handen. Het bleek een *piao* te zijn, een scheplepel, gemaakt van de schil van een *donggua*.

Uit een andere hoek van de kamer pakte Kim twee tinnen emmers en een houten stok. De bakken kwamen tot aan Lians dijen en hadden de omtrek van een bejaarde eikenboom. Kim zette de stok rechtop. Hó, hij was twee hoofden langer dan zij! Ze hing een emmer aan ieder eind van de stok en zei tegen Lian: 'Ga maar naar binnen en wacht op mij. Ik ga water halen. Ben zo terug…'

'Wat moet ík dan doen? Ik help je toch?'

'Oké dan. Loop maar met me mee, maar van helpen is geen sprake. Je breekt je rug nog.' Ze legde de stok op haar schouders en liep voor Lian uit, als een wandelende weegschaal. Lian holde achter haar aan.

Ze passeerden twee paadjes en drie rijen huizen. Er stond een slang van mensen voor de waterkraan. Gelukkig slonk de rij in een redelijk tempo. Lian keek achterom. Ze schatte de afstand naar Kims huis op een halve kilometer.

Terwijl Kim de emmers vulde hoorde Lian een van de huisvrouwen achter hen tegen haar buurvrouw zeggen: 'Dat is een flinkerd. Op haar zevende kon ze al een emmer water optillen. Nu rent ze als een wervelwind met twee volle emmers naar huis.'

Na een half uur was de ton vol. Kim klopte weer tegen de wand. Dit keer maakte hij een dof geluid. Het klonk Lian als muziek in de oren, want het was het resultaat van vijf keer op en neer sjokken.

Ze begonnen met wiskunde.

'Weet je,' zei Kim, 'vandaag heb ik de les van mevrouw Tian grotendeels begrépen.'

Lian zette grote ogen op. Het drong nu pas tot haar door dat Kim de lessen meestal niet kon volgen.

Voor Chinese grammatica moesten ze zinnen maken met vijf pas geleerde uitdrukkingen, zoals 'een theorie aan de praktijk toetsen' en 'iemand gevangenzetten.' Dit was niet bepaald Kims lievelingsvak. Pas na tien minuten had ze één zin in elkaar gefrutseld:

> *De Partij revolutionaire theorieën kloppen altijd voor honderd procent*
> *en hoeven dus niet getoetst te worden aan de praktijk*

Kim had de zin letterlijk uit het leerboek *Grammatica Voor de Onderbouw* overgeschreven, op één karakter na: ze had 'Mao's' vervangen door 'De Partij'.

Lian wees het woord aan en zei: 'Je moet er het karakter *De* achter zetten. Dan staat er: "van de Partij". Dit geeft de bezittelijke betrekking tussen de *Partij* en *de revolutionaire theorieën* aan.' Ze probeerde zich op het taalkundige aspect van de zin te concentreren, want de inhoud was volgens haar volstrekte larie: was de Partij Boeddha of zo? Maakte de Partij nooit een foute beoordeling? Ze moest denken aan een andere zin uit het leerboek:

> *Wie aan de juistheid van Mao's woorden twijfelt,*
> *wordt door de Communistische messen tot moes gehakt*

'Daar heb ik altijd moeite mee. Ik vind al die regels zo'n poespas. Iedereen snapt toch wat hier staat?'

'Maar die regels heb je nu eenmaal nodig. Ze lijken moeilijker dan ze zijn. Als je veel leest, dan pas je ze vanzelf goed toe.'

'Lees je thuis boeken? Zomaar, voor de lol? Zoals leraren dat doen?' Kim werd nieuwsgierig.

'Ja, regelmatig.' Ze zocht naar een boekenplank in Kims huis. Tevergeefs. 'Zal ik je boeken lenen? Ik heb er een heleboel. Je mag er een paar uitkiezen. Dan moet je bij mij thuis komen.'

De belofte dat Kim Lians boeken kon lenen was een uitstekend lokkertje; mede daardoor kreeg Lian Kim eindelijk zover dat ze met haar mee naar huis ging.

Door de opwinding zag de vertrouwde weg naar huis er in Lians ogen uit als een landschapschilderij.

Zilverberken stralen hun zuiver witte licht uit
Het hemelgewelf strekt zijn diepe
azuurblauw tot in het oneindige
De zon geeft zijn adem
aan het kunstwerk, evenzeer als
aan de stemming van zijn minnares
Vreugde opent de deur van mijn hart
Boven alles wil ik dit gevoel
met iemand delen…

Eh… Waar was Kim gebleven?

Ze keek om. Kim bleek zowat drie meter achter haar te lopen. Lian zocht oogcontact, maar Kim deed alsof ze haar niet kende.

Lian stond stil.

Prompt begon Kim langzamer te lopen.

Toen het onvermijdelijke moment naderde dat ze weer bij elkaar waren, maakte Kim rechtsomkeert.

'Hé! Waar ga je naar toe?' riep Lian stomverbaasd.

'Sttt…!' Ze fronste en zei bijna fluisterend: 'Loop jij maar voor. Ik volg je wel. Merk je niet dat we al vlak bij de ingang zijn?'

'En wat zou dat?' Lian praatte expres hardop, om Kim te laten weten dat ze het aan haar laars lapte wat anderen van hen dachten.

'Wil je per se dat de mensen ons gaan jennen?' Kims stem bleef gedempt maar Lian ving de verontruste ondertoon ervan op. Ze keek om zich heen. Het was waar; ze werden hier omringd door eerste-kasters. Hun adelaarsogen knipperden en merkten de geringste ongeregeldheid op. Ongetwijfeld zouden ze een hoge rug opzetten als ze Lian schouder aan schouder zouden zien lopen met een derde-kaster. Ze zouden haar eerst dreigend aankijken, en als dat niet afdoende was, zouden ze het tweetal uitschelden en medestanders roepen totdat er zich een front gevormd had tegen de overtreders van de kastegrenzen. Gedwee liep Lian voorop.

Bij de ingang vertelde ze de bewaker: 'Dit is mijn klasgenote, Kim Zhang. Ze komt samen met mij huiswerk maken. Voor zessen verlaat ze het terrein.'

Om bij hem de indruk te wekken dat ze het de gewoonste gang van zaken vond om een derde-kaster mee naar huis te nemen, trok ze Kim amicaal aan de arm. Ze voelde Kims lijf trillen. Dit was de eerste keer dat Kim bij daglicht deze wijk binnenging. 's Ochtends, wanneer ze hier kwam trainen, kon ze zich nog verbergen onder het donkerblauwe laken van de vroege schemer. Nu voelde ze zich blootgesteld aan de strenge, vijandige ogen van de eerste-kasters. Kim kennende moest Lian nu niet proberen haar gerust te stellen; dat zou alleen maar averechts werken. Het enige wat ze op dit moment kon verzinnen, was zich zo ontspannen mogelijk voordoen. Ze zette een masker van uitbundige vrolijkheid op en groette praktisch iedereen.

'Tante Qian, hebt u al gegeten?'

'Ja, kind.'

'Oudere zus Yunping, ga je leren voor het tentamen van februari?'

'Ah.'

'Opa Gao, waar gaat u heen?'

'Naar buiten.'

'Oom Song, wat gaat u doen?'

'Iets doen.'

Ze keken haar stuk voor stuk verbaasd aan en vroegen zich ongetwijfeld af hoe het kwam dat de anders zo verlegen en stille Lian plotseling zo'n vriendelijke kletskous was geworden.

Het leek effect te hebben: Kim werd zichtbaar beïnvloed door Lians zonnige stemming. Ze haalde Lian in en keek op naar de rijen flatgebouwen. Ze tuurde naar de glazen ramen. De ruiten van hun leslokalen waren ook van glas, maar die telden niet mee omdat er niemand woonde. Hier waren de huizen pas echt bijzonder.

'Nu snap ik waarom jullie eerste-kasters bloemen zijn die eerder bloeien. Jullie krijgen een overvloed aan zonlicht en warmte,' concludeerde Kim.

Ze bewonderde de balkons en staarde naar de lege bloem-

potten. Ze stelde zich voor hoe de balkons er in de zomer uitzagen, wanneer ze aan drie kanten versierd waren met gera-
niums, margrieten en paarse viooltjes…

Lian onderbrak haar mijmering. 'Kom, bij mij thuis kun je
zo'n flat van binnen bekijken.'

Kim schudde haar hoofd en liep met haar mee.

Lians flat bevond zich op de derde verdieping van Gebouw
Nummer 23. Toen ze de deur opendeed, kwam Moeder haar
kamer uit. Het was nog geen half vier, maar ze was al thuis. Als
docente hoefde ze alleen maar naar haar werk voor colleges
en vergaderingen.

'Zo, dit is zeker Kimmie.' Dat was weer typisch Moeder:
de eerste de beste keer dat ze Lians vriendjes en vriendinnetjes
ontmoette, gaf ze hun meteen een troetelnaam, alsof ze nog
met een speen in hun mond liepen.

Kim verschool zich achter Lian.

'Bent u proefschriften aan het lezen?' vroeg Lian.

Moeder keek Lian begrijpend aan, alsof ze wilde zeggen:
jullie willen zeker alleengelaten worden. Ze ging terug naar
haar kamer en zei: 'Onder de theemuts staat een pot jasmijn-
thee. Snoepgoed en fruit weet je wel te vinden.' Ze wendde
zich tot Kim en aaide haar over de bol: 'Kind, veel plezier bij
ons thuis.'

Lian leidde Kim de zitkamer in. Vol ontzag keek Kim naar
de driezitsbank en de fauteuils. Ze staarde naar de wandkast,
waar schalen vol toffees en appels achter de glazen deuren
stonden te pronken. Haar blik gleed naar de tegenoverliggende
muur. Twee metalen buizen trokken haar aandacht. Ze liep erop af en pakte ze vast. 'Auwa!' schreeuwde ze, 'ze zijn heet!'

Lian zei droogjes: 'Gelukkig maar. Anders zou het geen centrale verwarming zijn.'

'Wát?!' Kim sprong op als een kikker. 'Hebben jullie de beroemde cv, zoals in *De Code is een Roos*?' Ze doelde op een
Amerikaanse anti-spionage film, een van de weinige die de
mangel van de censuur overleefd had.

Lian was niet anders gewend. Van jongs af aan was ze vertrouwd met de cv. Het was nooit bij haar opgekomen dat er
ook mensen bestonden die zoiets doodgewoons niet kenden.

Kim bestudeerde de lamellen van de verwarming: 'Waar
doen jullie de steenkool in?'

'Dat hoeven we niet zelf te doen. Het wordt centraal gedaan, bij de hoofdketel van onze wijk. Naast de poort waar we net doorheen liepen stond toch zo'n grijs gebouw? Met een toren-hoge schoorsteen, weet je nog? Daar is het.'

'Dus jullie stoken niet zélf? De warme lucht komt als kraan-water in deze witte buizen?' Kims ogen klommen langs de pij-pen omhoog. Haar opwaarts gerichte blik straalde ontzag en verbazing uit, alsof ze getuige was van de Openbaring.

Kim trok haar mouwen over haar handen. Lian had het wel gezien: Kim probeerde haar winterhanden te verbergen. Kims handen waren net krentenbollen: opgezwollen en ontsierd door wijnrode open wondjes. Lian spoedde zich naar het dres-soir en stalde al het snoepgoed en fruit op de salontafel uit.

'Pak maar zo veel je wilt,' zei ze tegen Kim, alsof ze daarmee haar schuldgevoel kon afkopen.

Kim draaide een toffee in haar hand.

'Waarom eet je 'm niet op? Lust je 'm niet?'

'Jawel, alleen... Jiening heeft zoiets nog nooit geproefd...'

'Neem wat voor haar mee.' Lian kieperde een schotel vol snoepgoed in haar jaszak en gaf haar er nog een heleboel in handen. Kim aarzelde een lange poos en stopte ten slotte ook die in haar zak. Boeddha! Bewaarde ze álles voor haar zusje?

'Wil je de andere kamers van onze flat zien?'

Kim knikte.

Lian klopte op een deur.

'Kom binnen.'

'Hier werken en slapen mijn ouders,' vertelde Lian.

'Als jullie het niet erg vinden, ga ik door met lezen,' veront-schuldigde Moeder zich en wees op de stapel scripties die voor haar op het bureau lag.

'Dat is goed, Mam. Ja toch, Kim?' Lian keek naar haar vrien-din. Kims blik zoefde van de ene boekenkast naar de andere, die tezamen een hele wand van het vertrek in beslag namen. Ze liep erop af, maar rende meteen terug naar waar ze had ge-staan. Er stonden 'kronkellettertjes' op de boekenruggen. Het was het eerste jaar dat ze Engels kregen op school en daar kreeg Kim een punthoofd van.

Toen Kim het tweepersoonsbed naast het raam zag staan, werd ze er ogenblikkelijk door geboeid. Er stonden geen kisten op dit vreemde ding en ze zag nergens een ladekast; het bed-dengoed lag niet opgerold tegen het hoofdeinde; in plaats van een rieten mat lag er een spierwit, geborduurd laken over uitgespreid, met daaronder iets bobbeligs. Kim ging er regelrecht op af. Voordat Moeder en Lian het doorhadden, was Kim het bed op geklauterd en probeerde ze de kleermakerszit aan te nemen...

'Boeddha, heb genade!' Ze gilde alsof ze gelyncht werd.

Lian zocht haar, maar zag alleen nog twee in de lucht graaiende armen. De rest van Kims lichaam was onder het in de war geraakte beddengoed bedolven. Lian rende naar haar toe en greep haar stevig bij de handen. Kim kwam moeizaam weer overeind. Haar gezicht zag witter dan het laken. Ze wiste het koude zweet van haar voorhoofd en keek Lian beteuterd aan.

Kim stotterde: 'Ik dacht dat ik in een gierkuil gedonderd was... Sanniu, een jongen in Jienings klas is... vorige zomer in zo'n put gevallen en... erin gestikt...'

'Och, mijn kind,' zei Moeder en drukte Kims hoofd aan haar borst, 'wees niet bang. Dit is geen gevaarlijke kuil. Het bed heeft een matras met binnenvering. Weet je wat een vering is? Dat zijn stalen spiraaltjes.' Echt een docente. Ze liet geen kans voorbijgaan om iets uit te leggen.

Kim was weer tot rust gekomen en zei: 'O, zo... Achteraf gezien is het bed best lekker. Zacht als een hooiberg.' En met deze woorden klom ze er weer op. Ze kruiste haar benen en zat als een koningin. Ze klopte met een hand op de plek naast haar en nodigde Lian met haar ogen uit: Kom, dan gaan we hier gezellig kletsen.

Moeder opende haar mond vol ontzetting. Maar Lian kon haar gezicht niet in de plooi houden en keek Moeder triomfantelijk aan. Het was verfrissend om te zien hoe een derde-kaster de steriele etiquette van het 'betere' milieu aan haar laars lapte.

Pas na een paar tellen merkte Kim dat er iets niet pluis was. Ze klom van het 'heiligdom' af en haastte zich naar Lian.

Lian zei zo nonchalant mogelijk: 'Och ja, we zitten liever op een bank of een stoel. Het bed is alleen om in te slapen. Raar, hè?'

Maar Kim realiseerde zich natuurlijk ook wel dat ze een gek figuur geslagen had. Ze keek naar de grond. Als ze ook maar het kleinste spleetje gezien had, zou ze erin zijn weggezakt.

'Zullen we naar mijn kamer gaan?' stelde Lian voor.

Lians kamer was aan het eind van de gang. Op weg daarnaar

toe gluurde Kim naar de halfgeopende deuren van de keuken en de badkamer.

'Op míjn bed mag je wel zitten,' zei Lian op samenzweerderige toon zodra ze de deur achter Kim had dichtgedaan.

Maar Kim meed het bed of het een strijkijzer was. Ze ging op een stoel zitten en legde haar handen op het bureau: 'Maken we voortaan híerop ons huiswerk?' Ze wachtte niet op Lians antwoord en wees op een fauteuil: 'Heeft die ook binnenvering?' Maar daarna liep ze naar de commode en stelde een echte vraag: 'Wie is dát?' Ze wees naar een oude man op een familiefoto.

'Mijn opa van vaderskant.'

Kim bekeek de foto nauwkeurig en schudde haar hoofd: 'Dat kan niet. Hij is net als míjn opa. Hij ziet eruit als een boer.'

Opa had een witte zweetdoek om zijn hoofd, net als de tulband van de islamieten, zoals Lian die wel eens in een tijdschrift had gezien. Zijn jas werd bijeengehouden door op traditionele manier gevlochten stukjes stof en hij droeg een soort pofbroek. Deze dracht was kenmerkend voor de boerenbevolking.

Lian zei vol trots: 'Opa wás een boer. Hij woonde in een dorpje buiten Peking. Hij heeft zijn hele leven keihard gewerkt om zijn kinderen naar school te sturen. Toen hij voor zijn eindexamen geslaagd was, ging mijn vader, opa's jongste zoon, als onderwijzer geld verdienen. Zes jaar later had hij genoeg gespaard om medicijnen te gaan studeren.'

Kim keek ongelovig van Lian naar Vader, die ook op de foto stond, en ten slotte naar opa. Ze legde haar klamme handpalmen op de fotolijst tot er een vochtfilm op stond. Ook Lian legde een hand op de fotolijst. Hun handen verstrengelden zich en hun ogen spraken een taal die alleen zij begrepen. Ze hadden een verbond gesloten.

'Is het niet tijd om met het huiswerk te beginnen?' vroeg Kim en legde haar boeken en schriften op het bureau. Een minuut later waren ze weer helemaal verdiept in de wiskundige vraagstukken.

Het was half vier 's middags. De twee vriendinnen zaten bij Lian thuis huiswerk te maken. Kim deed vreemd. Ze zat maar te draaien en staarde afwezig voor zich uit.

'Is er iets?' vroeg Lian.

'Wittie is gisteravond niet thuisgekomen.'

Lian schrok. Ze wist hoe veel de oude kip voor Kims familie betekende. Witties kont was de spaarpot van het gezin. Het karige salaris van Kims vader en het kleine beetje geld dat de moeder met klusjes bij elkaar schraapte, waren net genoeg om wat graan te kopen. Alle andere uitgaven, zoals keukenzout, azijn, zeeppoeder, boeken en schriften voor Kim en Jiening en tabak voor Kims vader, werden bekostigd met de eieren die Wittie legde. Hoewel de uitgaven gering waren, toch was de hele familie op Witties eierproductie aangewezen. Wat moesten ze zonder haar?

'Waar is Wittie dan gebleven?' vroeg ze onnozel.

'Wist ik het maar. In de vijf jaar dat we haar hebben, is ze geen enkele keer verdwaald. In dit jaargetij vertonen de wezels van de heuvels achter ons huis zich niet in de bebouwde kom. De enige mogelijkheid is…' Ze slikte haar woorden in.

Lian had de daver op het lijf. Ze wist waar Kim op doelde: waarschijnlijk had een van de buren de kip gestolen. Maar hoe kon je bewijzen wie het gedaan had?

'Misschien is Wittie de kluts kwijt en ditmaal echt verdwaald. Ach, je vindt haar wel weer. Ze zit vast gewoon in het kippenhok te kakelen als je straks thuiskomt…' probeerde Lian haar gerust te stellen.

Kims gezicht klaarde op: 'Wacht maar, Wittie. Als je vanavond terugkeert, rammel ik je door elkaar tot er zaagsel uit je kop vliegt! Weet je, Lian, mijn ouders hebben gisternacht geen oog dichtgedaan. Hoe kan vader vandaag de volgeladen kar nog trekken? O, Wittie, jij warhoofd, er wacht je een pak slaag dat je zal heugen!'

Ze lachten als een stel idioten. Maar hun vrolijke intermezzo was net zo snel weer voorbij als het begonnen was.

Na twee dagen was Wittie nog altijd niet terug. Om vijf over drie liepen Kim en Lian met lood in hun schoenen naar de modderbuurt. Ze hadden vandaag zogenaamd zin om bij Kim huiswerk te maken, maar ze wisten drommels goed waar ze naar toe gingen en waarom.

De spanning thuis was te snijden. Er stond iets afschuwelijks te gebeuren. Kims moeder liep over de binnenplaats te ijsberen. Ze groette Lian beleefd maar afwezig. Lian verborg haar angst en probeerde gewoon te doen. Ze installeerde zich met haar boeken en schriften op de kang.

'Bah, bah.'

Lian schrok zich lam. Ze ontwaarde de schaduw die Kims vader was in de verste hoek van de kang. Hij zat er op z'n gemak te roken. Hoe kon dat? Was hij niet naar zijn werk gegaan?

'Oudste dochter, ga thee voor me zetten! En Kim d'r vader, hou op met dat gemok! Zet de langste ladder tegen de buitenmuur en help me op het dak klimmen.' Er viel niet aan te tornen; Kims moeder deelde bevelen uit.

Stilte. Niemand verroerde een vin.

'Snel! Zo dadelijk gaat de zon onder achter de Westelijke Bergen.'

Lian keek naar de hemel. Het was zeldzaam mooi weer. Zilveren wolken walsten over de helderblauwe koepel. Geen zuchtje wind beroerde de boomtakken in de zonovergoten binnenplaats. Het was alsof de fluweelzachte lente haar weg was kwijtgeraakt en per abuis op het late herfstlandschap was neergedaald. De bewoners hingen hun beddengoed aan de waslijn of zaten op hun binnenplaats te zonnen...

Het theewater siste in de ketel. Kims moeder zat al op het platte dak van het modderhuis. Behalve als droogplek voor schijfjes zoete aardappelen en gepekelde groenten, fungeerde het dak ook als radiostation. Het was hoog, waardoor het geluid zich ongehinderd een heel eind kon voortplanten. Als een modderhuizer iets aan de hele buurt bekend wilde maken, schreeuwde hij het letterlijk van de daken. De moeder had een geschikte dag voor de uitzending uitgekozen: iedereen zat immers buiten.

Een paar minuten later klauterde ook Kim het dak op en zette een pot thee en een beker voor haar moeder neer. De moeder nam een slok, waarmee ze haar van agitatie brandende keel smeerde. Het moment was aangebroken om de vijand de verbale oorlog te verklaren.

'Wie heeft zijn hart door een aasgier laten wegpikken, en was zo wreed om zijn dievenklauwen op onze Wittie te leggen?!' donderde ze.

Plotseling verstomde het rumoer in de hele wijk. Vrouwen die net nog luidkeels zaten te kwebbelden, ruziënde kinderen en mannen die gebruikmakend van het zonnige weer het huis aan het opknappen waren, staakten van het ene moment op het andere hun bezigheden en spitsten hun oren.

'Wat hebben wij jou, bastaard van een konijn en een uil, misdaan dat je onze Wittie moet stelen?'

Geen reactie. De buurt hield zich muisstil.

Nu werd de moeder pas echt woedend: 'Laat je flaporen rechtop staan, jij laffe kippendief, en luister goed. Denk je dat ik soms niet doorheb wie Wittie gejat heeft? Jij, spleetogig, geeltandig en krombenig ei van een schildpad!'

Ondanks de benauwende spanning schoot Lian in de lach. Het was geniaal giswerk. Nagenoeg iedereen in dit land had spleetogen. Door gebrek aan hygiëne waren de tanden van de meeste modderhuizers geel. Meer dan de helft van de bewoners hier had o-benen, vanwege het vitamine- en mineraalarme 'dieet'. Kims moeder kon er nauwelijks naast zitten met haar signalement.

Ze nam nog een slok thee en wachtte tot iemand met hangende pootjes zijn schuld zou komen bekennen.

Er gebeurde nog altijd niets. Je kon een speld horen vallen.

'Zo, je wil het niet bekennen, hè? Dan ben ik helaas genoodzaakt het aan de duivel over te laten je te straffen...

Woehoe-ah-woehoe, Hellevorst uit Soeloe! Leg Uw werk in het vagevuur even neer en stijg op uit de hel. Hier is een kippendief die zijn schuld niet bekent; helpt U mij alstublieft!

Als de boef mijn arme Wittie opgegeten heeft, laat hem dan kotsen tot hij zijn maag, gal en darmen uit zijn afschuwelijke karkas ophoest!

Als hij mijn kip houdt om de eieren, laat dan al zijn beesten uitsterven! Zorgt U ervoor dat zijn koeien allemaal mond- en klauwzeer beginnen te vertonen, zijn geiten aan een stuk door miskramen krijgen en zijn beren aan de varkenspest bezwijken!

Woe-ah-woehoe, dank U zeer, Meneer de Demon!

Haar stem was helemaal hees geworden. Ze dronk haar beker

leeg en tuurde naar beneden. De modderhuizers stonden als verstijfd te luisteren. Maar niemand deed of zei iets.

Het werd tijd voor zwaarder geschut: 'Beken je nog steeds niet?

Foeroe-woe-moeroe, Opperduivel Lakadoeboe! Straft U de stijfkop-
pige kippendief. Laat zijn vrouw alleen maar goedkope spullen ba-
ren. Zodat er niemand meer is om zijn familiedraad voort te
zetten!

Nog eer het donker werd, hoorden ze Wittie alweer kakelen op de binnenplaats. De schuldige was natuurlijk bang dat de vervloekingen van Kims moeder door de Duivel verhoord zouden worden. Die ene kip was de eventuele schande niet waard, dat zijn vrouw slechts meisjes – 'goedkope spullen' – kreeg...

Om kwart voor zes nam Lian afscheid van Kim. Onderweg naar huis merkte ze dat het rumoer in de wijk zich had hersteld.

Ting, tong, ting. Mannen sloegen de laatste spijkers in hun huis, kinderen hervatten hun kattenkwaad, rookpluimen slingerden zich uit de schoorstenen en de lucht was vervuld van de heerlijkste etensgeuren.

Het was ongelooflijk, hoe snel de buurt het spectaculaire op-treden van Kims moeder vergeten was. Maar miraculeuzer nog was hoe de wijk haar wrede gescheld zwijgzaam had aan-gehoord en goedgekeurd. Wat Kims moeder gedaan had werd blijkbaar beschouwd als een gerechtvaardigde bestrijding van het misdrijf. Lian dacht terug aan hoe beleefd en sympathiek Kims moeder was geweest en hoe bruut en meedogenloos ze vandaag was tekeergegaan. In de tijd dat Lian Kims moeder kende had ze nooit tussenstappen in haar stemming gezien. Ze was nooit ontevreden of geïrriteerd. Lian had haar nooit klage-rig of chagrijnig meegemaakt. Ze was ofwel vrolijk en aardig ofwel furieus en barbaars.

Van kinds af aan werd je geleerd altijd lief te lachen, zelfs als je van binnen kookte van razernij. Je hoorde je ongenoegen te onderdrukken totdat het langzamerhand uitgroeide tot een waterstofbom. Op een gegeven moment ontplofte die met een 'oerknal'. Dan wierp je je aangeleerde maniertjes de oceaan in en vloog de ander naar de strot.

Een paar vrouwen waren bezig hun beddengoed van de waslijn te halen.

Een van hen zei: 'Het is me wat! Je kip kwijt zijn! Gelukkig heeft de schurk Wittie stiekem teruggebracht.'

De ander antwoordde: 'Als ik Kim d'r moeder was, dan zou ik toch eens willen nagaan, wie het was. Als ík hem te pakken kreeg, zou ik hem zijn kaken uit hun voegen meppen!'

De eerste vrouw beaamde: 'Net wat ik zeg. Die vervloeking van Kim d'r moeder is een veel te lichte straf voor hem…'

~

Die avond droomde Lian van Mura, de poes die de rol van grote zus vervulde toen Lian een peuter was.

Ze nam Mura op schoot, boog zich over haar heen en kuste haar prikkelige maar fluweelzachte vacht. Haar benen trilden van Mura's luide gespin. Ze voelde met haar vinger onder het poezenlijfje, dat ronddobberde op een sluimerende zee. Ineens miauwde Mura en richtte haar staart op. Lians knieën voelden nat en koud aan. Opa Hemel! Mura was in een slang veranderd! Ze sprong op en rende weg. De slangenkop volgde haar als een radar een vliegtuig…

Vriendschap – een luxeartikel

Vader was twee dagen weg. Het was leeg en stil in huis.

Moeder had reeds drie keer *jianbing* gebakken, iets dat ze gewoonlijk één keer per jaar deed. Maar deze verwennerij compenseerde Lians gevoel van holheid niet. Integendeel. Het benadrukte juist het besef dat het niet meer was als vroeger.

Desondanks trainde ze elke ochtend met Kim. Over drie dagen begonnen de Herfstspelen. Ze probeerde haar weemoed om te zetten in daadkracht, die zowel zijzelf als Kim hard nodig hadden om hun lang gekoesterde droom te verwezenlijken.

Het was vijf uur 's middags. Kim zat bij Lian in de woonkamer te leren.

Moeder stormde de flat binnen en zei verontschuldigend: 'Kim, zou je het erg vinden om vandaag je huiswerk thuis af te maken? Ik heb iets dringends met mijn dochter te bespreken.'

Lian verbleekte. Toen Kim weg was, vroeg Moeder of ze

bij haar op schoot kwam zitten, iets wat ze de laatste jaren nog maar zelden deed.

De klap kwam hard aan. Moeder vertelde dat ook zij Peking moest verlaten. Niet omdat haar universiteit naar het veilige binnenland geëvacueerd zou worden – als voorbereiding op de militaire invasie door de imperialistische supermachten, de Sovjetunie en de vs, zoals met Vaders ziekenhuis het geval was geweest – maar omdat ze in een heropvoedingskamp gestopt zou worden.

Vanaf haar zesde jaar had Lian heel wat buren, vrienden, kennissen en collega's van haar ouders zien verdwijnen, zomaar, van de ene dag op de andere. Sommigen dreven een paar dagen later, als een in melk gedompeld brood, op het water in het *Wilgenmeer* aan de achterkant van de campus, waar het onderwijspersoneel woonde; anderen keerden nooit terug. Uit het gefluister her en der maakte Lian op dat ze waarschijnlijk vastzaten in gevangenissen, straf- of heropvoedingskampen.

Lian had zich al een hele tijd heimelijk afgevraagd waarom Moeder de dans ontsprongen was, totdat Vader een half jaar geleden Moeder plaagde: 'Geschiedvervalster!' Moeder had gebloosd tot aan de wortel van haar nek.

Moeder behoorde tot een groep historici die het leerboek *Moderne Geschiedenis van China: 1911 tot heden* voor middelbare scholen samenstelde. Dat had vijf jaar in beslag genomen. Vier jaar geleden, toen het gecensureerde manuscript reeds bij de drukker lag, werden vier maarschalken en drie ministers koudgemaakt. Het lastige was dat zij allen een belangrijke rol in de moderne geschiedenis hadden gespeeld en dat dit zwart op wit vermeld stond in het nieuwe leerboek. Het ministerie van Cultuur, Propaganda en Onderwijs gaf meteen de opdracht deze figuren te 'herwaarderen' – een eufemisme voor het schrappen van hun naam. Een jaar later werden tien andere vooraanstaande politici voorgoed tot zwijgen gebracht en ook die moesten geherwaardeerd worden. Zo ging het maar door.

Plat gezegd: Moeder en een paar van haar collega's hoefden niet naar het kamp omdat de Partij hen nodig had om de geschiedenis te vervalsen.

Intussen zaten de leerlingen zonder leerstof, en dat was natuurlijk ook niet de bedoeling. Waarmee konden ze op een fatsoenlijke manier gehersenspoeld worden? Dat voorjaar – 1971

– hakte het ministerie de knoop door. De afdelingschef die de totstandkoming van het leerboek coördineerde werd door zijn grote baas op het matje geroepen. 'Wanneer komt er nu eens een einde aan je redigeerwoede?!' brulde de minister hem toe. De chef wilde hem van repliek dienen, maar kreeg daar de kans niet toe. De baas bromde: 'Zeg maar niets. Je hoeft het me niet uit te leggen: ik weet precies hoe het zit. Maar nú is het welletjes. Dit is de láátste keer dat de geschiedenis herschreven wordt!' Zijn gebrom ging over in gefluister: 'Dit *off the record*: al schroeft Mao, de Vader, Moeder, Minnaar en Minnares in Een, de hele oude garde de kop van de schouders, er wordt geen woord meer aan het manuscript veranderd! Geen gesjoemel meer!'

Lian wiebelde onwennig met haar benen en onderdrukte voor de zoveelste keer de neiging om Moeder te vragen of ze als historica geen gewetenswroeging had. Men vraagt iemand die zich in een woestijn tien dagen in leven heeft weten te houden door zijn eigen urine te drinken ook niet: 'Vond u uw pis lekker?' Bovendien werden Moeder en haar collega's voor het blok gezet. Weigerden ze de historische feiten te verdraaien, dan zouden ze als samenzweerders tegen de Communistische Partij veroordeeld worden en was het heropvoedingskamp voor hen tien maal te licht.

Onwillekeurig dacht Lian aan de laatste discussie die haar ouders hadden gevoerd, voordat Vader naar de provincie Gansu was vertrokken. Moeder keerde zich fel tegen zijn standpunt dat kinderen buiten de politieke doolhof van deze tijd gehouden dienden te worden. Ze gilde bijna: 'Hoe eerder ze daarmee geconfronteerd worden, hoe sneller ze de leugens van het regime kunnen doorzien!'

Nu moest Lian blozen. Hoe kon haar moeder, een medeplichtige aan geschiedvervalsing, zulke woorden in de mond nemen? Aan de andere kant: had ze een keus? Plotseling kreeg ze medelijden met Moeder. Met wat voor dilemma's had ze de afgelopen vijf jaar moeten leven!

'Wat gaat u in het kamp doen?'

'Hetzelfde als alle anderen. Mezelf zuiveren van mijn bourgeois ideeën en proberen een nieuw mens – een proletariër – te worden.'

'Hoe doet u dat?'

'Door als een boer te zwoegen, naar bekritiseringsbijeen-komsten te gaan en aan zelfkritiek te doen.'

'Hoe lang duurt die straf?'

Moeder staarde in het oneindige en zuchtte: 'Dat weet ik bij Boeddha niet. De Partij doet wat ze wil... Lian, niet wanho-pen. Ik heb goed nieuws voor je. Anders dan zoals bij Papa, die eenentwintighonderd kilometer van Peking af zit en die ons maar één keer in de twee jaar kan opzoeken, ligt mijn straf-kamp slechts honderd kilometer hiervandaan, in het district Renqiu van de provincie Hebei. Twee keer per maand worden wij met de vrachtwagen naar huis gebracht. Wat een verwen-nerij, hè? Het betekent dat ik je om de veertien dagen twéé nachten en één hele dag kan zien. Wat vind je ervan?' Ze keek haar dochter geforceerd vrolijk aan.

Wat moest Lian daarop zeggen? Haar zwijgen deed Moeder ontwaken uit haar roes en ze liet opnieuw haar hoofd hangen.

Hoewel Lian wist dat het vechten tegen de bierkaai was, kon ze het niet laten te smeken: 'Mama, Mama, kunt u de par-tijvoorzitter van de universiteit niet een paar jaar uitstel vra-gen? U kunt mij toch niet alleen thuislaten?'

'Daarom sturen ze je naar een jeugdopvangcentrum.'

'Maar zo kom ik van de regen in de drup!' De haren rezen haar te berge wanneer ze aan zo'n centrum dacht. Van haar eer-ste tot en met haar zevende had ze de weekdagen in een crèche moeten doorbrengen, iets wat ze altijd verschrikkelijk had ge-vonden. Maar ze besloot niet meer te pogen haar noodlot te ontvluchten. Anders zou ze Moeder nog meer verdriet doen. Een zeldzame kalmte daalde op haar neer en opeens voelde ze dat haar levensjaren als het ware verdubbeld werden. Ze ver-plaatste zich in de situatie van Moeder en dacht met haar mee.

Eerlijk is eerlijk, waar kon Moeder haar kwijt? Ze kon niet meer naar haar grootouders in Qingdao, want haar oudste oom had een jaar geleden een zoon gekregen. Nu werd alle liefde en aandacht geconcentreerd op het eerste échte kleinkind: het stam- en piemelhoudertje, de toekomstige zaaier van de fami-liezaden. Het lag voor de hand dat Lian, een kleindochter, niet in aanmerking kwam voor verzorging van haar grootouders. Ook al had zij niemand meer die op haar lette en had dat neefje van haar niet alleen zijn vader en zijn moeder, maar ook nog zijn opa én zijn oma om hem te dienen.

Moeder had wel een zus in Peking, tante Yunhuan, die in principe op haar nichtje zou kunnen passen, maar die koesterde al sinds haar jeugd rancunes jegens haar zusje. Ze hadden op dezelfde school gezeten, maar Moeder leerde veel sneller en kreeg later een studiebeurs. Toen tante Yunhuan in een spinnerij ging werken, kreeg Moeder een goedbetaalde baan als universitair docente. In zekere zin juichte tante de Culturele Revolutie toe, omdat ze daardoor haar intelligente zusje 'in drijfzand zag belanden'. Zo zie je maar, zei ze opgelucht tegen zichzelf, het recht zegeviert altijd! Sinds 1967 begon tante haar brieven aan Lians Moeder altijd met een van Mao's leuzen:

Arbeiders en boeren zijn de leiders van China!
Intellectuelen moeten zich door de arbeidende klasse laten heropvoeden!

Vrienden en kennissen van Lians ouders die toevallig niet gevangenzaten, durfden zich ook niet over haar te ontfermen; anders zou de Partij vermoeden dat ze sympathie hadden voor de 'bastaardkinderen' van bourgeois elementen.

De ochtend daarop ging Moeder mee naar school. Ze wilde meneer Dong, de nieuwe directeur, spreken. Omdat hij onlangs was vrijgelaten uit een heropvoedingskamp, hoefde ze hem haar situatie niet uit te leggen. Hij stond haar vriendelijk te woord.

'Ik zal de secretaresse vragen om de schoolrapporten van leerlinge Lian Shui voor u klaar te leggen. Die zullen haar goed van pas komen bij de inschrijving bij een andere school. Hoezeer de Culturele Revolutie kennis en wetenschap ook de grond in boort, elke school neemt liever een kind met hogere cijfers aan. Traditionele waarden en ideeën kunnen nu eenmaal door geen enkele politieke beweging geheel vernietigd worden. Maar dat hoef ik u niet te vertellen. U bent hier de geschiedkundige en zult er meer vanaf weten dan ik.' Hij lachte veelbetekenend naar Moeder. Al was dit de eerste keer dat hij haar ontmoette, toch voelde hij een zekere verwantschap met haar. Hij wist dat zij, net als hijzelf, genoeg inkt gedronken had; anders zouden de revolutionairen het de moeite niet waard vinden haar te hekelen en te vervolgen.

'Kunnen we de rapporten nog vóór vanmiddag afhalen? Want morgenochtend al word ik gedeporteerd, en ik heb alleen vandaag nog tijd om alles voor mijn dochter te regelen.'

'Over een half uur liggen ze klaar. Ik ken dat dwingende gedoe van de Partij. Weet u, mevrouw lector Yang, ik werd uit mijn bed gesleept en regelrecht in het kamp gedumpt. Ik had niet eens tijd om mijn azijnfles mee te nemen!'

Lian raadde meteen waar hij vandaan kwam: de provincie Shanxi. De mensen uit die streek kunnen geen dag zonder azijn.

Krijgt een soldaat uit Shanxi het mes op de keel,
dan geeft hij liever zijn geweer
dan zijn azijnfles af

Lian wilde maar één ding: Kim spreken. Tijdens de pauze vertelde ze haar vriendin over haar vertrek.

Kim stond als door de bliksem getroffen.

Lian deed zich opzettelijk vrolijk voor. Als kind van een boerenarbeider had Kim geen idee wat er met de intellectuelen van de eerste kaste aan de gang was. Het was haast onmogelijk om haar deze ingewikkelde toestand uit te leggen.

Ze vertelde haar alleen maar dat ze naar een andere school moest omdat haar nieuwe verblijfplaats te ver hiervandaan lag. Het woord 'jeugdopvangcentrum' meed ze zorgvuldig. Anders zou Kim meteen aanvoelen dat Lian in de puree zat. 'Beloof je me dat je morgen bij de Herfstspelen je best doet? Schrijf je me over je glorieuze successen?'

Kim zakte bijna door haar knieën. Zo emotioneel had Lian haar nog nooit gezien: 'Wát?! Moet je morgen al weg? Kun je niet wat langer blijven? Al is het maar een halve dag?' Haar stem werd hees.

'Nee. De partijleiding van Mama's werkeenheid heeft bepaald dat ze morgenochtend om acht uur weggevoerd wordt. Direct daarna word ik naar het opvang... eh, naar mijn nieuwe logeerplaats gebracht. Er is niets aan te doen.'

's Avonds in bed herhaalde Lian haar afscheidsgesprek met Kim keer op keer. Vreemd, ze had het zich pijnlijker voorgesteld dan het in werkelijkheid was geweest. Waarschijnlijk kwam dat doordat haar hoofd nu barstte van de zorgen over Vader, Moeder en zichzelf; vanaf morgen zouden ze op drie ver van elkaar verwijderde plaatsen zitten. Er was in haar hart weinig ruimte voor haar vroegere, diepe genegenheid voor Kim. Nu pas begreep ze dat vriendschap tot de luxeartikelen behoorde. Die kan men zich pas veroorloven als de basisbehoeften zoals eten, drinken en veiligheid bevredigd zijn. Alhoewel, toen ze aan de Herfstspelen dacht, kreeg ze het benauwd. Kims wanhopige blik zweefde voor haar geestesoog en ze voelde precies aan wat er door haar vriendin heen ging, toen ze hoorde dat Lian niet bij de wedstrijden aanwezig kon zijn. Kim kennende, vreesde ze het ergste: zonder Lian zou ze er niet aan meedoen. Dan zou alles voor niets zijn geweest.

Als het lot tegen je gekant is, blijft zelfs water tussen je tanden steken. Alsof het nog niet genoeg was dat ze haar ouders kwijtraakte, verloor ze ook nog haar dierbaarste vriendin en daarmee alles wat ze samen met pijn en moeite hadden opgebouwd.

Zandauto's vol geleerden

In alle vroegte sjouwden Moeder en Lian hun bagage naar een van de kleinere uitgangen van hun wijk. Voordat de poort in zicht kwam, hoorde ze de militante stemmen al: 'Rechtsgezinde geleerden, kruip terug in de buik van boerinnen en laat uzelf als proletariërs herboren worden!'

Rode doeken waren tussen de bomen langs de weg gespannen en klapperden voortdurend in de snerpende wind. Lantaarnpalen waren gewikkeld in muurkranten, waarop teksten stonden als:

> *De Partij is coulant voor degene*
> *die zichzelf als contrarevolutionair aangeeft*
> *en meedogenloos tegen degene*
> *die zijn ideologische misdaden verloochent!*

Toen Lian dichterbij kwam, hoorde ze honderden kinderen huilen. Ze trokken aan de jas van hun ouders en smeekten hen om niet weg te gaan. De ouders tilden hen op, maar zetten hen direct weer neer. Ze keken angstig naar de bewakers van het kamp, die een rode band om de rechterarm droegen en krijsten: 'Schiet op! Onmiddellijk de vrachtwagen op!'

Bij de poort stonden vier enorme zandauto's. Moeder drukte Lians gezicht tegen haar borst; beiden zwegen. Overal om hen heen klonk het gevloek van opa's en oma's die met lede ogen aanzagen hoe hun kinderen werden weggevoerd. De gedeporteerden zelf zwegen. De bewakers die tussen hen verspreid stonden, zouden het geringste teken van ontevredenheid of protest noteren en dientengevolge hun straf verzwaren. *We moeten stront eten, maar we mogen niet kotsen.*

Een jongetje van een jaar of acht smeekte: 'Papa! Mama! Waar gaan jullie naar toe? Moet ik alleen in het opvangcentrum blijven? Ik heb toch niets gedaan? Ik zal voortaan héél braaf zijn, beloofd, echt waar! Alstublieft, laat mij niet in de steek!'

Moeder zei tegen Lian: 'Het joch heeft het opvangcentrum nog niet gezien en maakt zich nu al zorgen. Straks zal hij merken dat het best meevalt. Ik ken daar een paar leidsters; het waren collega's van mij. Ze doen strafvervangend werk; ze hoeven niet naar het kamp omdat ze een of andere ernstige ziekte hebben. Het zijn best aardige mensen, hoor.'

Lian hield wijselijk haar mond. Ze dacht: maak het achtereind van een varken wijs dat het opvangcentrum best meevalt! Maar ze wilde Moeder niet tegenspreken; die had het op dit moment al moeilijk genoeg. Moeder zag er werkelijk uit als een veroordeelde. Ze droeg lompen, met op de ellebogen, de knieën en het achterwerk dikke lagen bontgekleurde lappen. Ze had Moeder nog nooit in zulke rommel zien lopen; waar ze die troep vandaan had gehaald was Lian een raadsel. Ook haar lotgenoten – hoogleraren, lectoren en docenten – die gewoonlijk keurig gekleed gingen, waren nu gehuld in smerige, gekreukte pakken. Wat Lian nog het meest opviel, was hun gelaatsuitdrukking, die ze op miraculeuze wijze precies wisten aan te passen aan hun kledij. Ze stonden daar als het ware naakt, ontdaan van zelfrespect en menselijke waardigheid.

'Ik zeg het voor de laatste keer: flikker je bagage op de wagen en spring erin! We vertrekken over vijf tellen. Vijf, vier, drie...' Een man met een baard, blijkbaar het hoofd van het bewakingsteam, gilde alsof hij zonder verdoving gecastreerd werd.

Lian hield zich groot: 'Gaat u maar, Mam. Maakt u zich over

mij maar geen zorgen... Als Vader mij schrijft, stuur ik zijn brief samen met de mijne naar u op. Doet u dat ook?'

Zonder om te kijken liep Moeder naar de vrachtwagen. Een ex-collega hielp haar met haar bagage. De motor werd gestart, maar het gebrul van de kinderen overstemde het lawaai. Moeder stond nu achteraan in de laadbak en keek Lian met rode ogen aan. De wagen gromde en trok langzaam op. Ogenblikkelijk vormde zich een gele stofwolk die de volgeladen wagen aan het oog onttrok.

Lian rende achter de zandauto aan, maar hij reed meedogenloos verder. Ze liep nog harder en riep uit alle macht: 'Máaá-má!' Het stof verstopte haar keel. Ze wou dat ze kon vliegen.

De zandauto's verdwenen achter het stofgordijn, maar het gebrul van de kinderen haalde hen in...

'Mama...! Ooo, Boeddha, waar bent U? Red ons, alstublieft!' Lians geroep verzonk in een zee van geschrei. Ze zwoer bij zichzelf: nooit, nooit zal ik de Partijtop vergeven, die kinderen hun ouders en vrouwen hun mannen ontneemt!

Het opvangcentrum

Het opvangcentrum was gevestigd in de Universiteit voor Industriële Technologie, ruim zes kilometer van Lians flat. Het werd mede gefinancierd door twee andere onderwijsinstellingen: het Instituut voor Vreemde Talen en de Universiteit voor Docenten van Peking waar Lians Moeder werkte, nee, had gewerkt. De kinderen – tussen de zeven en de zestien jaar – van het personeel van deze drie onderwijsinstellingen konden hier terecht. Ze hoefden niet voor hun verzorging te betalen, alleen het eten en de kleding waren voor eigen rekening. Alle ouders lieten een bedrag achter waarmee voedselbonnen voor de kantine aangeschaft werden. De rest van het geld werd besteed aan kleren, schoenen en tandpasta. De plaats waar ze kwamen te wonen heette vóór de Culturele Revolutie *Gebouw Scheikunde*. Tegenwoordig werd ze *Gebouw Westerse Kapitalisten Zijn Sprinkhanen Na De Oogsttijd* genoemd. Voor het gemak noemden de kinderen het *de Sprinkhaan*.

Lian deelde met drie andere meisjes een kamer van vier bij vier. Een van hen heette Qianru. Ze was negen en deed Lian denken aan een prinsesje uit een stripverhaal. Haar ogen straalden een fluweelzacht licht uit en haar huid was fijn en blank. Haar lange, smalle vingers leken net jonge bamboespruiten, doorzichtig wit en vertederend tenger.

Zhuoyue was elf en had bolle wangen die op rode appeltjes leken. Ze bruiste van energie en claimde het alleenrecht op de conversatie.

Qiuju was twaalf, net als Lian, maar ze was een kop groter. Ze was fors gebouwd en bewoog zich als een gewichtheffer. Ze praatte niet veel, maar als ze het deed, schoten er mesjes uit haar mond, die de vorm van een centenbak had.

Om twaalf uur precies werden ze opgeroepen om naar de personeelskantine te gaan. Na tien minuten lopen en een kwartier in de rij staan, waren ze aan de beurt.

Ping! De kok legde een opscheplepel van smeedijzer in hun geëmailleerde kommetje, kieperde de lepel om en – *pats* – liet er een drassige massa in vallen. Lian bestudeerde het spul aandachtig en concludeerde dat het tot moes gekookte Chinese kool zou kunnen zijn. Onwillekeurig deed de aanblik van dit gerecht haar denken aan een plak verse koeiendrek. Hierna gingen ze in een andere rij staan. Na twintig minuten kregen ze een mantou, die inmiddels koud en hard was geworden. Nu begon de jacht op een zitplaats. De zaal was stampvol. De houten tweepersoonsbanken waren grotendeels bezet door vier personen en geen staanplaats was onbenut. Ze baanden zich een weg door metersdikke mensenmuren naar een minder drukke plek. Daar slaagden ze redelijk in omdat ze zowat onder de oksels van de grote mensen door konden. Bij de ingang van de kantine vonden ze een plaatsje dat nog vrij was. Het tochtte er bij het leven en niemand wilde daar staan. Het kon hun niets schelen. Ze waren al bijna een uur kwijt om wat voedsel te bemachtigen en nu waren ze het wachten spuugzat. Ze stonden tegen een raampje naast de deur en vielen op het eten aan.

Lian wist niet hoe de anderen erover dachten, maar wat haar betreft *was honger niet de beste kok*. Ondanks haar knorrende maag vond ze dat het voedsel naar kaarsvet smaakte; met veel tegenzin werkte ze het naar binnen.

Tien minuten later baande het viertal zich een weg naar de wasbak waar de kommen werden schoongemaakt. Lian zag

Qianru de helft van haar voedsel in het vat met etensresten gooien: daar konden de varkens van de kantine zich te goed aan doen.

Nu moesten ze de vrieskou weer in om naar *de Sprinkhaan* terug te lopen. Lian dacht dat haar bloed in haar aderen bevroor. Als ze elke dag zulk eten kreeg, zou ze het niet lang volhouden. Ze wist dat ze niet de enige was die zulke sombere gedachten koesterde.

Ze gingen al om zeven uur naar bed. Lian kon de slaap niet vatten; ze moest alsmaar aan Moeder denken. Ze zou nu wel in het kamp aangekomen zijn. Gisteren had ze Vader geschreven en hem verteld over Moeders gevangenschap. Een brief naar Gansu deed er zo'n vijf dagen over. Hoe zou hij op dit nieuws reageren? Arme Papa.

De tong verloren

Mevrouw Xu bracht de dertig nieuwkomers van het opvangcentrum naar Lagere School Nummer 163. Na een lang onderhoud met de directeur liet ze elf jongeren achter, onder wie Lians kamergenoten Qianru en Zhuoyue. Met de rest ging ze vervolgens naar Middelbare School Nummer 21. Daar verdeelde de directrice hen in drie groepen, die elk in een verschillend leerjaar geplaatst werden. Qiuju en Lian zaten in het eerste jaar, respectievelijk in groep 10-C en 10-E. Nadat mevrouw Xu Qiuju aan haar mentor had voorgesteld, liep ze met Lian mee naar het leslokaal van 10-E en klopte aan.

Een lange, magere man verscheen in de deuropening: 'Is dit de nieuwe leerlinge juffrouw Lian Shui? Welkom.'

Lian verborg zich achter de rug van mevrouw Xu, die haar hand naar de man uitstak: 'Ik ben Xu, hoofd van het Jeugdopvangcentrum van de Universiteit voor Industriële Technologie.'

Hij schudde haar de hand en zei: 'Ik ben voortaan juffrouw Shui's mentor en tevens haar leraar Chinese grammatica. Mijn naam is Du.'

Xu draaide zich om en greep Lian hardhandig bij de arm: 'Waar zijn je manieren gebleven? Zeg "Goedemorgen" tegen Meneer Du!' Lian liet haar hoofd verlegen hangen; ze voelde

hoe haar ogen vochtig werden. 'Is je tong soms door een krokodil afgebeten?'

Maar meneer Du keek Lian vriendelijk aan en schudde zijn
hoofd: 'Mevrouw Xu, laat haar maar. Ze voelt zich beslist onwennig in haar nieuwe omgeving.' De sympathieke toon waarop hij sprak deed haar aan Vader denken.

Op Du's verzoek liet Xu Lian met rust en gaf hem een stapeltje papieren. 'Hier zijn haar schoolrapporten. Wilt u ze inzien?'

'Mevrouw Xu, kunt u even met mij meelopen naar mijn kantoor? Er is een inschrijfformulier dat u nog moet tekenen.' Vervolgens zei hij tegen Lian: 'Ga maar vast naar het lokaal. Ik
ben over vijf minuten terug. Dan zal ik je aan de klas voorstellen.'

Lian keek Xu aan. Ze wilde haar te kennen geven dat ze niet
alleen durfde. Mevrouw Xu wendde haar hoofd af.

Lian drukte haar rechteroor tegen de deur van het leslokaal
en hoorde het gekrakeel van een klas die even door de docent
alleen gelaten is. Ze had geen keus en moest nu wel naar binnen gaan. Als meneer Du straks terugkwam, kon zij niet nog in
de gang staan; dat zou een slechte indruk op hem maken.

Een warm welkom

Zodra ze de deur opende, ontplofte de klas zowat. De meisjes
kletsten nog luider met elkaar, en wezen naar Lian. De jongens
sprongen op de tafels en loeiden als een stel dolle stieren.
Een slungelachtige kwajongen zette een ronde kruk op het podium, pakte twee van de drie poten en richtte het zitvlak op
Lian. *Tatatata!* Hij bootste het geluid van een machinegeweer
na en deed alsof hij haar neerknalde. Een korte, stevige knaap
zwaaide een bezem met een lange steel in de rondte en gilde
op schelle toon: *Ríe-rierie!* Hij imiteerde een b-52 die zeer laag
vloog en cirkeltjes boven de woonhuizen maakte. Het onheilspellende lawaai dat deze bommenwerper produceerde, waarschuwde Lian dat er ieder moment een lading fragmentatie-
bommen op haar gelost kon worden.

Andere jongens volgden het voorbeeld van de eerste twee
en renden naar twee hoeken van de lesruimte, waar ze rieten
stoffers en ijzeren blikken uit de muurkasten pakten. Ze sloe-

gen ze tegen elkaar en veroorzaakten een oorverdovend kabaal...

Lian stond voor de klas en wist niet welke houding ze moest aannemen. De meisjes stopten hun geklets en keken verrast naar deze ongewone scène. Instinctief gaven ze Lian de schuld: 'Rol weg, bedorven ei! Maak dat je wegkomt! Waar zijn die twee gaten in je smoel voor? Zie je niet wat een rotzooi je ontketend hebt?!'

Eerst verklaarden de jongens haar de oorlog en nu scholden de meiden haar de huid vol. Ze rende het lokaal uit en ging in de gang staan huilen.

Een lang en rank meisje was haar gevolgd. Ze legde een hand op haar schokkende schouders: 'Wees niet bang. De jongens bedoelen het niet kwaad. Ze plagen je maar.'

Lian hield op met huilen en keek het meisje dankbaar aan.

'Hoe heet je?'

'Lian,' zei ze door haar tranen heen, 'Lian Shui.'

'Ik heet Xiangyin. Welkom bij ons.'

In de pauze van tien uur ging Lian naar de wc. De meisjes fluisterden in elkaars oren en tuurden naar haar. Raar, uit de manier waarop ze naar haar keken sprak een bepaalde afgunst. Waar zou die vandaan komen? Ze was te zeer geschrokken van de wijze waarop ze verwelkomd was om hun gedachten te raden.

Toen ze terugkwam in de lesruimte, keek ze schichtig om zich heen. Niemand zei iets. De jongens richtten hun ogen op haar, gebruikten hun gezicht als een plak brooddeeg en kneedden het in allerlei enge vormen: de bek van een hongerige wolf, een aanvallende tijger, een sluwe vos en een grijnzende hyena. Lian keek van hen weg en hoorde hen meteen krijsen:

> *Aanstellertje drinkt bekers vol rioolwater,*
> *dan wordt haar buik een tonnetje*
> *Straks komt er een soldaatje*
> *Die plant in haar hoofd een dadeltje,*
> *een pikzwart dadeltje!*

Bedreigden ze haar met de dood? 'Zwarte dadel' was immers jargon voor 'kogel'? Ze kende het liedje nog uit haar kleuterjaren, toen je ermee gepest werd als je een huilebalk was. Ze begreep maar niet waarom de jongens zo kinderachtig deden. De meisjes kenden haar nog niet, maar hadden haar zo te zien al tot hun vijand bestempeld. Alsof het vanzelf sprak wilden ze niets met haar te maken hebben.

Ze voelde zich alleen tussen die drukteschoppers en met al die vijandige blikken om haar heen. Onwillekeurig opende ze haar pennendoos. Daar vond ze haar enige troost: een ketting van fluorescerende plastic parels, die ze op haar achtste verjaardag van Vader gekregen had.

Vader had de ketting onder een leeslamp in de zitkamer gelegd. Hij zei dat ze er maar eens mee de donkere muurkast in moest gaan.

O Hemel! Ze zag de bolletjes flonkeren – ze zonden lichtgroene stralen uit. Het leken wel sterren. Zoiets fascinerends had ze nog nooit gezien. Ze was er meteen verliefd op.

In de vier daaropvolgende jaren koesterde ze de ketting als was het haar beschermengel. Telkens als ze ergens bang voor was of zich terneergeslagen voelde, moest ze de ketting in haar handen nemen. Als ze ernaar keek, zag ze altijd het lieve gezicht van Vader.

Met dit soort herinneringen aan wie haar dierbaar waren, bouwde ze een knus nestje voor zichzelf, waarin ze zich hoe langer hoe meer terugtrok, nu de buitenwereld zo kil en eng geworden was. Ze had een techniek ontwikkeld waardoor ze met open ogen, op klaarlichte dag en midden tussen haar vijandige klasgenoten, taferelen van het verleden levendig voor ogen kon zien. Haar misère leek wel een soort gist die het verleden tot een zalige wijn brouwde; zelfs de doodgewoonste gebeurtenissen van vroeger smaakten als nectar.

Behalve aan Vader en Moeder dacht ze veel aan Kim, omdat ze tegenwoordig geen enkele vriendin meer had.

Bestolen

Tijdens de pauze was Lian naar het toilet geweest. Toen ze terugkwam in de lege lesruimte, rook ze onheil: haar pennendoos lag wijdopen. Ze haastte zich ernaar toe en ja hoor: de ketting was weg! Lian rende het lokaal uit en keek radeloos in het rond. Een groepje jongens stond naar haar te grijnzen.

'Geef mij mijn parels terug!' jammerde ze.

De jongens bestudeerden haar wanhopige gezicht en gierden van geluk: hun treiteractie was geslaagd! Maar ze waren nog niet klaar. Pijlsnel liepen ze door de gang en probeerden haar uit de tent te lokken: 'Kom ze zelf maar halen.'

Blijdschap maakte haar voeten vederlicht en ze holde achter hen aan. Ze zigzagden door het gebouw als een behendige slang. Al snel kwam Lian erachter dat ze haar voor de gek hielden. Ze smeekte: 'Alsjeblieft, geef me mijn ketting terug. Willen jullie mijn vulpen hebben, die met die gele sterretjes? Ruilen?'

Maar de jongens raakten alleen nog maar meer opgewonden van haar gebedel. Ze vlogen naar het trappenhuis, met Lian in hun kielzog. Aan de onderkant van de trap stonden ze stil en keken haar geamuseerd aan; ze genoten van de aanblik van haar smart. Een van de jongens haalde de ketting uit zijn broekzak en liet haar lievelingssieraad in de lucht bengelen.

Ze zag het gezicht van Vader, die nu in de woestijn zat. Scènes van het afscheid ontrolden zich voor haar ogen. Ze kon niet meer en jankte als een peuter – ze stampvoette, sloeg met de handen op haar knieën en schreeuwde het uit.

De treiterkop zwaaide alleen maar heftiger met de parels. De rest van zijn groep staarde haar met open mond aan en lachte zich een ongeluk.

Pingpong

Meneer Hong maakte de uitslag van de toets natuurkunde bekend. Lian had het hoogste cijfer. Voor haar was het niets bijzonders; op haar oude school had ze ook zulke hoge cijfers gehaald. Voor de klas was het echter iets sensationeels: dát hadden ze niet achter zo'n huilerig meisje gezocht.

Tijdens de lunchpauze zei Rui, de lange, magere jongen die haar op de eerste dag met een kruk 'beschoten' had: 'Lian, je lijkt op mijn nichtje in Shanghai.'

Ze moest blozen. Jan en alleman kende de spreuk:

Verbaasd keek ze naar Rui: waarom gaf die pestkop haar plotseling zo'n verborgen compliment?

Ook Ming, de kleine en stevige jongen die destijds zijn ladingen bommen met zijn B-52 op haar geworpen had, papte met haar aan. Hij liet haar een horloge zien waarvan de wijzers fluoresceerden.

'Opa Hemel, wat een chic ding!' riep ze uit, niet alleen uit verbazing, maar ook om hem te plezieren.

Hij trok zijn broekriem omhoog, zoals jongens doen als ze hun trots tonen, en keek om zich heen. Toen hij zeker was dat niemand hem kon afluisteren, fluisterde hij in haar oor: 'Ik heb drie dagen achter elkaar een rotboek moeten lezen om dit horloge voor een dagje van mijn pa te mogen lenen. Je houdt van dat geglitter, toch?'

'Hoe heet dat rotboek?'

'*Beroemde uitvinders van de hele wereld.* Een bourgeois boek dat achter mijn commode was gevallen en niet door de Rode Gardisten gevonden is. Maar wat heb ik eraan? Was ik honderd jaar eerder geboren, dan had ik een betere grammofoon uitgevonden dan Edison!'

✺

Na school kwam er een groep jongens uit Lians klas op haar af. Rui voerde het woord. Hij vroeg of ze meeging naar Mings huis. Ze snapte niet waarom ze opeens zo vriendelijk waren geworden, maar ze knikte en de jongens gooiden hun pet of schooltas in de lucht en sprongen op als dartele hondjes.

Zoals bij de meeste Chinese gezinnen woonden er drie generaties bij Ming thuis. Zijn oma was net een hagedis. Op haar vuistgrote voetjes dribbelde ze verbazend snel de speelkamer in en uit met thee, vruchten en snoepjes. De jongens stoorden zich aan haar aanwezigheid. Maar Lian was dolblij – er was tenminste iemand die aan haar dacht. Dat ontging Mings oma natuurlijk niet. Ze steunde op de rand van de tafel, waggelde op haar kleine voeten en kwam bij Lian zitten. Met haar uitgedroogde, verkreukelde handen aaide ze die van Lian en hield een mysterieuze monoloog. Ze sprak de taal van Zhejiang, een provincie dicht bij Shanghai. Al begreep Lian geen woord van wat ze zei, ze voelde dat deze oma om haar gaf en daar zwijmelde ze helemaal bij weg.

Rui stelde voor om te gaan pingpongen. Bij gebrek aan een tafel sloegen ze het balletje tegen de muur. Op haar oude school had Lian in de pingpongploeg gezeten; ze deed niet voor de jongens onder. Terwijl ze haar beurt afwachtte, zoog ze gretig de gezelligheid op. Sinds ze een week geleden in het opvangcentrum was ingetrokken, had ze nog niet zo veel lachende gezichten bij elkaar gezien.

Ondergronds

De dag nadat Lian met de jongens gepingpongd had, vroegen ze haar na schooltijd: 'Kom je met ons mee naar de ondergrondse leslokalen van de universiteit?' Ze keken haar geheimzinnig en verwachtingsvol aan.

Ze had er eigenlijk weinig zin in; het leek haar daar maar griezelig donker. Maar als ze haar vrees zou uitspreken, zouden ze haar uitlachen en voor bang grietje uitmaken. Ze kon maar beter *de hoofdhuid strak houden*. Zonder blikken of blozen stemde ze toe.

Lian volgde de jongens de tunnel in. Overal hing een doordringende pisgeur. Omdat het hier pikdonker was, leek het benauwder dan het was. Gelukkig bereikten ze al snel een zaaltje.

Floep! Een oranjerood vlammetje verlichtte de ruimte. Rui had een aansteker in zijn hand en Ming haalde een pakje uit zijn jaszak. Opnieuw verscheen de geheimzinnige grijns op hun gezicht. Ze trokken ieder een sigaret uit het pakje, staken die op en wedijverden met elkaar wie de rondste kringetjes kon blazen. Ze lachten tevreden, als wezels met een kip in de bek. De vlam van Rui's aansteker was nu vervangen door zes rode lichtpuntjes.

Roken was op de middelbare school streng verboden. De straf was niet lichter dan als je iemand zo'n klap verkocht dat hij zijn neus brak. Hoe konden ze zoiets doen! Lian wilde geen medeplichtige worden en riep: 'Gooi die rotzooi weg. Anders ga ik terug en wil ik nooit meer met jullie spelen!'

Guofeng, een klein, lenig jongetje, probeerde haar te sussen:

'Wind je niet zo op. We doen dit wel vaker. Als je ons niet aangeeft, weet niemand het. Hier in de schuilkelder zijn we veilig.'

Ze stormde naar de uitgang.

Rui schreeuwde: 'Alle sigaretten weg! Hier gaan we geen ruzie over maken!' Hij knipoogde veelbetekenend naar zijn maatjes: 'Wie vindt die dingen nou lekker? Hou me niet voor de gek. *Als jullie staart omhoog gaat, weet ik al of jullie droog of dun zullen poepen.* Roken is alleen maar spannend omdat het niet mag. Kom op, spreek me eens tegen!'

De oranjerode puntjes werden tegen de muur gedrukt. Lian hoorde de jongens mopperen: 'Dat komt ervan als je met een griet optrekt.' Ze knepen hun neus dicht en imiteerden het schelle stemgeluid van meisjes: 'Dít mag niet... dát mag niet...'

Ming, die tot nu toe gezwegen had, opende zijn mond: 'Hé, Lian is toch niet zo'n trut? Heeft ze ooit moeilijk gedaan?'

Om een eind te maken aan de onaangename discussie, stelde Lian voor verstoppertje te gaan spelen – deze ondoorgrondelijke wijkplaats leende zich er uitstekend voor.

Terwijl Guofeng en Rui zich blinddoekten en hardop tot honderd begonnen te tellen, rende Lian met Jie, een dunne, bleke jongen, naar een verborgen uitsparing in een gang die de anderen van hun leven niet zouden ontdekken – dat hoopten ze tenminste. Ze hielden zich muisstil tot Guofeng en Rui hen argeloos voorbijliepen. Opgelucht kropen ze uit hun schuilplaats om eventjes hun armen en benen te strekken. Ze kropen snel weer terug, voor het geval de zoekers onverwachts zouden terugkeren.

Om de tijd te doden, begonnen ze zachtjes te kletsen. Met Jie kon Lian goed praten; hij deed zich niet zo stoer voor als Rui en Ming en wimpelde haar vragen nooit hoogmoedig af.

'Weet je, Jie, ik vraag me steeds maar af: waarom gaan jullie alleen met mij om en niet met de andere meisjes? En wat ik ook niet begrijp: de eerste drie dagen hebben jullie mij genadeloos gekrenkt en nu beschouwen jullie mij ineens als jullie dikste maatje. Ik ben toch dezelfde Lian als toen?'

'Wie zegt dat wij je gekrenkt hebben?'

'Kom nou! Noem je dat geen krenken, een kruk als machinegeweer gebruiken om mij te bestoken en mijn lievelingsketting stelen? Dat deden jullie toch niet uit vriendschap!'

'Natuurlijk wel! Wij jongens, eh, mannen, plagen een meid alleen als wij haar grappig vinden. Welke halvegare heeft er nu zin om een truttebel te jennen? O, wat hebben wij genoten, toen je daar op de trap stond te huilen om die plastic troep!'

'Méén je dat?'

'Ik zweer bij het Rode Boekje van Mao Zedong dat het waar is. Als je het niet gelooft, vraag het aan Rui, of Guofeng, of de anderen. Ze zullen je zelfs meer vertellen. Volgens hen ben je het leukste meisje van de hele school. Alleen ík denk er anders over. Mijn zus Liuxiang is volgens mij de mooiste. Daar blijf ik bij. Als het van de politie mag, ga ik later met haar trouwen.'

Lian zweeg. In straaljagerstempo herinterpreteerde ze haar ervaringen van de afgelopen anderhalve week. Wat Jie vertelde was geheel nieuw voor haar. Opeens snapte ze waarom de meisjes in de klas – behalve Xiangyin dan – en die in de wc haar zo afgunstig aankeken; hoe het kwam dat ze haar op de eerste dag al de schuld hadden gegeven voor de oorlogsverklaring van de jongens; waarom de jongens haar met open mond hadden aangestaard toen ze stond te stampvoeten en om haar fluorescerende parels smeekte; waarom ze als puppy's opsprongen, telkens als ze ermee akkoord ging om aan hun spelletjes mee te doen.

Toch had ze een vreselijke afkeer van de manier waarop ze hun genegenheid voor haar hadden geuit. Die pesterijen hadden een barst in de vaas van haar hart geslagen...

Valkuilen

Lian speelde met de jongens 'zet een val', in de verwilderde tuin aan de achterkant van de universiteit. Dit spel hadden ze afgekeken van de film *De valkuilenoorlog* – een van de vier films die sinds 1967 vertoond mochten worden. De andere drie heetten: *De oorlog van de landmijnen, Lenin in de Oktoberrevolutie* en *Lenin in 1917*. Al had je ze honderd maal gezien, toch bleef je ernaar toe gaan. Ze konden je midden in de nacht wakker maken om een alinea uit een van de vier klassiekers op te dreunen:

Da Shitou, op de wachttoren is het vuur aangestoken: de Japanse duivels zijn in aantocht en komen binnen de tijd van een pijp tabak ons dorp binnen!

Hoe slaapdronken je ook was, je kon dan moeiteloos, woord voor woord de zin die erop volgde zingen:

Sla de gong en roep de dorpelingen bijeen. Wij maken valkuilen gereed voor die sake-zuipers!

Ook al wist je niet of de vs in het zuiden van Europa lag of in het oosten, je beschikte wel over de benodigde kennis voor het zetten van een val of het leggen van een landmijn.

Het zevental werd in twee groepen verdeeld. Lian zat in de groep van Jie, Ming en Xiaoyong. Rui, Guofeng en Weilong waren hun vijanden. Ieder cluster kreeg een lap grond toegewezen, ver van die van de tegenpartij. Ze kamden de omgeving uit, op zoek naar ijzeren platen die ze als schoppen konden gebruiken. Na het graafwerk sprokkelden ze boomtakken die niet te stevig en niet te bros waren. Daarmee vlochten ze een soort satérooster over de kuilen. Als de indringers erop trapten, moesten de twijgen sterk genoeg zijn om hen eerst op te vangen en voldoende knapperig om daarna met een *krák!* te breken, waarop de vijanden Boeddha om genade roepend in de val zouden duikelen. Hoe vaker de leden van een groep in de val belandden, des te zwaarder was haar nederlaag.

De groep van Lian moest haar tegenstanders niet onderschatten, want Weilong vrat stripverhalen over oorlogvoering en was een kei in het bedenken van trucjes. Maar Lian was ook niet mis. Ze moest denken aan een boeiende episode uit *De oorlog van de landmijnen*:

Nadat de Japanse troepen zwaar geleden hadden onder de landmijnen van de Chinese boeren, riepen ze om hulp. Bommenexperts werden uit Tokio gehaald en ze maakten veel bommen onschadelijk. Een slim Chinees jongetje vond een mijn uit waar geen kruit in zat, maar zijn eigen poep. Toen de Japanse expert de bom onderzocht, viel hij flauw van de stank.

Voor zover Lian wist, had tot nog toe niemand deze techniek in het valkuilspel toegepast. Ze ging met Jie op pad om paardenpoep te verzamelen. Dat was niet zo moeilijk. Gezien het feit dat paard en wagen een van de drie voornaamste vervoermiddelen was, ook in de stad, lagen de uitwerpselen voor het oprapen.

Rui was de ongelukkige die in de val terechtkwam. Toen hij zijn benen uit de kuil trok, zagen zijn schoenen en broekspijpen geel van de drek. Zijn strijdgenoten, die Lians front schreeuwend aan het attaqueren waren, stonden als aan de grond genageld. Zo stil had Lian ze nog nooit gezien. Ze maakten rechtsomkeert en renden voor hun leven.

'Hoera, de aanvallers druipen af met de staart tussen de benen!' juichten de manschappen van Lians leger. Ze wilden verse paardenpoep gaan halen, maar hun tegenstanders kwamen er alweer aan.

'Rui is naar huis gegaan, want hij vervuilt de lucht van hier tot ginder!' riep Guofeng. 'Dit spel hangt ons de keel uit. Gaan we iets anders doen?'

'Met andere woorden: jullie geven je over. Akkoord. Zullen we nu verhaaltjes gaan vertellen?'

'Oké. Daar zijn wíj beter in.' Weilong zag zijn kans schoon om wraak te nemen.

Het verkeerde keelgat

Griezelverhalen, detectives en moppen die ze al tientallen keren verteld of gehoord hadden, werden herkauwd. Het ging om de gezelligheid, niet om de woorden. De jongens werden hoe langer hoe meliger en begonnen elkaar te plagen. Xiaoyong bedacht een nieuwe bijnaam voor Weilong: 'Kikkerbek'. Ze keken naar Long, sloegen zich op de buik en kregen een rolberoerte van het lachen. Waarachtig, zijn mond strekte zich uit van het ene oor naar het andere. Als je hem van voren bekeek, viel dat nog niet zo op. Maar keek je naar hem van opzij, dan zag je een opening die beide wangen halveerde. Echt een kikkerbek!

Long noemde Ming 'Boomstronk', doelend op zijn korte en gedrongen figuur. Na een minuut of tien had iedereen een bijnaam gekregen, behalve Lian. Ze keek ongerust om zich heen, wetend dat het nu haar beurt was. De jongens bestudeerden haar van top tot teen en openden hun mond zonder iets te zeggen. Na een tijdje zag ze Weilong iets in Jie's oren fluisteren. Die leek verlicht te zijn door de vonken van een geniaal idee en briefde zijn opwinding door aan Guofeng. In een mum van tijd zagen ze er allemaal opgetogen uit.

Weilong riep: 'Een, twee, drie!' en de jongens zongen in koor: 'Be-to-ve-rend Wees-meis-je!'

Lian kon haar oren niet geloven. *Weesmeisje?* Was ze in hun ogen een wees?

Niets had haar doeltreffender kunnen kwetsen dan deze bijnaam. Ze explodeerde bijna van woede, maar hield zich in: in zekere zin hadden ze gelijk. Ze had geen ouders die voor haar klaarstonden. Er was geen gezin dat haar met uitgestrekte armen en een overvloed aan genegenheid ontving. Maar hoe hadden zij het hart om zo met haar toestand te spotten? Een stelletje sadisten, die een drenkeling op zijn hoofd stampten!

Ze rende naar een valkuil waarvan de camouflage reeds weggenomen was en sprong erin. Wat haar betreft, zou ze deze put haar leven lang niet meer verlaten. Hier hoorde ze thuis, ver van de jongens, die ze voor haar vrienden had gehouden en ver van de wereld, die haar van haar ouders beroofd en als een overbodig meubelstuk het huis uit gesmeten had. Nu besefte ze hoezeer ze verschilde van de jongens.

De jongens begrepen eerst niet waar haar woeste bui vandaan kwam, totdat Ming schreeuwde: 'Weilong, jij lomperd, weet je wel wat "wees" betekent? Lians ouders zijn toch niet dood?'

Weilong verbleekte. 'Ja maar, de nadruk lag op "betoverend", niet op "wees". Er was vroeger toch een film die zo heette. De actrice lijkt sprekend op Lian!'

'Wat sta je daar als een lantaarnpaal? Ga naar haar toe en bied je excuses aan!' beval Ming en duwde Weilong naar voren.

Lian sprokkelde een hoopje boomtakken bij elkaar en hield er alvast een in haar rechterhand. Ze stond klaar om die naar Weilong te gooien als hij het waagde dichterbij te komen. Haar ogen spuwden vuur. Hij deinsde terug zodra hij haar gezicht zag. Toen probeerden Jie en Guofeng dichter bij haar kuil te komen, maar ze joeg hen weg met een regen van boomtwijgen.

Ming was de enige die op zijn plaats bleef. Hij zag er geschrokken en verdrietig uit. Nadat zijn maatjes een voor een teruggedreven waren, maakte hij een trompet van zijn handen en galmde: 'Lieve Lian, hou op! Is het niet een beetje overdreven om je zo woest te maken om een grapje? Long bedoelde het niet zo. Laten we vrede sluiten.'

Ze kroop uit haar schuilplaats, wierp Ming de laatste tak in zijn gezicht en holde naar het opvangcentrum. Daar hoorde ze thuis, de godsjammerlijke vondeling.

Geen berg te hoog

Tegen achten stapte Lian toevallig samen met Weilong het lesgebouw binnen. Hij lachte haar mierzoet toe, maar ze deed alsof hij lucht was en liep hem straal voorbij.

Tijdens de ochtendpauze marcheerde haar voormalige zestal vrienden, Rui voorop, door de lesruimte. De meisjes gilden alsof ze een spook zagen. Rui zwaaide met een lange stok; boven aan het gevaarte hadden ze een dode kat gebonden. De jongens zongen en dansten. Om de beurt zwiepten ze de stok met het kattenlijkje door de lucht. Hoe harder de meisjes hun afschuw uitschreeuwden, des te uitbundiger voerden de knapen het schouwspel met de zielige kat op. En dat alles om Lian aan het schrikken of lachen te maken, in de hoop op die manier het ijs te kunnen breken.

Lian bleef koeltjes voor zich uit staren en liet geen spatje emotie doorschemeren. Ze liet hen in hun sop gaar koken en slenterde het lokaal uit. Maar diep in haar hart had ze medelijden met de uitslovers. Of was het liefde? Ze beet zich vast in de overtuiging dat er geen band meer kon bestaan tussen haar en de verwende jongens. Zij hadden alles wat zij miste: een thuis, een vader en een moeder.

Het was pas half zes, maar Lian lag al in bed. Haar kamergenoten waren naar de kantine gegaan voor het avondmaal. Zij had echter geen trek. Al dagen niet. Haar maag was van streek en haar slaap werd nachten achtereen door nachtmerries in stukken gezaagd. Overdag was ze moe en lusteloos. Vandaag ging ze vroeg naar bed.

Riets-riets… Er wreef iets tegen het glas van haar raam.

Inbrekers! Ze stond op en haastte zich naar de schakelaar van de lamp. Het gezicht achter de ruit fronste door het felle licht dat hem verblindde.

Vreemd, de dief had een papieren puntmuts op. Net zo een als de contrarevolutionairen droegen wanneer ze door de Rode Gardisten door de straten gedreven werden. Alleen stonden op deze muts geen woorden als: *Ik ben een slangenbeest en koeiengeest* of *Ik ben een geheim agent van de VS; ik ben hier gekomen om westerse kapitalisten te helpen China ten val te brengen.* Waarom had deze dief zo'n hoed op? Zo liep hij toch snel in de gaten?

Maar toen ze beter keek, kon ze haar ernst niet bewaren: 'Jie! Wat doe jíj hier?'

Hij zwaaide enthousiast naar Lian. Ze zag hem wankelen…

Opa Hemel! Het klamme zweet brak haar uit. Ze zat twee hoog. Dat betekende dat Jie op een enorm lange ladder moest staan. Wat zou er gebeuren als hij zijn evenwicht verloor?! Ze liep naar hem toe en keek door het raam naar beneden. De ladder was niet van hout of ijzer gemaakt, maar werd gevormd door haar ex-speelkameraadjes; met zijn zessen hadden ze een toren van bijna negen meter gebouwd door op elkaars schouders te klimmen, met Jie, de lichtste en lenigste, aan de top. De korte en stevige Ming vormde de onderste sport. Op zijn schouders stond Weilong, en op diens schouders balanceerde Xiaoyong.

Ze stond perplex. Met verstikte stem zei ze tegen de waaghalzen: 'Ga voorzichtig van elkaar af. Ik beloof dat ik met jullie zal praten.'

Rui, die als de middelste sport fungeerde, probeerde Lian aan te kijken, maar de menselijke ladder liep ogenblikkelijk scheef.

'Pas op! Straks zijn we nog *pia's* met gehakt mensenvlees!' waarschuwde Jie, die in de meest penibele positie verkeerde.

Het kostte de jongens een aantal zenuwslopende minuten voordat de ladder veilig was afgebroken.

Lian moest nu wel met hen praten. Maar waarover? Dat ze zich bij hen een buitenaards wezen voelde? Dat ze niet meer met hen kon spelen, lachen en kattenkwaad uithalen, omdat ze zich te bewust was van de verschillen? Ze zouden haar toch niet begrijpen. Niettemin ging ze naar beneden; daar vormden de jongens een kring en staarden haar hoopvol aan.

Het kostte haar net zo veel moeite als wanneer je het laatste beetje tandpasta uit een tube probeert te drukken: 'Als... als jullie denken dat ik kwaad ben vanwege die... scheldnaam, dan zitten jullie er mijlenver naast. Het enige is, dat ik... ik heb voortaan geen behoefte meer om met jullie om te gaan... Als... als jullie mij nog een keer lastigvallen, geef... geef ik jullie bij meneer Du aan!'

Nooit, nooit zou ze hun geschrokken en gekwetste gelaatsuitdrukking vergeten. Ze zagen eruit als baby-aapjes die hun ogen niet kunnen geloven wanneer ze door hun lieve verzorger uit de kooi genomen, op de experimenteertafel vastgebonden en volgespoten worden met spierverlammende vloeistof. Ze snapte bij Boeddha niet hoe ze zo wreed had kunnen zijn. Zelfs de grootste branieschoppers dachten met angst en beven aan de vernietigende kracht van dit soort verklikkerij.

Naalden

Die nacht droomde Lian van een mensenladder, die hoog, hoog de hemel in ging, tot aan het Nirwana. Zelf bevond ze zich noch in het Nirwana noch op aarde. Een paar dagen geleden had ze besloten haar lichaam te verlaten, uit zelfbescherming. Haar ziel zweefde door het luchtruim, onbereikbaar voor verdriet en pijn, eenzaam en doelloos. Ze werd met een knellende band om het hoofd wakker.

Goddank was de pijn tegen tien uur wat gezakt. Ineens trokken de zenuwen achter haar oren zich samen – ze voelde een steek. Na een poosje sloeg hij opnieuw toe. Nog voordat Lian aan de pijnscheut gewend was, was hij alweer weggetrokken. Ze trachtte zich aan te passen aan zijn ritme. Tevergeefs. De ene keer diende hij zich binnen een minuut al aan en de andere keer liet hij vijf martelende minuten op zich wachten, met als gevolg dat Lians zenuwen constant strakgespannen moesten blijven, om zich te wapenen tegen de pijn.

Tijdens de ochtendpauze kwam meneer Du naar haar toe en zei: 'Lian, je ziet bleek. Voel je je niet lekker?'

Aangedaan door zijn bezorgdheid vergat ze voor een minuut de pijn. Haar overtuiging dat ze de enige bewoner was van haar eiland dreigde weggespoeld te worden.

Ze hield haar antwoord klinisch: 'Ik heb zenuwpijn, meneer.'

'Zal ik het opvangcentrum bellen om te vragen of je naar de dokter kunt?'

'Nee, nee, ik kan zelf wel naar het ziekenhuis gaan!' Lian dacht aan het zure gezicht dat mevrouw Xu had opgezet toen Zhuoyue afgelopen donderdag zei dat ze koorts had. Het personeel van het centrum had een hekel aan kinderen die om extra aandacht vroegen. Ze ging op eigen houtje naar het ziekenhuis.

De arts die haar onderzocht zei: 'Sorry, meisje, ik kan niets specifieks vinden dat je klachten veroorzaakt. Leef je wel gezond? Slaap je goed? Wat eet je meestal? Als de pijn nog twee dagen aanhoudt, laat dan je vader of moeder met je meekomen. Voordat ik met hen gepraat heb, kan ik je niet goed helpen.'

De tranen sprongen haar in de ogen. Ze smeekte: 'Ik heb geen, nee, mijn ouders zitten niet in Peking. Alstublieft, doet u iets tegen de pijn!'

Hij keek naar haar van pijn vertrokken gezicht en zei: 'Acupunctuur zou je klachten misschien enigszins kunnen verzachten, maar deze behandelmethode sluit ik uit. Jullie kinderen blijven liever ziek dan dat je met die naalden geprikt wordt, of niet?'

Ze stond heldhaftig op: 'Ik ben anders. Schrijft u mij dat maar voor. Ik zweer bij het Rode Boekje van de Vader, Moeder, Minnaar en Minnares in Een dat ik de kuur afmaak.'

De arts was blijkbaar overtuigd en stemde in met haar verzoek. Ze werd naar een grote kamer geleid, waar haar gevraagd werd op een draaistoel te gaan zitten. Vier naalden werden achter haar oren geplant, zes op haar hoofdhuid en acht in haar knieën. De naalden waren met een zilveren draad verbonden aan een gonzend apparaat in een hoek van de ruimte, dat trillingen naar haar lichaam zond. De vibrerende naalden weerkaatsten het zonlicht dat de kamer binnenviel. Lian werd duizelig van de pijn en de aanblik van de glimmende naalden en draden. Als Vader of Moeder hier waren geweest zou ze gejammerd hebben en een vluchtpoging hebben gedaan. Maar nu bleef ze braaf en verstandig zitten, vrijwillig geketend aan het marteltuig.

De acupuncturist, die een scène vol gejank en geprotesteer

verwacht had, was verbaasd over haar kalmte en gaf haar een pluimpje: 'Een dapper meisje ben je. Waren alle kinderen maar zoals jij, dan zouden ze niet zo lang met hun kwaaltjes hoeven rondlopen.'

Maar de zenuwpijn verergerde alleen maar en breidde zich uit naar Lians ledematen. Als ze nog thuis was geweest, zou ze hebben geweigerd naar school te gaan. Haar ouders zouden haar vertroeteld hebben en ze zou alles mogen doen wat ze anders niet mocht: in bed eten, lezen en vooral: Vader en Moeder niet gehoorzamen en zelfs tegenspreken. Maar hier in het centrum zou het triest zijn om alleen in haar kamer te moeten liggen. Iedereen zou naar school gaan en de leidsters zouden de 'kleine lastpost' vernietigend aankijken, als ze al de moeite zouden nemen om haar aan te kijken. Lian stond toch maar op en kleedde zich aan.

Qiuju, die haar bed aan het opmaken was, ginnegapte toen ze Lians gezicht spastisch ineen zag krimpen: 'Lian, je hoeft je niet te schminken. Met die mimiek van jou kun je zo als clown in het Staatscircus optreden.'

Lian gunde Qiuju deze kans wel om zich op haar te wreken. Binnen drie dagen na haar aankomst had Lian al een legertje jongens achter zich aan lopen, terwijl ze Qiuju behandelden als een stuk vuil.

Bamisoep

Een maand lang had Lian naar deze dag uitgekeken – vanavond tegen zessen zouden Moeder en haar kampgenoten voor de eerste maal thuiskomen. Om de een of andere duistere reden mochten ze niet om de vijftien dagen naar huis, zoals ze vóór hun arrestatie was beloofd. Om half zes bracht mevrouw Liu de dertig kinderen van de verbannen leden van de Universiteit voor Docenten naar de poort – dezelfde waar ze dertig dagen geleden van hun ouders afscheid genomen hadden. Lian was op z'n zondags gekleed. Elk geluidje dat mogelijkerwijze op de nadering van de zandauto's duidde, deed haar hart sneller kloppen.

Om kwart over zes was het zover. Voordat de volgepropte vrachtwagens stilstonden, begonnen de gevangenen er al uit te klauteren. Ze gedroegen zich nog kinderachtiger en ongeduriger dan hun kinderen.

'Mijn hartepuntje!' De moeder van Qianru holde als een bezetene naar haar dochter en omsloot haar stevig met beide armen. Alsof ze anders als een vogel weg zou vliegen.

Lian was al vijf maal om de vier vrachtwagens heen gelopen, maar ze kon Moeder nergens vinden. Echt ongerust was ze niet – de gezichten van de passagiers zagen er tenslotte allemaal eender uit, als vers uit de modder opgediepte aardappelen, bedekt met een dikke laag geel zand. Zelfs hun tanden hadden deze kleur aangenomen: de paar geluksvogels die als eersten op de grond gesprongen waren, hun kinderen gevonden hadden en breeduit stonden te lachen, waren daarvan het levende bewijs.

'Lian, Mama is híer!' hoorde ze. Wat had ze die stem lang gemist! Ze stoof erop af.

Moeder stond midden op een bruine wagen die ooit helderblauw geweest moest zijn, zoals bleek uit een vierkante plek op de zijkant van de auto, waar een muurkrantje vastgeplakt had gezeten. In een mum van tijd was Moeder op Lian toegesneld, een volwassen vrouw die kraaide als een baby. Ze ging op haar hurken zitten en omhelsde Lian innig.

Zo van dichtbij kon Lian Moeder beter bekijken. Door het stof heen zag ze dat Moeders gezicht vreselijk vermagerd was; de jukbeenderen staken als twee spitse bergtoppen uit haar wangen en haar eens zo gladde voorhoofd was getekend door rimpels.

'Kom, mijn kind, kom, we gaan naar huis!' zei ze enthousiast en pakte Lians handen vast. Boeddha! Moeders handpalmen voelden aan als schuurpapier!

Omdat ze in zo'n opgetogen stemming was, probeerde Moeder rechtop te lopen, maar haar stroeve bewegingen verrieden dat haar benen en rug overbelast waren geweest. Lians verrukking over het weerzien werd overschaduwd door vragen. Was Moeder in het kamp soms mishandeld? Of was de dwangarbeid voor haar te zwaar geweest? Het was natuurlijk onzin deze vragen hardop te stellen. Haar moeder zou haar de waarheid toch niet vertellen.

Ze openden de deur en de vertrouwde geur van hun huis heette hen welkom, zoet als hyacinten. Moeder ging meteen de keuken in om het avondmaal klaar te maken. Groente en vlees hadden ze niet, dus Moeder verzon maar wat. Het geklater van potten en pannen en het sissen van de waterketel rakelden herinneringen op aan Lians vroegere gelukkige leventje. Ze keek nostalgisch naar de gordijnen met oranje en groene strepen, die nu dichtgetrokken waren, en dacht aan de avonden die zij samen met Vader en Moeder had doorgebracht, lezend, kletsend en theedrinkend.

Een half uur later zette Moeder een schaal op tafel. Bamisoep! Samen met de damp steeg de verrukkelijke geur van de delicatesse op. *Een handige huisvrouw kan uit niets een heerlijke maaltijd toveren...* Met wat tarwemeel, gepekelde koolraap, zoute ketjap en een druppeltje sesamolie had Moeder inderdaad een vorstelijke maaltijd te voorschijn getoverd.

Nu speelde zich het bekende tafereel weer af: Moeder nam de opscheplepel en verdeelde de mie in ongelijke parten. Lian kreeg twee derde en zelf nam zij wat overbleef. Lian vocht om de inhoud van haar kom in die van Moeder over te hevelen, maar die bedekte haar eetgerei met beide handen: 'Kind, je hebt meer voedsel nodig. Jij moet nog groeien.' En dan luidde het antwoord: 'Hoe kan ik het aanzien dat u met een halflege maag naar uw werk sjokt?' Deze strijd was zo ingebakken dat het een waar ritueel geworden was.

Na het eten merkte Lian dat haar al weken aanhoudende misselijkheid was weggebleven. Ze betastte haar hoofd: ook haar zenuwen deden geen pijn meer. Ze nestelde zich in Moeders armen en liet zich bedwelmen door haar warme moedergeur. Moeder wilde veel te snel weer opstaan om de tafel af te ruimen.

'Ach nee, Mama, toe, laten we alstublieft hier blijven zitten.'

'Dommerdje, Mama gaat niet weg. Ze blijft twee lange nachten en een hele dag bij je. Ben je nu gerust? Dan ga ik de kommen onder water zetten.'

Lians volwassen gedrag tijdens Moeders afwezigheid leek door de wind te zijn verdreven. Vanaf het moment dat Moeder tegen haar had gezegd: 'Kom, we gaan naar huis', was Lian teruggetoverd in haar kindergedaante. Ze rekte ieder woord oneindig lang en stelde zich belachelijk aan: 'Néé, Má-má, u gáát níet naar de kéu-ken!'

Tegen half tien wilde Moeder haar naar bed brengen, maar ze jengelde: 'Mag ik bij u in bed slapen?'

Moeder stond op het punt nee te zeggen, maar toen ze Lians smekende gezicht zag, griezelig vermagerd en bleek, zei ze: 'Nou, vooruit dan. Maar ik moet nog een paar regels aan Papa schrijven. Dan kan de brief morgenochtend met de post mee.'

❧

Na het ontbijt waste Moeder Lians kleren, maakte het vuur aan in het speciale kolenfornuis dat het badwater opwarmde en poetste het huis grondig. Hierna moest Lian in bad. Terwijl ze Lians rug inzeepte vertelde ze wat ze Vader geschreven had.

Het was de eerste keer in de afgelopen dertig dagen dat Lian zich zo had kunnen wassen. In het opvangcentrum ontbrak daartoe elke mogelijkheid. Geïnspireerd door een fragment uit het Rode Boekje – *Liever een vuil lijf en een schone proletarische geest dan een flink geboend lichaam en een vieze bourgeois geest* – hadden de *Zaofanpai* begin 1967 bijna alle openbare badhuizen vernield.

Tijdens het baden spraken Moeder en Lian over van alles en nog wat. Hoofdthema was natuurlijk Vader. Moeder en dochter wedijverden over wie de meeste van zijn brieven uit het hoofd kende. Ze discussieerden over elke zin die hij schreef, over wat die betekende en impliceerde.

Na het bad liet Lian haar studieresultaten zien, maar ze repte met geen woord over haar kortstondige vriendschap met de jongens, het verdriet dat ze elkaar hadden aangedaan en over de alles behalve aardige leidsters van het centrum. Desondanks voelde Lian zich kiplekker en dolgelukkig. Ze volgde Moeder overal en giechelde aan een stuk door. De ziekten die haar gisterochtend nog bijna aan het bed hadden gekluisterd, waren vervluchtigd alsof ze nooit hadden bestaan.

Wat wenste Lian vurig dat deze dag eeuwig zou blijven duren!

De zandauto's die Moeder en haar lotgenoten terug naar het kamp moesten transporteren, zouden pas om tien uur vertrekken. Moeder wilde niet dat Lian haar uitzwaaide, want dan zou ze drie lessen moeten missen. Lian kleefde echter aan Moeder vast en was met geen stok de deur uit te krijgen.

'Nou goed dan,' gaf Moeder zich eindelijk gewonnen, 'ik breng je naar school. Maar dan moet je echt op tijd naar binnen gaan, beloofd?'

Ze namen lijn 23 en stapten uit bij halte *Bloementuin.* Lian leidde Moeder over een weggetje dat de afstand halveerde. Ze moest dan wel door een gat in het prikkeldraad kruipen dat de school omringde. Omdat de opening net groot genoeg was voor kinderen onder de dertien, bleef Moeder aan de buitenkant van de versperring staan. Zodra ze zag dat Lian veilig en wel door het gat gekropen was, maakte ze een handgebaar dat zeggen wilde: kindlief, ga maar naar de les, anders kom je te laat... Lian keek naar het broodmagere, gerimpelde gezicht dat er een maand geleden nog zo jong en fris had uitgezien, naar haar gebogen rug, die vier weken geleden nog sierlijk recht was, en naar haar geforceerde lach. Ze wierp zich tegen het prikkeldraad en smeekte: 'Mama, ik wil met u naar huis!'

Moeder draaide zich om en liep snel weg, haar handen voor haar gezicht.

Lian stak haar handen door de mazen van het prikkeldraad en deed een laatste poging om naar Moeder te graaien. *Tjie!* Ze scheurde haar mouwen aan de ijzeren doornen. Toen zag ze een schaduw over haar voeten vallen.

Ze keek om: meneer Du was achter haar komen staan. Hij riep: 'Mevrouw lector Yang, het is goed dat u gaat. Lian wordt alleen maar onhandelbaarder als ze u nog langer ziet...' Zijn stem klonk bedroefd.

Du legde zijn hand op Lians schouder; Moeder was intussen uit het gezichtsveld verdwenen. Meer dan tien minuten waren verstreken sinds de schoolbel geluid had. Du had al lang met de les moeten beginnen, maar hij wachtte geduldig op Lian. Onderweg naar het leslokaal zei hij: 'Lian, je bent al twaalf... Huil nooit meer als je je Moeder uitzwaait.'

Ze keek op naar zijn gezicht. Ze was hem dankbaar voor zijn

mededogen maar vroeg zich tegelijkertijd af hoe hij zo kalm kon zijn.

Een leugentje

Moeder was nauwelijks een dag weg of Lians zenuwpijn vierde weer hoogtij. De onvoorstelbare steekaanvallen dreven haar tot de rand van de waanzin. Het lukte haar nog net de lessen te volgen en haar huiswerk op tijd af te krijgen, maar voor de rest was ze niets meer waard. Ze was bijzonder prikkelbaar; de geringste stimulus in haar omgeving was voldoende om haar in een ontstemde tijgerin te veranderen.

Slapen was er niet meer bij – ze lag als een gespannen spierbal naar het plafond te staren. Ze stond voor dag en dauw op en tolde de hele dag rond, opgejaagd en doodmoe tegelijk.

Toen Lian de derde dag na Moeders vertrek 's ochtends haar pyjama uitdeed, ontdekte ze blauwe plekken op haar schenen. Ze dacht en dacht, maar kon zich niet herinneren zich onlangs ergens aan gestoten te hebben. Ach, het zal wel aan mijn geheugen liggen, zei ze tegen zichzelf, de zenuwpijn heeft me zeker van m'n verstand beroofd.

Ze was het al bijna weer vergeten, toen ze twee dagen later tot een beangstigende ontdekking kwam. De blauwe plekken waren niet weggetrokken; het waren er alleen maar meer geworden. Ze had vannacht beter geslapen en kon weer helder denken – ze wist honderd procent zeker dat ze haar schenen de afgelopen dagen niet bezeerd had. Wat was er aan de hand?

Ongemerkt was het jaar 1972 binnengeslopen. Inmiddels was het een obsessie voor Lian geworden om elke ochtend te controleren of er blauwe plekken bijgekomen waren. Op een dag werd haar angst bewaarheid: de vlekken hadden zich over haar dijen en heupen verspreid. Zou ze toch maar aan een van de leidsters vragen om haar naar de dokter te brengen? Deze gedachte, die ze aanvankelijk in de kiem gesmoord had, kon ze nu niet langer bedwingen. Toen ze de zenuwpijn kreeg, had ze nog wel in haar eentje naar het ziekenhuis gedurfd. Maar toen had ze ook nog geen last van hypochondrische voorstellingen. Nu liep ze al een paar dagen met het idee rond dat ze aan een vreselijke ziekte leed. Ze durfde niet meer alleen naar de dokter.

Dezelfde dag nog toog ze met mevrouw Liu naar het ziekenhuis om een bloedtest te doen.

Twee dagen later kwam de uitslag. Gelukkig was het niets ernstigs. De arts zei dat het alleen maar onderhuidse bloeduitstortingen waren. De oorzaak? 'Tja,' hij haalde zijn schouders op, 'het kan van alles zijn. Een eenzijdig eetpatroon, met als gevolg dat de cellulaire wanden dunner worden en de haarvaatjes stuk gaan. Of stress, waardoor het interne milieu ontregeld wordt. Maar dat is een beetje vergezocht,' wees hij zijn eigen idee van de hand, 'Hoe kan zo'n klein meisje overspannen raken?' Hij gaf Lian een zakje multivitaminen- en mineralencomplex en stelde haar gerust: 'De blauwe plekken verdwijnen wel als je lichaam weer genoeg voedingsstoffen tot zich neemt.'

Tijdens het zondagse verlof kreeg Moeder de koude koorts op het lijf toen ze Lians rug inzeepte en haar dijen vol blauwe plekken zag. Lian zei dat ze van de heuvel achter het opvangcentrum naar beneden was gerold en zich lelijk had bezeerd.

Pats! Mama smeet de spons in de kuip en brulde: 'Kun je voortaan niet wat voorzichtiger zijn?!'

Wat was Lian blij dat ze gejokt had! Als Moeder zou weten dat dit geen gevolg van een ongeluk, maar een aandoening was, zou ze nog veel ongeruster zijn.

Het Nationaal Kinderziekenhuis

Zo zoetjesaan had Lian zich met de blauwe plekken verzoend. Je ging er tenslotte niet dood aan.

Maar op een ochtend was er weer iets nieuws. *Auwa!* Toen ze uit bed sprong had ze pijn in haar borst. Ze ging met haar handen naar de pijnlijke plek... Ze verstijfde. Nu was het zover: ze had kanker! Er zat een gezwel aan iedere kant van haar borst. Als ze ertegen drukte, deed het priemend pijn. Ga ik nu dood? vroeg ze zich vol angst af. Deze keer aarzelde ze geen minuut; ze zocht meteen een van de leidsters op.

Mevrouw Liu keek Lian raar aan toen ze haar klachten beschreef. 'Wacht maar een tijdje af. Dan zullen we wel zien of het nodig is om je te laten onderzoeken.'

Lian werd hysterisch: 'Moet ik soms wachten tot de gezwellen te groot zijn om weggehaald te worden?' Ze zakte op haar knieën en huilde: 'Mevrouw, help me!'

Liu schudde Lians handen van haar broekspijpen: 'Vooruit dan maar. Ik heb nog nooit zo'n lastige teef gezien als jij.'

's Avonds kwam mevrouw Liu speciaal naar Lians kamer om haar gezwellen te bekijken. Ze nam er alle tijd voor. Ze was zelf blijkbaar ook ongerust geworden, want ze beloofde met haar naar het ziekenhuis te gaan.

De volgende ochtend trok Liu het dekbed van Lians lijf en beval haar haar mooiste kleren aan te doen. 'Snel! Anders zijn de nummers voor de patiëntenregistratie van vandaag uitverkocht.'

Lians hart sprong op: nu gaan we naar een echt ziekenhuis, niet naar het kliniekje van de universiteit!

Na anderhalf uur in de hobbelende bus te hebben gezeten, arriveerden ze bij een gebouwencomplex. Boven het portaal hing een imponerend bord: NATIONAAL KINDERZIEKENHUIS. Lian keek Liu dankbaar aan – het was ontzettend lief van mevrouw Liu om haar naar zo'n professionele instelling te brengen.

In de gang zaten, hurkten of stonden patiënten die hun beurt afwachtten. Dokters en verplegers liepen met een stalen gezicht voorbij. Het stonk er naar spiritus of zoiets. Mij niet gezien, zei Lian tegen zichzelf, als ik werkelijk het ziekbed in moet, blijf ik liever thuis, want deze plaats is verschrikkelijk deprimerend…

'Juffrouw Lian Shui.' Tegen vier uur 's middags werd eindelijk haar naam afgeroepen. Ze volgde een verpleegster naar een steriel ruikende kamer van de Afdeling Interne Geneeskunde.

Zodra Lian de arts zag, klaterde ze als een waterval over haar gezwellen en de ondraaglijke pijn die ze haar bezorgden. Hij luisterde met een half oor, stelde drie naar Lians oordeel irrelevante vragen en zei: 'Zo, meisje, laat mij die gezwellen van je eens zien.'

Ze deed haar bovenkleren uit en hij wreef met zijn handpalmen over haar borst. Tot Lians verbazing maakte de ernst op zijn gezicht plaats voor geamuseerdheid. Hij grijnsde naar mevrouw Liu, die naast Lian zat. Liu reageerde met een serie giftige giechels.

Nooit zou Lian die lach vergeten, want hij getuigde volgens haar niet bepaald van edele gedachten. Met haar ontblote bovenlijf, tussen twee ginnegappende volwassenen, voelde Lian zich voor de gek gehouden en diep vernederd.

'Jongedame,' de dokter deed niet eens de moeite om zijn lach in te houden, 'dat zijn geen tumoren. Je krijgt borstjes.'

Lian zou zich het liefst uit het raam geworpen hebben. Ze zaten vier hoog en haar succes om op de grond uiteen te spatten, zou zo goed als verzekerd zijn. Zo snel als ze kon deed ze haar bovenkleren weer aan en bedekte haar gezicht met beide handen. Ze schaamde zich zoals ze zich nog nooit geschaamd had, en onderwijl werd ze domweg uitgelachen.

Sinds die dag liep Lian met gebogen rug naar school, in de hoop op die manier de schandelijk oprijzende hompen vlees te verbergen. Als iemand bij haar in de buurt kwam, kromp ze ineen, uit vrees dat ze als slet ontmaskerd zou worden. In de klas was ze pure springstof. Telkens wanneer een jongen haar van opzij zag, verwachtte ze dat hij haar zou uitlachen omdat ze een krolse kat was. Ze kneep haar oogleden samen en als hij het waagde haar te groeten, explodeerde ze bijna: 'Nog één zo'n opmerking en ik geef je aan bij het hoofd van het partijcomité!' Wanneer een meisje haar ogen ook maar een seconde over Lians bovenlijf liet dwalen, gierden de zenuwen door haar lijf. Zo'n meisje hoefde maar één keer door het verkeerde neusgat te ademen of Lian vloog haar naar de keel.

Rui, Ming, Jie en haar andere ex-maatjes keken verschrikt naar deze Lian die ze maar nauwelijks herkenden en liepen met een grote boog om haar heen, bang haar op de een of andere onvoorziene wijze tot ontploffing te brengen. Het was duidelijk dat ze haar minachtten – zij, het vroegrijpe, ordinaire vrouwtje...

In de kantine kwam Lian een oude vriendin van Moeder tegen, mevrouw professor Teng. Mevrouw Teng aaide haar over de bol en zei: 'Kind, wat ben je groot geworden!' Lian maakte zich zo snel mogelijk uit de voeten, want ze wíst dat Teng doelde op de omvang van haar borsten.

Dezelfde avond haalde ze al haar mooie kleren uit de kast te voorschijn. Als ze die zou dragen en per ongeluk zou glimlachen, zou ze eruitzien als een vos die de jongens uit hun tent lokt om hen te verslinden. Zulke dingen zeiden de meisjes in de klas, tenminste, dat had ze via Xiangyin gehoord. Ook al haatte ze dit soort geroddel, ze gaf ze toch zo langzamerhand gelijk. Lian moest telkens weer denken aan de verwijtende blik die de meisjes op haar geworpen hadden toen de jongens op haar eerste dag zo'n kabaal gemaakt hadden. Misschien hadden de meisjes haar wel terecht beschuldigd en had ze die scènes veroorzaakt omdat ze toen al haar duivelse vrouwelijkheid begon te vertonen. Ze maakte een prop van haar kleren en smeet ze onder het bed.

Wat moest ze doen als er iets zo fundamenteel fout was aan haar lijf en haar wezen? Zichzelf verbergen? Dat deed ze al, door zo krom te lopen. Zichzelf verafschuwen? Daar was ze ook al volop mee bezig. Desondanks vond Lian dat ze nog lang niet genoeg boette voor haar vrouw-zijn.

Een onwelkome heks

Tien dagen nadat Moeder voor de tweede keer naar het kamp gevoerd was, ontdekte Lian dat de blauwe plekken geheel verdwenen waren. Maar niet te vroeg gejuicht. Midden op haar schenen stonden nu twee wítte vlekken. Ze jeukten niet en deden ook geen pijn. Het enige was, dat ze afgrijselijk afstaken tegen haar gezonde lichtgele huid.

Na school ging Lian naar de kliniek, in haar eentje. Na al die verschillende kwaaltjes kon niets haar nog van haar stuk brengen, dacht ze. Maar daar vergiste ze zich lelijk in. Toen de dermatoloog een ernstig gezicht trok, haar vol medelijden aankeek en zijn hoofd schudde, zakte de moed haar in de schoenen.

De volgende dag, tijdens de ochtendpauze, vroeg Lian meneer Du of ze nú naar de kliniek mocht.

'Waarom kun je niet na schooltijd?' Hij twijfelde niet aan de noodzaak van Lians verzuim, maar hij wilde blijkbaar zijn bezorgdheid uiten.

'De dokter heeft mij uitdrukkelijk verzocht stipt om half elf aanwezig te zijn.'

In het ziekenhuis werd ze naar een zaaltje gebracht. Lieve Boeddha, het zat er stampvol mannen in witte jassen! Lian werd verzocht om in het midden te gaan staan en haar broekspijpen op te rollen. Een paar dokters drukten een stuk paars glas op haar witte vlekken, dat door anderen met een ultraviolet lampje werd belicht. Daarna werd ze het vertrek uitgestuurd.

Tien minuten later werd ze weer binnengeroepen.

Een statig uitziende grijsaard zei met sombere basstem: 'Juffrouw Lian Shui, we hebben een vervelende mededeling voor u: u heeft vitiligo.'

Ze staarde naar haar ontblote benen.

Vitiligo. Deze huidziekte kende slechts eenrichtingsverkeer – ze verspreidde zich over het getroffen lichaam, maar trok zich nooit terug. Vitiligo was ongeneeslijk. Lian wist dit, omdat op haar vorige school een meisje in het derde jaar eraan leed. Ze heette Jiangying, maar iedereen noemde haar Het Witte Spook. Haar handen en gezicht zaten onder de vlekken, die 's zomers zo'n sterk contrast met haar gezonde huid vormden, dat haar bijnaam in de warme maanden veranderde in Zwartbonte Koe. Ze liep immers als een koe met gebogen hoofd, om te vermijden dat ze door voorbijgangers werd uitgescholden. Jong en oud spuugde op haar als ze per vergissing in hun buurt kwam. Er waren er ook die haar niet openlijk beledigden, maar er desondanks voor zorgden dat ze zich als een gewetensvolle leprapatiënte gedroeg en zich op een veilige afstand van hen hield. Op school zat ze moederziel alleen achteraan in het leslokaal en in de bus mocht ze zich niet eens aan de metalen stang vasthouden. Dat de aandoening niet besmettelijk was, wilde niemand geloven. De meesten hadden weinig tot helemaal geen medische kennis en koesterden een hardnekkige angst voor en een hartgrondige haat jegens alle zieken, verminkten en gehandicapten... Behoorde Lian nu ook tot deze door het lot vervloekten? Ze was te bang om angst te voelen.

Toen Lian negen was, kwam de nicht van haar bovenbuurman bij hem logeren. Ze heette Lie en was achttien. Ze was een toonbeeld van schoonheid – ze had lang, golvend gitzwart haar, een zijdeachtige blanke huid en de ogen van een aanminnige poes. Ze was doofstom.

Als het mooi weer was, nam Lie een krukje en ging in het plantsoen voor het flatgebouw zitten zonnen. Jongemannen uit de buurt kwamen op haar af en maakten haar met omstandige gebaren duidelijk dat ze haar broek moest uitdoen. Ze negeerde hen.

Na een aantal vruchteloze versierpogingen werden de jongemannen pisnijdig. Wie dacht ze wel dat ze was? Ze moest zich gevleid voelen dat zij zich wensten te verlagen door haar te willen naaien, een stuk afval van de mensheid dat bij haar geboorte in een volle nachtpot verstikt had moeten worden! Ze lieten het de hele buurt luidkeels weten.

Ze begonnen Lie van achteren met naalden te prikken wanneer ze nietsvermoedend op haar kruk zat en bestookten haar openlijk met keien. Dan stond ze woedend op en rende hysterisch achter hen aan. 'Tjíééééé!' Ze stootte gekwetste kreten uit en liet haar tranen de vrije loop.

Haar oom raadde haar aan om niet meer naar buiten te gaan, want hij had geen tijd om haar voortdurend te verdedigen tegen de treiterende mannen en pestende kinderen. Maar Lie hunkerde naar gezelschap en geloofde stijfkoppig dat er mensen bestonden die haar accepteerden zoals ze was.

Elke zonnige middag zag Lian vanuit haar raam hoe schoffies aan Lie's vlechten trokken, hoe mannen haar in de rug trapten en meisjes haar hart vertrapten door pal voor haar neus blijk te geven van hun minachting.

In de herfst kwam Lie's moeder, de oudere zus van Lians buurman, haar ophalen. Lie was inmiddels een half hoofd groter geworden. Haar figuur was net een wilgentakje, trillend in de lentebries – zo elegant en begeerlijk was ze. Zelfs haar meest meedogenloze treiteraars gaven toe dat ze alleen maar mooier werd. Maar die ogen... Lie's oogopslag was niet langer die van een lieve poes maar die van een sluipmoordenaar.

～

De leidsters waren in alle staten: zij moesten nu wel toegeven dat Lians kwaal geen aanstellerij was. Xu en Liu kregen laaiende ruzie. Moesten ze Lians moeder nu wel of niet van haar ziekte op de hoogte stellen?

Xu was er tegen. Ze zei: 'Kameraad Yang ondergaat op dit moment een zielsverschoning en mag niet afgeleid worden door zoiets aards en bourgeois als de gezondheid van haar kind.'

Liu krijste als een kraai wier kroost door een arend was weggepikt: 'Jij, revolutionaire hypocriet! Poep eens hier op de vloer, dan zullen we wel eens zien of je stront ook zo'n radicale roodpaarse kleur heeft! Wees nou eerlijk. Stel je eens voor hoe jóuw hart zou bloeden als je eigen dochter gestraft werd met een ziekte als vitiligo...'

Dezelfde avond nog werd er een brief aan Lians moeder verzonden. Zowel de leidsters als Lian keken reikhalzend uit naar een bericht van haar moeder, maar het antwoord liet op zich wachten.

Dertig dagen waren verstreken sinds het vertrek van de zandauto's met gedetineerden. Tientallen kinderen stonden weer bij de ingang van de Universiteit voor Docenten te wachten op hun ouders.

De wagens waren nog maar nauwelijks tot stilstand gekomen of een ex-collega van Lians moeder sprong eruit en sleurde Lian een eindje met zich mee: 'Kind, wat is er? Heb je echt... vitiligo? Mijn hemel...! Wees lief voor je moeder en pas op dat ze zich niet te veel zorgen maakt. Ze is al twee keer flauwgevallen in het aardappelveld... Weet je, de afgelopen twee weken heeft ze meer dan tien keer de directeur gesmeekt om een halve dag extra verlof, om met haar eigen ogen te kunnen zien hoe ernstig je ziekte is. Maar het mocht niet... Begrijp je het, meisje? Wij politieke criminelen... Pas op, daar komt je moeder! Zeg haar niet wat ik je verteld heb. Beloof je me dat je lief zult zijn voor haar?' Ze keerde zich om naar Lians Moeder, lachte en schakelde over op een vrolijker toon: 'Kijk, hier is je nog immer beeldschone dochter!' Maar ze zag Moeders neusvleugels samentrekken en besefte dat haar poging haar te troosten averechts had gewerkt. Ze zwaaide met haar handen als een klunzige leerjongen en stuntelde achteruit – zogenaamd om haar bagage uit de vrachtwagen te halen.

Moeder gooide haar plunjezakken op de grond en vloog Lian om de hals. Lian voelde bezwete en trillende handen om haar schouders en wist dat haar misère nu compleet was. Ze had gehoopt dat Moeder haar ziekte dapper zou aanvaarden en er kalm en wijs tegenover zou staan. Nu ze zag dat Moeder nog meer verslagen was dan zijzelf, stortte haar wereld in.

Thuisgekomen stalde Moeder de inhoud van haar zakken op de eettafel uit. Wat een verwennerij! Gepekelde eieren, pruimenjam, appels, peren en als klap op de vuurpijl: gepofte tamme kastanjes! Het waren landbouwproducten van het berggebied waar Moeders kamp zich bevond. De boeren konden de waar niet kwijt aan de enige wettige afnemer – de Volkscommune.

Verrukt door de aanblik van het zeldzame snoepgoed, vergat Lian binnen een oogwenk haar verdriet, danste in het rond en zong het kleuterliedje:

> *Roerganger Mao is de zon*
> *Zonder hem verleppen de bloemen*
> *De Wijste Leider van het Heelal!*
> *Mao is het water*
> *Zonder hem sterven de vissen*
> *Lalalalalala*

Na het avondmaal vroeg Moeder: 'Lian, ik heb er lang over nagedacht, maar ik kom er niet uit. Zullen we Papa wel of niet vertellen van je vitiligo?'

Dat was waar ook! Door alle zorgen en verwarring was Lian glad vergeten dat ze ook nog een vader had... Vader was cardioloog en wist misschien wel een middeltje tegen de vlekken. Hoewel... dat leek haar sterk. En bovendien zou hij zich vreselijk zorgen maken als hij het nieuws te horen zou krijgen. Ze liet haar hoofd op Moeders schouder rusten en wist niet wat ze moest zeggen.

Moeder zuchtte alleen maar en bracht Lian naar bed.

Zoals gewoonlijk bracht Moeder Lian 's maandagsmorgens naar school. Tijdens de busreis moest Lian wel vijf keer beloven dat ze haar elke week over de ontwikkeling van haar vlekken zou schrijven.

Toen ze door het gat in het prikkeldraad gekropen was en braaf naar het lesgebouw liep, hoorde ze Moeder haar naroepen: 'Haat je mij, Lian?'

Ze stond stil. Achter het prikkeldraad zag ze Moeders verdrietige gezicht en vroeg verbaasd: 'Hoezo?'

'Omdat ik niet voor je kan zorgen nu je deze afschuwelijke ziekte hebt.'

Lian wierp zich tegen het prikkeldraad: 'Daar kunt u toch niets aan doen!'

'Het enige wat ik kan doen is elke dag schrijven om je moed in te spreken. Let goed op jezelf. Doe alsof jouw ogen de mijne zijn!'

Moeder was nog maar nauwelijks uit het gezichtsveld verdwenen of de zenuwpijnen staken de kop weer op. Lian had zo goed als geen eetlust meer; futloos sleepte ze zich van het leslokaal naar bed en terug.

∿

Lian schreef Moeder dat de vlekken nu ook op haar voeten zaten. Drie dagen later ontving Lian een brief die wel een stuk wc-papier leek – Moeders tranen hadden het papier verkreukeld en de karakters vervaagd.

Witte puntjes begonnen Lians dijen te ontsieren. Moeder had haar ondertussen een dikke stapel brieven geschreven, waarin ze dochterlief herhaaldelijk verzocht om minstens een keer per week naar de dermatoloog te gaan.

De dermatoloog stuurde Lian naar al zijn collega's in de grotere ziekenhuizen, die zich verbaasden over het abnormaal hoge tempo waarin de vitiligo zich verspreidde.

Nu zocht Lian niet langer troost in de herinneringen aan het zoete verleden. Nee, ze ontkende zelfs dat ze in het heden leefde. Ze weigerde te geloven dat ze een lichaam had. Sinds een week was ze opgehouden met in de spiegel kijken en als ze het door een of andere vervloekte noodzaak wel moest doen, spuwde ze naar haar spiegelbeeld en riep: 'Heks, donder op!'

Deel III

1973

Als ze zich omdraait en glimlacht
springen de dahlia's uit hun knop
Waar ze ruisend voorbijgaat,
schieten de leliën hoog op

Du Mu, negende eeuw

In de tempel is het donker

Om half vier 's middags kwamen Moeder en Lian thuis. Hun reis had – afgezien van de pauzes onderweg – ruim zes uur geduurd. De chauffeur had hen van tevoren al gewaarschuwd dat dit soort tractor niet sneller dan dertig kilometer per uur reed.

's Avonds, eindelijk weer in haar eigen bed, waande Lian zich nog steeds op Tiangui's voertuig. Haar slaapkamer hobbelde en haar lichaam hobbelde in hetzelfde ritme mee. Het gebrom van de tractor dreunde in haar oren na en ze moest zich stevig vasthouden aan de rand van het ledikant, anders werd ze eruit geschud. Volkomen uitgeput en in de war viel ze ten slotte in slaap.

De volgende morgen hielden Lian en Moeder grote schoonmaak in de flat. Toen alles weer piekfijn in orde was, waren ze zelf aan de beurt en dompelden zich in heet zeepwater. Met haar badjas nog aan begon Moeder de hangkast uit te kammen, op zoek naar 'normale kleren' voor Lian. Ze moest zich weer kleden als de dochter van 'schone' ouders. Dit soort kleren was in het algemeen modieus, kleurrijk en uit synthetische stoffen gemaakt; op de ellebogen, schouders en het achterwerk hoorden geen lappen stof genaaid te zijn. Maar Lian had geen kleren meer die haar pasten – ze was de afgelopen anderhalf jaar enorm gegroeid.

'Hier heb je een oud jasje van mij,' zei Moeder, 'doe dat vandaag maar aan. Morgen gaan we naar *Winkelcentrum Mao is het Kompas van ons Leven*. Daar zullen we wel nieuwe kleren voor je kopen.'

Lian ging voor de spiegel staan en zag haar flink geboende en van geluk stralende gezicht. Er stonden blosjes op haar wangen en haar ogen fonkelden als dauwdruppels in de ochtendgloed. Haar volle lippen leken wel aangezet met wijnrode lippenstift. Was zíj dat meisje daar?

Direct nadat ze de volgende dag van het winkelen thuiskwamen, trok Lian haar nieuwe jas en broek aan. Moeder stond haar misprijzend aan te kijken: '*Jouw buik kan een windje zelfs niet voor een nacht bewaren*. Kun je niet tot morgen wachten, wanneer je je nieuwe kleren naar school aankan?'

Lian hoorde haar niet eens. Ze bleef zichzelf maar bewonderen en neuriede ondertussen een lied dat *van haar oren een tochtige gang maakte*:

> *De proletarische oostenwind*
> *onderdrukt de kapitalistische westenwind*
> *Wie is er nu bang van wie?*

Ongeduldig en opgewonden stapte Lian de deur uit – ze had het gevoel dat ze een sprookjesland binnenging. De lente hing in de lucht; een roze zee van bloeiende Japanse kers doemde voor haar ogen op; tere, doorschijnend blozende bloemblaadjes schonken zich aan de vingers van de wind en maakten hem het hof. Lian wentelde zich rond en rond, liet zich met het goud van de zon overgieten en haalde adem alsof ze het voor het eerst deed. Een cocktail van bloemengeuren plensde over haar heen; haar hart maakte een koprol in haar borst. Ze beschermde haar bovenlichaam, bang anders als een snufje pollen het hemelgewelf in geblazen te worden, terwijl de aarde haar nog zo veel zinnelijke geneugten in het vooruitzicht stelde...

Gebouw 24, souffleerde haar verstand. O ja, ze was eigenlijk op weg naar Kannibaal. Er voer een huivering door haar heen toen ze onwillekeurig aan de stoffige landweg dacht waarop Kannibaal achter de tractor aan holde. In plaats van vertederd te zijn door de herinnering, ervoer ze juist een afkeer van... ze wist bij Boeddha niet waarvan. Ze schudde haar hoofd en probeerde zich te concentreren op het gevoel van verbondenheid dat ze met deze lieve man had, maar vanuit haar ooghoeken nam de verlokkelijke kleurenpracht en verstrooiende geur van het pubermeisje dat Lente heette haar in beslag. Geschiedenis, filosofie, wijsheid... Waar diende dat allemaal voor? Was het niet voldoende om eenvoudigweg het leven te omhelzen zoals het was en te smelten in de warmte die het bood? Waarom moest ze zonodig naar Kannibaal? Om te leren hoe je alles onder een microscoop kon leggen en een rapport kon schrijven over de segmenten waaruit alles bestond? Ze zag een stapel bakstenen en schopte die opzettelijk omver.

Nadat ze de trappen van Gebouw 24 beklommen had en Kannibaal haar had opengedaan, stelde een enorme knoflookwalm Lians reukorgaan tijdelijk buiten werking. Dwars door Kannibaals dunne witte pluishaartjes zag ze het zonlicht, dat vastberaden door de ramen naar binnen stroomde. Ze moest denken aan het uitgedroogde riet bij het lelietheater; ja, daar lijkt zijn haar op, zei ze tegen zichzelf en ze tuimelde meteen in de kuil van schuldgevoel die haar telkens opnieuw naar zich toe lokte: hoe kon ze zo met Kannibaals hoge leeftijd spotten?

Zonder haar te groeten draaide Kannibaal zich om en riep: 'Xiulan, kom eens hier! Je mag drie keer raden: wie is dit jongedametje?'

Met de knoflookgeur naderde ook tante Xiulan Ge. Lian deinsde achteruit toen zij op haar toesnelde. Het deeg plakte tantes vingers aan elkaar – net de zwemvliezen van een eend.

Tante Xiulan schudde haar hoofd: 'Changshan! Het is echt waar: *kleren maken de man, maar het zadel maakt het paard*. Kijk nou toch eens hoe anders onze kleine Lian eruitziet nu ze de vodden van het kamp niet meer draagt!'

Aha. Dus dat was Kannibaals ware naam. Changshan – *Eeuwige Goedheid*.

Xiulan had vóór de Culturele Revolutie klassieke Griekse filosofie gedoceerd en zat nu al twee jaar in het kamp. In de kamptijd had Lian haar maar een enkele keer ontmoet. 'Lian, ga maar naar de grootste kamer en vertel oom Changshan je geschiedenisverhalen. Ja, ja, ik weet alles van je vertelkunst. Ik ben mie met huangjiangsaus aan het maken. Je eet straks met ons mee, goed?'

Lian moest blozen. Kannibaal had hun geheim verklapt. Maar tegelijkertijd was ze erg blij dat hij haar zo serieus nam.

Ze waadde door een verzameling lukraak uitgeschopte schoenen, kriskras liggende worteltjes, op de kop staande bezems en wokken die overal door de gang slingerden, in de richting van 'de grootste kamer'. Anders dan bij haar thuis, waar ze gewend was aan een keurig ingerichte zitkamer, werd deze ruimte als slaap- én woonkamer gebruikt. Er was bank noch fauteuil te bekennen – alleen een paar houten krukken. Kannibaal wees haar een tweepersoonsbed, waar hij ogenblikkelijk ook zelf op klauterde. Onwennig ging ze naast hem zitten en – oeps! – iets puntigs beet haar in de billen. Ze sprong op en zag een grote bamboe ruggenkrabber. Kannibaal verontschuldigde zich en verstopte het handige ding onder een van de hoofdkussens. Hij nam de lotushouding aan en sloot zijn ogen – een teken dat hij klaar was om naar haar lezing te luisteren.

Maar Lian was allerminst in de stemming om te gaan vertellen. Met gefronste wenkbrauwen bekeek ze de ruimte waarin ze zich bevond. Over een van de krukken hing de vieze, versleten jas van Kannibaal. Ze betrapte zich erop hoe afkerig ze was van de uitrusting waar zij en haar moeder zelf ook bijna twee jaar in rondgesloft hadden. Op een vreemde manier voelde ze zich desondanks in deze rommelige behuizing meer thuis dan in de schoongeboende living in haar eigen flat.

Kannibaal vroeg zich blijkbaar af waarom Lian nog niet begonnen was, want hij opende zijn ogen. Toen hij haar aankeek, ontweek ze zijn blik.

Het bleef stil. Lians lezing wilde maar niet beginnen.

Na een tijdje zei Kannibaal: 'Boeddha heeft heldere ogen, mijn kind.'

'Hoe bedoelt u?'

'Hij heeft tijdig ingezien dat je een echte puber aan het worden bent en dat je teruggeplaatst moest worden in het normale leven, tussen je leeftijdgenoten. Je weet niet half hoe de wereld zich voor je zal ontvouwen… als de waaier van een pauw. Geniet er maar van, met volle teugen. Kom, raak maar gauw je geschiedenisverhalen aan je oom kwijt, dan kun je in je geest plaatsmaken voor al het nieuwe en mooie dat je op je levenspad zult vinden.'

Lian knipperde met haar ogen. Waar haalde hij al die lyriek ineens vandaan? Ze snapte er niets van. Ze was nog maar anderhalve dag vrij, en hij zat haar al in de war te brengen met al dat zogenaamd schitterende gedoe dat haar te wachten stond… Waar doelde hij op?

Ze vroeg om een glas gekookt water. Weer een truc om haar toespraak uit te stellen. Ze probeerde haar gedachten als schelpen aan een koord te rijgen. Toen ze kreeg waar ze om gevraagd had, bleef ze er stilletjes mee in haar handen zitten en blies over het dampende water.

Ze zat in een soort kano die zachtjes over een spiegelglad meer gleed. Het blauw van het water vloeide onmerkbaar over in een azuren hemel. Het water was strak als was het een bevroren oceaan, maar tegelijkertijd voelde het aan als de tere melkhuid van een zuigeling. Hwala… hwala… hwala… Haar riemen roerden cirkels in het meer, en maakten het enige geluid dat de bovennatuurlijke rust verstoorde. Van ver klonk een gezang dat in haar richting zweefde, te zacht om de

*klanken te kunnen onderscheiden; voordat ze er iets uit kon opmaken,
was het weer verdwenen. Maar dan keerde het weer terug, aanhoudend, verleidelijk, maar onbetrouwbaar als de liefde van een zeemeermin...*

Lian kneep zich in de dijen en sloeg haar notitieboekje open.
Ze wuifde het dromerige gezang weg, zette zich schrap en begon haar lezing. Het enthousiasme waarmee ze doorgaans haar
toespraak had gehouden, was echter in geen velden of wegen
te bekennen. De passie om historische feiten te verbinden en
te analyseren bleef uit – ze werd uitgebannen door een kersverse dwingeland, een dromer, maar daarom niet minder hardnekkig. Het was het verlangen om door haar nieuwe, of
eigenlijk oude, omgeving geaccepteerd te worden, om door
haar klasgenoten gewaardeerd en zelfs bewonderd te worden,
niet in het minst vanwege haar aantrekkingskracht. Liefkozende en tegelijkertijd kwellende gedachten haalden haar uit
haar concentratie. Ze sloeg op haar notitieboekje, alsof dat er
iets aan kon doen dat ze zo verstrooid was.

Kannibaal opende zijn ogen en keek Lian met een scheef
hoofd aan: 'Ik weet hoe het voelt, Lian, wanneer je op de drem-
pel van het nieuwe, broeierige leven staat. Het is net als wanneer je een lot voor een boeddhabeeld getrokken hebt: je wilt
het direct lezen, maar in de tempel is het daarvoor te donker...'

Lian kreeg er kippenvel van. Kannibaal had haar verwarde
gevoelens veel te goed samengevat, veel te helder, terwijl juist
het mysterieuze haar zo fascineerde. Oom leek op iemand die
zijn mond niet kan houden en de plot van de thriller verklapt
voordat je er plezier aan hebt kunnen beleven. Het maakte haar
razend.

∿

Op de terugweg liep ze in zichzelf verzonken door de straten.
De oranje gloed van de zon omgaf haar en een satijnzachte
avondwind doordrenkt met lenteparfum streelde haar – ze
merkte het niet. Van binnen voelde ze zich koud, kouder dan
de strengste winter. Maar:

De hertjes van de hartstocht
dartelen in mijn borst
Ze voeren mij naar het meer
waar aan de andere oever de zeemeermin
mij toewuift, met trillend witte zijde
Ik moet erheen, ik moet erheen...

Hereniging

Nadat Moeder een kort onderhoud met de rector had gehad, mocht Lian naar binnen.

Het was alsof de tijd had stilgestaan: het was pauze en Kim zat alleen in het lokaal. Het contrast tussen de stilte in de klas met het geroezemoes in de gang, waar de leerlingen door elkaar renden, schreeuwden en giechelden, was nog altijd even groot.

Ting-tong, ting-tong. Lian schoot regelrecht op Kim af; ze schoof de stoelen en tafels die haar in de weg stonden opzij en stootte er enkele omver. Al vaak had Lian zich voorgesteld hoe opwindend het zou zijn Kim weer te zien, maar het leek in de verste verte niet op wat ze verwacht had. Ze was overweldigd door emoties en stotterde: 'Ki... Ki... Kim...'

Kim sprong van haar stoel, stond Lian een tijdje aan te staren zonder met haar ogen te knipperen en keek de andere kant op. Deze onverschillige reactie maakte dat Lian helemaal niet meer uit haar woorden kon komen.

Op dat moment kwamen de leerlingen het lokaal binnen. Lians vroegere vriendinnen Feiwen, Qianyun en Liru omsingelden haar en bestudeerden haar van top tot teen: 'Welkom thuis, Lian. Oei, als we je op straat zouden tegenkomen, zouden we je niet durven aanspreken.'

Lian wilde vragen wat ze daarmee bedoelden, maar Meimei zei: 'Het strafkamp heeft je alles behalve slecht gedaan.'

De afgunst in Meimei's toon ontging haar niet; ze was ziedend. Hoe kon Meimei daar nou de spot mee drijven! Maar ze hield zich wijselijk in. Zelfs in haar nieuw verworven vrijheid kon Lian zich niet veroorloven zich negatief te uiten over de vervolging van de intellectuelen. Dat nam niet weg dat ze ogenblikkelijk een bloedhekel aan Meimei had. Ze keek uit het raam en meed de taxerende ogen van haar klasgenoten.

Meneer Wu, de wiskundeleraar, was inmiddels gearriveerd. Tot haar opluchting ontdekte Lian dat de leerstof die hij behandelde al in haar privé-lessen in het kamp aan bod was gekomen; ze kon dus het hele lesuur zitten fantaseren over het fascinerende tijdperk dat ze volgens Kannibaal vanaf heden binnentrad...

Om twaalf uur wachtte Lian bij de uitgang van de school op haar boezemvriendin. Zoals gewoonlijk kwam Kim pas naar buiten wanneer iedereen al weg was. Blij om eindelijk alleen met haar te zijn, ging Lian haar met open armen tegemoet. Ze waande zich de hoofdpersoon van een Russische roman, een jonge officier van het tsaristische leger, zoals ze op plaatjes gezien had: ze vloog door een enorme, met kristallen kroonluchters verlichte, lege danszaal op de geliefde af die ze zo lang gemist had.

Kim bloosde en keek opzettelijk de andere kant op om Lians gelukzalige blik te ontwijken. Lian wist wel dat Kim altijd stoer deed, maar ze kon er slecht tegen dat Kim zo cru tegen háár was.

Kim liep op Lian af, wees naar haar eigen hoofd en daarna naar Lians schouders. Ze zei: 'Kijk naar ons, een reuzin en een dwerg.' Lian schrok. Kim had gelijk: ze was bijna een kop kleiner dan Lian. 'We kunnen niet meer met elkaar omgaan. Je bent in een half jaar tot een heuse juffrouw uitgegroeid, en ik ben nog altijd een klomp ongerezen deeg.'

Lian kromde haar rug, zodat haar borsten minder zouden opvallen en verzekerde Kim: 'Ik zweer je dat ik dezelfde Lian ben gebleven als die van een jaar geleden. Hier, in mijn hart.' Ze bonkte met haar vuisten op haar ribbenkast.

Kim barstte in een schaterlach uit: 'Hou op met je theatrale gedoe! Je bent inderdaad geen steek veranderd!'

Hierdoor gerustgesteld kon Lian haar aandacht op de hoofdzaak vestigen: 'Hoe zit het met je studie? Kun je tegenwoordig de lessen volgen? Haal je nu voldoendes?'

'Bah!' Kim spuugde op de grond, keek Lian vinnig aan en zweeg.

Lian wist dat haar vragen het weerzien voor Kim vergald hadden. Ze haalde snel bakzeil: 'Ik bedoel...'

'Je hoeft dat niet uit te leggen!' viel ze Lian in de rede en maakte met haar rechterhand het gebaar waarmee je een bedelende straathond wegjoeg. Lian had het gevoel alsof er een bak ijskoud water over haar hoofd gegoten werd. 'Ik moet naar huis. Mijn moeder is naar het slachthuis om beenderen van de vuilnisbakken te redden. Ik moet het middageten voor Jiening klaarmaken. Ze zit thuis vast met een lege maag op mij te wachten.'

'Heeft ze zelf geen poten aan d'r lijf?! Kan ze niet alvast beginnen met koken?' In een mum van tijd keerde Lians oude afkeer van die verwende trut van een Jiening terug. Ze schrok er zelf van hoe snel ze terugviel in haar vroegere wijze van denken.

Kim haalde haar schouders op: 'Zo is het bij ons nu eenmaal. Kim zwoegt en Jiening geniet. Ze is ook jonger, laten we eerlijk wezen.'

'Jonger? Jullie schelen anderhalf jaar. Anderhalf jaar geleden deed je ook al al het werk. En drie, vier, vijf, nee, zes jaar geleden ook al. Was je tóen dan niet jong?'

Kim haalde diep adem: 'Laat maar…'

Lian besefte wel dat de kwestie-Jiening bijzaak was en veranderde van onderwerp: 'Het is niet erg dat je nog steeds met je studie achter bent. Ik ben toch terug? Wil je weer samen met mij leren? Nu kan ik jou weer helpen, net als vroeger… Alhoewel, ik weet niet of ik zelf alles wel kan volgen op school, maar als het de komende dagen met andere vakken net zo vlot gaat als vanochtend met wiskunde, is er niets aan de hand.'

De volgende dag vroeg de geschiedenisleraar, meneer Yan, aan Lian of ze de 'tien glorieuze veldslagen die Mao leidde tussen 1937 en 1949' kon opnoemen. Ze stond met de mond vol tanden. Waar had hij het over? De 'goede antwoorden' die haar klasgenoten vervolgens opdreunden, bezorgden haar een nog grotere schok: zes succesvolle veldslagen van andere militaire grootheden werden allemaal toegeschreven aan de Grote Roerganger! Er was blijkbaar hevig in het potje met historische feiten geroerd. Maar ja, Qin had het vertikt om het schoolboek te gebruiken; nu zat Lian met de gebakken peren.

Maar er was nog geen man overboord. Lian hoefde zich maar een paar dagen in haar kamer op te sluiten en het leerboek uit het hoofd te leren. Zo kon ze gegarandeerd de toets geschiedenis halen, want die was niet veel meer dan een verkapte geheugentest.

Na de pauze van tien uur struikelde er een man het leslokaal binnen – hij liet bijna zijn doos vol klei en gereedschappen op de grond kletteren. De klas schoot in de lach. Wanquan, een jongen een paar plaatsen achter Lian, zei: 'Daar hebben we meneer Chen, de grote held van handenarbeid.'

De man schraapte zijn keel: 'Rustig daar! Vandaag leer ik jullie Mao's borstbeeld boetseren.'

Wanquan had zijn commentaar al klaar: 'Ja ja, dat horen we nu al maanden! Wanneer komt er nu eens wat van? We hebben zelfs niet geleerd hoe we een bal rond kunnen krijgen. Dat kunt u zelf niet eens.'

Hoe durfde die jongen zo tegen een leraar te spreken! Lian zag ook wel dat het niet de handigste man van de wereld was, maar het was toch een leraar?

's Middags schreef mevrouw Bai tijdens de grammaticales op het bord:

Liever crepeer ik van de honger
in onze Proletarische Staat
dan dat ik in Groot-Brittannië
in kapitalistische weelde baad

Hierna opende zij een boek en begon het in alle rust te lezen. Wat was dat nu weer? Werd er geen les meer gegeven?

Liru, die achter Lian zat, zei zachtjes tegen haar: 'Dit is het oefenuurtje. Kijk naar het bord!'

'Ik héb ernaar gekeken.'

'Nou dan. Schrijf een bekritiseringsartikel met die spreuk als titel.'

'Een wát?'

'Weet je niet wat een bekritiseringsartikel is? Het is een soort opstel.'

'Lian Shui en Liru Xiao. Als jullie verder willen praten, verzoek ik jullie het gesprek op de gang voort te zetten,' waarschuwde mevrouw Bai.

Lian zweeg en keek de klas rond. Sommigen hadden al een halve bladzijde volgeklad. Ik moet haast maken, beval ze zichzelf. Ze beet op haar pen en staarde naar de onzinnige leus op het bord.

Een half uur later stond mevrouw Bai op, liep langs de tafels en las over de schouders van de leerlingen wat ze op papier hadden gezet. Toen ze bij de harige Weimin – hij had vijf of zes stoppeltjes op zijn kin – kwam, riep ze uit: 'Goed geschreven!' Even later kreeg Guoxiang, een meisje van de tweede kaste, net zo'n lovend commentaar. Bai verzocht de klas naar de voorbeeldige opstellen van Weimin en Guoxiang te luisteren.

Boeddha nog aan toe, waren dát bekritiseringsartikelen?! Lian boog zich over haar schrift, opdat Bai het niet in haar hoofd zou halen om haar te vragen haar opstel voor te lezen. Goede genade! Als dit een toets schrijfvaardigheid geweest was, zou Lian zonder meer een vette onvoldoende toebedeeld hebben gekregen. De moed zonk haar in de schoenen en ze raakte helemaal de kluts kwijt, vooral als ze aan Kim dacht. Ze zou Kim moeten teleurstellen met de mededeling dat ze niet in staat was om haar bij de studie te helpen.

Tijdens de lunchpauze merkte Moeder dat Lian terneergeslagen was. Ze vroeg: 'Bevalt het niet op school?'

'Mam, ik vrees dat ik dit jaar zal moeten overdoen.'

'Hoezo?'

'Ik ben vreselijk achter geraakt. Ik heb bij voorbeeld geen idee hoe een bekritiseringsartikel in elkaar zit.'

'O nee? Heeft mevrouw hoe-heet-ze-ook-alweer, die jou in het kamp Chinese grammatica gaf, je dat niet geleerd?'

'Nee! Mevrouw Zhao heeft mij de basistechnieken van het maken van een opstel bijgebracht, maar dat is iets heel anders.'

'Zo veel kan dat toch niet verschillen? Kijk bij je klasgenoten hoe zij het doen en doe hen na. Simpeler kan niet. Je blijft toch niet zitten vanwege zo'n eenvoudig vak als Chinese grammatica?'

Lian schoof haar rijst roef-roef naar binnen en trok zich terug in haar kamer. Moeder had gelijk: ze moest gewoon de schrijfstijl van haar klasgenoten nabootsen en klaar is Kees. Lian probeerde zich te herinneren hoe de opstellen van Weimin en Guoxiang hadden geklonken; ze bedacht dat hun teksten veel weg hadden van scheldpartijen van viswijven: ze bevatten geen redeneringen, argumenten en logische conclusies – het waren niets anders dan een aaneenschakeling van vloeken, vernederingen en dreigementen.

Guoxiangs opstel herinnerde ze zich het beste:

Een welvarend leven leiden in het godverlaten Groot-Brittannië?
Dan maar liever op een houtje bijten en desnoods de heldendood
sterven in mijn arme maar Socialistische Paradijs! Wie de beren-
gal heeft om niet achter mijn keuze te staan, is eenvoudig een spion
van de Britse imperialisten. Deze verraders van ons vaderland,
die eieren van een schildpad, horen in de gevangenis thuis! Ik gun
dergelijke klassevijanden hun verdiende loon! Vurig hoop ik dat
de kinderen die ze straks krijgen geen anus hebben, opdat ze stikken
in hun eigen stront!
Laten we samen roepen: Lang leve de Grote Partijvoorzitter Mao
Zedong! Dood aan de kapitalisten, revisionisten en alle vijanden
van onze Communistische staat!

Zo'n artikel kan ik ook schrijven, verzekerde Lian zichzelf. Ze
hoefde zich alleen maar voor te stellen dat ze per ongeluk tussen twee bekvechtende feeksen ingeklemd stond en dan hun
woordenwisseling noteren.

⁊

Kim kwam bij Lian thuis. Lian had haar oefeningen bekeken.
Kims beheersing van natuur-, wis- en scheikunde viel mee;
vergeleken met anderhalf jaar geleden was haar achterstand op
school aanzienlijk verkleind. Over zes weken zou de
toetsperiode beginnen en Lian hoopte dat Kim tegen die tijd
genoeg had ingehaald om ook voor de B-vakken een voldoende te krijgen. Voor de 'domme' vakken – zoals geschiedenis, Chinese grammatica en politieke opvoeding genoemd
werden, maar waar Kim desondanks meestal een 40 voor kreeg
– zou Kim ditmaal een 70 of zelfs een 80 in de wacht slepen.
Daar was toch niets aan? Kim hoefde slechts de desbetreffende
leerboeken van buiten te leren. Ze stelden samen een schema
op dat precies aangaf welke les opgedreund en wanneer een
deel van de hoofdvakken serieus overgedaan diende te worden.
Enthousiast gingen ze een ijverige en naar zij hoopten vruchtbare herhalingsfase tegemoet.

Toen Moeder thuiskwam, stond Kim onmiddellijk op en schoof haar boeken en schriften zonder ze te sluiten in haar schooltas.

Lian keek verbaasd op de klok: 'Ach, Mam, ik dacht al, hoe komt het dat we onze oefeningen nog niet afhebben? U bent bijna twee uur eerder thuis… Kim, wat doe je?' Lian volgde haar vriendin, die zich naar de buitendeur haastte, en smeekte: 'Mama, zeg alstublieft tegen Kim dat ze niet bang hoeft te zijn voor uw aanwezigheid en dat ze bij mij blijft totdat we met het huiswerk klaar zijn, toe!'

'Sorry, Lian, deze keer moet ik je helaas teleurstellen. Het is beter dat Kim nu naar huis gaat…' Ze negeerde Lians protest en ging door: 'Vanavond gaan wij uit.'

Tjie-aaa… Kim had de deur al geopend: 'Tot morgen, Lian. Dag, mevrouw.'

Lian knikte Kim alleen maar toe en kon haar nieuwsgierigheid niet langer bedwingen: 'Mama, waar gaan we heen?' Moeder nam haar zelden mee uit, hoogstens één keer per jaar.

Maar Moeder was al naar Lians kamer gerend. Ze trof Moeder voor de geopende deuren van haar klerenkast aan en vroeg opgewonden: 'Geef me antwoord, alstublieft!'

'Waar is de blouse die ik vorige maand voor je heb gekocht?' Moeder haalde haar hele kast overhoop en verzuimde gehoor te geven aan Lians verzoek.

'O, die chique? In de bovenste la, aan de linkerkant. Die heeft u er nota bene zelf in gelegd. Ik mocht haar niet aandoen, mits u er toestemming voor gaf.'

'Vandaag mag je die wel aanhebben. Weet je waar ik naar toe ga? Naar de dochter van de voormalige minister van Defensie, maarschalk Dong. Ik moet haar interviewen.'

'Zeker voor uw boek *Mondelinge Moderne Geschiedenis van China?*'

'Goed geraden. Je mag mee. Ik laat je 's avonds liever niet alleen thuis. Deze nakomelinge van Dong heeft trouwens ook een dochter, van ongeveer jouw leeftijd. Je zult daar dus gezelschap hebben terwijl ik bezig ben.'

'Hoi!' Lian deed meteen haar oude kleren uit en de mooie blouse aan. Het was een goudkleurig juweeltje, met paarse blokjes en rode bolletjes erop.

Moeder kamde Lians haren en maakte er twee lange, dikke vlechten van. Lian draaide zich om en om voor de spiegel en moest zomaar giechelen, om niets.

Moeder was naar de badkamer gegaan en Lian zag hoe ze haar gezicht poederde tot ze spierwit was. Wat zag Moeder er nu aantrekkelijk uit! Zo leek ze niet meer op een boerin die jarenlang onder de schroeiende zon had geploeterd. Normaal gesproken gebruikte Moeder de poederdoos alleen met Chinees Nieuwjaar. Ze nam het bezoek aan Dongs dochter blijkbaar nogal serieus.

'Heb je al honger?'

Lian schudde heftig van nee, klopte zich op de buik en zong bijna: 'He-le-máá-áál niet…!'

Moeder versmalde haar ogen, zag Lians theatrale gedoe aan en lachte: 'Ja, ja. Ik weet waar je naar toe wil…'

Dit als goedkeuring interpreterend, hield Lian op met toneelspelen en trok Moeder aan de mouwen: 'We gáán.'

Vroeger, toen Moeder nog niet naar het kamp was gestuurd en Vader nog in Peking werkte, gingen ze twee keer per jaar naar een concert in de stad. Op zo'n avond aten ze niet thuis om half zeven, maar rond acht uur in het chique Restaurant Moskou. Moeder wist heel goed waar Lian op zinspeelde.

～

Aangezien hun huis zich aan de rand van de stad bevond, hadden ze tweeënhalf uur nodig om in het centrum te komen, waar Dongs dochter woonde — de hoofdstad grensde aan grenzeloosheid. Na een uur rijden stapten ze vlak voor Restaurant Moskou uit de bus. Het was inmiddels zeven uur. De brandende zomerzon had zich verscholen achter de in het zwart geklede bergen, die hun groenblauwe mantel hadden uitgedaan en netjes opgevouwen voor morgenochtend in het sluimerende dal hadden neergelegd. Het sprankelende meisje dat Hemel heette, was nu van top tot teen gehuld in een zwarte japon. Alleen haar gaafronde gezicht mocht gezien worden. En wat voor een gezicht! Helder als een zilveren spiegel, fris als een bedauwd vergeet-mij-nietje, vertederend als de lach van een zuigeling. De hele aarde was onder de indruk van haar en alles, maar dan ook alles, bomen, huizen, voertuigen en zelfs mensen, glom met hetzelfde zilveren licht dat van haar afstraalde…

De eetgelegenheid bevond zich in een park. Straatlantaarns met lampenkappen in de vorm van waterlelies verdreven de enge onvoorspelbaarheid van het nachtelijk duister, maar bewaarden met de liefde van een kunstkenner de charme van de gesluierde, romantische avond. Donzig mos transformeerde de weg in een prachtige mintgroene loper, die Moeder en Lian naar het melkwitte gebouwencomplex van Restaurant Moskou leidde. Bruidssluiers langs de kant van de weg zonden vleugjes parfum uit– een ondefinieerbare geur, die Lian verstrooide, die de grens tussen werkelijkheid en droom deed vervagen. De bladeren van de bomen onder de lampen walsten met de lichtvoetige zomerse bries en tekenden figuurtjes op de weg, die in de ogen van Lian van alles konden voorstellen : een kasteeltje, een brug, galopperende paarden…

'Hahaha, hahaha!' Een serie schaterlachen, als een gebroken parelketting waarvan de juweeltjes een voor een over een jaden bord rolden, onderbrak Lians trance. Haar blik richtend naar de bron van het geluid, zag ze in de verte een drietal mensen hun kant opkomen. In het midden ontdekte ze het rijzige postuur van een man. Zijn grijze haren koketteerden met het licht dat ze af en toe van de straatlantaarns opvingen. Al kon ze hem niet goed zien, ze merkte wel op hoe stijlvol zijn regenjas was. *Tik, tik… tik, tik…* Zijn leren schoenen produceerden ritmische muziek op het trottoir. Hij werd geëscorteerd door twee jongedames die wel leken te zweven. Hun lange lokken wapperden in de wind en hun ogen schitterden als avondsterren. Ze liepen niet – ze dansten. Uit hun slanke figuur en sierlijke bewegingen maakte Lian op dat het actrices waren. Ze naderden Moeder en Lian. De man in het midden fluisterde iets in de oren van zijn twee begeleidsters. In plaats van opnieuw in een schaterlach uit te barsten, maakten de twee schoonheden een buiging. Ze steunden daarbij met de handen op hun lange bovenbenen – ze bogen zo diep voorover dat de man hun armen moest vasthouden. Na tien seconden kwam het geschater weer op gang. Dit keer klonk het zo aanstekelijk intens dat zelfs een buitenstaander als Lian er een lachbui van kreeg.

De man fluisterde hun opnieuw iets in de oren.

'Nee, Opa Hemel, spaar me alstublieft. Ik kán niet meer!' De juffrouw aan zijn rechterzijde hield haar buik vast. 'Zeg niets meer!'

Wat had die man dan gezegd, dat die twee jongedames zo hevig moesten lachen? Wat zou het kunnen zijn dat mensen zo in vervoering bracht?

Toen het drietal ver genoeg van hen verwijderd was, fluisterde Moeder: 'Dat was meneer San He, de beroemde filmregisseur. Je weet wel, van *Jasmijn uit het zuiden*.' Moeder glunderde. Ze was zichtbaar trots dat ze hem van zo dichtbij had mogen zien.

Zodra Lian haar voeten in Restaurant Moskou zette, *trok ze fluwelen sloffen aan*. Als een dief sloop ze de lobby binnen. Met haar hoofd diep in de schouders gluurde ze naar links en rechts, en naar boven en beneden. Ze durfde bijna geen adem te halen uit angst de stilte te verbreken. Het getoeter en geraas van het verkeer en de zweetgeur van de voorbijgangers leken uit dit gebouw weggezogen. Mmm, een aangename koelte omhulde haar lichaam. De lobby was meer een oase in de woestijn, een plek, te verheven boven de dagelijkse beslommeringen om als reëel beschouwd te worden. Er stond een pilaar, dikker en hoger dan een duizendjarige dennenboom, met – inderdaad! – kunstig gegraveerde dennenappels. Wat een werk had de kunstenaar daaraan gehad!

Bij de garderobe moest ze haar jas afstaan aan een jongeheer. Met kaarsrechte rug en een galante glimlach hing hij het kledingstuk aan een haakje. Zijn gladgekamde, glanzend geoliede haar en zijn smetteloos witte hemd, voorzien van een diepzwart strikje, stonden in schril contrast met hetgeen hij eigenlijk voorstelde – gewoon een *fuwuyuan*. Met moeite hield ze haar tong achter haar tanden en verborg haar schaamte over haar boerse uiterlijk.

Nee, ze konden nog niet naar de eetzaal, alle tafels waren bezet. Wat een gedoe! In een gewoon eethuis stonden de net binnengekomen gasten botweg je het eten uit de mond te staren.

Toen ze eindelijk aan tafel zaten, bestelde Moeder rode-bietensoep voor Lian en een kippensoep à la crème voor zichzelf. Zodra de ober buiten gehoorsafstand was, trok Lian aan Moeders mouw: 'Kunnen we een soep afzeggen? Die van mij, of die van u, dat maakt niet uit.'

'Waarom? Heb je geen honger?'

'Hebt u de prijs gezien? Tweeënhalf kuai! Ze proberen je hier *levend kaal te plukken*!'

'Ssst!' Moeder fronste haar wenkbrauwen en legde haar hand op Lians schouders.

Lian werd langzaamaan rustig. Ze probeerde haar geweten te sussen. Wat zat ze zich aan te stellen! Iedereen hier vond het blijkbaar acceptabel zo'n moordende prijs te betalen voor een bordje groentenat. Maar haar hersenen bleven rammelen als een telraam. Tweeënhalf kuai. Daar kon Kims familie ruim een week van leven! Tien kilo maïsmeel kostte net twee kuai en veertig cent.

Maar toen de heerlijk naar roomboter geurende soep voor haar neus stond te pronken, vergat ze ineens al haar principes. Ze had hem binnen een paar tellen verorberd. En terwijl Moeder keurig langzaam haar soep naar binnen werkte, zat Lian op haar stoel te wippen van ongeduld. Wat zou de volgende delicatesse zijn?

Een vage, abrikoosachtige geur bereikte haar neus. Heel voorzichtig draaide Lian zich om, bang met een te snelle beweging de geur af te schrikken. Tot haar teleurstelling rook ze niets meer... of toch wel! Het ene ogenblik betastte een sliertje van de geur haar reukorgaan en het andere ogenblik, wanneer ze er nog meer van wilde opsnuiven, was het spoorloos verdwenen. Alsof de geur als een ondeugend, poesmooi meisje tikkertje met haar aan het spelen was. Stukje bij beetje schoof ze in de richting van de bron van de hemelse geur. Toen ze uiteindelijk durfde te kijken, ving ze een glimp op van de modieus geklede jongedame die dit parfum droeg. Meteen sloeg ze haar ogen weer neer. Maar het verlokkelijke aroma dat haar van die tafel bereikte, deed haar even alles vergeten. Ze bad tot Boeddha dat dit moment eeuwig mocht blijven voortduren.

De triomf van Fanrui

Om half negen stapten Moeder en Lian uit de bus. Het was het westelijke deel van het centrum, het zogenaamde Xidandistrict. Rijen bouwvallige rijtjeskamers en grijze flatgebouwen flankeerden de straat, op de stoep waarvan het avondleven van honderden gezinnen zich afspeelde.

's Zomers is het in Peking doorgaans niet om uit te houden. Aangezien de meeste families slechts over één kamer beschikten, waarin de temperatuur zelfs 's avonds tweeëndertig graden bedroeg, zochten ze wat koelte en ruimte in de open lucht. Overal lagen rieten matjes op de grond gespreid, waarop kleine kinderen rondkropen en bejaarden indutten. Jongemannen hurkten onder de lantaarnpalen en speelden schaak of kaart, jonge vrouwen zaten op een kruk en vormden cirkeltjes; met een waaier in hun hand zaten ze te kletsen en te roddelen. De iets fortuinlijker gezinnen hadden een radiootje en zetten dat natuurlijk midden op de stoep, zodat de rest van de kolonie van de muziek – politieke leuzenschreeuwerij – kon meegenieten. De geuren van tabak, goedkope thee en zweet vermengden zich; het gepraat van vrouwen, gegiechel van kinderen en geschreeuw van revolutionaire liedjes op de radio klonken dwars door elkaar heen. Onder het schrale licht van de straatlampen leek het één grote, gezellige familie.

Na tien minuten lopen kwamen Moeder en Lian op een bredere weg uit, waarlangs deftige, hoge populieren stonden. Het was er bijzonder stil.

'Halt! Uw pas!' Uit een donker hokje kwam een oogverblindende bajonet te voorschijn met erachter het hoofd van een soldaat.

Snel haalde Moeder een introductiebrief, getekend door de rector magnificus van de Universiteit voor Docenten, uit haar jaszak. Er flitste een lampje aan en na twee minuten verscheen er een hand uit het raam van het wachthokje terwijl een forse stem hen toesprak: 'Tweede gebouw links, op de tweede verdieping.'

Lian tuurde in het duister en merkte nu pas dat ze zich voor de ingang van een van de hermetisch van de buitenwereld afgesloten wooncomplexen bevonden. Moeder keek links en rechts. Zo te zien was ook zij onder de indruk van de chique huizen. Zachte amberkleurige lichten vloeiden uit de grote vensters van de witte appartementsgebouwen. Met haar plantsoenen vol orchideeën en pioenrozen, die zich koesterden in de schaduw van wilgen en zilverberken, zag deze plek eruit als een sprookjeslandschap.

Even later stonden ze voor de flat van de dochter van maarschalk Dong en klopten aan.

'Kom binnen!' Een stem als een belletje klonk op van achter de deur. De deur werd geopend en ze kwamen in een riante gang. Hemel, deze ruimte was groter dan de zitkamer bij Lian thuis! Een felle tl-lamp scheen Lian in de ogen.

'Goedenavond, mevrouw Yang,' rinkelde het belletje weer, 'dit is zeker uw dochtertje.'

Moeder zei: 'Goedenavond, juffrouw Fanrui Dong. Dit is mijn dochter Lian Shui. Lian, dit is juffrouw Fanrui, dochter van mevrouw Heyuan Dong en kleindochter van maarschalk Dong.'

Lian opende haar ogen en zag een meisje, iets ouder dan zij, voor zich staan. Lian was te verlegen om haar direct in het gezicht te kijken. Het enige wat ze zag was Fanrui's geborduurde zijden blouse, waarop perzikbloemen afgebeeld waren, die extra uitbundig bloeiden waar twee bollingen onder de flinterdunne stof oprezen. Een zwarte riem accentueerde Fanrui's tengere taille en introduceerde een lilakleurige strakke rok.

Een rok! Sinds haar zesde had Lian geen levende ziel meer gezien die een rok droeg. Was het niet verschrikkelijk revisionistisch om zoiets aan te hebben?! Of hadden de families van partijbonzen een te groot proletarisch bewustzijn om bedorven te kunnen raken door zo'n westerse manier van kleden?

'Welkom, Liannie,' zei de rokdraagster.

Nu moest ze Fanrui wel in de ogen kijken. Dit dametje had een guitige, iets naar boven gerichte kin, sensuele lippen en een huid, glad en glanzend als porselein. Haar gelaatskleur was die van de maan – blank met een lichtgele teint. De sprekende ogen dansten speels in het rond en Lian wist niet wanneer ze stil zouden staan om eruit op te kunnen maken wat zij uitdrukten: blijdschap, nieuwsgierigheid of iets anders. Ze had wel eens gehoord dat baby's met gesloten ogen via de huid de nabijheid van hun moeder kunnen herkennen, maar Lian merkte dat zij als dertienjarige nog steeds over dat vermogen beschikte; zonder dat ze Fanrui lang aan durfde kijken voelde ze dat Fanrui haar stond te taxeren.

Dit prinsesje moest haar uiterlijk beslist lachwekkend vinden. Moeder had dan wel twee prachtige vlechten gemaakt, maar deze haardracht was al lang uit de mode; zelfs haar duurste en chicste blouse had nog iets armoedigs, en in de ogen van Fanrui zouden de kleuren ongetwijfeld schreeuwerig zijn. De blindste der blinden zou nog zien dat haar broekspijpen meer dan twee keer uitgelegd waren geweest. Ze wenste ter plekke in een mug te veranderen, dan kon ze zich verschuilen achter de lijst van een van de schilderijen op de gang.

'Mama, bezoek voor u!' riep Fanrui.

'Welkom!' Een slanke vrouw van rond de veertig, gekleed als een twintigjarige, kwam op hen af en leidde hen de zitkamer binnen.

Alsof Lian nog niet genoeg gekweld was, volgde Fanrui hen op de voet. Ze ging naast Lian op een leren bank zitten en trachtte een praatje met haar aan te knopen. Fanrui gaf aan ieder woord een koket kronkeltje– Lians antwoorden klonken daarbij als het plompe gebulder van een boerin. Fanrui hield haar rug kaarsrecht, waardoor haar bovenlijfje eruitzag als een jonge bamboestam. Ze draaide af en toe bevallig met haar hoofd, terwijl Lian daar als een reuzenscampi zat: haar rug gebogen, haar borst ingezonken als een krater en haar hoofd onhandig en slap daar bovenop. Je kon haar van alles wijsmaken, maar van één ding was ze overtuigd: Fanrui papte alleen maar met haar aan om haar begeerlijke verschijning te laten afsteken tegen Lians minderwaardige uiterlijk.

De twee moeders leken niets in de gaten te hebben van de psychologische oorlog die hun kinderen voerden en praatten alsmaar door. Na een minuut of tien stond Fanrui op. Verzekerd als ze was van haar overwinning, vond ze het blijkbaar nutteloos haar tijd nog langer met dit boerinnetje te verdoen.

Daar zat Lian, verlaten door haar veroveraarster. Ze was in een bodemloze put gesprongen. De zwaartekracht van haar verlangen om charmant te zijn zoog haar dieper het gat in, terwijl haar verstand erop stond dat ze naar boven, naar de nuchtere realiteit moest klauteren. Ze probeerde afleiding te vinden door te luisteren naar het verloop van het interview.

Heyuans verhaal over haar vader bevatte niets nieuws; maarschalk Dong was net als alle andere getalenteerde collega's van de Grote Roerganger, nadat hij een belangrijke bijdrage had geleverd aan de oprichting van de Volksrepubliek China, door Hem de dood ingejaagd. Opmerkelijk was Heyuans beklag over de mishandeling van haar familie door de Rode Gardisten.

'Ja,' zei ze, 'die fanatieke snotneuzen hadden in 1968 mijn moeder, broers en zusters gevangengenomen. In de winter van 1969 was het ons godzijdank gelukt om door tussenkomst van de minister van Binnenlandse Zaken, die ooit secretaris van mijn vader was geweest, vrij te komen– maar meer ook niet. Die ondankbare ondergeschikte van mijn pa!' Uit haar gezichtsuitdrukking maakte Lian op wat ze eigenlijk zeggen wilde: Als vader nog in leven zou zijn, zou hij die loophond van zijn post hebben getrapt en hem naar Tibet hebben verbannen!

'Kijk,' Heyuan wees vol minachting en zelfmedelijden naar de luxueuze zitkamer, 'in wat voor een grot wij ons tegenwoordig in leven moeten houden!' Haar fijngevormde lippen krulden zich als een paar door een fiets overreden regenwormen en haar ogen spuwden vuur.

Boeddha! Deze mensen bewoonden met zijn tweeën een vierkamerflat, terwijl tien minuten lopen van hier een familie van vier generaties, acht à tien mensen bij elkaar, het met een kamertje van vier bij vier moest stellen. En zij heeft het lef zich te beklagen over haar appartement! Hoe riant moesten de dames wel niet gehuisvest zijn als maarschalk Dong niet door de Vader, Moeder, Minnaar en Minnares in Een de dood zou zijn ingejaagd?!

Lian zoog slierten koele lucht door de spleetjes tussen haar tanden naar binnen; ze moest zich inhouden, want er kwam nog meer.

Moeder zei: 'Ik heb in de geclassificeerde krant *Nieuws voor Hoge Partijfunctionarissen* gelezen dat u sinds 1969, na uw vrijlating, als wetenschappelijk medewerker verbonden bent aan het prestigieuze Onderzoeksinstituut voor Kernenergie.'

'Och, ja,' geeuwde Heyuan, 'ik ga er af en toe langs. Maar wat moet ik daar? Mijn salaris wordt tegen het eind van de maand door de directiesecretaris persoonlijk bij mij afgeleverd. Mevrouw Yang, of kan ik u bij uw voornaam noemen, Yunxiang, ik mag je graag en vertrouw je. Je bent per slot van rekening een boezemvriendin van de vrouw van de staatssecretaris van het ministerie van Cultuur en Propaganda, die weer een oude kennis van mijn moeder is. Daarom beschouw ik je als een van ons. Ik moet je eerlijk bekennen: ik heb geen flauw benul van wat dat onderzoek inhoudt. Ja, tussen 1961 en 1965 heb ik wel natuurkunde gestudeerd aan de Universiteit van Peking, maar dat ging meer in de trant van – zoals een van mijn ex-aanbidders zei: "Heyuan is beter in het breken van harten dan in het splijten van atoomdeeltjes." ' Ze lachte quasi verlegen. Haar gezicht vertoonde nauwelijks rimpels; je kon wel zien dat ze vroeger een schoonheid was geweest. 'Mijn examencijfers waren mijn nieuwjaarscadeau van de rector magnificus, eigenlijk dus een cadeau voor mijn vader. Enfin, in 1969 moest ik een baan hebben. Ik koos voor deze aanstelling omdat hier de beste natuurkundigen van het hele land zitten; de voorzieningen en het salaris zijn er veel beter dan elders. Bovendien, het is lekker dicht bij huis – maar drie minuten lopen.'

Moeder zweeg.

Lian slikte.

❧

Een uitgehongerde kameel is nog altijd groter dan een vetgemest paard. Lian was niet jaloers op Heyuan en Fanrui vanwege hun rijkdom en privileges. Ze zou niet met hen willen ruilen. Stel je voor dat haar vader ook door de Wijste Leider van het Heelal uit de weg geruimd zou worden!

Het was over elven toen ze afscheid namen van Heyuan. Uit Moeders gebaren maakte Lian op dat ze bijzonder tevreden was. Aan de ene kant keurde ze het af dat de Dongs zo veel voorrechten genoten, aan de andere kant voelde ze zich gevleid dat een zo hooggeplaatst persoon als Heyuan zo openhartig met haar gesproken had – nota bene de dochter van de ex-minister van Defensie!

Heyuan ging de gang in en riep: 'Rui, mevrouw Yang en Lian gaan naar huis! Kom hun even goedenacht wensen.'

Geen antwoord. Na een lange stilte kwam Fanrui uit haar kamer geslopen, met een vinger tegen haar lippen: 'Ssst, we zijn een accordeonliedje aan het opnemen...!'

Lian spitste haar oren. Warempel, er zat iemand een oorstrelend lied te spelen. Naar de melodie te oordelen was het niet bepaald een moordlustig revolutionair liedje. Integendeel, het was een romantische serenade uit het godverlaten Europa. Het was toch verboden om naar zulke liederen te luisteren, laat staan ze op te nemen? In dit huis moest je omgekeerd denken: de bewoners waren nakomelingen van een proletarische partijleider, en die waren immers immuun voor alle bourgeois invloeden.

Lian moest denken aan professor Maly, die nog in het heropvoedingskamp opgesloten zat. Maly had Lian eens verteld dat de faculteit voor Vreemde Talen aan de Universiteit voor Docenten vijf jaar tevergeefs gewacht had op een bandrecorder voor de vakgroep Engels. En hier speelde een tiener samen met haar vriendjes zomaar voor de lol met een heuse bandrecorder.

Maar, net als Moeder, voelde Lian zich, ondanks haar afkeer van de privileges van de Dongs, aangetrokken door de glamour van deze elite. Al wist ze dat ze nooit geaccepteerd zou kunnen worden door Fanrui's milieu, toch koesterde ze nog een fractie hoop dat, als ze beeldschoon zou zijn, Fanrui haar een klein plekje in haar vriendenkring zou gunnen…

Vrouwengeheimen

Zes dagen voor de zomervakantie werden de cijfers van de toetsen bekendgemaakt. Kim had een 60 voor natuurkunde, geschiedenis en politieke opvoeding, een 50 voor scheikunde en wiskunde en een 40 voor Chinese grammatica… niet zo goed als ze stiekem gehoopt hadden, maar in elk geval baanbrekend. Het was wel de eerste keer dat Kim ergens een voldoende voor had, en dan nog wel voor natuurkunde! Kim lachte in stilte, als een halfautomatische pop die weliswaar haar lippen kon bewegen als je haar heen en weer schudde, maar die niet in staat was geluid voort te brengen. Zelfs op dit feestelijke moment kon Kim, al was het maar voor één seconde, haar gevoelens niet tonen.

Later liet Kim zich ontvallen dat ze nu de hoop koesterde ooit voldoendes voor álle studieonderdelen te behalen en bij sommige vakken zelfs hoger dan 60 te scoren. Het kostte Lian dan ook geen moeite Kim te overreden samen twee uur per dag extra huiswerk voor de zomervakantie te gaan maken. Ook ging Kim ermee akkoord dat ze de training hardlopen zouden hervatten, opdat ze bij de Herfstpelen nog grótere successen zouden kunnen boeken.

ᒕ

Het was half zeven 's ochtends, de tweede vakantiedag. Anders dan gewoonlijk begon Lian aarzelend aan de warming-up. De jonge zon had het sportveld omgetoverd in een gouden tapijt dat de zweetparels van tientallen joggers opving. Na het rekken van de kuitspieren nam Kim haar positie aan de startstreep in. Lian volgde haar schoorvoetend. Kim keek haar verbaasd en ongedurig aan.

Nu kon Lian het niet langer uitstellen; ze moest Kim vragen: 'Vind je het erg als ik me niet met je ga meten?'

'Ja.'

'Toe nou, het is maar voor een paar dagen.'

'Waarom?'

Ze haalde haar schouders op: 'Zomaar…'

'Prima. Dan train ík ook niet.'

'O, moet je mij zoiets aandoen?'

'Je neemt me de woorden uit de mond,' zei Kim, verliet de startlijn en maakte aanstalten om naar huis te gaan.

'Oké, oké, ik zal het uitleggen…' Lian liep haar achterna en bereidde zich voor om haar schandelijke geheim prijs te geven. Ze kreeg een vieze smaak in haar mond, alsof er zand tussen haar kiezen zat: 'Ik ben ziek. Niet echt ziek… ik ben ongesteld.' Ze haalde opgelucht adem nu ze het eindelijk verklapt had.

Kim draaide zich naar Lian om en bekeek haar minachtend van top tot teen.

Lian liet haar hoofd hangen en schaamde zich diep. De eerste dag had ze zich nauwelijks op straat durven vertonen. Ze durfde niet langzaam te lopen, want ze had het idee dat de mensen haar nawezen en in elkaars oren fluisterden: 'Daar heb je die slet – Lian Shui. Zo jong, en ze menstrueert al als… als een getrouwde vrouw!' In de ogen van tieners was de maandbloeding een teken van zedeloosheid, een straf voor de losbandige vrouw die met een man had gevreeën en daarvoor met dat bloederige brandmerk toegetakeld werd. Zo'n oordeel was gemakkelijk vol te houden zolang je zelf nog niet ongesteld was. Maar zo gauw je zelf begon te menstrueren, raakte je in de war. Hoewel je zelf wel wist dat je onschuldig was, kon je je niet losmaken van het idee dat het vies en onbetamelijk was, zoals het je van kinds af aan ingepeperd werd. Kim was natuurlijk geschokt omdat ze zich niet kon voorstellen dat Lian, volgens haar zo'n net meisje, een sloerie was geworden; ze was ongetwijfeld gekrenkt omdat ze vond dat Lian een verrader was, die haar in de steek had gelaten door zelf in ordinair, bourgeois vleselijk genot te duiken. Hoe kon Lian haar duidelijk maken dat dat absoluut niet waar was? Ze was radeloos. Haar gezicht ontvlamde van gêne en ze ging Kim uit de weg, als een gewetensvolle melaatse.

IJverig krabde Kim met haar voeten een graspol uit de grond en zei na een ondraaglijk lange stilte: 'Sorry. Eigenlijk begrijp ik dit soort dingen wel, per slot van rekening hebben wij thuis ook kippen en varkens. Ik kon me alleen niet indenken dat jij ook zover bent. Er is niets aan de hand hoor, Lian. Als je buikkrampen hebt, moet je gekookt water met rietsuiker drinken en flink uitrusten. Dat doet mijn moeder ook altijd.' Ze bloosde.

Lian liep verlegen naar haar vriendin toe. 'Dank je, Kim, dank je wel dat je accepteert dat ik... Ik beloof dat ik weer met je zal trainen als ik me beter voel.'

'Pas op! Wacht tot het voorbij is, anders krijg je kwaaltjes.' Kim ging uit van het volksgeloof dat als vrouwen tijdens hun maandbloeding fysieke arbeid verrichten, hun eierstokken en baarmoeder ontstoken raken. Mannen vonden het dan ook heel opwindend wanneer een meisje zei dat ze vandaag niet kon sporten, want dat betekende dat ze haar periode had, iets wat als vrouwelijk, charmant en sexueel opwindend beschouwd werd.

Lian stond Kim te bewonderen, die rondje na rondje over de renbaan maakte en de ene na de andere jogger achter zich liet. Hoewel Kim zich bij de feiten had neergelegd, voelde Lian zich een soort vreemde voor Kim. Er was nu, naast het verschil in kaste, dat vaak bijna onoverbrugbaar was, iets nieuws dat hen scheidde.

Een maand geleden, een paar dagen voor Lians eerste menstruatie, kreeg de klas les in het opdrukken, tijdens gymnastiek. Toen ze hiermee bezig waren, kwam de leraar naar Lian toe en vertelde haar dat haar houding fout was – haar rug was doorgezakt en haar buikspieren waren niet op de juiste manier gespannen. Ter illustratie hield hij haar bij de taille vast en zei: 'Zó moet je rug staan.' Al wist ze dat hij zijn kritiek helemaal niet bruusk geuit had, toch voelde ze zich gekwetst. Ze stond op en rende huilend naar de banken langs de kant. De leraar staarde haar verbouwereerd na, maakte een stuntelig gebaar en stotterde: 'Wat... wat heb ik verkeerd gezegd...

dat... dat je zo gepikeerd bent?' Ze wist bij Boeddha niet waarom, maar dat maakte dat ze zich alleen maar nog ellendiger voelde. De rest van de klas staakte de oefeningen en keek de arme man woedend aan, alsof hij Lian had proberen te vermoorden.

De dag na Lians uitbarsting tijdens de gymles kwam Qianyun, een van haar klasgenoten van de eerste kaste, naar haar toe en zei: 'Je moet zeker ongesteld worden. Jou kennende weet ik dat je anders niet zo hypergevoelig zou hebben gereageerd!'

Lian was zo blij met de aandacht dat ze Qianyun alles verklapte wat haar op het hart lag. Qianyun knikte begrijpend en legde een hand op Lians schouder. Lian smolt van dankbaarheid. Eindelijk iemand die haar begreep...

Een liefdesbrief aan de schandpaal

Lian begon meer contact te zoeken met Qianyun, die haar vervolgens in haar eigen vriendinnenkring introduceerde. Tot haar verbazing en vreugde ontdekte Lian dat ze allemaal frank en vrij over hun lichamelijke en emotionele problemen spraken, over de menstruatie, de relatie met hun ouders, hun angsten en twijfels, enzovoorts. Bij hen voelde Lian zich thuis. Bij Qianyuns kameraadjes kreeg Lian veel bekijks en ze voelde zich gevleid, hoewel ze soms bang was voor de afgunstige blikken van sommigen onder hen.

Kim liet nooit merken of ze Lian leuk vond, hoe Lian zich ook opdofte. Ze bekeek Lian met een onverschilligheid alsof ze een meubelstuk aanschouwde, zonder een enkel gevoel, leek het. Slechts één keer, toen ze elkaar pas hadden leren kennen, had Kim zijdelings het onderwerp 'schoonheid' aangesneden. Ze zei: 'Op mijn zesde heb ik besloten nooit met mooie en intelligente meisjes op te trekken.' Lian vroeg haar wat ze daarmee bedoelde, maar Kim had haar aangekeken op een manier die haar de mond gesnoerd had.

Een paar dagen later waren Kim en Lian net met hun huiswerk begonnen, toen er geklopt werd. Lian hoefde de deur niet te openen om te weten wie het waren. De schrille stem van Feiwen en de woordentornado van Qianyun verraadden de identiteit van het gezelschap – het zestal meiden van de eerste kaste.

Liru stormde als eerste het huis binnen en riep: 'Wát?! Nog steeds aan het leren? Lian, Lian, je neemt het allemaal veel te serieus! Denk je heus dat de leraren het huiswerk nakijken?' De andere meisjes rolden hun ogen naar boven en spreidden hun handpalmen, alsof ze zeggen wilden: met deze boekenwurm valt niet te praten.

Lian kreeg onmiddellijk het gevoel dat ze ongezellig aan het doen was. Ze zei gehaast: 'Oké, ik maak morgen mijn huiswerk wel af. Kom snel binnen! En doe de deur dicht, anders vliegen de muggen het huis binnen.'

Het was niet de gewoonte om afspraakjes te maken. Het was zelfs beledigend als je aan iemand voorstelde: 'Heb je zin om morgenavond rond acht uur bij mij een kopje thee te komen drinken?' Die persoon zou meteen op zijn achterste poten staan en denken: wat bedoel je? Betekent dat dat ik anders niet welkom ben? Als je niet halsoverkop zoete broodjes bakte, liep je de kans dat die gekwetste persoon niets meer met jou te maken wilde hebben.

De vriendinnen liepen regelrecht naar Lians kamer in plaats van naar de ruimere zitkamer.

'O. Is Kim wééééér hier!' merkte Meimei geïrriteerd op.

Kim schoot overeind, alsof ze een elektrische schok had gekregen. Met trillende handen dumpte ze bliksemsnel haar pennen, boeken en schriften in haar schooltas en maakte zich klein, als een egel die door een wild zwijn wordt aangevallen. Met de ene hand slingerde ze haar tas over de schouder, met de andere hield ze de stoel waarop ze gezeten had vast en bood hem een van de mademoiselles aan die toevallig vóór haar stond: Liru. Deze wachtte net zo lang tot Kim het zitvlak precies onder haar achterste had geschoven en zette zich neer. Ze keek niet op of om, alsof het zo hoorde dat een derde-kaster haar bediende.

Als een paling gleed Kim de kamer uit, naar de gangdeur. Haar 'veel plezier' en 'tot ziens' hadden het volume van een termiet. Alleen Lian, een zusterinsect, kon het horen. Maar Lian had haar handen vol aan het zoeken van een zitplaats voor iedere bezoeker en ze had ineens geen tijd meer om zich om Kim te bekommeren.

Lian kookte water en schonk het in zes grote bekers. Daarin

strooide ze theeblaadjes, die eerst boven op het water dreven, om vervolgens langzaam naar de bodem te zinken.

Haar gasten gebruikten hun tanden als filter; nu en dan hoorde je geluiden als *pfoe* en *vjeh*, wanneer ze de blaadjes die aan hun tanden kleefden in de beker terugspogen.

Liru praatte alsof haar neus met een wasknijper was dichtge-knepen— dat werd als koket beschouwd: 'Die schandelijke brief heb ik gisteren aan de lerares gegeven...' Ze versmalde haar ogen en zwenkte haar hoofd, zogenaamd verontwaardigd naar de raamkant. De rest van de groep wierp een blik op haar, waaruit bewondering, opwinding en een beetje afgunst spra-ken.

Liru ging verder: 'Ik moest gewoon kótsen toen ik die brief in de la van mijn schrijftafel aantrof! De lerares zei vanochtend tegen mij dat ze de brief op het propaganda-plankje zou han-gen.' Ze fronste haar voorhoofd, alsof ze samen met een hap van een gestoomd broodje een gaar gekookte made ingeslikt had en wierp haar hoofd in haar nek. Men hoorde het vol af-schuw aan – dit was te veel van het goede. Liru voelde hun stil-le afkeur, rondde snel haar toneelstukje af en keek gekweld om zich heen.

De brief waar ze het over had bleek afkomstig te zijn van Wudong, een klasgenoot. Wudong had lange, dunne armen en benen, zoals de meeste jongens van zijn leeftijd. De huid van zijn gelaat was bleek en glad als zijde; van enige haargroei was geen sprake – een groot verschil met de andere jongens in de klas. Door zijn verwijfde, of eigenlijk knappe, verschijning en zijn status van eerste-kaster, waren alle meisjes van de klas stie-kem verliefd op hem. De inhoud van zijn brief stelde niet veel voor: precies de dwaze woorden en kreten die je zou verwach-ten. Haar vriendinnen wisten hier alles van. Want Liru had het corpus delicti aan ieder van hen twee dagen uitgeleend om het nauwkeurig te lezen, van buiten te leren en om – zoals ze heimelijk hoopte – de geadresseerde *tot diep in hun buik* te be-nijden. Al zei niemand het hardop – het was per slot van reke-ning beschamend om eerlijk te zijn over het verlangen bemind te worden – iedereen wist dat het een zeldzame eer was als Wudong zijn liefde aan je betuigde.

Lian had niet veel zin in het gesprek over Wudong. Ze wilde er wel charmant uitzien en met de anderen wedijveren wie de mooiste was, maar voor jongens had ze elke belangstelling verloren sinds de dag dat ze de eerste tekenen van vrouwelijkheid bij zichzelf had ontdekt. Morgen zou de brief op het propaganda-plankje hangen. Lian hoorde al hoe haar klasgenoten uit leedvermaak gierden, Wudong pestten en tergden. Ze gruwde bij de gedachte dat deze jongen, die waarschijnlijk voor de eerste keer in zijn leven zijn hart openstelde voor een meisje, door haar verraden en aan de schandpaal genageld werd. Mao leerde je van kinds af aan om je naasten en dierbaren in naam van de Revolutie te verklikken, maar Liru had Wudong aangegeven ter wille van een egoïstisch doel: nog meer aanbidding en afgunst oogsten bij de rest van de klas. Want de jongens van de eerste kaste en alle leerlingen van de tweede en derde kaste hadden deze felbegeerde brief nog níet gelezen. Ru kon toch moeilijk die jongens benaderen? Meisjes van haar leeftijd hoorden net te doen alsof ze jongens niet konden uitstaan. Met de tweede- en derde-kasters spreken was al helemaal beneden haar stand. Dus had Ru het propaganda-plankje nodig om zich door de rest van de klas, die ze niet persoonlijk kon benaderen, te laten benijden.

's Avonds lag Lian in bed te woelen; haar gedachten doorkruisten haar geest als een horde verschrikte paarden de steppe.

Drievoudig pech

Na haar wekelijkse bad nestelde Lian zich in haar bed en dommelde heerlijk langzaam in. De midzomerföhn sloop door de geborduurde vitrage haar kamer binnen en speelde met haar natte lokken. De zonnestralen beschenen haar wangen tot ze in luie zaligheid wegsmolt...

Een begerige mug zoemde een onverstaanbaar lied in haar oren en wekte haar. Het insect voerde een bizarre dans boven haar gezicht uit. Ze trok het laken over haar hoofd en probeerde opnieuw de slaap te vatten. Maar plotseling kreeg ze kramp over haar hele lijf. Ze zat recht overeind: ze realiseerde zich dat ze zeker twee maanden Kannibaal niet opgezocht had!

Ze griste een gebloemde zakdoek uit haar commode en bond er haar ongekamde haren mee op. Ze kleedde zich in een wijde broek en een oude blouse en haastte zich naar Gebouw

24. Wat moest ze zeggen wanneer hij haar zou vragen waar ze al die tijd geweest was? Ze was de laatste afspraak glad vergeten. Gegeneerd trok ze haar blouse omlaag, die van de ene op de andere dag te kort en te nauw was geworden. Ze had spijt als haren op haar hoofd dat ze niet even de tijd genomen had om een van haar nieuwe blouses aan te trekken, die veel ruimer zaten. Zie je wel, vitte ze op zichzelf, deze plakt als rijstpapier tegen m'n lijf! Ze boog zich voorover om te voorkomen dat kwajongens de ups en downs van haar bovenlichaam zouden opmerken en haar hierom zouden vervloeken.

Het was tante Xiulan die opendeed. Ditmaal was ze niet gehuld in knoflookwalmen en zaten haar vingers niet aan elkaar gekleefd als een zwemvlies van deeg. Het was doodstil om haar heen.

'Liantje! *Je hebt de Ki-stroom bepaald niet mee*: oom Changshan is net de deur uit. Waarnaar toe? Al sla je me dood! Hij is als rook. Hij gaat als hij gaat en hij komt als hij komt. Misschien naar het Wilgenmeer achter de campus? Daar dwarrelen heel wat zielen van zijn verdronken collega's. Woeh! Als ik jou was zou ik hem maar niet gaan zoeken. Het idee alleen al bezorgt me kippenvel. Maar ja, de laatste tijd is hij stiller en koppiger dan ooit tevoren. Het is de leeftijd, denk ik. *Als een tandeloze naar het westen wil, kunnen zelfs tien paarden hem niet naar het oosten slepen.*'

Lian schuifelde met haar schoenen over de gladde vloer en dwong zich om vooral niet aan de eventuele oorzaak van Kannibaals gedrag te denken.

Tante Xiulan was onstuitbaar: '*Een boek zonder toevalligheden is geen goed boek.* Weet je, normaal gesproken is oom Changshan precies een koperen pagode – hij is gewoonweg het huis niet uit te branden. Hij zit daar maar in lotushouding op bed, daar in de grootste kamer. Ik kan al het porselein dat we bezitten aan diggelen slaan en nog laat hij zich niet overhalen met me uit winkelen of ergens op bezoek te gaan. Maar vandaag *staat de deur scheef*: ik was nog niet klaar met het opwarmen van de pap voor het ontbijt of *tjeliúúú!* – weg was ie! En juist vandaag kom je hem weer opzoeken om je geschiedenisverhalen te vertellen! Wat denk je? Zo waar als mijn voorouders de familienaam Ge droegen, *de deur staat vandaag faliekant scheef!*'

'Nou, dan ga ik maar. Doet u hem de groeten?'

'Maar Liantje! Wil je echt niet even wachten? Hij kan ieder ogenblik terugkomen.' Tante haalde een pluk stoffig grijs haar over haar gezicht om de twijfel over haar eigen bewering te verbergen.

'Nee, tante. Ik heb nog huiswerk te doen.'

'Kom je oom alsjeblieft volgend verlofweekend opzoeken. Je weet niet half hoe bezorgd hij is over jou. Het is de hele tijd *Lian kort en Lian lang!*'

Lian wist niet hoe snel ze het gebouw van Kannibaal moest uitrennen. Eenmaal buiten hoorde ze tante haar nog altijd na-roepen: 'Je komt toch? Kom je? Je komt, hè?'

Lian zette haar tanden op elkaar. De neiging om terug te gaan, zich in tantes armen te werpen en eens en voor al over alles met haar te kletsen, moest in de kiem gesmoord worden. Ook al zou ze nog zo graag met haar over Kannibaal spreken, ze durfde tante nooit in de ogen te kijken. Lian voelde zich *de plunderaar die voor de ogen van de beroofde met de buit staat te pronken.*

De bek van de tijger

Die avond werd op het sportveld weer een van de 'Vier Oude' gedraaid – *Lenin in de Oktoberrevolutie.* Lian stond op het punt naar bed te gaan, maar de muziek van de openluchtbioscoop maakte iets in haar wakker. Ze besloot toch maar te gaan kijken, zonder Moeder iets te zeggen.

Lian stond aan de rand van het veld. Op deze manier ving ze weinig van de beelden op, maar ze had geleerd om nooit midden in een mensenmassa te gaan staan; in het donker zou ze zich niet kunnen beschermen tegen de grijpgrage vingers van onbeschofte jongens en mannen.

De koele avondwind drukte haar kleren strak tegen haar lijf en ze haalde diep adem. De lucht rook zoet, als de herinnering aan de lange, hete zomerdag. De hitte wilde geen afscheid nemen en bleef hardnekkig hangen.

Of was het iets anders? Ze voelde een vuurmassa achter zich die haar huid schroeide en tegelijkertijd de koude rillingen over haar rug joeg. Instinctief deed ze een stap naar voren, om de bron van de warmte te ontwijken. Maar precies zoals ze had gevreesd, volgde de vuurmassa haar op de voet. Ze verstijfde. Ze voelde niet alleen de hitte, maar rook nu ook de geur waar ze het meest van walgde.

Een klein, schril, beverig stemmetje baande zich een weg naar haar keel maar bleef onderweg steken — ze slikte het in: op dit moment kwam het haar het verstandigst voor te doen alsof ze niet bang was.

Een krakerig stemgeluid klonk in haar oren: 'Je bent mijn geliefde…' De hete adem blakerde haar nekhaartjes.

Wooeeen… Het filmdoek werd donkerder dan de donkerste nacht. Het bloed zakte tot in haar tenen…

Het gehijg achter haar werd heviger en ineens zette ze het op een lopen. Oeps! Ze had het zandheuveltje niet in de gaten gehad. Ze viel met haar gezicht in het zand. Ze hoorde zware voetstappen naderbij komen… Lian krabbelde overeind en haar schoenen werden omgetoverd in zevenmijlslaarzen. Ze dook het dichtstbijzijnde gebouw in en repte zich zonder nadenken naar het huis van een collega en goede vriend van haar moeder.

Oom Song keek haar met koeienogen aan: 'Weet je mama dat je zo laat nog op bent?'

Ze wilde het uitschreeuwen: ik word door mannen achternagezeten! maar oom Songs vaderlijke blik verhinderde haar om haar hart uit te storten. Vaders houden er niet van wanneer hun dochters ouder worden, ging het door Lian heen. Ze liet hem in de deuropening achter, vloog het gebouw weer uit en spitste haar oren: waren die gemeneriken het spoor bijster? Ze nam niet de tijd daar lang over na te denken en zette het weer op een lopen.

Bwam! Ze was tegen een echtpaar opgebotst dat van de avondkoelte liep te genieten.

'Oom en tante! Help me alstublieft!' Ze greep de mouw van de vrouw en zakte op de grond.

'Wat is er aan de hand? Ben jij niet Yian? Of is het Sian? Onze tweede dochter Yuejiao zit toch bij jou op school?'

'Er zit een bende schoften achter me aan! Ze willen me vermoorden!'

'Kom hier!' Yuejiao's vader verborg Lians hoofd onder zijn oksel. 'Wees maar niet bang, meisje! Wat is je naam ook alweer? Waarom zouden die halfgrote en niet meer kleine jongens je willen vermoorden? Ze proberen je alleen maar — Auwa!'

Lian schudde verbaasd haar hoofd. Yuejiao's moeder was opzettelijk op haar mans voeten gaan staan; ze zei: 'Kom, we brengen je naar huis.'

'Ik wil niet naar huis! Alstublieft, vertel mijn moeder niet wat er is gebeurd... alstublieft!'

Yuejiao's vader gaf zijn vrouw een seintje en tante fluisterde in Lians oren: 'We zeggen niets tegen Mama, oké? Kom op, we gaan.'

Onder aan de flat hield het drietal halt. Yuejiao's vader ging Moeder halen. Lian werd alleen maar banger.

'Zal ik je naar het ziekenhuis brengen en je laten...' Moeders stem klonk als onweer en haar ogen bliksemden in het nachtelijk duister. Lian begreep niet waar Moeder het over had. Ze bleef maar bibberen en huilen.

'Die oren van jou lijken wel een paar stukken bedorven vlees! Hoe vaak heb ik je niet gezegd niet naar die verdomde uitgekauwde films te gaan!!'

Yuejiao's vader zei: 'Mevrouw lector Yang! Scheld uw kind niet zo uit. Ze is zo al bang genoeg...!' Zijn vrouw ging voor Lian staan om te verhinderen dat Moeder haar kon slaan. Moeder leek tot bedaren te komen. Ze bedankte Yuejiao's ouders uiterst beleefd, zoals het een intellectueel betaamt, en beloofde hun Lian verder met rust te laten. Bibberend volgde Lian haar moeder naar boven.

Eenmaal binnen sloeg Moeder *de hond achter gesloten deuren* en begon haar te ondervragen. Ze wisselde haar slagen af met vragen; ze vroeg naar de kleinste details en bleef haar dochter maar uitschelden en afranselen.

Lian wenste dat ze door die schoften was koudgemaakt, dan zou ze nu niet als een crimineel door haar moeder verhoord en vernederd worden. Het was al te naïef te hopen op begrip of troost van Moeders kant.

'Wat heb je daar dan ook te zoeken, in die verfoeide bioscoop! *Je trekt de tanden uit de bek van de tijger!*'

Lian droogde haar tranen. Nu werd ze ook nog beschuldigd van het uit de tent lokken van de jongens! Dat was het toppunt.

Of... was het misschien echt zo? Zou zij zelf de schuldige zijn...? Zou het kunnen dat zíj het was die het gekwijl en geweld bij de jongens losmaakte? Was ze domweg een hoer? Waarom vielen die schurken juist háár lastig, en niet al die andere meisjes…? Het duizelde haar, niet meer van de slagen van Moeder, maar van twijfel en zelfhaat. Ze smeekte of ze nu naar bed mocht.

'Jij? *Een monnik die van een wijfje droomt?!* Slapen? Niks daarvan! Je gaat nú een zelfkritiek schrijven, minstens twee bladzijden lang! En je zweert bij het Rode Boekje dat je het nooit meer waagt naar de bioscoop te gaan!!'

Lians oogleden streden met elkaar en haar hoofd leek te zweven. Het ene moment was ze een bak gloeiend ijzer en het andere moment een ijskoude zee. Ze beet op haar vulpen en zwoer bij zichzelf nooit, maar dan ook nooit meer haar problemen aan Moeder prijs te geven.

Het werd stil in huis. In Moeders kamer ging het licht uit. Lian dacht slim te zijn en kroop snel in bed.

Als een cycloon viel Moeder haar kamer binnen en trok haar het laken van het lijf: 'Stiekeme trut! Wil jij je moeder een oor aannaaien? Hier! Hier heb je je verdiende loon!' Ze stormde naar de schrijftafel en scheurde de onvoltooide zelfkritiek in vieren. Ze grijnsde en beet haar toe: 'Nu mag je van voren af aan beginnen!' Moeder was onvermoeibaar. Ze bleef naast Lian zitten tot het laatste karakter op papier stond.

Tegen drie uur mocht ze eindelijk naar bed. Lian plofte uitgeput tussen de lakens. Ze durfde niet op haar zij te liggen – haar oren waren pijnlijk gezwollen. Eindelijk kon ze naar hartelust huilen. Ze fantaseerde hoe Moeder haar doodmartelde en de buren naar haar bont en blauw geslagen lichaam kwamen kijken. Het was heerlijk om dood te gaan.

Ze zag hem niet, maar ze hoorde zijn stem. Kannibaal zat aan de overkant van het meer, voor een dichte jujubestruik. Zijn woorden galmden door het luchtruim. Ze kon hem niet verstaan. Zijn stemgeluid danste op en neer, net als de glimwormen die door de begroeiing heen glinsterden. De bladeren ritselden, alsof er zich iemand achter verschool.

Een eenvoudige legpuzzel

De volgende ochtend worstelde Lian zich met een knellende hoofdpijn uit bed. Ze begon de dagen af te tellen tot het volgende verlofweekend van oom Kannibaal. Ze moest voortdurend denken aan wat Moeder geïnsinueerd had. Had zij aanleiding gegeven tot aanranding? Had Moeder gelijk?

Lian boog zich over de wasbak en probeerde haar ervaringen te ordenen, ze te zien in het licht van Moeders beschuldiging. Ze moest denken aan de dag dat iemand iets op het bord had geschreven: *Meimei en Lian zijn versleten schoenen.* Destijds had ze het afgedaan als de uitlating van een stelletje etters die niet wisten waar ze het over hadden. Haar naam en eergevoel hadden geen schrammetje opgelopen. Nu dacht ze daar anders over.

's Middags moest Lian van Moeder een pak zout halen. In het trappenhuis kwam ze Meimei tegen, die een verdieping lager woonde. Ze grijnsde Lian aan: 'Wat een eer om door grote jongens achternagezeten te worden! Ik heb je gisteravond gezien, toen je beneden stond te huilen. Waarom die krokodillentranen? Alsof je het niet fijn vond. Hypocriete trut!'

Lian stond als door de bliksem getroffen. Wát?! Beschouwde zij dat als een eer?

Maar het venijn verhardde Meimei's zachte gelaatstrekken: '*Vliegen zuigen niet aan een ei zonder barst.* Jouw bourgeois uiterlijk en gedrag wekken nu eenmaal decadente gedachten op bij jongens met een zwak politiek bewustzijn. Dacht je soms dat ik jouw vergrijp voor de Jeugdbond zou verzwijgen?'

Dit was het toppunt. Eerst de achtervolging door die schurk, daarna het kruisverhoor en de beschuldigingen van Moeder, en nu liep ze ook nog het risico een politieke blunder te begaan! Ze zou in vliegtuigpositie op het podium moeten staan en *haar bourgeois geest als gif uit haar slangenkop moeten persen...*!

Ze viel op haar knieën en smeekte om genade: 'Meimei! We zijn al jaren goede buren. Kun je me deze keer níet aangeven, alsjeblieft?'

Meimei sloeg Lians vingers van haar broekspijpen en blies pisnijdig door haar welgevormde neusgaten: 'Dat hangt af van je bereidheid tot ideologische hervorming...' Maar de moordlust die Meimei's perzikhuidje had verkleurd, leek door een bijzonder soort eerlijkheid verdund te worden. Ze boog zich naar Lian: 'Nu even een onderonsje... Ik weet ook wel dat als je er niet uit zou zien zoals je eruitziet *geen varken aan je zou willen knagen en geen hond zijn tanden in je kuiten zou willen zetten...* Leg me eens uit, Lian, en o wee als je me een leugen durft te verkopen: wáárom kleven de jongens als beenderlijm aan jóu, en niet aan mij? Ik neuk je overgrootvader! In welk opzicht doe ik onder voor jou?'

Lian stond met haar oren te klapperen: was dit een grap? In Opa Hemels naam, je mag ze van me hebben, neem ze alsjeblieft mee, allemaal! Ik kots van hen! Dat was wat Lian eigenlijk had willen zeggen.

Ze krabbelde overeind en trachtte haar verbazing en geamuseerdheid te verbergen. Met haar gelaat in de plooi maakte ze een kowtow voor Meimei en ontliep zo de kans haar het verkeerde antwoord te geven. Ze kende Meimei langer dan vandaag. Dit meisje was in staat haar klasgenote en buurmeisje lachend aan te geven als 'aanbidder van het kapitalisme'; ze zou haar zo de afgrond in smijten en onderwijl een grap verkopen. Meimei was maar in één ding consequent: ze had een ongekend talent voor het koppelen van privé-gevoelens aan politieke voorwendselen; ze wist haar haat, wrok, nijd en bezitsdrang op een glorieuze, revolutionaire manier uit te leven en op anderen te verhalen.

Nu Lian ervan verzekerd was dat ze niet aangebracht zou worden, nam ze snel de benen. Het was wel ingewikkeld geworden. Jongens joegen haar op de kast met hun vuilbekkerij, Moeder betichtte haar ervan dat ze dat juist uitlokte en Meimei hulde haar afgunst in politieke intimidatie. Was er nog iemand die voor haar opkwam? Of was ze een doodgewone slet die vertrapt en bespuugd diende te worden? Zat ze nog maar in het kamp, dan kon ze tenminste naar Kannibaal rennen en haar hart bij hem uitstorten.

Maar er wachtten Lian nog meer verrassingen.

Thuisgekomen zette ze het zout in de keukenkast en liep naar Moeders kamer om te zeggen dát ze terug was. Ze duwde de deur open en zag oom Song als een cobra uit zijn stoel overeind schieten. Moeder streek haar blouse min of meer glad en gilde: 'Waar zijn je klauwen voor?! Kun je niet kloppen?'

Maar Moeder kon de roze wolkjes op haar wangen niet verbergen en ook bij Song nam Lian dit verschijnsel waar. Ze moest onwillekeurig denken aan Qin en het Roze Varken. Ze liep snel achteruit en sloot de deur zachtjes achter zich.

In straaljagerstempo paste ze de stukjes van de legpuzzel in elkaar. De veertig jaar oude vrijgezel lector Song kwam bijna elke dag bij hen op bezoek. Telkens als hij er was, moest ze vroeg naar bed. Verscheen hij overdag, dan werd ze erop uitgestuurd om een boodschapje te doen – de ene keer was het een pak zout, de andere keer wat gember, alles in kleine hoeveelheden.

Vader was al bijna twee jaar weg. Lian had het ooit in een of ander feodaal boekje gelezen:

Een getrouwde vrouw is als een geopend blik:
zij moet alsmaar bijgevuld worden met vers sap

Lian vond het allemaal wel best. Zo had Moeder tenminste wat gezelschap. Maar minder leuk waren Moeders woedeaanvallen. Ze realiseerde zich dat hoe vaker oom Song langskwam, hoe meer Moeder op een koffer springstof begon te lijken. Het ene moment was ze poeslief tegen Lian; het andere moment werd ze razend om niets. Bijna opgelucht streek Lian langs haar oren, die nog nagloeiden van het pak slaag van gisternacht.

Vermaak voor de jeugd

Het vrolijke zestal had blijkbaar de smaak te pakken – ze kwamen hoe langer hoe vaker bij Lian op bezoek. Telkens als zij met Kim huiswerk zat te maken, werd Lian geplaagd door het idee dat de giechelende troep meiden elk moment kon binnenstormen. Er was weinig aan te doen. Het was onmogelijk een afspraak met hen te maken, zodat ze tenminste buiten haar uurtjes met Kim zouden komen. De lol van het bezoek zou er al snel af zijn. Maar misschien kon ze de meiden op subtiele manier duidelijk maken dat ze geen behoefte had aan hun bezoek?

Ze werd hypernerveus. Elk geluid dat op de komst van haar vriendinnen zou kunnen duiden, deed haar de haren te berge rijzen. *Haar handpalmen werden nat en haar darmen raakten in de knoop.*

Kim deed alsof ze niets doorhad. Lian wist bij Boeddha niet hoe haar allerliefste vriendin over de toestand dacht en ze durfde het haar ook niet te vragen.

Kim werkte gewoon door en telkens wanneer Lian van angst ineenkromp en doodsbleek naar de deur staarde, fronste Kim haar wenkbrauwen en mompelde zachtjes voor zich uit: 'Hoe zit die formule ook alweer in elkaar?'

De fatale klap liet niet lang op zich wachten. Om half vier werd er geklopt. Radeloos zocht ze Kims ogen, maar Kim keek haar ijskoud en onverschillig aan. Als een goudzoeker zocht Lian in die blik naar een hint. Was ze jaloers op de meisjes die hun samenzijn verstoorden en die veel van de tijd die eigenlijk voor Kim bestemd was opeisten? Verweet ze haar dat ze hen hun gang liet gaan, waardoor ze weg moest zodra zij arriveerden, of kon het haar niet schelen? Waarom liet ze niets los? O, Kim wist precies hoe ze haar gek kon krijgen!

Lian zwoer dat als ze maar het geringste signaal zou opvangen waaruit Kims ongenoegen over Lians omgang met haar vriendinnen zou blijken, ze hen zou laten vallen als een baksteen! Maar Kims lege, emotieloze ogen verrieden niets.

Aarzelend deed Lian de buitendeur open. De stortregen van enthousiaste uitroepen die het zestal kastegenoten over haar uitgoot, spoelde Lians teleurstelling over Kims onverschilligheid in één klap weg. Kim stond al buiten. Lian nam niet eens de moeite om haar goeiedag te zeggen. Als een dorstig boomblad opende Lian haar poriën voor het verkwikkende sap van de vriendschap van haar medekasters.

Feiwen bleef bij de deur staan. Ze zei: 'We gaan niet naar binnen.'

Lian wilde al vragen waarom, maar Liru zei: 'Het Jeugdactiviteitencentrum is weer geopend. Wij gaan ernaar toe. Kom je mee?'

Lian sprong een gat in de lucht: 'Natuurlijk!' Ze wierp haar pantoffels als een stel frisbees in een hoek en greep naar haar sandalen, die ze in een fractie van een seconde aanhad. Liedjes neuriënd renden ze naar *Gebouw West-Europa is een Zinkend Schip en China is het Enige Eiland van Hoop*. Daar, op de benedenverdieping, was het centrum gehuisvest. Lian was er nooit geweest want het was al sinds 1966 gesloten. Het was al die jaren gebruikt als 'hotel' voor slangenbeesten en koeiengeesten, die de gedaante hadden aangenomen van docent, hoogleraar of hoge ambtenaar. De wat oudere leerlingen hadden wel het geluk gekend om in het centrum te kunnen spelen, vóór de Culturele Revolutie. Ze waren toen al tieners, terwijl Lian zeven jaar oud was toen de Culturele Revolutie losbrak. Uit hun verhalen over het centrum maakte Lian op dat het een soort eldorado voor jongeren was. Ze konden er onder meer leren kalligraferen, tekenen, stijldansen, schaken, pingpongen en badminton spelen. Er was ook een bibliotheekje met boeken, speciaal voor de jeugd; daar konden ze lezen, boeken lenen en erover discussiëren. Vooral dat laatste oefende een grote aantrekkingskracht op hen uit. En vandaag zou Lian deze plaats met eigen ogen bewonderen.

Toen ze het gebouw binnentraden, werden ze overvallen door een scherpe kalkgeur. De muren waren grijsachtig wit. Ze waren pas geverfd en op vele plaatsen was de kalk nog niet helemaal droog. Het hun onbekende tl-licht wond hen op en ze snuffelden rond als nieuwsgierige hondjes. Hoewel ze hun voeten hier voor de eerste keer zetten, waren hun hersenen reeds voorzien van een plattegrond van het hele centrum. Ze wisten precies waar de bibliotheek was, waar de pingpongtafels stonden en op welke plek ze hun leeftijdgenoten in grote drommen tegen het lijf zouden lopen. Per slot van rekening zouden ze de ouderejaars niet met rust hebben gelaten, wanneer hun beschrijving van het legendarische centrum niet een routebeschrijving zou hebben ingehouden. Ze liepen er rond alsof ze eindelijk in het wonderland waren aangekomen dat ze reeds honderden malen in hun droom hadden bezocht.

De eerste kamer aan de linkerkant heette *Schakershuis*. Het was er bomvol, maar muisstil. De twaalf tafels waren stuk voor stuk bezet. Jongens van tien tot achttien jaar keken ernstig op hun schaakbord, alsof hun leven ervan afhing. Weer zoiets waarom Lian het niet zo op de jongens had. Ze waren zo snel geobsedeerd door wat hen bezighield; of het nu leren, sporten of spelen was, als ze eenmaal in hun bezigheid verdiept waren, vergaten ze al het andere, zelfs hun vrienden. O, wat haatte Lian hen, die egoïsten! Zie je wel, dit was het levende bewijs van haar oordeel: de jongens zitten hier te schaken en nemen niet eens de moeite even van hun spel op te kijken om de nieuwkomers te bewonderen. Als zij met z'n zevenen op straat liepen, werden ze regelmatig nagefloten, door véél knappere jongens! De schakers waren niet meer dan een stelletje ezels die eindeloos in de rondte sjokken op een geruit pleintje.

Verontwaardigd verlieten ze het schakersparadijs en gingen naar de grote zaal. In de oostelijke hoek stonden twee pingpongtafels, in de westelijke hoek bevond zich de bibliotheek, in de noordelijke was een kalligrafie-tentoonstelling en in de zuidelijke stond een bureau, met daarachter een vrouw van begin dertig. De ruimte was blijkbaar meteen het kantoor van het hoofd van het centrum.

Er stonden rijen voor de pingpongtafels; minstens vijftig jongens en meisjes wachtten hun beurt af. Liru bood aan voor hen in de rij te gaan staan, dan konden zij ondertussen alvast de andere plekken bekijken. Ze wandelden eerst naar de kalligrafie-expositie. De zwarte Chinese karakters kwamen goed tot hun recht tegen de pas gewitte muren. Er waren verscheidene beroemde schrijfstijlen te zien, zoals *De Bamboestrepen*, *De Rimpelende Vijver*, enzovoorts. Ze waren honderden jaren geleden door kunstenaars uitgevonden teneinde de schoonheid van de natuur na te bootsen en te bezingen. Bij een ware kalligrafiekenner kon alleen al de manier waarop een karakter was getekend, beelden van een adembenemend landschap oproepen. Daarom viel het extra op dat de schrijfwijzen hier niet bepaald met de inhoud van de teksten rijmden. Zo was de stijl *Wilgen in de Lentebries* gehanteerd om de volgende leus weer te geven:

> *Ram de twee voortanden*
> *uit professor Tianbao Jins bek*
> *dan zullen we nog wel eens zien*
> *of hij de bourgeois drama's*
> *van Shakespeare kan doceren!*

In de leeshoek, ofte wel de bibliotheek, was geen kip te bekennen. Op de meterslange rekken stond slechts een tiental boeken op de schappen. Van een afstand deden ze aan de mond van een breed lachende honderdjarige denken: een donker gat met nog maar een stuk of drie eenzame tanden. De boeken die er stonden had Lian jaren geleden al uit het hoofd geleerd. Het was verplichte stof om te kunnen slagen voor de toets politieke opvoeding. Het ging om het *Rode Boekje*, het stripverhaal *Liu Wenxue*, de roman *De haan kraait 's nachts* en het *Dagboek van Lei Feng*. Het waren de enige titels die de censuur hadden overleefd. Alle boeken van voor de Culturele Revolutie waren door de Rode Gardisten verbrand. Sindsdien werden er in het hele land hooguit vijf titels per jaar uitgebracht.

Liu Wenxue handelde over een jongen van negen jaar. Het speelde zich af tijdens de Grote Natuurramp van 1960-1962. Een oude man – de aangetrouwde neef van de zus van de derde concubine van een gewezen landheer – had al vijf dagen geen korreltje graan gegeten. Omdat hij gek werd van de honger, kroop hij naar een groenteveld om een onrijpe paprika te stelen. Terwijl hij de buit naar binnen zat te schrokken werd hij gesnapt door een Kleine Rode Gardist, Liu genaamd. Liu greep de reactionaire paprikadief en wilde hem naar het kantoor van de partijvoorzitter van de productiebrigade slepen. De oude opa deed het in zijn broek, want hij wist wat hem te wachten stond: minstens vijf jaar dwangarbeid in een strafkamp. Hij smeekte Liu om hem los te laten, een verzoek waaraan de jongen natuurlijk weigerde gehoor te geven – per slot van rekening was dat joch geleerd om iedere contrarevolutionair levend te villen. Ze raakten met elkaar in gevecht. De radeloze bejaarde man sloeg het stijfkoppige jongetje iets te hard, waardoor het met zijn achterhoofd tegen een grote steen viel en ter plekke aan de gevolgen overleed.

Het verhaal moest duidelijk maken hoe hartgrondig Liu de klassevijand haatte en hoe heldhaftig hij tegen hem streed. Hij volgde Mao's woorden op tot hij er letterlijk bij neerviel. Zo moesten kinderen allemaal zijn, aldus de CPC.

Oom Tianshou, de jongste broer van Lians vader, had in mei 1961 noodgedwongen twee weken lang op een dieet van brandnetels gestaan. Toch moest hij van zijn productiebrigade het maïsveld in, omdat het hoognodig gewied moest worden en er maar nauwelijks boeren waren die zich nog overeind konden houden. Oom Tianshou was vierendertig jaar en woog dertig kilo. Als een velletje papier zweefde hij over de landweg naar het veld. Een lentebries steeg op, te zacht om zijn kwastharen te roeren, maar sterk genoeg om Tianshou uit zijn evenwicht te brengen. Hij viel om en stond nooit meer op.

Lian moest niets van de heldendaad van Liu Wenxue hebben. Als dat rotjoch een beetje mededogen had gehad, dan had hij niet het leven van die oude man en dat van hemzelf op het spel gezet, dacht ze stiekem.

De roman *De haan kraait 's nachts* beschreef een 'typische' landheer van voor de oprichting van de Volksrepubliek. Het was een uitbuiter van de eerste orde. Elke nacht om twaalf uur kroop hij het kippenhok in en bootste een kraaiende haan na, opdat zijn seizoenarbeiders dachten dat het al ochtend was. Zodoende zorgde hij ervoor dat ze langer in het veld werkten.

Dit meesterwerk had tot doel de hedendaagse jongeren in herinnering te brengen in wat voor een paradijs ze leefden en in wat voor een hel hun landgenoten vóór de oprichting van Mao's regime hadden moeten zwoegen.

Het *Dagboek van Lei Feng* was van de hand van een soldaat die meer van Mao hield dan van zijn eigen ouders. (Het toeval wilde dat de held vanaf zijn tweede jaar al wees was.) Als toonbeeld van altruïsme hielp hij iedereen – hij streefde Mao na als een zonnebloem de zon.

Waarom deze leeshoek eerder een vergeethoek was geworden, liet zich makkelijk raden.

Een dubieuze eer

Zwijgend slenterden de vriendinnen de zaal rond. Geen van hen wilde de eerste zijn om hun ontgoocheling over het 'eldorado der jongeren' uit te spreken. Liru stond nog steeds aan de staart van de rij en het zou zeker een uur duren voordat ze aan de beurt zouden komen om te pingpongen. Waarmee moesten ze de tijd doden? Nu al naar huis gaan zou te flauw zijn. Hoewel ze zich hier niet konden vermaken, was dit de enige plek waar nog wat gezelligheid te beleven was. In de rijen voor de pingpongtafels stonden jongens en meisjes met elkaar te kletsen en elkaar uitgebreid te keuren. Liru voelde zich in deze omgeving als een vis in het water en klaagde met geen woord over de lange wachttijd.

Net toen ze stonden te dubben wat ze het beste konden doen, zei iemand: 'In welk jaar van de middelbare school zitten jullie?'

Ze keerden zich om en zagen de vrouw die daarnet aan het bureau gezeten had. Vereerd dat het hoofd van het centrum hen aansprak, antwoordden ze in koor: 'Het derde.'

'Heeft een van jullie zin om lid te worden van de Brigade?'

Ze had net zo goed kunnen vragen of ze een Himalaya van platina wilden hebben.

De Brigade, afkorting van de Culturele Propaganda Brigade, was een recente vorm van het zang- en dansensemble, dat in 1966 in het leven was geroepen. Elke woonbuurt, school en werkeenheid had zo'n gezelschap. De leden werden gerecruteerd uit de desbetreffende bewoners, leerlingen of werknemers. De Brigade verzorgde zang- en dansvoorstellingen voor feesten, of in speciale opdracht van de Partij. De idee was Mao's bevelen op aangename, indringende en doeltreffende wijze in het hoofd van het volk te prenten. In 1967 had de Grote Roerganger de bevolking bij voorbeeld opgedragen alle volgers van de kapitalistische weg te elimineren. Twee weken later werd er een voorstelling ten beste gegeven onder de naam *Opgeruimd Staat Netjes*. Zes meisjes met een jongenskapsel, in militair tenue en voorzien van een rode armband, stampten met hun voeten op de planken. Tussen hen in stond een man met een bloedrode vlag te zwaaien. Ze schreeuwden: 'Dood aan de revisionisten!' – de zang. Daarna werd een bebrilde oude heer, gekleed in lompen, het toneel op gesleurd; dat was de man die de 'volger van de kapitalistische weg' voorstelde. De zes meisjes renden om hem heen, zwaaiden met hun vuisten, braakten dreigende taal uit, trapten, bespuugden en sloegen de arme man. Het tempo werd geleidelijk aan opgevoerd. De climax bestond eruit dat de man met de vlag stilstond en met zijn rechterhand een gebaar maakte dat het afhakken van een hoofd beduidde. Daarop vlogen de vrouwtjes als aasgieren op de bejaarde revisionist af, trokken hem aan zijn haren en bonkten zijn hoofd tegen de vloer. De oude heer zakte vervolgens in elkaar en werd door de meiden als een zak tuinafval vier maal vier rondjes over het toneel gesleept, onder het luid scanderen van revolutionaire leuzen. Het publiek applaudisseerde ontroerd en hysterisch en bruiste van inspiratie om ook eens wat reactionairen tot puree te stampen.

Lian had al tientallen dans- en zangvoorstellingen gezien, maar ze waren allemaal hetzelfde. De enige verschillen bestonden uit het aantal ronden dat de 'revisionist' over het toneel gesleept werd en de volgorde waarin de leuzen geroepen werden. Toch ging iedereen dolgraag naar deze opvoeringen. Er vielen altijd wel leuke vrouwen en knappe mannen te bewonderen.

Er heerste een gespannen stilte bij het zevental meiden, want geen van hen durfde openlijk te vragen wie het hoofd van het Jeugdactiviteitencentrum op het oog had.

'Jij met je blauwe blouse, hoe heet je?' vroeg ze.

Tjie! Meimei blies door haar neus. Lians *hart schrok en haar vlees sprong op.* Het geluid dat Meimei maakte verried dat ze pisnijdig was. Ze voelde de brandende blikken die op haar gericht waren; ze was tegelijkertijd bang en blij.

De vrouw vroeg Lian haar naam en adres op te schrijven en zei haar dat ze elke woensdag en vrijdag na school om drie uur hier moest komen om een nieuwe dans in te studeren.

Lian voelde zich vereerd. Maar ze vergat niet haar klasgenoten in de gaten te houden. Lian onderzocht het gezicht van haar vriendinnen. Hoe ernstig was het gesteld met hun jaloezie? Kon het gevaarlijk worden? Hoe zou ze witte voetjes bij hen kunnen halen? Tot haar opluchting merkte Lian behalve het zure smoelwerk van Meimei niets gevaarlijks in de gelaatsuitdrukking van haar maatjes.

Och ja, hoe had ze dat nou kunnen vergeten! Natuurlijk vonden ze het niet erg dat ze voor de Brigade gekozen was. Hun sociale status was immers niet te vergelijken met die van haar. De vader van Liru was directeur van Militair Ziekenhuis Nummer 706; Qianyuns vader was generaal en bekleedde tot twee jaar geleden de functie van vice-minister van Volksgezondheid; Feiwens moeder was de dochter van de overleden maarschalk Zhao... Lians vader was maar een dokter en haar moeder een docent. Het verschil in standing was dusdanig groot dat ze zich te zeker van zichzelf voelden om haar om zoiets te benijden. Hoe kan een verwend joekel van een rijke baas afgunstig zijn op een scharminkel van een straathond die zojuist een kale kluif uit een vuilnisbak heeft gevist? Dit besef stelde Lian gerust. Wat dat betreft kon ze zich bij haar vriendinnen veilig voelen. Meimei was een geval apart. Haar vader was onderzoeker aan een instituut voor astronomie en haar moeder lector in de wiskunde. Haar positie stond zo ongeveer gelijk aan die van Lian. Ze gunde Lian het licht in de ogen niet, ook al trok Lian zich daar niets van aan – in haar eentje kon Meimei Lian toch niet zo veel kwaad doen.

De dans rond de totem

Twee dagen later stond Lian om kwart over drie tussen vijf meiden en twee jongens in de repetitieruimte van het activiteitencentrum. Ze waren even oud als Lian, maar Lian kende hen niet. Deze brigade behoorde tot de grote woonbuurt van het Wanzhuangdistrict; de kinderen zaten op zes verschillende scholen en waren volslagen vreemden voor elkaar.

De 'nieuwe' dans heette: *De Partij leidt ons van de ene overwinning naar de andere.* Lian was een groentje – de rest van de groep had al anderhalve week gerepeteerd. Mevrouw Feng, hoofd van het centrum, en tevens verantwoordelijk voor de choreografie, vroeg het gezelschap de dans op te voeren zodat Lian een idee zou krijgen hoe het eruitzag. De dans verschilde in wezen maar op één plaats van alle voorstellingen die Lian sinds haar zevende gezien had: er was een stuk ingelast dat niets anders was dan een persoonsverheerlijking van de Wijste Leider van het Heelal.

Vijf meisjes strekten hun armen uit naar de hemel en keken smachtend naar boven, waar een Nooit Ondergaande Zon hing. Hierna slikten ze vijf maal nadrukkelijk en vouwden hun armen hartstochtelijk voor hun borst. Ze kruisten hun handen, wiegden met hun bovenlijf, sloten hun ogen en slikten nog eens vijf maal nadrukkelijk. Daarbij werd minder moordlustige, zelfs bijna romantische muziek ten gehore gebracht, en de meisjes openden hun mond vol verlangen. Op dit moment schoot een jongen de planken op, zwaaiend met een rode vlag. Hij overstemde de muziek met zijn geschreeuw: 'Wij beschermen de Grote Partijvoorzitter door de klassevijanden tot gehakt te stampen!' Dit injecteerde een vechtlust in de meisjes, die hun liefde voor de Roerganger in pure daadkracht omzette. De net nog teder en sierlijk gebarende vrouwenarmen veranderden in de klauwen van beulen en het vijftal hervatte z'n dagelijkse revolutionaire arbeid: het vernederen, martelen en doden van de man die de rol van contrarevolutionair speelde.

Mevrouw Feng leerde Lian eerst hoe ze gepassioneerde gebaren moest maken om haar begeerte naar de Wijste Leider uit te beelden. Hiermee vergeleken kostte het uit volle borst krijsen van de standaardleus *Vader, Moeder, Minnaar en Minnares in Een, elke cel van ons lichaam snakt naar Uw Liefdesregen* Lian minder moeite, want ze hoefde er tijdens het schreeuwen niet bij stil te staan wat de slogan betekende. Maar toen ze de leus met armbewegingen moest illustreren, besefte ze maar al te goed waar het over ging.

'Probeer je voor de geest te halen hoe lief de Grote Partij-voorzitter is,' merkte mevrouw Feng op, 'bij voorbeeld toen hij in 1949 ons volk uit de zee van droefenis redde.'

Half uit angst dat ze een politieke fout zou maken door haar liefde voor Hem zo stuntelig te uiten, half uit de ijdele wens de andere leden van de groep te laten zien hoe mooi ze kon dansen, spande Lian zich in om zich een aardige Roerganger voor te stellen – zonder veel succes. Allerlei hinderlijke gedachten spookten haar door het hoofd. Onwillekeurig dacht ze aan de dingen die ze met Qin besproken had, in het molenhuis, in het lelietheater… Ze hoorde zijn stem in haar oren donderen. Qin fulmineerde tegen de massa die Mao alleen maar aanmoedigde in zijn grootheidswaan. Mao was aan zijn macht verslaafd, maar de massa evenzeer… Gedurende enkele seconden gleed ze weg in herinneringen die het grootst mogelijke contrast vormden met wat zij hier aan het doen was.

'Lian Shui, komt er nog wat van?' onderbrak mevrouw Feng haar.

Lian schrok wakker en dwong zichzelf met moeite een nobele, lieve Mao voor de geest te halen. Ineens kwam het bij haar op dat Moeders collega's vaak zeiden dat ze zo mierzoet kon lachen en prompt toverde ze deze lach op haar gezicht. Nu knikte Feng tevreden – Lians lach maakte blijkbaar haar abominabele dansprestatie weer goed. Nu leerde ze Lian om haar hals zo lang mogelijk te rekken en haar ogen zo wijd en hartstochtelijk mogelijk te openen om daarna, liefst met een gorgelend geluid erbij, haar speeksel door te slikken. 'Deze liefdesbetuiging aan de Roerganger moet zeer artistiek gestalte krijgen,' prentte ze Lian in.

Lian durfde niet te vragen wat de relatie was tussen speeksel en de begeerte naar de Roerganger. Enfin, ze besloot Fengs instructies blindelings te volgen. Zo goed en zo kwaad als het ging ploeterde ze om de dans onder de knie te krijgen.

Nu was het tijd om de pasjes te leren. Hier viel ze definitief door de mand. Haar coördinatievermogen was altijd al vreselijk geweest. Normaal gesproken kon ze dit gebrek goed verborgen houden, maar onder deze omstandigheden lukte haar dat natuurlijk niet meer. Als ze op haar armen moest letten, was het uitgesloten dat ze nog iets met haar benen kon doen. Liuhua, een meisje uit de groep dat zich opvallend elegant kon bewegen en dat veel aanzien genoot bij de rest van het gezelschap, kneep haar ogen samen en onderdrukte een minachtend lachje.

Na het gedeelte waarin ze de Rode Zon hadden aanbeden, moesten ze een schip nabootsen. Een jongen stond aan de voorkant van de boot en wees met één hand naar voren. Dit was het gebaar van een roerganger, dat impliceerde dat Hij het volk naar de Glorieuze Communistische Toekomst leidde. Er moest een prima ballerina worden aangesteld die achter deze jongen aanliep en bevallig met haar heupen draaide. Zij symboliseerde de bijna één miljard mensen tellende bevolking, die in Zijn kielzog voer. Om de een of andere reden koos mevrouw Feng Lian hiervoor uit. Een klaaglijk keelgeluid steeg op uit de rest van de groep, want ze hadden gezien hoe klunzig Lian haar pasjes deed. Lian had al moeite genoeg om de eenvoudigste bewegingen te coördineren en nu moest ze er nog ingewikkelder pasjes bij leren. Het was wel duidelijk dat Lian deze taak niet aankon. Er zaten vier meiden in de groep die steengoed waren. Waarom werd de hoofdrol niet aan een van hén toebedeeld? Lian wist bij Boeddha niet wat Feng bezielde.

Natuurlijk gaf Lian niet toe dat ze deze eer niet verdiende. Ze moest apetrots zijn dat de choreografe haar apprecieerde en genieten van haar status als de belangrijkste danseres. Ze hief haar hoofd en praatte zo min mogelijk met de anderen. Populaire meisjes moesten immers doen alsof ze doofstom waren. Dan pas zouden de mensen hen als een ongenaakbaar idool en als een marmeren standbeeld van schoonheid aanbidden.

Lians behoefte om bewonderd te worden zegevierde – ze werd hoe langer hoe ijdeler, valser en oppervlakkiger. Ze was alle lessen van Qin vergeten.

Verraad

Lian stapte niet uit de badkuip – ze spróng eruit. Zingend snelde ze op de handdoek af en wreef zich in een paar tellen droog. Toen ze voor haar klerenkast stond, werden haar bewegingen hoe langer hoe trager, als in slow motion. Haar aarzelende ogen bleven bij elke blouse steken en haar handen kregen steeds maar geen commando om er eentje uit te nemen. Welke zou oom Kannibaal mooi vinden? De zomerse bries maakte maar al te graag zijn rondedansjes om haar heen en opeens vond ze dat ze haar naakte lichaam moest bedekken, nu meteen.

Uiteindelijk viel haar keuze op een lilakleurige blouse van flinterdunne synthetische stof. Maar toen ze voor de spiegel stond, gingen haar mondhoeken mismoedig omlaag. Geen wonder dat er over haar geroddeld werd. Die borsten van haar waren walgelijk groot. De rest van haar lichaam was rank, zelfs fragiel, en dat maakte juist dat die twee hompen vlees afgrijselijk opvielen. Ook haar heupen waren niet in orde – hun ronde vormen deden haar taille griezelig smal lijken. Vol afgunst dacht ze aan Feiwen: kijk naar haar, ze stijgt bijna op, zulke lange, magere en rechte benen heeft ze! Nauwelijks vlees op de heupen en een prachtige, platte borst. Waarom groei ik niet meer in de lengte en dij ik alleen maar uit tot een zware, obscene vrouw? Tranen welden op in haar ogen toen ze dacht aan haar lievelingsjasje met de kanten kraag – hoe de achterkant bedorven was met zwarte inktvlekken. Qianyun vertelde haar dat Yougui, die etter, zijn vulpen erop geledigd had.

Vorige week was het raam van haar kamer ingegooid. Een grote steen kwam de kamer binnenzeilen, gewikkeld in een briefje: *Dit is je verdiende loon, jij Spion van Zuid-Korea!* Moeder had de politie erbij gehaald en het eerste wat de agent vroeg, was: 'Heeft uw dochter soms een of andere jongen gekwetst?' Waarop Moeder niets beter wist dan hem te assisteren bij het ondervragen van Lian. Wat voelde ze zich weer een crimineel! Wat deed ze dan toch fout?

Na al die ellende was ze des te blijer dat het deze week Kannibaals verlofweekend was. Ze rende naar zijn flatgebouw en trappelde van ongeduld nadat ze geklopt had. Eerst klonk er wat geschuifel en gestrompel. En daar stond hij te stralen in de deuropening: 'Hóe is het mo-ge-lijk dat je nog aan je oom denkt!! Xiulan,' riep hij in de richting van de keuken, 'je hebt gelijk! Lian heeft zich aan haar woord gehouden en is ons komen opzoeken.' Hij leidde haar naar de grootste kamer en zijn voetstappen klonken ineens een stuk lichter.

Tante Xiulan volgde hen het vertrek in en zette een schaal

walnoten op het bed: 'Ken je ze nog? Van de zwarte markt naast ons kamp. Mis je ze niet?'

Lian kreeg het gevoel dat een bijtje haar hart gestoken had: en óf ze het kamp miste! Niet alleen vanwege de lekkernijen op de markt, maar ook vanwege de eenvoud van het kampleven. In elk geval had ze zich daar niet in allerlei bochten hoeven wringen om de jongens te ontlopen.

Kannibaal ging in lotushouding op de kang zitten en sloot zijn ogen.

'Oom, ik heb geen lezing voorbereid.'

Hij opende zijn ogen.

'Het spijt me.'

'Och, waarom die verontschuldiging? Je zult je redenen wel hebben.' Hij schoof de schaal noten naar haar toe en wachtte af.

'Zal ik er eentje voor je kraken? Ze zijn verrukkelijk.' Kannibaal hield een noot tegen het houten hoofdeinde van het bed en – *katche!* – sloeg met een hamertje de kogelronde noot half plat. Nauwkeurig scheidde hij de schil van het vlees en bood Lian een bijna intacte, gepelde noot aan. Lian had helemaal geen zin om te eten, maar uit beleefdheid nam ze het geschenk toch aan.

'Geen zin? Geef maar hier.' Kannibaal mikte de noot in die helft van zijn mond waar nog een paar kiezen stonden en – mmmm – wat genoot hij!

'Oom… ben ik een hoer?'

Echnn! Kannibaal verslikte zich en – *khe, khe* – kuchte, waarbij hij zijn nek tot een honderd jaar oude boomstronk opblies. Lian voelde zich schuldig, schoof naar hem toe en klopte hem op de schouderbladen, zodat hij het stukje noot makkelijker kon ophoesten.

'Maak je geen zorgen,' zei oom toen hij uitgehoest was. 'Mij mankeert niets, maar jou wel. Wát zei je daar? Hoe haal je het in Boeddha's naam in je hoofd zoiets dwaas te zeggen!'

'Waarom schelden ze mij dan de hele tijd uit?'

'Doen ze dat? Wat zeggen ze dan precies?'

'Nou ja, dat ik een concubine van de landheer ben.'

'Je hebt het toch in de geschiedenisles gehad? Dat vóór de

oprichting van de Volksrepubliek jonge mensen aan elkaar uit-gehuwelijkt werden? Pas wanneer een man ruim bij kas zat, schafte hij zich een bijvrouw aan, liefst een schattig jong ding.'

'Wilt u... wilt u daarmee zeggen dat het een... verborgen compliment is?'

'Wat dacht je?'

'Maar waarom zeggen ze dat dan niet direct?'

'Kind, ben je vergeten wat er in het Rode Boekje staat? *Gevoelens voor een beminde koesteren is verraad jegens de Communistische Partij.* Hoe stout de jongens ook mogen zijn, ze durven hun armen niet onder het wiel van de Dictatuur te leggen door hun genegenheid voor je te uiten.'

'Ze noemen me ook *Spion van Zuid-Korea.*'

'Wees eens eerlijk. Waar moeten de jongens tegenwoordig hun idolen vandaan halen? Ze hebben niets anders dan gecensureerde spionagefilms en de geheim agenten daarin zijn stuk voor stuk verleidelijk.'

'Maar waarom ruïneren ze mijn jasjes en blouses met inkt en gooien ze mijn ruiten in?'

'Waaróm? Dat heb ik je net uitgelegd.'

'Ik geloof u niet.'

'O?'

'Er zijn zo veel mooie meisjes bij ons op school en zij worden niet aangevallen, alleen ik, en... en nog een paar andere.'

Kannibaal trok een lang gezicht: 'Nu moet je eens goed luisteren. Ken je het verschil tussen mooi en aantrekkelijk?' Lian kreeg er kippenvel van en wilde instinctief haar oren sluiten. 'Ben jij soms een jongen? Weet jij wat voor soort meisjes jongens leuk vinden?'

'Ja, Feiwen is bij voorbeeld een schoonheidsideaal. Ze is lang en statig.'

'Welke Feiwen? Toch niet de dochter van professor Peng? Die magere, wankele spriet?'

'Hoe komt u daarbij? Al mijn vriendinnen zeggen dat een grote gestalte het symbool van begeerlijkheid is.'

Kannibaal rolde zijn ogen omhoog: 'Zwijg over dingen waar je niets van weet.' Lians kippenvel veranderde in een ijskorst en ze sloot haar ogen. 'Meisje, dit moet je in je geheugen griffen: in plaats van jezelf te minachten moet je eigenlijk...'

'Oom, alstublieft, zeg maar niets.' Hij keek verbaasd op. 'Ik walg ervan dat jongens belangstelling voor me tonen. Op de zondag van uw vorige verlofweekend zei een viezerik tegen mij: "Je bent mijn geliefde!" Is dat niet om kotsmisselijk van te worden? En geméén?' Kannibaal zweeg. 'Alleen onbeschofte jongens of vieze mannen zeggen zoiets tegen een meisje, niet-waar? U bij voorbeeld zou dat nooit van uw leven doen.'

Oom keek de andere kant op. Lian werd ineens bang, alsof de grond onder haar voeten een bodemloze scheur vertoonde.

'Lian... hoezeer ik het ook betreur, ik moet toegeven: ik ben ook maar een mens, met *de zeven gevoelens en zes verlangens*.'

Wóeeennn! Lians hoofd werd als het ware doormidden ge-kliefd. Nooit had ze gedacht dat Kannibaal, de enige persoon op wie ze dacht te kunnen rekenen en die ze door en door ver-trouwde, ook zulke laag-bij-de-grondse behoeften bezat. Ze had nog zo gehoopt dat er zuivere mensen in deze wereld be-stonden, die niet rondliepen met die vuile verlangens naar vrouwelijk vlees. Hiermee werd haar gaafronde droom ver-pletterd, haar laatste citadel van bescherming omvergehaald. Ook hier bij Kannibaal thuis voelde ze zich niet meer veilig, en dat betekende: nergens meer. Ze wilde de flat uit stormen, maar ze herinnerde zich hoeveel spijt ze de vorige keer had ge-had toen ze haar oom zo brutaalweg had verlaten. Maar wat dan? Wat moest ze doen? Ze schoof verder van hem af en kreeg een onbeschrijflijke hekel aan de lucht om haar heen – hij ademde immers dezelfde lucht in en uit als zij.

'Heb begrip voor de jongens. Ze weten zich geen raad met hun gevoelens voor je en daarom pesten ze je.'

Lians haren stonden recht overeind van verontwaardiging. Wat? Gaf hij hun nog gelijk ook? Zíj was de schuldige, de slet die zielige, hulpeloze jongens in de war bracht? Ze balde haar vuisten en dwong zich om het niet uit te schreeuwen. Nu was de cirkel rond. Ze kwam hier om zich te beklagen over de wandaden van de jongens en voor de zoveelste keer belandde ze in de beklaagdenbank. Ze was te bedroefd om zich bedroefd te vóelen.

'Och, kind, zo erg is het toch niet. Kom hier.' Kannibaal stak zijn hand naar haar uit.

Lian dacht aan de geur, het gehijg en het gevloek van de grote jongens en besefte plotseling dat oom ook tot hun kamp behoorde. De haat jegens het andere geslacht verhardde haar hart en met een zwaai wierp ze de schaal noten op de cemen-ten vloer – *kwanglanglang!*

'Wat is er?' Tante rende de kamer binnen en zag het verbrijzelde bord op de grond liggen en talloze noten onder het bed, de tafel, de krukken en in de schoenen rollen.

Verblind door woede gaf Lian de kapotte schaal nog een trap na. Vanuit haar ooghoeken zag ze Kannibaal zijn vrouw een teken geven om weg te gaan…

'Sorry, mijn kind, ik heb de kom van onze vriendschap en vertrouwen aan diggelen geslagen.' Hij meed elk oogcontact met haar en − *ghèè-ghèè* − hij zuchtte aan een stuk door. Voor een moment zag Lian zijn ogen rood worden. Maar ze had geen medelijden met hem − alleen met zichzelf. Zíj was degene die medelijden behoefde, de geboren hoer, die door duizenden geschopt en door tienduizenden bespuugd diende te worden. En ondertussen was ze verplicht begrip te tonen voor degenen die haar lastigvielen; zij hadden immers het recht om te bezwijken aan hun verdoemde *zeven gevoelens en zes verlangens*. Goed, maar daarmee was het andere geslacht de oorlog verklaard. Te beginnen met oom Kannibaal, nee: Kannibaal, niks geen ge-'oom' meer! *Tjíela!* Ze stampte op de scherven van het kapotte bord en zei zo beleefd mogelijk: 'O, nee, gewoon, Kannibaal. Ik heb te veel huiswerk. Ik heb voortaan geen tijd meer om u op te zoeken.'

'Xiulan!' riep Kannibaal. Tante holde naar hem toe en hoorde zijn biecht aan. 'Vanavond krijg ik de straf die ik verdiend heb − ik heb onze mooie schaal op de grond laten vallen.'

Tante pakte een bezem van de gang en zei: 'Op bladzijde 126 van het Rode Boekje staat: *Als je weet dat je fout bent en je wilt je beteren, dan ben je nog steeds een goede revolutionair.*'

Met gebogen rug en naar beneden gericht hoofd schoof Kannibaal teen voor teen het bed af; hij kroop onder het bed en de tafel en raapte de naar de acht windrichtingen ontsnapte noten op. Hij haalde een papieren zakje onder het matras vandaan en deed de noten er een voor een in.

Een raar gevoel bekroop Lian. Ze beet op haar lippen en wilde niet weten wat dat gevoel te betekenen had. Ze wilde maar één ding: op een zo beleefd mogelijke manier vaarwel zeggen en hem nooit meer zien. En dat was precies wat ze deed.

Die avond zag ze in haar droom opnieuw het vertrouwde meer.

Het was herfst, ijzingwekkend stil. Er dreven bruine bladeren en dode takken op het water en de kano waarin ze over het meer gleed, werd omringd door mooie glimmende beesten. Ze klaagden en smeekten. Toen ze haar hand ernaar uitstrekte, zag ze de begerig geopende bekken van haaien.

De volgende ochtend stond er een papieren zak met noten voor de deur.

Een onverwacht feestmaal

Midden augustus. De vuurbal van de middag verhitte de dikke, witte wolken tot roze stoom. De boombladeren krulden op tot ze ten slotte met een zucht – *krits* – hun kop lieten hangen en hun poging tot overleven opgaven. De cicaden hielden zich koest in de schaduw; alleen de jonge en onervarenen onder hen konden de verleiding niet weerstaan af en toe hun kostbare energie te verspillen aan hun soorteigen gekras. Voetgangers sjeesden naar huis, alsof ze door de middelpuntvliedende kracht van de hete lucht huiswaarts gecentrifugeerd werden.

Lian zat in haar kamertje voor het raam te lezen. Alles plakte. Als ze haar armen op tafel legde, kleefden haar bezwete ellebogen aan het tafelblad dat bedekt was met een filmpje condens. Als ze niet om de twee minuten een andere houding aannam, bleef haar met zweet doordrenkte broek aan de stoel plakken. De lucht kleefde als een donsdeken om haar lijf en hoe ze zich ook wendde of keerde, eruit kruipen was onmogelijk.

Tegen vieren verhief zich een cycloon boven de aarde. Hij dreef de wolken bijeen, vermenigvuldigde ze in een razend tempo en begoot ze met bakken zwarte inkt. De donsdeken veranderde in een stalen blad, dat Lian zwaar op de borst drukte. *Woewoe, woewoe!* brulde de wervelwind. Met reuzenhanden schudde de tornado de bomen totdat ze met wortel en al uit de grond gerukt werden.

Dong, dong, dong. Er bonsde iets tegen het raam. Lian probeerde naar buiten te kijken, maar er was niets te zien. De middag leek op de donkerste nacht. *Tjintja, tjintja, tjintja.* Brekend glas. Op de tast bereikte ze de schakelaar en knipte het licht aan. Haar tafel was bedolven onder de glasscherven en er gaapte een groot gat in het raam, als de muil van een leeuw, waardoor een roterende windstroom de kamer binnenschoot. Ze beefde van top tot teen en stak haar handen in het gat. IJsbollen groot als eieren vielen in haar handpalmen.

'Mama!'

Toen Moeder Lians kamer binnenkwam, deed ze snel de deur achter zich dicht, want er ontstond ogenblikkelijk een machtige tocht. 'Het zijn hagelstenen,' legde ze uit.

Met spijt zag Lian de kristalheldere, harde balletjes in haar handen kleiner worden voordat ze naar de hemel terugkeerden, slechts een plasje herinnering achterlatend. Terug naar de leeuwenbek. Met de ene hand ving ze de hagelstenen op en met de andere verborg ze de schattige bollen in haar broekzak. Haar vangst werd allengs magerder en de windstoten werden minder heftig. Het gegrom van de storm, het gekraak van omvallende bomen en het getimmer van hagelstenen op ruiten, dakpannen en asfalt verloren hun angstaanjagende karakter. De stilte meldde zich; het was alsof moeder natuur haar adem inhield, alsof ze haar verschrikte kinderen niet verder wilde storen en hen in slaap wiegde. Tevergeefs – haar kroost wilde actie in plaats van rust.

Jiuuu... Overal werden deuren geopend. Opgewonden kinderstemmen weerklonken op de even tevoren nog verlaten straten. Nieuwsgierig keek Lian naar buiten. De inktzwarte hemel van daarnet was weer doorzichtig blauw geworden, met wolken als lichtvoetige mademoiselles in witte jurken, die sierlijk wandelden, huppelden en met elkaar stoeiden.

Toen ze omlaag keek, zag Lian wat de hagelstorm in nog geen half uur had aangericht. Een winterlandschap in hartje zomer. Bomen lagen overal op de grond en de exemplaren die niet waren geveld waren nagenoeg kaalgeschoren. De weinige bladeren die het overleefd hadden waren bedekt met regendruppels, die als even zovele ronde spiegeltjes het oranje zonlicht weerkaatsten. Alleen deze groene bladeren herinnerden eraan dat het geen winter was. De straten waren verdwenen, bedolven onder omgevallen bomen en afgebroken takken. Joelend sprongen de kinderen over de versperringen. Ze zochten tussen de boomstammen en onder de bladeren en stopten de buit triomfantelijk in de zak die op hun rug hing.

'Wat doen ze daar, Mam?' vroeg Lian.

'Ze verzamelen de mussen die door de hagelstenen doodgeslagen zijn.'

'Waarom?'

'Om op te eten, natuurlijk.'

Lian pakte een rode boodschappentas en vloog naar buiten. Sommigen van haar leeftijdgenoten hadden hun ouders bij zich, die hun leerden hoe ze de vogels het snelste konden vinden. Lians moeder had geen zin gehad om mee te gaan en dus zocht Lian in haar eentje naar dode mussen.

'Lian, ben je er ook!' groetten de vier zusjes van de familie Teng haar. Lian zette ogen op als schoteltjes: Tengshan, de oudste, sleepte een jutezak met zich mee, die tot de rand toe gevuld was. 'Hoe hebben jullie zó veel mussen kunnen vinden?' vroeg ze vol ontzag. De gezusters Teng keken vol medelijden naar haar lege tas en zeiden: 'Je moet niet op de open plekken zoeken, dommerdje. Neem een stok en kieper er de gevallen boomtakken mee om. Daaronder tref je de vogels in grote bergen aan.'

De gouden tip kwam helaas te laat – het werd snel donker: etenstijd. De geur van gebakken mussen ontsnapte uit de keukenramen – nu was Lian pas echt jaloers op de geluksvogels die genoeg mussen vergaard hadden voor een keizerlijke maaltijd.

's Avonds bad Lian tot Boeddha dat er morgen weer een hagelstorm zou komen, opdat ze met de gouden tip van de zusjes Teng ook een jutezak vol vogels zou kunnen vergaren.

Lians gebed werd op een onverwachte manier door de Barmhartige verhoord. De volgende dag kwam Tengshan bij Lian langs om moeder en dochter uit te nodigen die avond bij hen gebakken mussen te smullen. Lian draaide als een tol door de zitkamer; de gefantaseerde geur van het vlees laadde haar op met zo'n enorme energie dat Moeder haar een klap op haar kop moest geven om haar tot bedaren te brengen.

Mevrouw en meneer Teng waren Moeders beste collega's en ze dachten vaak aan Moeder en Lian als ze iets lekkers hadden bereid. Het was de gewoonte om moeilijk te bereiden delicatessen met buren en vrienden te delen. Als Moeder *jiaozi's* klaargemaakt had, stuurde ze Lian altijd met een kommetje vol naar hun liefste buren en vrienden. En die deden op hun beurt hetzelfde als zij iets speciaals hadden gekookt.

Om zes uur 's avonds belden ze aan bij de familie Teng. Na elkaar uitgebreid te hebben begroet, rolde Lians moeder haar mouwen op en vroeg: 'En... wat is mijn taak?' Mevrouw Teng leidde haar de keuken in en wees naar een grote teil: 'De veren van de mussen plukken.' Er dreef een veertigtal vogels in de bak. Ze hadden één nacht en bijna twee dagen in het water liggen weken en waren zo opgezwollen dat ze twee maal zo groot leken als toen ze van straat waren opgeraapt. Zo konden ze volgens zeggen makkelijker geplukt worden. Tengshan, Tengfang, Tengyang en Tengjiang, de vier zusjes, zaten op krukjes rond de teil en overhandigden Moeder en Lian ieder een pincet. Vader en moeder Teng deden een schort voor en begonnen uien en gember fijn te snijden. Het was traditie om de gastvrouw en de gastheer bij het koken te helpen als men voor een etentje werd uitgenodigd. Het geklets tijdens het koken vormde een essentieel onderdeel van zo'n bezoek.

Twee uur later waren de mussen panklaar. Vader Teng goot wat katoenzaadolie in de wok. De verhitte vloeistof begon te zingen en Lians hart kwinkeleerde mee. Visioenen van gebakken vogeltjes deden het peil van haar mondwater stijgen en ze dreigde flauw te vallen van begeerte, als vader Teng er nog langer over zou doen. Maar gelukkig was het eten binnen een half uur klaar. Tengshan schepte rijst in ieders kom en moeder Teng legde er keurig vijf mussen op – ze waren met zijn achten en er waren welgeteld veertig vogeltjes. *Tjen-tja-tjen-tja.* De ruimte was vervuld van het heerlijke geluid van krakende mussenbotjes. De vogeltjes waren zo hard gebakken dat zelfs hun botten knapperig waren geworden; je kon ze in hun geheel opeten.

Lian had haar portie in minder dan vijf minuten achter de kiezen. Ze keek naar de zusjes Teng; ook hún kommen waren leeg. Moeder stond op het punt om Lian er eentje te geven, maar toen ze de andere vier paar verlangende kinderogen zag, stopte ze haar laatste vogel toch maar in haar eigen mond.

Tengjiang trok onder tafel aan de kleren van Tengyang. Lian had het meteen door, zonder naar beneden te kijken. Als ze zelf iets stiekem deed, spande ze haar gezichtsspieren net zo, alsof ze een windje moest laten, maar daar geen geluid bij durfde te maken. Tengyang waarschuwde Tengfang en die tikte weer op Tengshans knie.

'Nee, meisjes.' Vader Teng kende zijn dochters langer dan vandaag: 'Jullie mogen niet nog meer dode mussen zoeken. Bij zulk warm weer beginnen de beestjes snel te rotten en dan worden ze giftig.'

'Oòòòòòòòch…!' De zusjes rekten hun protesterende kreet zo lang als hun adem het toeliet. Tengjiang, de jongste, die nog geen vijf was, dreigde het zalige diner af te sluiten met een janksolo.

Maar moeder Teng zei snel: 'Lieve meisjes, weten jullie het nog? Over twee maanden krijgen we het jaarlijkse rantsoen tahoe. Het is maar liefst een half pond! Dan bak ik 'm net zo hard als Papa vandaag de mussen bakte. Ik beloof jullie dat de tahoe even goed zal smaken als de vogels.'

Dat werkte. De in het vooruitzicht gestelde gefrituurde sojakaasblokjes maakten dat de gezusters Teng het verlangen naar nog meer gebakken mussen vergaten.

Een ware zaaddrager

De dood van bomen en vogels creëerde een vette klus voor de derdekasters. De technische dienst van de universiteit kon de zware schoonmaakwerkzaamheden niet aan en huurde werkloze moeders uit de modderhuisbuurt in om het zaakje op te knappen. Heel vroeg in de ochtend al kon je ze de omgevallen bomen en lantaarnpalen van de straten horen ruimen. Hierna veegden ze de boombladeren en glasscherven op. De gewoonlijk ingetogen stilte op de campus werd verbroken door de krakend protesterende boomstammen die, nadat ze door de wervelwind om het leven waren gebracht, ook nog in hun eeuwige rust gestoord werden, want van de straatvegers mochten de bomen niet blijven liggen op de plek waar zij hun doodssnik hadden gegeven. Het lawaai werd verrijkt met de schrille stemmen van de kwebbelende vrouwen, die soms elkaars armen vastklemden om de gesprekspartners tot zwijgen te brengen, zodat zijzelf de praatshow konden monopoliseren.

Om drie uur 's middags kwam een vijftal van hen bij Lian thuis het glas vervangen en het lijstwerk schilderen. Binnen een half uur hadden ze de ingeslagen ruiten gerepareerd en de lijsten geverfd. Lian was diep onder de indruk van het hoge tempo waarin ze hun karwei klaarden en van de hoeveelheid woorden die ze al klussend afratelden. Toen ze snaterend het huis verlieten, leek de flat wel een begraafplaats, zo stil was het ineens. De geur van natte verf bezorgde Lian een lichte hoofdpijn. Ze besloot naar buiten te gaan om een frisse neus te halen.

Voor de flat stond een enorme boomgaard. Groene peertjes en perziken, blijkbaar door de hagelstenen uit de bomen geslagen, lagen te gisten op de grond. Ze waren te klein om te eten en te groot om geen gevoel van spijt bij de voorbijgangers teweeg te brengen. Maar de boombladeren die de storm overleefd hadden, blonken extra levenslustig. Lian snoof de heerlijke geur van de tuin op en voelde zich weer kiplekker. Haar besef van tijd en ruimte, dat in de laatste twee dagen door de hagelstenen buiten westen geslagen en onder het verlangen naar mussenvlees bedolven was, keerde langzaam maar zeker in zijn heldere gedaante terug... Het was al over vieren en Kim was er nog steeds niet. Zou ze de studie-uurtjes zijn vergeten? Een naar voorgevoel nam bezit van haar en ze holde in de richting van Kims huis.

Hoe dichter ze bij de modderhuisbuurt kwam, hoe duidelijker een janboel van geluiden tot haar doordrong.

'Hier komt de balk!'

'Pas op, de bak met cement wordt nu opgehesen.'

'Geef me nog eens wat spijkers.'

Overal waren mannen en grote jongens bezig hun woning te repareren. De helft van de modderhuizen was zo goed als doorzichtig geworden: overal hadden daken het begeven en waren ramen ingeslagen door de hagelstorm. Van grote afstand kon je al zien wat er zich binnenshuis afspeelde. Opa's en oma's hurkten op het driehoekig overblijfsel van hun kang en peuters duwden wasbakken door de plas waar vroeger de vloer was, opgewonden gillend dat hun boten zo mooi voeren. Huisvrouwen wrongen het beddengoed uit en hingen het aan de waslijn, die bijna bezweek onder de zware belasting. Lian versnelde haar pas en bad tot Boeddha dat de woning van Kims familie tot de helft van de huizen mocht behoren waarvan het dak nog intact was.

Pats! Ze viel in een verraderlijke kuil water. Omdat de weg bezaaid was met gaten, die zich verstopt hadden onder het samengestroomde regenwater, kon ze moeilijk uitmaken waar ze haar voeten zonder gevaar kon neerzetten. Drijfnat rende ze naar Kims huis.

Zodra ze de ingang van Kims binnenplaats naderde, corrigeerde ze haar gedribbel – links, links, rechts, links – opdat ze precies met haar linkervoet naar binnen zou stappen; dat bracht geluk.

Het was werkelijk een waardeloos bijgeloof. Het dak, de rijstpapieren ramen en de deur waren volkomen vernield door de hagelstenen. Van de kang was nog slechts de top te zien en het modderfornuis was weggesmolten. In tegenstelling tot overal elders was hier geen geluid te horen en geen beweging te zien. Het reparatiewerk, dat op dit moment andere gezinnen bezighield, bleef hier achterwege. Lian doorzocht alle hoeken van het 'open huis' totdat ze eindelijk iets zag wat zich roerde. Het was het achterwerk van Kims moeder, die druk doende was met een bamboe bezem het water uit de kamer te schuiven. Het was onbegonnen werk, want zodra de waterspiegel lager werd, stroomde er via allerlei spleten in de muren vers water binnen. Er was nu ook iets te horen: *tingtong, tingtong.* Lian verbeeldde zich dat ze de tranen van Kims moeder in het regenwater hoorde vallen. Ze schaamde zich dood. Hoe egoïstisch om te hopen op een tweede hagelstorm, die haar nog meer dode mussen zou kunnen schenken! Had ze er niet aan kunnen denken dat er amper een kilometer van de campus een groot aantal mensen in krakkemikkige hutjes woonde, in modderhuizen die geen schijn van kans hadden een dergelijk natuurgeweld te doorstaan? De technische dienst van de campus maakte zich druk om een likje verf op de raamkozijnen, maar de modderhuisbewoners ontvingen geen enkele hulp van de overheid of van welke instantie dan ook om het meest noodzakelijke voor hun bestaan te herstellen – een dak boven hun hoofd. Terwijl Lian zat te zeuren over de geur van natte verf, dreigden tientallen gezinnen van de derde kaste te verdrinken in de modderpoel die van hun huis was overgebleven.

Lians geschuifel maakte Kims moeder opmerkzaam op haar aanwezigheid. Verbaasd draaide ze zich om en ontdekte Kims vriendin. Zonder een woord te zeggen nam Lian haar bezem en werk over, opdat Kims moeder de handen vrij had voor belangrijker zaken.

De moeder trok een teiltje naar zich toe, dat op het water dreef en waar zakken droog maïsmeel in lagen en liep naar de binnenplaats om het avondmaal te bereiden. Ze stapelde vier rode bakstenen op elkaar en improviseerde zodoende een fornuisje. Ze keek naar de schemerende hemel en mompelde: 'Mijn arme kind, je bent nu al twee uur aan het sprokkelen, en je bent nog altijd niet terug. Het valt vandaag zeker niet mee om iets droogs te vinden.'

Nu drong het pas tot Lian door dat Kim niet thuis was. Kims moeder sloeg Lian zachtjes op de schouders en hervatte haar gesnik.

Aangezien er nog geen brandhout was, besloot Kims moeder om het huis verder op te ruimen. Ze pakte de stok van een zwabber, maar die was zo vochtig geworden dat hij doormidden brak. Ze hield zich tegen de rand van de kang in evenwicht en haar enige schone blouse werd meteen besmeurd door modderspatten.

'Aya, Oude Opa Hemel, wat hebben wij dan fout gedaan dat we zo'n ellende verdienen? Had U ons, uw onnozele, maar gehoorzame kleinkinderen, niet een lichtere straf kunnen toebedelen? Zo waar als ik een veerloze kip ben die geen eieren meer kan leggen, wij wéten niet wat onze zonden geweest zijn.' Haar klaagzang, die hier en daar opgefleurd werd met een nootje gejank, klonk Lian eerder komisch dan droevig in de oren.

Daar dacht Kims vader blijkbaar anders over. Tot dan toe had hij, gehurkt in een grote tobbe, die midden in de kamer dobberde, zijn lange pijp zitten roken. Hij waarschuwde geïrriteerd: 'Hé, jij afgetakelde teef, hou eens op met dat gejammer!'

Kims moeder wierp een blik vol minachting op haar man en staakte meteen haar gesnik: 'Jij kunt alleen maar tegen je vrouw brullen. *Als je een ware zaaddrager bent*, waarom ga je dan niet naar je broer aan de overkant? Hij heeft twee stevige zoons en die kunnen ons helpen om het dak en de muren te repareren.'

De vader sprong als een kikker uit zijn teil en rende naar zijn levensgezellin. Hij greep haar bij de grijze haren en bonkte haar hoofd tegen de muur: 'Om-hulp-vragen-bij-dat-verwaande-egoïstische-snobistische-ei-van-een-schildpad?!' Het ritme van zijn gescheld voegde zich op kunstzinnige wijze bij het rammen van haar hoofd tegen de muur. 'Ik-zou-liever-jou-om-zeep-helpen-dan-dát-te-doen!!'

Zijn gewoonlijk zware stemgeluid klonk ineens schel en vals. Hij keek scheel van razernij. Plukken grijs haar vlogen in het rond en het gezicht van Kims moeder liep helemaal blauw aan. *Dong-dong-dong.* Haar hoofd maakte een dof geluid in het half onder water staande huis.

Lian werd dol van radeloosheid. Ze liet zich simpelweg in de plas vallen. Met armen en benen liet ze het water opspatten en slingerde het naar links, rechts, boven en beneden. Ze schrrrrrrrééuwde moord en brand. Haar geroep vloog door het open dak naar buiten, naar oost, west, noord en zuid, en weerkaatste tegen de muren van de hele modderhuisbuurt.

Tja-tja-tja-tja. Van alle kanten naderden voetstappen de binnenplaats en in minder dan tien minuten waren er ruim zestig belangstellenden toegestroomd. Ondanks Lians verbazing over de mensenmassa, bleef ze in de plas zitten − anders zou iedereen door haar natte broek heen haar groengestreepte onderbroek zien. Kims vader liet verschrikt zijn vrouw los; ze wisten zich allebei geen raad met de aanwezigheid van dit publiek.

Een stille prelude luidde een concert van massaal geklets in: 'Ja, ja, geen wonder dat Kim d'r ouders ruzie maken. Ze hebben geen zoons die hen kunnen helpen het huis in orde te maken.'

'Het is waar wat u daar zegt, Gangdar z'n moeder. Ze hebben ook geen centen om mannen in te huren voor de reparatie.'

'Tiedar z'n moeder, wíe kan die mankracht wél betalen? Het is een vloek, werkelijk een vloek, om geen zoons te hebben!'

Ondanks de ernst van de situatie, schoot Lian in de lach: de zoon van de ene vrouw heette Stalen Ballen en die van de andere IJzeren Ballen!

Allerlei commentaar klonk door elkaar heen − de binnenplaats veranderde in een openluchttheater.

Kims vader voelde zich duidelijk niet op zijn gemak. Hij wilde een eind maken aan dit schouwspel. Hij poogde iets op zijn gezicht te voorschijn te toveren dat op lachen leek, hetgeen resulteerde in het soort grimas dat je maakt als je een hap van een zure pruim genomen hebt. Hij spreidde zijn vingers voor zijn borst en verontschuldigde zich: 'Opa's en oma's, ooms en tantes, broers en zussen, sorry dat wij u gestoord hebben...' Zijn stem knakte, zijn ogen stroomden over en hij wist niet meer wat hij moest zeggen.

Hij keek naar Lian en bedacht een goede smoes: 'Het kwam allemaal door dit meisje. Had ze niet als een varken op de slachtbank geschreeuwd, dan zou er niets aan de hand zijn geweest.' Met hernieuwde energie snelde hij op Lian toe en trachtte haar op allesbehalve vriendelijke wijze uit de plas te sleuren.

Nu liet het koor van toeschouwers zich horen: 'Nee, Kim d'r vader! Je vergist je. Al hoort dat kind bij de hogere kaste, ze heeft een hart van goud en is als een van ons.'

Lian zweefde in wolken van geluk. Niet alleen vanwege het compliment, maar ook omdat ze nu de kans schoon zag om Kims familie te helpen. Het kon haar niets meer schelen dat iedereen haar onderbroek kon zien. Ze stond in een ruk overeind. Ze deed Kims vader na, hield haar in elkaar geweven vingers voor de borst en smeekte het publiek: 'Opa's en oma's, tantes en ooms, broers en zussen. Kunt u alstublieft Kims ouders een handje helpen, voor één dag maar, om hun huisje te repareren?'

Kims moeder, die gewoonlijk prat ging op haar durf om om hulp te vragen, stond aan de grond genageld. Ze was te zeer onder de indruk van Lians lef en te zenuwachtig om ook maar een vin te verroeren.

'Mama?' Een melkachtig stemmetje verbrak de ondoorgrondelijke stilte: 'Mag ik meehelpen? Ik kan stro hakken. Voor de modder voor het dak, weet u wel, zoals Papa mij heeft geleerd.'

Nu kwamen de tongen los. Meer en meer mensen toonden hun bereidheid. Een man met een sneeuwwitte baard werd gekozen om de zaak te coördineren. Hij stapte gewichtig naar voren en vroeg in het rond: 'Aanstaande zondag, bij het derde hanengekraai, beginnen we, goed?'

'Enh!' Het publiek maakte een keelgeluid dat als instemming bedoeld was. De massa ging uiteen, totdat slechts voetafdrukken in de modder van de binnenplaats overbleven.

Tjiaaa... De wankelende poort opende zich en een berg

brandhout waggelde de binnenplaats op. Daaronder zag Lian het broodmagere paar benen dat aan Kim toebehoorde.

De moeder rende verheugd op haar dochter af, verhuisde de berg van Kims rug naar de grond en stelde haar woordenfontein in werking: 'Raad eens wat voor een zegen de Genadige Boeddha ons heeft geschonken!' Ze sloeg het trieste deel van de gebeurtenissen voor de zekerheid over en begon meteen met de vrolijke afloop: 'Zondag komt de hele buurt ons helpen het huis in orde te maken!'

Kim schudde ongelovig haar hoofd; gele en groene grassprieten vlogen uit haar inktzwarte haren in het rond. Nu Kim zo grappig verbaasd keek, raakte haar moeder nog opgewondener. Ze ratelde verder: 'Als ik één woord lieg, verander ik nú, op dit ogenblik, in een oud paard zonder staart.' Kim zag Lian met het hoofd knikken en luisterde geïnteresseerd. 'Kim, mijn grote dochter, vandaag is het al woensdag. Hoe kan ik in drie dagen alle voorbereidingen rond krijgen? Het stro moet gekocht worden. Je weet hoe lang de rijen voor de winkel zijn, zeker nu, na die verduivelde hagelstorm. De klei moet uit de bergen in het district Tongxian gegraven worden. De oude balken van ons dak zijn weliswaar heel gebleven, maar ze moeten opnieuw geverfd worden, anders komt er houtworm in. En de hapjes en sterke drank voor alle buren die ons komen helpen dan? Waar halen we het geld vandaan? Aya, aya!' Ze zwaaide met haar armen, bedekte haar ogen met beide handen en uitte kreten die deels zorg en deels blijdschap inhielden.

Kims vader sloeg met zijn pijp op de stenen plaat die ooit de vensterbank was en zei: 'Ma, als ik zeg dat je een stomme teef bent, heb ik gelijk: je bent en blijft een oenig beest! Waar tover je al die kopzorgen ineens vandaan? Dat stro koop ik wel. Morgen vraag ik een dag vrij. Per slot van rekening heb ik genoeg overuren gemaakt. De klei en de balken: zorg ik ook wel voor. Kim kan geroosterde zoete maïskorrels klaarmaken. En jij, onverbeterlijke zenuwpil, kunt schijfjes zoete aardappelen bakken. Dan hebben we genoeg hapjes. Alleen alcohol kunnen we niet betalen. Dat moeten onze buren maar begrijpen. En nu, Kim d'r moeder, houd je snavel en kook een flinke pot maïspap voor het avondmaal!'

'Ptje!' Kims moeder giechelde als een bakvis die haar eerste zoen van een jongen krijgt. Ze dánste bijna naar het geïmproviseerde fornuis. Ze was vreselijk tevreden dat haar man de zaak onder controle had en de garantie had gegeven dat het reparatiewerk aanstaande zondag op rolletjes zou lopen. In plaats van kwaad te zijn op degene die haar had afgetuigd en vernederd, was ze trots op hem – ze wist dat onder zijn stekelige huid een lief hart klopte.

꿏

's Avonds aan de eettafel vroeg Moeder of Lian zich wel goed voelde– ze zag er zo pips uit. Lian was niet van plan Moeder te onthullen wat ze die middag had meegemaakt en ging om acht uur al naar haar kamer.

Eenmaal in bed, voelden Lians botten aan alsof ze in duizend stukjes braken, als een hijskraan van jimu, die door de stoot van een kinderarm in een berg blokjes was getransformeerd. Maar ondanks de lichamelijke pijn en vermoeidheid, was ze van binnen zielsgelukkig. Door de intensieve omgang met de meiden van haar eigen kaste, was haar ego laag na laag beschilderd met ijdelheid, hypocrisie en egoïsme. Ze voelde niet meer wat ze dacht, zei en deed.

Maar de ruzie van Kims ouders had Lian wakker geschud. Ze wilde niet meer pendelen tussen Kim en haar eigen valse, truttige kastegenoten; ze bleef liever aan één kant van de rivier – de modderhuisbuurt.

Arbeidsvitaminen

De middagzon bakte het door de hagelstorm verwoeste landschap bruin. En alles, de drassige grond, de verzopen planten, de doordrenkte veren van de vogels, die al weer volop zongen, dampte zich heerlijk droog.

Wetende dat Kim haar handen te vol zou hebben om naar hun studie-uurtje te komen, had Lian haar huiswerk vroeg in de ochtend al gemaakt. Er waren genoeg klusjes bij Kim thuis waarbij Lian kon helpen.

Voordat ze naar de modderbuurt vertrok, opende ze de kast in de zitkamer en ging met zichzelf in debat of het al dan niet zondig was als ze stiekem een paar flessen sterke drank van haar vader aan Kims familie cadeau zou geven. Het pleit was snel beslecht.

Toen ze de plastic zak met de vijf flessen sterke drank aan Kims moeder gaf, spreidde die haar handen, met de palmen naar boven gericht. Lian was ervan uitgegaan dat ze haar handen zou uitsteken om de drank in ontvangst te nemen: de zak donderde bijna op de grond.

De moeder sprak haar dankgebed uit: 'Barmhartige Boeddha, wat een heldere ogen hebt U! U zag dat wij om geld verlegen zaten en geen alcohol voor de verbouwing van aanstaande zondag konden kopen. Daarom schenkt U ons de drank via de vriendin van mijn oudste dochter.'

Kim rende op Lian af en pakte net op tijd de zak uit Lians handen terwijl ze haar moeders theatrale gedoe becommentarieerde met ontnuchterend schouderophalen. Alsof er niets aan de hand was hervatte Kim vervolgens haar schoonmaakwerkzaamheden. De moeder was inmiddels alweer op een ladder geklommen. Ze was bezig de bovenkant van de muren op gelijke hoogte te brengen, opdat het dak er morgen makkelijker op bevestigd kon worden. Kims vader lag ergens onder een balk, die hij zorgvuldig aan het schilderen was en Jiening zat prinsheerlijk op een hoge kruk geroosterde en gesuikerde maïskorrels te knabbelen, die haar zus met veel moeite voor de hulpvaardige buren had klaargemaakt. Alles was zoals het hoorde.

De nieuwsdienst

Morgen was de grote dag. Nu begon het erom te spannen: alles in Kims huis lag overhoop. De bakstenen die de vader ingekocht had, lagen vlak voor de deur opgestapeld; Lian moest kampioen hoogspringen zijn om de kamer binnen te komen. Een berg rode kleiaarde stond midden op de binnenplaats. Het tweetal kippen dat Wittie moest vervangen, maar samen slechts half zo veel eieren legde als hun voorgangster, zorgde ervoor dat de aarde zich klontsgewijs over de hele binnenplaats verspreidde, hetgeen aan Kims moeder een Yangtze-rivier van verwensingen aan het adres van de voorouders van het pluimvee uitlokte. Kim klom op en neer tegen de muren, druk doende alles in gereedheid te brengen voor morgen. Lians taak bestond uit het met water vullen van alle vaten, potten en pannen die maar onder handbereik waren, opdat er morgen snel cement en modder gemengd konden worden.

Om half twaalf moest Lian hoognodig naar de wc. Kims moeder wreef haar handen droog en groef hier en daar in haar rommel, op zoek naar een stukje pakpapier of krant, dat Kim geregeld van straat opraapte. Na veel dreigementen in de trant van 'Rol uit je hol, rotding, of ik sla je de hersenen in', vond de moeder eindelijk een stuk bruin, kartonachtig papier onder aan een stapel vodden. Ze maakte er een bal van, wrong hem open en trok het papier naar links en rechts, net zolang tot het zacht en rimpelig was als oud leer. 'Hier,' zei ze tegen Lian, 'wees er zuinig mee.'

Er hurkten reeds vier vrouwen van middelbare leeftijd boven de spleten van de houten wc-vloer. Lians komst was als een druk op de knop van hun praatmachine: hun geklets stopte abrupt. Met arendsogen volgden ze elke beweging, vanaf het moment dat ze haar broekriem losmaakte totdat ze verlegen neerhurkte. Daarna keken ze zonder enige gêne naar haar onderlichaam – waarom was haar een raadsel – met het gevolg dat ze niet meer kon of durfde te poepen. Of moest ze juist zo snel mogelijk een keutel uitpersen, in de hoop dat hierdoor hun belangstelling voor haar zou afnemen?

Gelukkig opende een gezellige dikke vrouw haar mond: 'Zeg, waar waren we gebleven? O ja, die jongen, Erfu dus, die werd me toch kwááád! Dat zou ik ook zijn! Hij heeft haar nota bene twee stukken synthetische stof gegeven. Ze kan er twee blouses en één broek van maken. Waar vind je nog zo'n gulle partij? Die ondankbare griet, hoe heet ze ook alweer, Linwei, Weilin of Weiwei, zo'n bekakte naam, heeft Erfu de bons gegeven voor een bleekgezicht uit de eerste kaste…'

'Tja, welk meisje verlangt er niet naar om via het hoofdkussen omhoog te klimmen? Het punt is alleen dat niet zo veel meiden zo'n "kapitaal" hebben als Weilin. Anders zou iedereen de zoon van een hoge piet aan de haak kunnen slaan, en waar blijf je dan?' wist een van de anderen.

'Noem je dat vosachtige smoeltje en die slangentaille van Weilin een kapitaal? Ik verzeker je, Yipin z'n moeder, dat hoe begeerlijk het lijf van een lage-kastemeid ook is, ze is en blijft een stuk modder onder de schoenen van die hoge heren…!'

Lian rilde. Ze haastte zich de wc uit. Op de terugweg moest ze de hele tijd aan Weilin denken, ook al had ze dit meisje nooit gezien.

Vandaag begon het nieuwe semester 1973-1974. Lian zat aan haar tafel in de klas. Het was al tien voor acht. Ze keek voortdurend naar de deur: waar bleef Kim toch?

Zoals altijd vormden zich twee groepen meisjes. Vooraan in het lokaal stond de club tweede- en derde-kasters te kakelen; ze wedijverden met elkaar wie het hardst kon kwekken. Zelfs van deze afstand kon Lian hun conversatie woordelijk verstaan. Tieyan vertelde: 'Luister eens, wat de hagelstenen bij jullie thuis kapotgemaakt hebben' – ze wees naar haar voeten – 'is een kleine teen vergeleken met wat ze bij ons hebben aangericht. Sta niet zo met je kop te schudden, je lijkt wel een bezopen aap! Geloof je me niet? Vraag het aan háár. Yuehua, zeg eens wat! De hagelstorm heeft de grote dadelboom aan de achterkant van ons modderhuis ontworteld. Hij viel op onze keuken en alles is onder het ingestorte dak aan diggelen geslagen!'

In de stilte die volgde grijnsde Tieyan triomfantelijk naar haar luisteraars: eindelijk kon ze haar kaste-genoten ergens in overtreffen. Dat het voor haar familie een ramp betekende, deed er niet toe: het verhaal was je van het.

Vergeleken met deze groep hield de club eerste-kasters achter in het leslokaal zich beschaafd stil. Vanwaar Lian zat, kon ze de mademoiselles gracieuze gebaren zien maken; van het gesprek zelf was niets te verstaan.

Eigenlijk gaf het geen pas wanneer een meisje als Lian zich bij geen van beide clubs in het gesprek mengde, maar ze had absoluut geen zin om met wie dan ook te praten. Bij de groep vooraan zou ze als een wolf in schaapskleren gemeden worden. De praktijk leerde dat geen eerste-kastemademoiselle zich met hen wilde mengen, tenzij voor een duister doel. Zou ze zich bij de club achter in de lesruimte voegen, dan moest ze voortdurend het schijnheilige gezeik van die snobs aanhoren. Meimei zou 'verontwaardigd' vertellen hoe bendes jongens, allemaal van hoge komaf, achter haar aan zaten; Liru zou 'klagen' over het zoveelste dure cadeau dat ze van haar vader, partijvoorzitter van Ziekenhuis Nummer 706, had gekregen. 'Waar moet ik al die rotzooi laten?!' zou ze zogenaamd wanhopig uitroepen. Liru's vader trok om de paar maanden naar verschillende provincies voor een revolutionaire inspectie. En elke keer nam hij autoladingen vol 'contributies' van de plaat-selijke klinieken en ziekenhuisjes mee naar huis.

Lian voelde zich nergens meer op haar plek.

Dringgg! Eindelijk, de bel! Kim schoot het leslokaal binnen en maakte zich zo klein mogelijk. Haar haren stonden alle kanten uit, er zaten moddervlekken op haar kreukelige blouse, haar wangen waren nog meer ingevallen dan anders, en haar ogen puilden uit van vermoeidheid.

Tijdens de ochtendpauze ging Lian meteen naar haar toe. Kim verzuchtte opgelucht: 'Het huis is eindelijk klaar. Fijn is dat, om weer onder een dak te slapen!' Ze verborg haar vingers achter haar rug, maar Lian had ze allang gezien. Onder haar lange nagels zat pikzwart stof. Blijkbaar had ze het te druk gehad en was ze te moe geweest om zichzelf te verzorgen. Lian was van plan geweest om haar te vragen vanaf morgen hun training lange-afstandrennen te hervatten, maar nu ze Kims doodvermoeide gezicht zag, slikte ze haar verzoek in.

Kim kon zo te zien Lians gedachten lezen. Ze glimlachte wijs en stelde haar gerust: 'Morgen om half zeven sta ik op het sportveld op je te wachten.' O, wat zag ze er oud uit met die lachrimpels op haar groenige gezicht! Lian kreeg het er warm van. Wat heb ik toch een moedige vriendin! Uitgeput als ze is, denkt ze nog aan de voorbereiding voor de Herfstspelen. Als zo iemand geen vooruitgang boekt, wie dan wel?

Twee kommen bloed

Een week later, tijdens het huiswerk maken, deed Kim heel vreemd. Telkens keek ze Lian aan alsof ze iets wilde zeggen, maar meteen daarna richtte ze haar blik weer zwijgend op haar schrijfblok. Lian deed alsof ze niets in de gaten had en werkte gewoon door.

Kim, die haar werk telkens onderbrak om Lian zo vreemd aan te staren, liet haar eindeloos lang wachten tot ze haar opdracht af had.

Ten slotte kon Lian haar nieuwsgierigheid niet meer bedwingen.

'Wat is er aan de hand?'

Kim keek van haar weg en beet op haar potlood.

Lian moest haar vraag drie maal herhalen voordat Lian te horen kreeg wat haar vriendin op haar lever had. Met het schaamrood op de kaken zei ze: '...Weilin, dat beeldschone meisje, weet je nog, Lian, je hebt toch een tijdje geleden in de openbare wc over haar gehoord?' Opnieuw bloosde ze – ze sprak niet graag over 'zaken van volwassenen, zoals vriendjes hebben en dergelijke flauwekul'. 'Gistermiddag,' zei ze, 'liep ik rond een uur of drie naar de Wezelbergen. Toen hoorde ik in- eens iemand op de deur van een van de huizen bonzen. Ik schrok me lam: het klonk alsof de duivel zich haastte om een stervende ziel met zich mee de hel in te slepen. Ik verborg me achter een muur en hield mijn adem in. Ik was bloednieuws- gierig naar wat er zou gebeuren. Toen de deur van binnen ge- opend werd, hoorde ik een trillende oudevrouwtjesstem: "Aya! Wat een eer voor ons om u, de jonge opa Erfu bij ons op bezoek te hebben." Ik snapte het meteen: ik stond vlak bij het huis van Weilin. Uit de onderdanige en angstige ondertoon van haar moeder maakte ik op dat er onheil boven hun huis hing. "Jonge opa Erfu," zei de moeder. Ze rekte haar stemband zo lang mogelijk en riep de naam zo hard of haar leven ervan af- hing. Ik begreep haar bedoeling meteen: dit was de manier om haar dochters Weilin en Weilan voor de aanstormende ramp te waarschuwen. "Wilt u thee en tabak?" De bejaarde vrouw tolde als een mier in een hete wok en verborg haar schrik met een overdreven vriendelijkheid. Ik kon alles zien door een gat in de muur van hun huis.

Is dat nou Erfu? dacht ik bij mezelf. Een staketsel van een jongen van niet meer dan één meter zestig. Maar *zijn gal woog meer dan zijn hele lijk*. Hij maakte grote schreden met zijn o- benen en riep als de eerste de beste schreeuwlelijk: "Kap er- mee, jij verkoold wijf, met dat slaafse gedoe van je. Zeg mij waar die ondankbare, naar vos riekende slet van een Weilin zit!"

De moeder smeekte: "Jonge opa, ik weet dat u boos bent dat mijn ongehoorzame dochter het met u heeft uitgemaakt, maar ze heeft toch al uw cadeaus teruggegeven en u haar excu- ses aangeboden? Kunt u haar niet vergeven en met rust la- ten?"

Maar nog voordat ze uitgesproken was, vloog een van Erfu's poten naar de deur van Weilins kamertje. Een lawine opsom- mingen van zowel mannelijke als vrouwelijke geslachtsdelen volgde de grote *bang!* en ik zag Weilin huilend te voorschijn komen, aan haar haren voortgetrokken door Erfu.

Haar zusje Weilan rende stiekem het huis uit, blijkbaar om hulp te vragen bij haar tante die twee gespierde volwassen zonen bezit. Net als mijn moeder, heeft Weilins ma slechts twee stuks "goedkoop spul". Om tijd te rekken tot Weilins neven zouden arriveren, knielde de moeder op de vloer en hield een eindeloze smeekbede: "Erfu, denkt u eens terug aan de maanden waarin Weilin zo lief voor u was en wees genadig…"

Door het lawaai werd al snel een vijftigtal toeschouwers naar de binnenplaats van Weilins huis gelokt. Ze keken oplettend toe wat Erfu voor barbaars aan het uitspoken was en hoorden bang, maar geamuseerd het gesmeek van Weilins ma aan. Niemand stak een vinger uit om de zielige moeder en dochter te helpen. Intussen was ook ik ernaar toe gerend. Het commentaar van het publiek klonk eerder als een aanmoediging voor Erfu: "Welk meisje met huid in plaats van runderleer op haar gezicht, laat haar vriend ook zomaar in de steek? Hoe kan die arme jongen verder leven? Gedumpt door zo'n kutwijf!"…'

Kim sloeg haar ogen neer en zweeg.

'En? Wat gebeurde er toen?'

Kims gezicht werd leverpaars. Ze weigerde verder te vertellen. Maar Lian gaf zich niet gewonnen – met veel getrek en geduw kreeg ze de rest van het verhaal uit Kim los.

Erfu had Weilin uitgescholden, haar in de buik getrapt en triomfantelijk om zich heen gekeken.

Erfu zag ogen vol angst, verwarring en zelfs medelijden bij zijn publiek, en dat gaf hem een kick. Terwijl de moeder een nieuwe smeekrede afstak, hopend dat de neven van Weilin zo spoedig mogelijk zouden arriveren, maakte Erfu zijn broekriem los. Hij peuterde in zijn gulp. Na veel gehannes haalde hij een minuscuul gevalletje te voorschijn, beval Weilin eerbiedige kniebuigingen voor hem te maken, sloeg haar hoofd tegen zijn onderbuik en gierde als een vampier die blauwe aders in de nek zag. Zijn publiek zweeg. Sommige vrouwen dekten de ogen van hun kinderen toe. Erfu duwde zich als een beest in de protesterende en halfdode Weilin. Hij hijgde en grijnsde. Zijn smoel vertrok helemaal, alsof hij zowel pisnijdig als dolblij was.

'Ik ontplofte bijna van woede,' ging Kim verder, 'maar ik durfde me niet te verroeren. Zelfs de wijze oudere mannen en flinke kerels ondernamen geen actie. Wie was ik om hiertegen in opstand te komen? Maar uit de verte klonk een reeks niet na te vertellen vloeken en daar kwamen de twee neven van Weilin het huis binnenstormen, met niets in hun handen. Ze waren onverwachts uit huis gehaald, en hadden geen hakmes of hamer kunnen meenemen. Erfu trok meteen zijn broek omhoog, maar zijn schuimlekkende regenworm bleef uit zijn gulp hangen. Weilins neven sprongen als leeuwen omhoog, toen ze hun lievelingsnicht bewusteloos en van onderen naakt op de grond zagen liggen. Ze keken om zich heen, op zoek naar een wapen, en zagen twee reuzenkommen van hotelporselein, die hun tante te voorschijn had gehaald om thee voor Erfu in te schenken. Ze grepen de kommen en smeten die recht in Erfu's gezicht.

"Wah!" De verkrachter stootte een pijnlijke kreet uit en zakte als een plas diarree op de grond. Er stroomde helderrood bloed uit zijn kop en Weilins neven hielden de kommen tegen het gat in zijn schedel. Pas toen de twee kommen tot de rand toe gevuld waren, hield Erfu's hoofd op met bloeden...'

'Was ie dood?' vroeg Lian gehaast aan Kim.

'Wie? Erfu? Ben je gek! Van het verlies van twee kommen bloed ga je nog niet de pijp uit! Hij moest wel naar het ziekenhuis. Hij kreeg twintig hechtingen en zijn ouders hebben er tachtig kuai voor moeten betalen. Vier kuai voor elke hechting! Gebruiken de chirurgen gouden garen of zo? Tachtig kuai is zowat drie maanden salaris voor Erfu's vader!'

Lian werd ongedurig: wat kon het haar schelen waar Erfu's ouders het geld vandaan moesten zien te halen? Ze hadden hem tot een sadist opgevoed en daar moesten ze nu voor boeten. Wat haar wel interesseerde was hoe het met Weilin ging. Ze vroeg: 'Maar Kim, wat gebeurde er met dat mooie meisje, die mooie... vrouw?'

'Weilin? Och, die, die heeft niets meer te verliezen. Naar haar bleekhuidige vriend van de eerste kaste kan ze niet meer terug. Wie wil er nu een ontmaagd wijf, nota bene een derdekaster?'

Lian kreeg een brok in haar keel: 'Maar ze heeft toch niets verkeerds gedaan? Ze werd verkracht...'

Kim fronste haar wenkbrauwen en wierp een vijandige blik

op Lian: 'Denk je dat er met rijkelui zoals jullie te redeneren valt?'

'Nu heb ík het gedaan! Ik kwam alleen maar voor Weilin op!' Ze wist dat ze het Kim niet kwalijk kon nemen; Kim had eigenlijk nog gelijk ook. Ook Lians kastegenoten kenden geen genade, noch ten opzichte van elkaar – kijk maar hoe vaak ze elkaar aan de Partij verraadden – noch ten opzichte van de lagere-kasters. En waarom zouden ze? Lian besloot het onderwerp Weilin nooit meer aan te snijden.

Lian had zich er de hele tijd over verwonderd waarom Weilin Erfu niet had aangegeven en waarom Erfu Weilins neven niet had aangeklaagd. Blijkbaar vond iedereen het rechtvaardig dat Erfu Weilin gestraft had én dat Weilins neven van hun kant een vergeldingsactie tegen Erfu ondernomen hadden. In hun ogen was de zaak afgesloten: iedere partij had haar verdiende loon gekregen; waarom de politie of de rechtbank erbij betrekken?

Lian kwam erachter dat er twee straatbendes waren, *De Vliegende Tijger* en *De Woeste Draak*. Hoe absurd het haar ook voorkwam, de bewoners waren blij dat de rivaliserende bendes bestonden: die zorgden er tenminste voor dat hun beschermelingen niet door de tegenpartij bedreigd werden en zo werd er een soort evenwicht in stand gehouden. Enfin, de modderhuizers moesten toegeven dat ze door hun bendes geterroriseerd en afgeperst werden, waardoor ze als de dood voor hen waren, maar dat beschouwden ze als een noodzakelijk kwaad. Op één punt waren de twee bendes het roerend met elkaar eens: als een eerste-kaster een derde-kaster onrecht deed, vlogen beide gangsterorganisaties de rijkaard naar de keel. Geen wonder dat Moeder Lian als vierjarig kind, wanneer ze ongehoorzaam was geweest, placht bang te maken door te zeggen: 'Lian, als je nog één keer stout bent, lever ik je over aan de bandieten in die krotten daar!' De eerste-kasters waren zich ervan bewust dat, ook al keken ze op de lagere-kasters neer, ze het niet te bont moesten maken. De modderhuizers stonden bekend om hun wilde gedrag en de keiharde vergeldingsacties, die werden uitgevoerd zonder sporen achter te laten.

Na drie jaar trainen – zij het met een onderbreking van zeventien maanden – was het eindelijk zover. Morgen zouden de Herfstspelen gehouden worden; opwinding en ongeduld trappelden in Lians hart, alsof het een tredmolen was.

Om drie uur 's middags waren de lessen godzijdank afgelopen. Lian wachtte vol ongeduld tot de leerlingen het leslokaal hadden verlaten. Ze haastte zich naar Kims zitplaats. Haar hart klopte in haar keel van de zenuwen – ze kon geen woord meer uitbrengen. Jammer, want ze zou dolgraag haar enthousiasme met Kim delen.

Kim bleef rustig op haar stoel zitten, alsof het een dag als alle andere was en vroeg: 'Ik snap die formule niet. Help je me even?' Ze deed Lian denken aan de sufferd die, terwijl zijn huis door een aardbeving als een pudding heen en weer geschud wordt, eerst alle lichten uitdoet voordat hij de deur uitrent. Hoe was het mogelijk dat ze op zo'n kritisch moment nog zat te puzzelen op de een of andere knullige formule? Jarenlang hadden ze hiernaar toegeleefd. Al hun hoop en dromen waren hieraan gewijd. Morgen, als Kim de eerste plaats bij de wedstrijden zou veroveren, zouden alle snobs en pestkoppen van de klas liever hun tong afbijten en doorslikken dan dat ze Kim zouden durven uitlachen of tegen de schenen schoppen. Lian verlangde er intens naar om dit mee te maken: dat de anderen gedwongen werden om Kim te aanvaarden als een succesvolle, of ten minste toch volwaardige klasgenote die haar plekje verdiende in de hiërarchie van de klas.

Bij nader inzien begreep Lian Kims nonchalance wel. Hoe hard had ze de afgelopen uren niet getracht om haar verrukking over de dag van morgen te blussen en te verdoezelen? Zowel Kim als Lian besefte heel goed waar ze mee bezig waren. Kim moest en zou de vooruitgang boeken die acceptatie en respect bij haar hardvochtige klasgenoten zouden afdwingen. Met dit doel voor ogen hadden zij de oorlog verklaard aan Kims lot en aan de sociale structuur die had bepaald dat Kim vanaf haar geboorte tot de laagste kaste behoorde met alle vernederingen en ontberingen van dien.

'Oké,' antwoordde Lian, 'ik zal je die formule wel een keer uitleggen… na de wedstrijd.'

Kim legde haar wiskundeboek op tafel en zag er ineens opgelucht uit. Ze opende haar schooltas en haalde er een stuk keurig gevouwen papier uit, waarop met rood penseel 4027 geschreven stond. Ze hield het strookje papier eerst voor haar borst en vervolgens achter haar rug. Haar ogen twinkelden van plezier. Lian bemerkte tot haar vreugde zowaar een sprankje ijdelheid in Kims ogen.

'Naai het papier op de achterkant van je T-shirt,' ried Lian haar, 'dan kan iedereen je nummer zien.' Ze ging er bij voorbaat van uit dat Kim morgen op kop zou lopen en haar mederenners slechts haar rug zouden zien. Het was een onmiskenbare aanmoediging; Kims mondhoeken gingen opgetogen omhoog, al was het maar voor even. Haar gezicht stond meteen weer donker van de zorgen. Ze beet op haar lip en had blijkbaar veel moeite met het stellen van haar vraag: 'Is het... toegestaan om... om niet met een T-shirt... maar met een gewone blouse mee te doen?'

Opa Hemel, Lian was glad vergeten dat Kim geen sportkleding had, terwijl het voor de eerste- en tweede-kasters vanzelfsprekend was dat ze een T-shirt droegen. Lian zag de scène al voor zich: morgen zouden de pestkoppen naar Kim wijzen en het uitgieren van pret: Kijk die armoedzaaier! Waar haalt ze de nijlpaardenhuid vandaan om zonder sportkleren aan te komen zetten? Is ze soms verdwaald? Staat ze per vergissing voor de startstreep? Hé, Kim, hoepel op!

Maar ze verjoeg het visioen en zei: 'Waaróm niet?' Haar stem klonk alsof ze een heel bataljon etters wilde afschrikken. 'Het gaat om de prestatie, niet om wat je aanhebt.'

Kampioene zonder eer

Om kwart voor zeven stond Lian op het sportveld, aan de achterkant van de school. Het veld bestond uit twee delen; aan de buitenkant was een ovale renbaan van vierhonderd meter; binnen het ovaal was het voetbalveld, waar het verspringen, hoogspringen en granaatwerpen zouden plaatsvinden. Iets verder van het veld was een hoog podium van cement, dat voor de gelegenheid feestelijk versierd was. Vlaggetjes en slingers in felle kleuren walsten om de pilaren van het podium heen. Er stond een rij tafels en stoelen op het podium, bestemd voor de sportleraar – die vandaag de voorzitter was – de twee schooldirecteuren en vier jonge leraressen, die voor de gelegenheid aangesteld waren als secretaresses en notulistes.

'Kunnen jullie me horen? Ja?' De voorzitter prutste aan de microfoon en testte de apparatuur.

'Zachtjes, we zijn niet doof!' De leraressen die zich naast hem op het podium bevonden draaiden met hun lichaam als was het van rubber en mopperden flirterig op hun gespierde collega.

Kim had zich ingeschreven voor granaatwerpen en de 1500 meter hardlopen en Lian voor verspringen en de 100 meter hardlopen. Precies om zeven uur blies de sportleraar op zijn fluit. De vertegenwoordiger van iedere klas riep de leerlingen bijeen en liet ze een blok van vier colonnes vormen. Na nog een fluitsignaal bewogen de blokken zich gedisciplineerd tot vlak voor het podium. De leraar rangschikte de klassen op de renbaan, als ijzeren schaakstukken op een magnetisch schaakbord. Kim en Lian stonden in dezelfde rij. Vandaag waren Kims vlechten opvallend gelijkmatig gevlochten en haar ogen verrieden vastberadenheid en verholen opwinding.

Eerst werden de korte afstanden afgewerkt. Lian had de 100 meter in 16,9 seconden afgelegd. Tien minuten later werd er omgeroepen dat ze de zesde plaats had gekregen. Op dit bericht snelde Kim naar Lian toe en boorde haar vuisten slagvaardig in de lucht. Ze was zowel blij als geïnspireerd door Lians bescheiden succesje. Bij het verspringen had Lian 3,35 meter gehaald. Aangezien er maar tien deelnemers waren, werd haar voor deze belabberde prestatie maar liefst de derde plaats toegekend.

Tegen drie uur hoorde Lian via de luidsprekers dat het hoogtepunt van de Herfstspelen naderde – de finale van de 1500 meter hardlopen. Van alle kanten baanden de leerlingen zich een weg naar de renbaan en bouwden bij de start- en eindstrepen een vesting van tientallen lagen op. Het had voor Lian geen zin om ernaar toe te gaan, want aan de achterkant van de vesting kon je niets zien of horen. Slechts een paar lenige lefgozers wisten nog een plekje te bemachtigen: ze klommen een eind in de lantaarnpalen en waren het mikpunt van jaloezie van de hele school. De meesten stelden zich tevreden met een plaatsje ergens dicht bij de renbaan, rekten hun hals en knepen hun ogen samen om de acht finalisten te bewonderen.

De loopnummers vormden hét favoriete onderdeel. Anders dan bij ver- of hoogspringen, waarbij de deelnemers een eenzame activiteit uitvoerden, trokken de renners alle aandacht. Het moest een geweldige kick geven om onder de oorverdovende toejuichingen van honderden mensen over de eindstreep te schieten. Voor dit onderdeel hadden zich dan ook vele leerlingen ingeschreven; de concurrentie was moordend. De winnaar van een hardlooprronde was een halve heilige en de kampioen van de 1500 meter een onsterfelijke.

Zoals Lian had verwacht, behoorde Kim tot de acht finalisten. Ze stond op de binnenste baan. De andere zeven meiden kromden hun rug en wierpen vanuit hun linkerooghoek een geringschattende blik op het scharminkel Kim, die naar hun oordeel maar beter naar huis kon gaan om eens een flinke maaltijd te nuttigen, in plaats van hier het aanzien van de taaiste en de meest prestigieuze wedstrijd te komen verzieken. Kijk, leek hun verwaande snoet te zeggen, die griet is niet eens behoorlijk gekleed; ze heeft niet eens een t-shirt aan. En die gerafelde keukendoek die ze draagt is de naam blouse niet eens waard!

Kim wist wat ze dachten. Ze bevestigde hun oordeel door zich ogenschijnlijk niet voor te bereiden op het startschot. Ze stond daar, stokstijf, rechtop — een contrast met de anderen, die allerlei opwarmoefeningen ten beste gaven.

'Jíééé!' Kim werd ronduit uitgefloten door haar klasgenoten. 'Hun kabaal pik ik er zo uit,' mompelde Lian voor zich uit. Ditmaal hield hun kabaal niet slechts minachting in, maar ook een *darmenknopende* nieuwsgierigheid. Het was de eerste keer dat ze getuige waren van het feit dat Kim zich op een competitie vertoonde en dat boezemde hun angst in. Stel je voor dat Kim zou winnen! Hoe zouden ze het kunnen verkroppen als Kim de Pechvogel iets positiefs bereikte? Het vooroordeel ten opzichte van Kim was een houtsplinter die met het vlees van hun tong vergroeid was; als je die wegnam, deed je de gezonde vezels geweld. En dat zou geen pretje zijn. Ze waren vreselijk benieuwd naar Kims prestatie en hunkerden ernaar dat ze zou falen, zodat de splinter in hun tong godzijdank met rust gelaten kon worden.

Lian kende zichzelf niet terug. Waar ze de brutaliteit vandaan haalde wist ze niet, maar in ieder geval duwde ze Jan en alleman die haar in de weg stond opzij, zodat ze binnen de kortste keren de mooiste plek bij de startstreep bemachtigd had. Nu stond ze een paar meter van Kim af.

Er heerste een oorverdovend lawaai om haar heen; iedereen probeerde zijn opwinding en zenuwachtigheid te verbergen door als een machinegeweer te ratelen. Maar Lian meende Kims hart te horen kloppen, rustig en regelmatig, alsof ze in trance was. Waar dacht ze nu aan? Lian hoopte zo dat Kim naar haar zou kijken! *Kim, ik ben zo bang. Zullen we het overleven, als jij... als wij... als jij faalt?* Ondanks alle vrees wilde Lian het beste dat ze te bieden had aan Kim geven... als die haar tenminste de kans gaf, als ze maar even naar Lian zou kijken... Lian wist dat één blik voldoende zou zijn om haar te kennen te geven welk gevoel in haar leefde, een gevoel dat als een engel naar Kim wilde vliegen en haar in de oren fluisteren dat ze van haar hield en dat hoe ver ze ook van Lian verwijderd zou zijn, ze altijd in Lians hart zou leven.

Maar Kim zou Kim niet zijn als ze Lian niet weigerde aan te kijken. Zo goed kende Lian haar vriendin wel.

Dat wil zeggen, nee, Lian kende Kim toch niet zo goed als ze dacht. Net nadat de man op de hoge ijzeren kruk had geroepen: 'Houd jullie gereed. Eén...' draaide Kim zich helemaal naar Lian toe en zoog met haar hongerige ogen de volledige inhoud van Lians blik op. Niets en niemand kon hen uit elkaar rukken, geen mislukking, geen getreiter door wie dan ook en geen noodlot van welke aard dan ook. Op dit ogenblik kreeg Lian ineens een gek idee: ze had zin om met volle overtuiging naar Kim te schreeuwen: Kom, we gaan naar huis! Wat maakt het nou uit of je kampioen wordt of niet. Het is goed zo. We hebben niets meer te vrezen!

'Twee... drie...'

Pang! Het startschot schudde Lian wakker uit haar waan en ze zag Kim rustig afwachten tot de andere meiden als een pijl naar voren schoten. Kim keek alleen maar. En plotseling, alsof ze ontwaakte uit een winterslaap, begon ze te rennen. Binnen de kortste keren had ze iedereen ingehaald.

Nu de renners 800 meter afgelegd hadden, werden ze zichtbaar moe. Ze vertraagden hun stappen en hapten naar lucht. Kim behield echter haar oorspronkelijke tempo en liep alsof ze niet wist wat vermoeidheid was. Haar gezicht was bleek als papier.

Lian verliet de startstreep en volgde Kim langs de renbaan. Onderweg hoorde ze haar klasgenoten Kim 'toejuichen': 'Luister, Kim, uitgedroogde aardappelschijf! Geef toe dat je het niet meer volhoudt en val dood!' Maar het had geen enkele invloed op Kims vaart. Ze was al aan de derde ronde begonnen, terwijl haar mederenners nog voortzwoegden in de tweede...

'Nu houdt die halvegare het voor gezien!' riepen de klasgenoten. Maar hun stem klonk niet meer zo ferm. Twijfel vernauwde hun keel, en dat overkwam hun niet vaak wanneer het ging om zo'n routinezaak als het sarren van Kim.

De sportleraar sprong van het podium en keek verbaasd naar de stopwatch die een man bij de eindstreep vasthield. Hij holde naar Kim toe en riep: '4027, hou vol. Je breekt het schoolrecord!' Kim deed alsof ze niets hoorde en rende mechanisch, maar razendsnel naar de finish. De leraar griste de stopwatch uit de hand van zijn collega en richtte zijn rechterarm als een radar naar het aanstormende iele meisje.

Doodsbleek, maar gedecideerd als een kamikazepiloot schoot Kim over de eindstreep.

'7 minuten en 15 seconden! 7 minuten en 15 seconden! 7 minuten en 15 seconden!' De leraar hield zijn ogen op de stopwatch gericht en bleef de uitslag maar herhalen, alsof hij de prestatie wilde bezweren.

Lian had zich de afgelopen jaren tientallen keren trachten voor te stellen hoe waanzinnig gelukkig ze zou zijn als Kim kampioen zou worden. Nu het een feit was geworden, kon ze niet eens fatsoenlijk op haar benen blijven staan. Ze wankelde en alles en iedereen om haar heen zweefde door de lucht. Haar oren waren vervuld van een eentonig *woeennnnnn*. Toen haar hersenen alle delen van haar lichaam weer onder controle hadden gekregen, zag ze pas dat Kim naast haar stond.

Raar was dat: Kims gezicht was een en al ernst. Ze keek strak voor zich uit en beet op haar lippen totdat ze spierwit werden.

Lian keek om zich heen. De menigte bij de eindstreep stond Kim met open mond aan te staren. Ze konden hun ogen niet geloven. Dat dunne dingetje in die vodden had de eerste plaats veroverd in de belangrijkste wedstrijd van de Herfstspelen! Was dit een nachtmerrie of had Boeddha een flauwe grap met hen uitgehaald? Er viel een doodse stilte. De lucht leek te bevriezen van ongeloof.

Leerlingen van andere jaren en klassen vroegen zich af hoe de winnares heette en Kims klasgenoten lieten hun hoofd hangen als de natte kop van een afgeleefde zwabber. Ze voelden zich als een oosterling die voor het eerst kaas eet – dat gele spul smaakte wel verrukkelijk, maar het stonk naar... nou ja...

'Goed zeg, zo'n klein meisje... en dan nóg het schoolrecord breken. Wat een wilskracht!' zei een forse jongen uit het vierde leerjaar. Zijn commentaar bracht het geklets weer op gang. Hoe meer lovende woorden de toeschouwers over Kims snelheid spraken, des te ongeloviger schudden ze hun hoofd.

Dit bracht Kims klasgenoten op een ingenieus, duivels idee. Ze verwijdden hun neusgaten, lieten een wezelachtig gegrinnik van tussen hun tanden ontsnappen en snauwden Kim toe: 'Wat stelt dat nou eigenlijk voor: kampioen van de 1500 meter hardlopen? Ze is gewoon een ezel die rondjes om een molensteen draaft!'

'Hahaha!' brulde de rest van de klas.

'Oooh, ik moet zo lachen! Wat een verdomd goede vergelijking, zeg! Maar...' Yougui, een van hun klasgenoten, wiens gezicht twee maal zo dik leek door de etterende puistjes waarmee het bezaaid was, stak zijn vette wijsvinger op en gaf toe: 'Eerlijk is eerlijk, Kim is wel een íjverige ezel. Zo'n beest zou iedere molenaar moeten hebben!'

'Hihihaha, hihihaha!' De gierende klas klonk meer als een ezel dan wie dan ook. Geen gewone ezel, maar een die plotseling ontdekt heeft dat zijn edele delen tussen een glimmende castreerschaar geklemd zitten.

De meiden bedekten hun mond en giechelden op hun geslachtseigen bevallige manier mee. Vanzelfsprekend keurden ze de grove woorden van de jongens af, maar de essentie vond wel degelijk weerklank in hun ijdele hart. Ze zeiden beschaafd tegen elkaar: 'Het is maar goed dat die arme Kim nog érgens goed in is. Stel je voor dat – sorry dat ik het woord moet gebruiken hoor, maar ik kan er niet omheen – de armoedzaaier noch mooi noch intelligent noch sterk zou zijn...'

Lian had een gat in haar hart; al haar bloed liep erdoor weg. En met het bloed verdween haar gelukzaligheid vanwege Kims succes, haar hoop en energie om verder te dromen. In de ontstane leegte leefde alleen nog een diepgewortelde en wolkenkrabbende haat jegens haar wrede klasgenoten. Ze durfde Kim niet aan te kijken. Als zij zich van binnen al zo verscheurd voelde, hoe zou Kim zich dan wel niet voelen?

Lian had al zo vaak gezien hoe winnaars van wedstrijden geprezen en bewonderd werden, maar ze had zich nooit afgevraagd waarom. Waar waren haar ogen gebleven? Kende ze één gevierde kampioen die uit de tweede of derde kaste stamde? Ze liet de helden van de Herfstspelen van de afgelopen drie jaar de revue passeren en schaamde zich rot. Het waren stuk voor stuk eerste-kasters.

Alsjeblieft, Kim, vergeef me. Ik heb je op een dwaalspoor gebracht. Ik had nog niet begrepen dat respect niet weggelegd is voor degenen die hiervoor sowieso niet in aanmerking komen.

Ten slotte verzamelde Lian al haar moed om Kim in de ogen te kunnen kijken. Hé, waar was ze gebleven? O, ja, natuurlijk! Ze was aan het granaatwerpen. Lian haastte zich naar het midden van het voetbalveld.

'Kijk uit!' klonk een strenge mannenstem achter haar. Toen pas zag ze waar ze was. Het zweet brak haar uit: ze had per ongeluk het werpterrein betreden. IJzeren granaten, zo groot als bierflessen, suisden boven haar hoofd door de lucht. Er viel er een vlak voor haar grote teen op de grond. Zo snel ze kon rende ze weg. Toen ze een lerares met een meetlat zag, sprak ze die aan – ze stopte haar neus zo ongeveer ín haar notitieboekje: 'Is Kim Zhang al aan de beurt geweest?'

De lerares liet haar wijsvinger langs de namenlijst glijden en zei: 'Hier: Zhang, K. Heeft vijf keer geworpen. Haar beste resultaat is 15,8 meter.'

Wát?! Lian had nooit meer dan 10 meter bereikt. Lian vroeg meteen: 'Heeft iemand het beter gedaan dan Kim? Kim Zhang, bedoel ik?'

De vrouw lachte: 'Meisje, als we nog één leerling hadden die zo'n afstand kon halen, dan hadden we het monopolie van het hele district!'

Gerustgesteld begon ze naar Kim te zoeken. Ze vond haar vriendin bij de zandbak voor het verspringen. Daar zat ze, alleen en triest.

'Kim!' Lian zwaaide met haar armen en riep enthousiast: 'Je bent ook eerste bij het granaatwerpen geworden!'

Kim keek even op en liet haar hoofd direct daarop weer moedeloos hangen toen ze hoorde wat Lian te zeggen had. Nu was Lians vrees bevestigd: ze waren geen van beiden meer blij te krijgen. Daar zou zelfs het kampioenschap van de Olympische Spelen niets aan kunnen veranderen.

De sportleraar kwam op hen afrennen; zijn gezicht glom: 'Leerling Kim Zhang, gefeliciteerd met je succes!' Hij stak zijn rechterhand naar haar uit, maar ze negeerde zijn gebaar. De man interpreteerde haar weigering waarschijnlijk als een vorm van verlegenheid – het gebeurde tenslotte maar zelden dat een leraar een leerling eerde door hem de hand te schudden. Hij was niet te stuiten en ratelde verder: 'Morgen tegen de middagpauze kun je naar mijn kantoor komen. Ik heb je op de nominatie gezet voor de Districts-Herfstspelen. Welke kledingmaat heb je? Klein, zeker. Ik leg morgen een sportpak voor je klaar. Kom je het afhalen? Dan kunnen we meteen een trainingsprogramma voor je opstellen.'

Wat? Werd Kim lid van het prestigieuze sportteam van de school? Zou ze voortaan het blauwe nylonpak dragen, met het benijdenswaardige witte opschrift 'Middelbare School Nummer 54'? Hiermee vergeleken was de eer tot 'Leerling van de Drie Deugden' uitgeroepen te worden een gebroken nekhaartje van een grootvaderchimpansee!

Maar Lian was bang. En haar angst werd alleen maar groter nu de sportleraar nietsvermoedend een vrolijke mars stond te fluiten en daarbij zeer mannelijk op de grond stampte terwijl hij op de instemming van Kim stond te wachten. Kim stopte een pluk haar in haar mond en beet erop, als om te voorkomen dat ze een stortvloed ziedende scheldwoorden op hem zou loslaten.

De leraar had nog steeds niets in de gaten en vroeg ongeduldig: 'En, kom je morgen of niet?'

Als *het laatste stukje stro dat de rug van de kameel brak*, begonnen de luidsprekers te blèren: 'Uitslag van het granaatwerpen: eerste plaats Kim Zhang, 15,8 meter, een verbetering van het schoolrecord met maar liefst 1,2 meter! De tweede plaats...'

Het enthousiasme van de leraar bereikte een hoogtepunt en hij wilde vol blijdschap Kim een schouderklopje geven. Maar nu trok Kim de pluk haar uit haar mond, bewoog haar schouders buiten handbereik van de leraar en zette het op een lopen. Als een gewonde leeuwin. Als ze deze snelheid had bereikt tijdens de honderd meter dan had ze beslist de gouden medaille gekregen. Maar waarom zou ze? Welk nut had het een gouden medaille te winnen?

Lian toverde haar liefste lach op haar gezicht om Kims brutale gedrag bij de leraar goed te maken, de mierzoete lach waarmee ze tientallen malen de aanval van tweede- en derdekasters had weten te ontwijken. De sportleraar begreep er niets meer van. Eerst Kim, die weigerde deel te nemen aan de felbegeerde District-Herfstspelen; en nu Lian, die gewoonlijk zo afstandelijk deed tegen de mannelijke leraren en die nu Boeddha-weet-waarom ineens met hem stond te flirten...

Zodra Lian merkte dat hij niet meer boos was op Kim, haastte ze zich naar een stil plekje, onder de wilgen, ver weg van alles en iedereen.

Om vijf uur werden de prijzen uitgereikt. Kim kwam niet opdagen. Lian had gevraagd of zij ze voor Kim in ontvangst mocht nemen. Voor de eerste plaats bij het granaatwerpen kreeg Kim een dagboek met een chique rode plastic kaft, waarop met gouden letters stond gedrukt: *Het Mao Zedong-denken is een geestelijke atoombom.* Voor het kampioenschap van de 1500 meter werd haar een wit-emaillen wasbak geschonken, met op de bodem de afbeelding van twee blauwe karpers waaromheen een meer eigentijdse spreuk te lezen was: *Bij Mao voelen we ons als een vis in het water.*

Rond half zes liep Lian naar Kims huis. Haar moeder nam de wasbak aan en wiegde hem in haar armen alsof het haar zoontje was. Ze had slechts twee zulke luxeartikelen van haar lievelingsoom Qingyuan gekregen, als huwelijkscadeau. Sindsdien had ze ze minstens vijf keer moeten laten repareren. Van de overblijfselen zou zelfs de beste waarzegger niet meer kunnen uitmaken hoe de bakken er oorspronkelijk hadden uitgezien. De moeder werd nog wilder van opwinding toen Lian haar vertelde dat Kim de wasbak op de Herfstspelen gewonnen had. Ze veegde met haar mouwen het stof van de wand van de wasbak en zei: 'Kim, waar zit je? Waarom heb je het mij niet zelf verteld? Wacht totdat je vader thuiskomt. Wat zal die trots zijn!' Daarna wendde ze zich tot Lian: 'Mademoiselle, ik had nooit durven dromen dat mijn dochter al zo gauw geld kon verdienen! Weet je, zo'n ding kost in de winkel minstens vijf kuai. Hoeveel duizenden luciferdozen zou ik daarvoor niet moeten lijmen! *Kalveren worden flinker dan de runderen en kinderen overtreffen hun ouders*, zei moeder zaliger altijd. En zo ís dat!'

Lian trof Kim aan bij het fornuis, waar ze het ene takje na het andere in het vuur wierp. Nu ze niet hard hoefde te lopen, was haar gezicht ineens gloeiendheet en met zweet bepareld. Lian zocht haar ogen, maar Kim keek steeds weg. Lian leunde tegen het fornuis en smeekte: 'Kim, geef nu eens toe dat je vandaag een grote overwinning hebt behaald…!'

Kim keek Lian aan; hun beider lege ogen ontmoetten elkaar en smolten als sneeuwvlokjes in een plas van zinloosheid. Lian kon niet meer tegen Kims zwijgen. Zo kwam ze er niet achter hoe ernstig ze Kim gekwetst had en op welke manier ze het kon goedmaken. Het opborrelende schuldgevoel overtrof nu al haar verlegenheid en remmingen; ze vroeg stotterend: 'Kim? Neem, neem je het me kwalijk dat ik het… dat ik je heb voorgesteld om… om mee te doen aan de Herfstspelen?'

Ineens sprong Kim van haar kruk en stond recht voor Lian. Haar neusvleugels trilden en ze barstte in snikken uit. Dit was de tweede keer dat Lian haar zag huilen. Kim hield Lians schouders vast en begon met schrille stem tegen haar te praten: 'Hoe kan ik nu kwaad zijn op jou? Wie in de hele wereld geeft zo veel om mij als jij?'

Lian drukte haar bovenlichaam tegen dat van Kim; ze kon niet meer. Ook zij schreide.

De moeder kwam met een zak maïsmeel de keuken binnen. Ze zag de twee daar staan huilen en wilde net vragen waarom of Kim zei stoer: 'Mam, de boomtwijgjes die ik gisteren uit de Wezelbergen heb gehaald, moeten nog een dag of twee in de zon liggen. Kijk eens wat een rook ze veroorzaken.' Geagiteerd veegde ze haar ogen droog en gebaarde Lian hetzelfde te doen. De moeder verkeerde nog steeds in een roes vanwege Kims prijzen en trapte erin.

Kim wees naar de ondergaande zon: 'Moet je niet naar huis?'

'Eh… ja… misschien wel…' Eigenlijk had Lian de hele avond bij Kim willen blijven.

'Toe, ga naar huis, anders maakt je moeder zich zorgen.

Morgen om drie uur kom ik weer bij je langs. Je hebt me toch beloofd om die wiskundeformule uit te leggen?'

Jonge astronomen

De zomerföhn had zich verscherpt tot een echte herfstslagwind die de dorre bladeren van de bomen zwiepte. De drukkend hete lucht werd lichter en steeg naar de azuurblauwe hemel; daar transformeerde zij zich in zilverwitte wolken die in slow motion voorbijtrokken. Dat was natuurlijk gezichtsbedrog: daar, duizenden meters hoog in de ether, raasden de vederwolken naar alle waarschijnlijkheid in hoog tempo voorbij. Hier beneden merkte Lian die enorme snelheid niet op – wat ze waarnam was een vertraagde weergave van wat zich daar afspeelde.

De boomgaard voor de flat kondigde op zijn manier de komst van de herfst aan. Groene takken bogen bijna tot aan de grond vanwege de vruchten die ze na maanden liefdevolle zwangerschap tot rijping hadden gebracht – rode appels, goudgele peren en oranje abrikozen.

Ook Kims grote inspanningen begonnen vrucht te dragen. Ze snapte meer van de lessen op school; tegenwoordig hadden ze hun huiswerk binnen een uur al af, terwijl ze er twee jaar geleden minstens twee uur voor nodig hadden gehad. Aangezien ze tegen half vijf niets meer te doen hadden, wijdde Lian zich automatisch aan haar hobby: lezen.

Dat was nog niet zo eenvoudig. Bibliotheken waren sinds 1966 ofwel afgebrand ofwel hermetisch gesloten – de deuren waren stevig dichtgespijkerd. Het Jeugdactiviteitencentrum beschikte slechts over een viertal gebundelde pamfletten. Thuis stonden wel veel boeken, maar die gingen uitsluitend over geneeskunde en over geschiedenis, niet bepaald onderwerpen waar op dit moment haar interesse naar uitging.

Van kinds af aan was ze gek geweest op astronomie. Ze las, of beter gezegd, bekeek alle boeken over dit onderwerp, waar ze maar de hand op kon leggen. Zes jaar geleden, toen Meimei's vader, Lians benedenbuurman, door de Rode Gardisten gevangengenomen werd en ze zijn huis geplunderd hadden, vond Lian in de vuilnisbak van het flatgebouw een enorme berg populair-wetenschappelijke bladen, waaronder het illustere *Jonge Astronomen*. De Gardisten hadden de juwelen, het porselein en andere kostbaarheden ingepikt en de vakliteratuur, waar ze niets aan hadden, eenvoudig als afval gedumpt. Ze griste de in totaal veertig nummers van het tijdschrift bij elkaar en had er nu al zes jaar lang plezier van. Van verveling was geen sprake. Deels omdat ze elke keer iets meer van de inhoud snapte en deels omdat ze wist dat ze geen andere keuze had.

Lian pakte de stapel *Jonge Astronomen* uit de boekenkast en vroeg Kim of ze mee wilde lezen.

Sinds de Herfstspelen was Kims houding nogal veranderd. Ze hechtte meer waarde aan leren en stelde zich open voor nieuwe kennis op allerlei gebied. Maar zomaar een beetje plaatjes van zwarte en witte vlokken bewonderen ging haar toch echt te ver.

'Nee,' zei ze, 'ga jij maar puzzelen op sterren en satellieten, ik pak je vaders dikke pillen over anatomie wel.'

Als er één soort boeken bestond dat Lian – en daarin was ze het roerend met de Rode Gardisten eens – zou willen verbieden, verbannen en verbranden, dan was het wel die over anatomie. Deze boeken wemelden van de illustraties van het menselijk lichaam. Ze haatte haar lijf, dat maar bleef groeien en alsmaar onzedelijker vormen aannam. Ze durfde al helemaal niet in de spiegel te kijken, naar die halfvolwassen vrouw met alles erop en eraan. Bah! Het liefst zou ze uit haar lichaam willen ontsnappen en alleen nog in haar geest voortleven. Nee, ze hield meer van de sterren in de hemel – die leidden tenminste de aandacht van haar lijf af.

Natuurlijk kon ze dit niet als argument aanvoeren tegen Kims keuze. Desondanks probeerde ze Kim alsnog te interesseren voor astronomie. 'Kijk,' zei ze, haar meest recente ontdekking uit de toverdoos halend, 'de sterrenhemel verandert steeds.'

Kim lachte alsof ze een goede grap gehoord had.

Lian wist dat dit het begin was van succes. Ze hield vol: 'Je zou denken dat de nachtkoepel altijd hetzelfde blijft. O, o...' Ze zwaaide met haar wijsvinger. 'Fout!' Ze keerde twaalf nummers *Jonge Astronomen* om en ging verder: 'Hier heb je twaalf foto's van de sterrenhemel zoals die er in 1963 uitzag, van maand tot maand. Zie je hoe de sterren elke maand een stukje opschuiven?'

Kim wierp een geamuseerde blik op de bladen; al gauw begon ze de foto's nauwkeuriger te bestuderen. 'Verdraaid,' merkte ze op, 'de Melkweg zit iedere keer op een andere plaats.' Ze pakte een kruk om nog meer nummers uit de kast te plukken. Ze raakte helemaal gefascineerd door het verschijnsel en wilde meteen een wetenschappelijke verklaring in het blad opsporen.

Niets zeggen, beval Lian zichzelf. Ze wilde Kim niet vertellen dat ze zelf al jaren vergeefs op zoek was geweest naar zo'n verklaring. Ze was al dolblij dat Kim zich voor het onderwerp begon te interesseren.

Het eind van het liedje was dat Kim, toen ze om half zes naar huis ging, vroeg of ze een stapeltje *Jonge Astronomen* mocht lenen.

Lian zei zogenaamd streng: 'Alleen als je ze binnen twee weken uit hebt en teruggeeft.'

Hier stemde Kim gretig mee in. En Lian lachte in haar vuistje: Kim trapt met haar grote platvoeten in mijn val!

Een week later bracht Kim de bladen terug.

'Heb je ze allemaal gelezen?'

Kim scheurde een velletje volgekrabbeld met aantekeningen uit haar schrijfblok. Ze had niet alleen alles gelezen, maar ook nagedacht over de moeilijkere vraagstukken, zoals de berekening van de frequentie en tijdsduur van een zonsverduistering, de oorzaken van het ontstaan van maankraters en of er leven op Mars mogelijk was. Ze wilde nog meer nummers lenen, maar Lian vond het tijd worden voorwaarden te stellen: vanaf nu zouden ze elke week een 'astronomie-forum' houden.

Hoe meer ze discussieerden over wat ze gelezen hadden, des te duidelijker beseften ze dat ze vrijwel niets van de sterrenstelsels afwisten. Daar Lians voorraad tijdschriften hun honger niet meer stillen kon, gingen ze op zoek naar meer serieuze astronomieboeken.

Ook dat was niet eenvoudig. Waar moest je beginnen? De uitgeverijen drukten sinds 1966 bijna uitsluitend het Rode Boekje. Sinds 1971 hadden ze daarnaast nog vijf of zes titels gepubliceerd, maar die waren woord voor woord gezeefd, zodat niemand er nog belang in stelde. De meeste boekhandels waren dan ook gesloten en de weinige die opengebleven waren, werden zelden bezocht.

Kim en Lian zouden hun geluk beproeven: ze gingen naar zo'n boekwinkel op zoek. De dichtstbijzijnde bevond zich een kleine vijf kilometer van Lians flat. *Nieuw China*, heette het bedrijf. Maar dat zei nog niets: alle boekwinkels droegen die naam, net als de grote hoeveelheid meisjes van na 1967 die 'Hong' – 'rood, revolutionair en progressief' – heetten en de even grote hoeveelheid jongens die 'Weidong' – 'Verdedig Mao Zedong' – genoemd werden.

Op hun tenen liepen ze de winkel binnen. Zoals te verwachten viel was er geen kip. Je kon hier een speld horen vallen. Alhoewel, dat was niet helemaal de juiste uitdrukking – het moest zijn: je kon ongestoord het gesnurk van de verkoper beluisteren. Een man van, naar het kanongebulder van zijn ronken te oordelen, een jaar of veertig zat achter de toonbank met volle overgave te slapen, het hoofd begraven in zijn gevouwen armen.

Ze stonden voor een dilemma. Als ze stilletjes in zijn zaak zouden gaan rondneuzen, zou de man zodra hij wakker werd hen beschuldigen van diefstal; als ze krachtig zouden kuchen om hem uit zijn droom te halen, zou hij woest worden. Kim gaf Lian een teken om de zaak zachtjes te verlaten. Maar ze leek daar zelf niet erg behendig in – ze schopte tegen de deur, die voorzien was van een terugklapveer.

Tjieja! klaagde de opengeschopte deur, waarvan de scharnieren hoognodig geolied moest worden. De boekverkoper schudde zijn lijf als een hond die in een goot was terechtgekomen en keek nogal verstrooid uit zijn slaperige ogen. Bij de ingang ontwaarde hij tot zijn ongenoegen de verstoorders van zijn broodnodige rust.

Maar Kim stapte doodgemoedereerd de winkel weer binnen en zei bijzonder meelevend: 'Het is pas begin herfst, maar de wind kan al dakpannen verhuizen.' Ze legde de verantwoordelijkheid voor het kabaal dat de deur gemaakt had bij de wind…

Met slaapdronken ogen nam de man de twee tienermeisjes op en bromde kwaad: 'Wat moeten jullie hier?!'

Lian was ook niet mis. Ze lachte hem mierzoet toe en antwoordde: 'Revolutionaire Kameraad Oude Oom, we zoeken een boek over astronomie.'

De eretitel die ze hem gaf, diende natuurlijk om een wit voetje bij hem te halen. Het winkelpersoneel was immers koning en de klant slaaf. Alle winkels waren eigendom van de Staat; de werknemers kregen een vast salaris, ongeacht of ze één artikel per jaar verkochten of geen. Uiteraard hadden ze een hekel aan kopers – die kwamen alleen maar hun welverdiende rust verstoren.

De man *maakte een purperen knot van zijn lippen.* Hij wees daarmee zwijgend naar het oosten, waar de natuurwetenschappelijke boeken stonden; hij achtte het niet de moeite waard zijn tong of handen te gebruiken om hen de weg te wijzen.

Het enige 'astronomie-boek' dat ze vonden leek meer een strip. Het was getiteld *Boeren zijn de beste wetenschappers: honderd spreuken over de weersvoorspelling. Met vijftig illustraties.* Kim bladerde het door en riep telkens: 'Kijk, hier heb je nog een spreekwoord dat mijn moeder vaak gebruikt.'

Lian las met haar mee. Zo zag ze een kleurenfoto waaronder het zinnetje prijkte: *Als de wolken er als visschubben uitzien, hoeven we het graan niet te keren.*

Kim legde uit: 'Dat wil zeggen, wolken met deze vorm voorspellen een hete namiddag. Als de tarwe op het pleintje ligt te drogen, zal de zon die door en door bakken. Het is dus niet nodig om de tarwe van tijd tot tijd om te kieperen.' Zo verklaarde ze de ene spreuk na de andere; ze was dolblij dat ze een wetenschappelijk boek in handen had, dat ze moeiteloos begreep.

Na er vijfenzeventig cent voor neergeteld te hebben, gingen ze met een voldaan gevoel naar huis.

Theorie en praktijk

De volgende dag renden ze na het huiswerk met hun nieuwe aanwinst naar buiten. Ze bestudeerden het boekwerk bladzijde voor bladzijde, net zolang tot ze de luchtfoto tegenkwamen die soortgelijke weersomstandigheden afbeeldde als die van vandaag. Het viel niet mee de speurtocht tot een goed einde te brengen – het geblader vormde een haard waaruit voortdurend discussies oplaaiden. Lian nam naar Kims mening de foto's en de geschreven tekst veel te nauw. Wanneer de spreuk luidde: *In de hemel worden schaapjes naar huis gedreven en op de grond worden jonge bomen ontworteld*, vergeleek Lian de wolkjes stuk voor stuk met die in het boek. Was hun romp niet exact cilindervormig, of misten ze de puntige staart van een echt schaap, dan verklaarde ze de spreuk meteen maar ongeldig voor vandaag. Kim kreeg het hiervan op haar zenuwen. 'Wat ben je toch een boekenwurm! Wanneer zie je nu wolken die precies op die beesten lijken? Dit is geen tekenles, Lian. Het gaat erom dat de schapenwolken een voorbode zijn van een stevige wind. Dat is alles. Mijn moeder meet toch ook niet de wolken een voor een na voordat ze ons waarschuwt: "Kinderen, jullie moeten morgen warme kleren aandoen, want de wind zal als een hongerige heks door de lucht vliegen."'

Lian hield haar mond, maar dacht stiekem: dit is toch een serieus onderzoek? Kims moeder vertrouwt alleen maar haar instinct. Hoe kan ze nu meer gelijk hebben dan dit rare boek?

Om een eind aan het dispuut te maken, hielden ze een zakdoek in de lucht. Lian hoopte dat hij slap naar beneden zou hangen, maar de naarling spreidde zijn vleugels en Kim lachte triomfantelijk. Dit was het begin van haar voorsprong op het gebied van de astronomie. Aangemoedigd door dit succes, leende Kim nog meer tijdschriften van Lian en verslond ze in een razend tempo.

Geleidelijk aan waren ze aangekomen bij het hoofdstuk *De nachtkoepel*. Op een van de foto's was een bleke maan te zien, met twee ringen om zich heen, de binnenste lila-kleurig en de buitenste blauwgrijs. Het bijbehorende spreekwoord luidde: *Het maanmeisje draagt twee flinterdunne zijden jasjes; morgen klappertanden de bedelaars.* Ze moesten vijf dagen wachten voordat ze dan toch ten minste één rozige ring om de maan te zien kregen.

De dag daarna begonnen ze te redetwisten. Kim klappertandde van de kou – opzettelijk, volgens Lian – en zei dat dat kwam doordat de maan gisteravond een ring om zich heen had gehad. Lian beweerde dat het bij de herfst hoorde dat het met de dag frisser werd. 'Trouwens,' wist ze eigenwijs, 'dat spreekwoord heeft niet over één ring gerept. Alleen als er twee ringen te zien zijn, zou de voorspelling gelden.' Nu was het Kims beurt om kwaad te worden. Zo verlegen als ze was, wachtte ze tegen zessen in Lians trappenhuis Meimei's vader op. Normaal gesproken durfde ze deze man niet eens aan te kijken, laat staan aanspreken. Hij was niet lang geleden uit het strafkamp vrijgelaten om onderzoek te verrichten in het astronomiestation waar hij voordien werkte. Per slot van rekening wilde de regering niet achterblijven: het was de bedoeling dat ook China een satelliet de ruimte in zou sturen – om de kapitalistische landen in de gaten te houden, opdat de hele wereld op een dag *één bloedrode proletarische zee* zou worden.

Drie dagen achtereen had Kim meer dan een half uur op Meimei's vader staan wachten tot ze hem eindelijk te pakken kreeg. Het liep al tegen zevenen.

'Oude Oom,' groette ze hem zo beleefd mogelijk, 'hier in dit boek staat: *Het maanmeisje draagt twee flinterdunne zijden jasjes; morgen klappertanden de bedelaars.* Als er maar één ring om de maan is, geldt het dan ook?'

De wetenschapper moest zich even instellen op dit buitengewone gespreksthema. Gewend aan vaktermen en standaardonderzoekmethoden, had hij wat tijd nodig om zich te verplaatsen in de geest van deze volkswijsheden. Hij zag Kims gezicht, dat ernstig en vol verwachting op hem gericht was, alsof hij het laatste oordeel zou uitspreken, en hij hield zijn neiging om te glimlachen met moeite in. Plotseling kreeg hij een idee. Hij zei: 'Meisje, wil je werkelijk weten of ook één ring een frisse ochtend voorspelt?' Kim knipperde met haar ogen alsof haar werd gevraagd of ze na de dood naar de hemel wilde. 'Dan zou je een statistiek moeten maken.' Ze knipperde nogmaals met haar ogen, ditmaal alsof haar gevraagd werd waar ze de ladder kon vinden om naar het paradijs te klimmen. Hij zag wel in dat ze hem niet helemaal snapte: 'Wat ik zeggen wilde, is dat je voor een periode van, zeg maar, een half jaar kunt bijhouden hoe vaak één ring om de maan aan koud weer voorafgaat. Uit de frequentie kun je de juiste conclusie trekken.'

Kims gezicht klaarde op – ze knipperde nog eenmaal met haar ogen en rende de trappen op, glad vergetend dat ze haar raadgever had moeten bedanken.

Dat ene praatje van Kim met Meimei's vader creëerde een nieuw geluk voor de twee vriendinnen. De geleerde nodigde hen uit hem in zijn studeerkamer op te komen zoeken. Hói! Hier lagen de boeken van de vloer tot aan het plafond opgestapeld. Ditmaal bleef zijn neiging om te glimlachen achterwege nadat Kim een paar specialistische vragen had gesteld. Hij zag hun hongerige ogen en bood aan om boeken uit te lenen, mits zij ze werkelijk zouden lezen. Twee boeken per keer mochten ze meenemen, bepaalde hij, en als ze die terugbrachten, moesten ze hun aantekeningen laten zien. Hij had net zo goed kunnen proberen een vis te straffen door hem in zee te verdrinken. Kim straalde.

Ze lieten de weerspreuken voor wat ze waren. Hun belangstelling voor de sterrenhemel was helemaal teruggekeerd. Ze kwamen erachter dat de astronomische kennis constant vernieuwd werd door sterrenkundigen die iedere nacht met een telescoop de hemellichamen bestudeerden. Kim stelde voor dat ze dat ook maar moesten doen. Een telescoop hadden ze dan wel niet, maar dat was niet erg. In *Jonge Astronomen* stond dat je met het blote oog ook een heleboel over de sterren te weten kon komen.

Kim citeerde: '*Hoe denk je dat de mensen tijdens de Renaissance, die tegelijkertijd filosoof, kunstenaar, wiskundige, natuurkundige en scheikundige waren, hun belangrijke astronomische ontdekkingen deden...?* Kim had een geheugen als een pot. Ze citeerde meestal letterlijk en foutloos. '*Voornamelijk met behulp van primitieve, zelfgemaakte kokers met stukjes glas erin, die nauwelijks apparaten te noemen waren, én met deze hier.*' Ze wees naar haar ogen — ogen die fonkelden van leergierigheid.

Tweelingsterren

Eind oktober kregen ze van hun ouders toestemming om een avond buiten naar de sterren te gaan kijken. Ze liepen naar het sportveld van de campus en spreidden een oud tafellaken op het gras uit. Het was negen uur. Binnen een straal van twee kilometer was behalve het paar jonge astronomen geen mens te zien of te horen. Het enige gerucht werd veroorzaakt door een paar loom tjirpende krekels. Die hadden blijkbaar zo'n geweldige dag achter de rug dat ze ondanks het vallen van de avond er nog eventjes van wilden nagenieten. Hun gezang werd gekenmerkt door een lange, ontspannen nasleep en een lui en vreugdevol timbre. Het gras was nog altijd lauwwarm en in het nachtlicht glansde het als de golvende zwarte haren van een dromerig meisje. De bomen om het sportveld wierpen trotse schaduwen en ze ruisten noch bewogen, als schildwachten voor een paleis.

Boven hun hoofd speelde de maan een stille serenade voor haar sterren. De lichtpuntjes in het nachtgewelf leken op heldere, strelende klanken, die door de enorme afstand tussen hemel en aarde niet meer te horen waren maar die desondanks een liefkozend muzikaal effect teweegbrachten. Sommige sterren waren op het ene moment donker en bijna onzichtbaar, maar schitterden het volgende moment weer volop – iets dat Lian aan de lage en hoge tonen in een pianostuk deed denken.

Lian was in de ban van de toverkracht van de sterrenhemel. Ze had helemaal geen zin meer om de nachtkoepel met het oog van een 'jonge astronoom' te analyseren. Ze voelde zich schuldig en keek naar Kim, die een boek met kleurenfoto's van sterrenstelsels uit haar tas had gehaald. Ze hield het eerst ondersteboven, corrigeerde zichzelf, fronste haar wenkbrauwen en legde het weer neer.

Godzijdank, dacht Lian.

Kim fatsoeneerde het tafellaken op het gras en ging languit liggen. Dat was een goed teken; zij wilde blijkbaar ook alleen maar genieten van de betoverende sterrenshow. Lian ging naast haar liggen.

Een ijzingwekkende stilte omgaf hen. De harde grond veerde op onder hun lijf, omdat daar van alles groeide; de schijnbaar roerloze bomen rond het sportveld waren druk doende over hun veiligheid te waken; het getjirp van de krekels onderstreepte de geruisloosheid waarmee de natuur te werk gaat; de frisse bries voelde aan als een warme, aaiende handpalm over hun gezicht; de donkere hemel was als een kristal van licht, met al zijn fonkelende sterren...

Geobsedeerd door het oogverblindende nachtschoon, verloor Lians lichaam zijn knellende greep op haar geest. Haar geest steeg op, keek van een duizelingwekkende hoogte neer op Lians leven en schudde zijn hoofd. Ze nam zichzelf onder de loep: Lian Shui...

Haar trance kwam abrupt tot een einde, toen Kim haar een duwtje gaf. Lian steunde op haar ellebogen en draaide zich naar haar vriendin toe.

'Zie je de avondster daar?' Kim wees naar een van de helderste sterren en zei: 'Dat ben jij.'

Lian zakte door haar ellebogen en zocht Kims ogen, een en al verbazing. Hoe kon dat? Hoe kon Kim, die haar normaal gesproken nog geen goedkeurende blik toewierp, laat staan een complimentje gaf, nu ineens zo gul zijn met lovende woorden? Over haar?

Waarschijnlijk was door Lians plotselinge beweging het laken onder haar verschoven. De grassprietjes prikten haar blote hals en enkels. Ze uitte een zucht van vervoering en rolde zich in één beweging weer op haar ellebogen. Haar vinger kroop eerst naar Kim, stopte op een afstand van tien centimeter voor Kims neus en wees vervolgens naar de nachtkoepel: 'Zie je het felle lichtpunt naast de avondster? Dat is haar tweelingzus: dat ben jij.'

Kim kneep haar ogen samen, maar het lukte haar niet haar blik te focussen op de plek die Lian aanwees. Ze maakte kokers van haar handpalmen, als een verrekijker, en probeerde het nog eens. Ze keerde zich tot Lian en zwaaide met haar wijsvinger alsof ze zeggen wilde: mij maak je niets wijs! Nergens heb ik iets over twee avondsterren gelezen… Of zou het komen doordat ik niet genoeg van astronomie afweet?

Lian had te doen met Kim, tegenwoordig een grotere boekenwurm dan zijzelf, maar ze durfde niet toe te geven dat ze alleen maar een grapje had gemaakt. Stel je voor hoe Kims ogen vuur zouden schieten als ze erachter zou komen dat Lian haar de hele tijd voor de gek had gehouden.

Ze verklaarde: 'Het is logisch dat we de tweede avondster niet zien. Zij is een paar miljoen lichtjaren jonger dan de huidige en haar pasgeboren schijnsel heeft misschien nog duizenden lichtjaren nodig om onze planeet te bereiken. Maar één ding staat vast: haar licht is al naar ons onderweg. En wat voor een licht! Zij schittert tientallen keer zo fel als de maan en is de schoonheid zelf. Dat ben jij.'

Slecht nieuws

Het leek een doodgewone ochtend in de herfst. Lian zat met Moeder aan het ontbijt en keek zwijgend uit het raam. De lucht was net een fraaibeschilderde vaas die constant van gedaante veranderde. Citroengele, bordeauxrode en kastanjebruine bladeren waren bijeengeroepen door de milde herfstwind en maakten een eindeloze rondedans. Lian zag het aan, maar voelde zich heel vreemd, te vreemd om ervan te kunnen genieten. Mechanisch werkte ze haar rijstepap naar binnen.

'O, Lian, voor ik het vergeet,' zei Moeder tussen twee happen door, 'ik kwam gisteren tante Ge tegen.'

Ge? Lians eetstokjes wezen als een stel opgestoken vingers naar boven. Ze kon de naam niet goed thuisbrengen.

'Ze vertelde me,' vervolgde Moeder, 'dat oom Changshan in het ziekenhuis ligt. Hij is twee weken geleden opgenomen. Is het waar dat je al zo lang niet meer bij hem bent langs geweest? Dat zei tante Ge tenminste.'

Tingtangtang... Lian liet haar eetstokjes uit haar handen kletteren. Tante Ge! Oom Changshan! Het leek wel of ze naar een fabeltje zat te luisteren – de twee namen klonken zo onwezenlijk, als iets uit een ver verleden. Ze bukte zich om haar stokjes op te rapen en nam ruim de tijd om overeind te komen. Wat zei Moeder? Wat had ze gezegd? Was oom ziek? In het ziekenhuis? Oom Kannibaal...?

'Tante zei dat ze twee weken geleden leverkanker bij oom Changshan geconstateerd hebben. Hij moest onmiddellijk naar het ziekenhuis. *Gái*, wat kunnen ze doen? Uitzaaiingen...'

Lian hoorde niet zo goed wat Moeder allemaal zei. Ze pulkte aan haar trui – het liefst zou ze die helemaal kapottrekken.

'...Ik heb tante beloofd dat je hem snel zult komen opzoeken...'

'Ik zit voor een examen. Ik kán niet. Ik heb geen tíjd...'

'Quatsch! Oom Changshan heeft je altijd geholpen, eerst in het kamp, en ook nu je terug bent. En nu hij doodziek is, moet je ineens zo nodig examens doen, en heb je geen tijd om hem op te beuren? Zo ken ik je niet, Lian!'

Lian begon haar trui in de breedte uit te rekken. Ze zweeg. Ze bad tot Boeddha dat Moeder haar belofte aan tante zou vergeten. Ze voelde zich doodellendig – waar was haar geweten gebleven?

De dochter van de dichter

's Avonds, tegen negenen nog, klopte er iemand aan. Het was meneer Song, een van Moeders beste vrienden. Hij wreef zijn handen tegen elkaar en stotterde verlegen: 'Zou, zou het even... eventueel mogelijk zijn dat... kan een gast van mij een nachtje bij jullie logeren?'

Moeder trok aan de bol wol naast haar rechterdij en antwoordde zonder van haar breiwerk op te kijken: 'Sinds wanneer doe je zo overdreven beleefd tegen mij? Je weet dat dat nergens voor nodig is. Natuurlijk kan je bezoek bij ons overnachten.'

De man haalde opgelucht adem en legde de situatie uit: 'Kijk, bij ons in het Gebouw voor Vrijgezellen is het riskant om een logee te hebben. Je snapt het wel, zeker?'

Het veiligheidscorps van elke werkeenheid viel 's nachts woonhuizen binnen, niet alleen om de illegaal in de stad verblijvende boeren op te sporen. De leden van het corps hadden zo hun eigen interesses. Hun mond werd al drassig wanneer ze het vermoeden hadden dat er ergens overspel gepleegd werd of een ongehuwde van zichzelf een 'versleten schoen' maakte.

Lian herinnerde zich dat ze als vierjarige een keer in het holst van de nacht haar bovenbuurman, lector in de wiskunde en weduwnaar, had gezien. Hij was door vijf sadisten van het huiszoekingscorps uit zijn bed gesleept en poedelnaakt te kijk gezet te midden van tientallen van leedvermaak gierende toeschouwers – zijn eigen buren. Hoewel het hartje zomer was, had hij van top tot teen gebibberd, zozeer schaamde hij zich.

'Een hond die zijn lid niet kan thuishouden!'

'Een schande voor zijn voorouders!'

Het onophoudelijke gescheld en gevloek van de omstanders verzwaarde de molensteen om zijn nek. Lian had ook zo haar mening gehad: 'Deze grote meneer draagt 's nachts niet eens een pyjama. Hij slaapt als een beest!' De omstanders waren in schaterlachen uitgebarsten toen ze Lians commentaar hoorden. Pas vorig jaar was Lian achter de ware reden gekomen waarom de buren zo gemeen tegen hem waren geweest. Toen het corps zich toegang verschaft had tot zijn flat, bleek hij in bed te liggen met zijn verloofde...! Sex vóór het huwelijk was nu eenmaal niet minder strafbaar dan de Wijste Leider van het Heelal ongehoorzaam te zijn.

Meneer Song ging verder: 'Het zit namelijk zo. De dochter van Wenyou Xiang kwam vanmiddag om mij het nieuwste boek van haar vader te overhandigen. Door ons geklets zijn we de tijd vergeten en nu heeft ze de laatste bus gemist.'

Moeder legde abrupt de half afgebreide trui op haar knieën en vroeg met ogen groot als wagenwielen: 'Wíens dochter zei je? Toch niet van de Wenyou Xiang, die *De rots is hoog en steil* heeft geschreven?'

'Jawel. Die is het.'

Lian spitste haar oren. Xiang was niet alleen befaamd om zijn poëzie, hij had vóór de Culturele Revolutie ook nog eens de functie van vice-minister van Cultuur en Propaganda bekleed.

Moeder sloeg de poespas van ze-is-bij-ons-van-harte-welkom over en vroeg: 'Slaapt ze liever op de bank in de zitkamer of in de kamer van Lian?'

'Ik breng haar zo dadelijk hier; vraag het haar zelf maar.'

Lian gleed naar haar kamer en haalde haar chicste blouse uit de commode te voorschijn.

Een aanstekelijk lachje ging zijn eigenares vooruit. Lian haastte zich naar de voordeur, waar een lang, slank meisje haar opwachtte. Lian was verrukt. Eindelijk had ze bezoek van een meisje van haar eigen leeftijd.

'Ahá... Goedenavond, mevrouw, juffrouw. Youxin is mijn naam. Ik ben gekomen om u te storen. Haha...' Ze bleef maar giechelen en vulde het huis met zonnestralen.

'Welkom bij ons thuis.' Moeder schudde haar de hand en vroeg vervolgens waar ze het liefst wilde slapen, in de zitkamer of bij Lian op de kamer.

Ze wendde haar hoofd naar Lian en bekeek haar van top tot teen, met dansende wenkbrauwen en omhoogkrullende mondhoeken: 'Als de mademoiselle het goed vindt, zou ik dolgraag met haar de kamer delen.'

Moeder zette een stretcher naast het hoofdeinde van Lians bed, op zo'n manier dat de twee bedden een L vormden. Youxin trok het hoeslaken strak en klopte het hoofdkussen tot een luchtige pudding. Moeder was aangenaam verrast dat Youxin zo behulpzaam was. Ook Lian stond ervan te kijken: hoe kon iemand zich zo snel in een wildvreemde omgeving thuisvoelen?

Youxin zat op haar keurig opgemaakte bed en wiebelde

met haar tengere, maar vrouwelijke benen. Ze keurde Lian met haar ogen, alsof ze een tekenlerares was die een schilderij van haar leerling beoordeelde, twijfelend wat voor commentaar ze het beste kon geven. Lian draaide zich zo onopvallend mogelijk om – ze voelde zich minderwaardig. In aanwezigheid van dit bijna volwassen meisje dat zo ontspannen, zelfverzekerd en elegant was, leed ze onder minderwaardigheidsgevoelens. Aan de andere kant stelde Youxins vriendelijke blik haar weer op haar gemak.

'Kom eens,' zei Youxin, 'die blouse is op zich niet lelijk.' Wát? Het was de mooiste die ze had! 'Het enige is dat je het bovenste knoopje niet dicht moet doen.' Ze trok Lian voorzichtig, maar vastberaden naar zich toe, legde haar zachte, kietelende vingers op Lians kraag en ontknoopte deze. Nu ze zo dicht bij Lian was, zweefde de hyacintachtige geur van haar haren naar Lians neus. Lian verstijfde, zo verlegen was ze. Een frisse luchtstroom drong via de open kraag naar beneden, langs haar bovenlichaam. Ze voelde zich plotseling veel meer op haar gemak... Ze wist niet dat ze zich zo prettig vrij kon voelen als ze haar blouse zo losjes droeg.

Youxin liet Lians schouders los en zei: 'Je hebt me nog niet verteld hoe je heet.'

'Lian.'

'Ehm, "Lian", *waterlelie*. Een charmante naam.'

Zei ze dit nu om het contrast te versterken tussen hoe ze heette en hoe ze eruitzag?

'Je zit zeker in de eerste klas van de onderbouw.'

'De derde,' corrigeerde ze Xin trots. Ze wilde immers dolgraag als volwassene beschouwd worden.

'O, ben je dan veertien?'

'Ja. Maar over elf maanden ben ik vijftien.'

'Dan ben je drie jaar jonger dan ik. Het is niet zo'n ramp, hoor. Jouw tijd komt nog.'

Youxin veranderde snel van onderwerp: 'Vorige week kwam oom San He bij ons langs, de filmregisseur, weet je wel. Hij zei dat hij op zijn hoge leeftijd nog van beroep veranderd is: tegenwoordig dresseert hij varkens en schapen in plaats van acteurs. In het strafkamp verliest hij wel zijn haren, maar niet zijn grappen!'

Xin sprak over een van de grootste beroemdheden van China alsof het ging om de fietsenmaker van om de hoek. Lians rotgevoel maakte meteen plaats voor ontzag – ontzag voor Youxin, die zich tussen de elite net zo op haar gemak voelde als een karbouw in de modder.

Om tien uur kwam Moeder het licht uitdoen. Youxin en Lian begonnen zachtjes te kletsen. Nu het donker was en Lian Xin niet in de ogen hoefde te zien, durfde ze vrijuit te spreken. Ze vroeg Xin over de laatste mode: welk kapsel tegenwoordig het meest in trek was en welke kleur blouse.

Maar Xin scheen niet geïnteresseerd te zijn in Lians onderwerpen en had het alsmaar over jongens en meisjes en dat soort dingen.

'Twee maanden geleden, in het begin van de herfst, liepen Mimi Yue en ik in het winkelcentrum van het Chongwen-district…'

'Mimi Yue? De dochter van Lizhi Yue, de schrijver?'

'Ja. Hè, nu ben ik helemaal de draad kwijt. O nee, we liepen daar dus langs de etalages. Ineens dook er een groep jongens van een jaar of twintig op. Ze wilden met Mimi kennismaken. Och ja, je kent Mimi niet. Het is een schoonheid, hoor. Ze wordt vaak gevraagd model te staan voor reclameschilders.'

'Hoe mooi?'

'Gewoon, als mannen haar zien, willen ze haar kussen. Maar laat mij nou het verhaal afmaken – het is waar gebeurd, hoor. Natuurlijk wilde Mimi niets te maken hebben met dat stelletje straatschoffies. Per slot van rekening heeft ze veel sjans bij de zonen van de leden van het Centraal Comité van de Communistische Partij. Maar ze vond het natuurlijk ook wel leuk om achternagezeten te worden. Wie niet? Laten we eerlijk wezen. Maar nu wilde het lot dat er ondertussen een tweede groep jonge kerels aankwam. Ze werden groen en geel van jaloezie toen ze zagen dat die andere bende zo'n knappe meid probeerde te versieren. Ze spuugden op de grond en stapten drie maal drie keer op het speeksel – als teken van verachting. En meteen begonnen ze elkaar met bakstenen te bekogelen. Mimi bleef nog een poosje kijken, maar toen het haar begon te vervelen, liepen we een schoenenzaak binnen. Even later hoorden we de ambulance. Van tien jongens was het hoofd gekraakt en één jongen had zijn ribbenkast gebroken. Hihi, haha! Wat kunnen die jongens toch stom zijn…!'

Lian begreep niet wat er nu zo grappig was. Elf mensen

raakten gewond in een zinloos gevecht en zij vond dat komisch?

Youxin voelde zich duidelijk ongemakkelijk; ze voegde eraan toe: 'Lian, misschien ben je nog te jong. Je weet niet wat
het voor een vrouw betekent om door mannen begeerd te worden, vooral als zij hun leven voor je op het spel zetten.'

Die nacht had Lian de gekste dromen: haar vader was ook
een vip geworden. Hij nam haar mee naar zijn oude vrienden,
wier namen regelmatig op de voorpagina van het *Volksdagblad*
stonden. Overal waar ze kwam, bekeken de jongens haar vol
verlangen.

De volgende ochtend had ze nog lang het gevoel dat haar
droom werkelijkheid was.

Kort maar hevig

Moeder had haar jas nog niet uit of ze haalde een brief uit haar
jaszak en zei: 'Tante Xiucai uit de provincie Hunan komt
overmorgen. Ze komt twee weken logeren.'

'O, wat leuk!'

'Ik weet niet of het zo leuk is voor tante Xiucai, want ze lijdt
aan een chronische baarmoederinfectie. Ze komt naar Peking
om een aantal bekwame gynaecologen op te zoeken.'

'Jammer dat Vader er niet is, anders zou hij haar bij de beste
specialisten van Peking kunnen introduceren.'

'Herinner je je neefje Liqiang nog? Hij komt ook mee. Tante
schrijft dat zijn school deze maand stage loopt bij *Van de Arbeiders Leren*. Hij kan dus wel twee weekjes missen. Je weet wat
een tijdverspilling het is om zes dagen per week acht uur per
dag limonadeflessen te vullen.'

Hoi! Liqiang, het jongetje dat zo goed kon knikkeren en vals
spelen bij het kaarten!

Twee dagen later werd er om acht uur 's ochtends aangeklopt.
Moeder verborg nog snel wat rommel onder haar dekbed, ging
met haar vingers door haar haar en opende de deur.

Een grijzend vrouwtje dribbelde naar binnen, pakte Lians
hand en zei: 'Mijn genadige Boeddha, is dit ons Liantje? De
laatste keer dat ik je zag miste je nog twee voortanden.'

'Goedemorgen, tante Yunxiang!' Zowel Moeder als Lian schrokken zich lam toen ze de luide mannenstem hoorden.

Lian stond oog in oog met een boom van een kerel, minstens twee koppen groter dan zij. Al had hij zich goed geschoren, toch zag ze aan zijn kin van die blauwachtige stoppeltjes. Zijn donkere ogen straalden opvallend en hij glimlachte hoffelijk, als een echte heer.

Na het ontbijt gingen tante en neef hun koffers uitpakken. Ze mochten in Lians kamer logeren; Lian zou voorlopig op de bank in de zitkamer slapen.

Tante zat te gapen en Moeder haalde haar over om even een dutje te doen; de treinreis had haar helemaal uitgeput.

Moeder ging naar haar studeerkamer en zette zich aan het lezen van scripties. Zoals gewoonlijk spreidde Lian haar huiswerk op de eettafel uit en begon met de rekensommen. Liqiang pakte een boek uit de kast en ging op de bank zitten lezen.

'Moet je ook niet wat rusten?' vroeg Lian, en draaide zich naar hem om. Het gezicht van de jongen blonk van de energie; hij was zichtbaar geamuseerd door haar vraag. Uit schaamte verborg ze haar hoofd tussen haar leerboeken.

Het was alsof hij haar gedachten kon lezen. Hij pakte een stoel en ging naast haar zitten. 'O, ben je met wiskunde bezig! Dat is mijn lievelingsvak.'

Het was idioot. Gewoonlijk was Lian degene die alles aan Kim moest uitleggen, maar nu Liqiang bij haar zat, begreep ze zelfs de eenvoudigste formules niet meer. Ze zat de hele tijd op haar pen te bijten van de zenuwen.

Hoe vaak hij de formules ook aan haar uitlegde, ze snapte er geen moer van. Ze kon zichzelf wel wurgen! Ze had nooit geweten dat ze zo'n rund kon zijn. Maar het geduld van Liqiang leek onuitputtelijk en hij legde haar de wiskundige regels tien keer uit, op dezelfde rustige, hoffelijke manier.

Ze was ongerust en ontroerd tegelijk. Zou hij haar een lastpost vinden? Dat kon niet, dan zou hij niet zo lief en geduldig zijn. Maar waarom behandelde hij haar zo galant? Waaraan had ze dat verdiend? Ze wist alleen maar dat volgens de bourgeois romans een man veel van een vrouw verdroeg, wanneer hij haar leuk vond of liefhad.

Boeddha! Zou Liqiang haar aardig vinden? Lian kreeg de

kriebels in haar buik en sloot haar ogen, in de hoop dat waan-
idee uit haar hersenen te verbannen. Ze moest er korte metten
mee maken – ze nam zich voor Liqiang te gaan pesten. Dan
kon ze haar opwellende gevoelens voor hem mooi onderdrukken. Haar ogen stonden weer op scherp en ze snapte de formules helemaal. Ze duwde zijn hand van haar wiskundeboeken
weg en loste de vraagstukken moeiteloos op.

'Laat mij met rust,' wimpelde ze hem af, telkens als hij haar
erop attent maakte dat er een efficiëntere manier van rekenen
bestond – net zo lang tot ze hem had weggejend.

Hij ging zwijgend terug naar de bank, waar hij zich weer
probeerde te concentreren op zijn boek. Hij zou zich wel afvragen waarom zijn nichtje opeens zo fel tegen hem tekeer was gegaan.

꩜

's Middags, nadat ze een middagdutje had gedaan, was Lians
vastberadenheid om Liqiang uit haar hart te weren weer wat
afgenomen. Ze zocht naar een kans om het goed te maken, ook
al wist ze niet precies hoe. Ze raakten aan de praat. Hij vertelde
haar dat hij in het basketbalteam van zijn school zat. Dat was
niet verwonderlijk; hij was lang, sterk en lenig. Lian wilde ook
leren basketballen. Dus spraken ze af om elke ochtend naar
het sportveld te gaan.

De volgende dag om half zeven stond Lian voor de spiegel in
de badkamer haar haren te kammen. Liqiang kwam binnen en
poetste zijn tanden. Ze wisselden een blik van verstandhouding. Lian leek volledig te begrijpen wat die blik betekende,
ook al kon ze het niet in woorden vatten.

Om kwart voor zeven stonden ze op het basketbalveld. Liqiang keek kritisch naar de manier waarop ze de bal hanteerde
en na de tweede keer beval hij haar te stoppen. Ze had volgens
hem haar pols verkeerd gebruikt en haar timing was ook niet
juist geweest. Haar lieve neef was ineens veranderd in een afstandelijke, strenge sportleraar. Het zinde haar helemaal niet.
Om hem duidelijk te maken dat hij haar niet als leerling, maar
als nichtje moest behandelen, deed ze precies het tegenoverge-
stelde van wat hij haar opdroeg. Hij fronste zijn wenkbrauwen
en schudde zijn hoofd. Het gaf haar een kick hem een lesje te

leren. Totdat hij met een gemene truc op de proppen kwam:
hij imiteerde haar verkeerde pasjes en houding. Het was alsof
ze voor de spiegel stond, zo meedogenloos exact was zijn na-
bootsing.

Lian kon hem niets verwijten, want ze wist heel goed dat
ze het verdiend had. Het enige wat ze kon bedenken was hem
toe te roepen: 'Stop ermee! Je bent toch geen clown? Je maakt
jezelf belachelijk.'

Hij stond eventjes stil en keek haar aan. Wie maakte zich
hier nou eigenlijk belachelijk? Ze schaamde zich te pletter. Ze
sprong zo hoog mogelijk en poogde zijn armen naar beneden
te trekken, opdat hij haar niet meer kon nadoen. Dat lukte natuurlijk niet. Hij hoefde zijn handen maar een klein stukje omhoog te brengen en ze kon er met geen mogelijkheid meer bij.
Ze sprong nog hoger en viel des te harder op de grond. Ze
smeekte en zeurde en probeerde constant zijn armen vast te
pakken, zonder succes.

Ze stond naar adem te happen en keek naar zijn bezwete gezicht met die spottende grijns erop.

Op weg naar huis liepen ze zwijgend naast elkaar. Liqiang
was toch bijna een man. Hij was sneller over het geruzie heen
en probeerde haar op te beuren. Hij wierp de bal in de lucht,
sprong bijna een meter hoog, draaide driehonderdzestig graden om zijn as en ving vervolgens de roterende bal met één
vinger op, als een zeehond in het circus die met zijn natte snuit
een gestreepte ballon opvangt. Ondanks haar verwarring genoot ze van zijn show.

Tijdens het eten maakte hij grapjes over zijn leraar natuurkunde, die een dialect sprak dat Liqiang feilloos imiteerde.
Zijn humoristische manier van vertellen werkte bijzonder aanstekelijk. Iedereen lachte, maar Lian had het grootste plezier.

Het volgende basketbal-uurtje was Lian een stuk leergieriger
en Liqiang leek minder afstandelijk en autoritair tegen haar te
doen. Na een tijdje slaagde ze erin acht van de tien ballen in
de basket te werpen. Liqiang was trots op haar. Hij rende naar
haar toe, boog zich en gaf haar een schouderklopje.

Ze dacht dat ze onder stroom stond. Haar hele lijf tintelde,
van top tot teen. Het was een soort trilling die tegelijk pijnlijk

en heerlijk was. Nu deed ze nog meer haar best: om nog zo'n schouderklopje te verdienen. Maar ditmaal kreeg ze slechts vier van de tien keer de bal in de basket. Ze keek beteuterd naar haar schoenen. Maar opnieuw gaf Liqiang haar een klopje – en opnieuw wist ze niet wat ze voelde. Na een tijdje raakte hij haar schouders ook aan als ze niets gepresteerd had. De sterren in zijn ogen en de kleur op zijn wangen vertelden haar dat ook hij ervan genoot haar aan te raken.

Ze wreef haar ogen uit. Er hing een lichtring om hen heen. Ze leken wel twee nieuwe gloeilampen die nog maar net aangesloten waren. Ze renden uitgelaten over het basketbalveld, gooiden elkaar de bal toe en mikten hem lachend in de korf.

Lian voelde de brandende blik van haar moeder. Moeders woorden dreunden in haar hoofd: laat je nooit in met jongens, anders zwaait er wat! Ze troostte zich met de smoes dat ze gewoon aan het sporten waren en dat een onschuldig schouderklopje erbij hoorde.

Drie dagen later werd de film *Lenin in 1917* voor de duizendeneerste keer vertoond. Nu hadden Liqiang en Lian een smoes om 's avonds naar buiten te mogen.

'Kom direct na de film terug,' zei Lians moeder, waarna ze zuchtte, 'ik snap niet waarom kinderen die oude films keer op keer herkauwen. Zijn ze soms verslaafd aan de schaduwen op het witte doek?'

Giechelend stapte Lian met Liqiang naar buiten. Het maanlicht verzilverde de nachtwereld; de bomen, gebouwen en zelfs de vuilnisbakken langs de weg kregen een dromerige, tedere uitstraling. Liqiang floot een deuntje uit de film *De strijd tegen de Japanse indringers*. Maar zoals hij het floot, klonk het helemaal niet militant – het was betoverend romantisch. Het maakte dat Lian zich volkomen ontspande. Alle zorgen en angsten vielen van haar af. Ze voelde zich steeds lichter worden en vergat uiteindelijk alles, als een volleerde meditatiemeester… In de roes van het moment gaf ze Liqiang een klap op de billen. Lian, die een week geleden nog een bloedhekel aan jongens had gehad en zelfs meende te walgen van hun geur, sloeg een man amicaal op zijn achterwerk! Ze had verwacht dat haar hand op zijn billen terug zou veren, zoals bij Moeder, maar nee, het was alsof ze op een stalen plaat had geslagen. Liqiangs achterwerk moest wel uitsluitend uit spieren bestaan. Haar ontzag voor hem rees tot de hoogste hoogten. Ze wilde zich tegen hem aan drukken. Ze wist zeker dat Liqiang precies hetzelfde voor haar voelde.

Heel vroeg in de ochtend was Moeder al in de weer. Het was zondag en zij kookte water voor het bad. Ieder op zijn beurt: eerst tante Xiucai, dan Moeder, daarna Lian en als laatste Liqiang. Tegen twaalf uur, toen Lian in haar badjas de badkamer uitliep, stond Liqiang in de gang een muurlamp te repareren. Hij groette haar, met de schroevendraaier in zijn hand.

Toen gebeurde het. Zijn ogen gleden van haar natte haren naar haar gezicht, vervolgens naar haar schouders, die uit de te wijde badjas ontsnapten, en ten slotte naar haar heupen en blote voeten.

Lians hart sloeg op hol. Haar bloed bonkte tegen haar te nauwe borstkas. Liqiangs ogen schroeiden haar huid; iedere vezel van haar lichaam smolt. Ze werd doodsbang. Van een afstand van meer dan een meter meende ze de rillingen in Liqiangs lijf te voelen.

Hij probeerde haar aan te kijken, maar ze wist dat zodra ze daaraan toe zou geven en hem aan zou kijken, er iets… iets definitiefs zou gebeuren, voor allebei. Ze beet zich op de lippen en dwong zich naar het keukenraam te kijken. Tien, twintig seconden gingen voorbij en nog altijd hoorde ze zijn versnelde, zware ademhaling. Pas na bijna een minuut ontwaakten ze uit de wilde, angstaanjagende droom. Nu pas durfden ze elkaar aan te kijken – de vlammen in hun ogen waren gedoofd en wat restte was de bordeauxrode as van hun verlegenheid.

Dit incident betekende een keerpunt in Lians omgang met Liqiang. Ze realiseerde zich hoe zalig het was om verliefd te worden, maar ook: hoe eng. Zó serieus hoefde het nou ook weer niet. Ze begon Liqiang te mijden, als een kind dat uit de buurt van de kachel blijft nadat het zich heeft gebrand.

Sinds het voorval bij de badkamer verscheen Liqiang niet meer aan de ontbijttafel. Hij had barstende hoofdpijn.

Drie dagen later dwong tante haar zoon om zich aan te kleden en met haar naar het ziekenhuis te gaan, voor een hersen-scan. Het was nooit eerder voorgevallen dat haar grote jongen vier dagen lang aan zo'n ernstige vorm van hoofdpijn leed, ter-wijl hij koorts had noch verkouden was. Vanuit de zitkamer volgde Lian de felle discussie tussen de twee. Tien minuten la-ter kwam tante verlegen de kamer in en vroeg: 'Lian, zou je me ergens mee willen helpen? Wil je even naar Liqiang gaan? Hij wil je zo graag spreken.' Ze trok aan Lians armen: 'Red je tante, alsjeblieft! Overtuig hem dat het noodzakelijk is om naar de dokter te gaan. Ja?'

Aarzelend opende Lian de deur van Liqiangs kamer. Toen ze zijn bleke, ingevallen wangen zag, voelde ze afkeer in plaats van medelijden.

'Je moeder heeft me verzocht jou te overreden naar de dok-ter te gaan. Ga je of niet?' Ze schrok van haar eigen koele, botte toon.

Liqiangs ogen hadden geglinsterd van hoop toen hij haar zag binnenkomen. Nu werden ze weer door zwarte wolken overschaduwd. Hij sloot zijn ogen en zag er volstrekt hulpeloos uit.

Nu moest zíj huilen. Niet omdat ze hem zielig vond, maar omdat ze het niet had kunnen tegenhouden dat ze zo'n meedo-genloze heks geworden was. Haar hart was kurkdroog; daar viel met geen mogelijkheid ook maar één druppeltje lieve ge-voelens uit te wringen.

De foto's

Tante en neef waren hun koffers aan het pakken. Lian stond in de gang de laden van een tafeltje te ordenen. Ze zaten vol rommel, waardoor het bijna ondoenlijk was om ze open te trek-ken, laat staan om ze weer terug te schuiven. Ze haalde oude kranten, tijdschriften, formulieren en pasjes te voorschijn en gooide de hele boel in de prullenmand.

Van tijd tot tijd keek Liqiang verlegen, maar vol affectie in Lians richting. Blijkbaar wilde hij de laatste dag met haar niet zomaar voorbij laten schieten. Hij kwam naast haar staan, hurk-te voor de prullenbak en begon erin te rommelen. Het zou Lian worst wezen waar hij naar zocht. Opeens klonk zijn eerste lach sinds vorige week zondag.

Ze keek omlaag en zag hem een verkreukelde foto gladstrijken van een oude lezerspas die ze had weggegooid.

'Dat is een rotfoto,' snauwde ze. 'Trouwens, als je een foto van me wilt hebben, moet je het gewoon zeggen. Ik heb er een heleboel.'

Hij was niet meer gewend door haar aangesproken te worden, en helemaal niet om iets aangeboden te krijgen. Hij staarde haar verbluft aan.

Ze zocht in een van de laden en vond een stapeltje foto's die Moeder tijdens haar vorige verjaardagsfeest van haar had genomen. Ze gooide hem de verzameling toe en zei: 'Kies er zelf maar een paar uit.'

Liqiang spreidde zijn handen als een waaier en nam de foto's voorzichtig in ontvangst. Hij bewonderde ze stuk voor stuk, vergeleek ze uitvoerig, vol liefde en eerbied.

Toen Lian zag dat hij ze blijkbaar te mooi vond om een keuze te maken, werd ze duizelig van schuldgevoel; haar gevoelens voor deze jongen waren niet in woorden uit te drukken. Ze zakte door haar knieën en ging naast hem zitten. Ze huilde zonder schaamte en zonder bang te zijn dat tante of Moeder haar zouden horen. Ze had spijt van haar wrede gedrag van de afgelopen week. In de grond van haar hart wist ze dat ze van hem hield, maar te bang was om zijn liefde te aanvaarden. Het was allemaal te nieuw en vreemd.

Ze keek naar Liqiang, hopend dat hij haar zou vergeven. Hij lachte door zijn tranen heen. Ze legde haar hand in zijn handpalm. Bijna vermorzelde hij haar botten met zijn greep. Het kon haar niets schelen.

Lian wist niet hoe lang ze zo gezeten hadden, maar op een gegeven moment werden ze opgeschrikt door tante Xiucais geroep.

'Mijn jonge v=voorouder, heb je je koffers nu nog niet gepakt? Straks missen we de trein!'

Snel duwde Lian de hele stapel foto's in zijn borstzak. Hij bukte zich diep, zogenaamd om het haar gemakkelijker te maken, en keek haar recht in de ogen.

Van de boeren leren

Eind november verscheen mevrouw Meng, lerares Engels en tevens hun mentrix, voor de klas zonder boek in haar handen. Dit werd geïnterpreteerd als een gunstig voorteken. De meisjes begonnen met een ingetogen glimlach in elkaars oren te fluisteren, terwijl de jongens hun vingers in hun mond staken en floten om een feestelijke stemming te creëren.

Mevrouw Meng hoefde maar twee keer droogjes te kuchen en je kon een speld horen vallen.

'Over drie dagen, op vrijdag 29 november, gaan alle derdejaars een maand stage lopen bij de *Vijf Rode Sterren Commune.*'

'Hoera!' Er steeg een gejuich op. Een maand geen school en de hele dag in de zuivere lucht van de vrije natuur! Nou ja, ze wisten wel dat ze daar waarschijnlijk hard moesten werken, maar voor de rest beloofde de stage een ware vakantie te worden.

Toen de klas weer een beetje tot bedaren gekomen was, vervolgde mevrouw Meng: 'Partijvoorzitter Mao zegt: *Leer van de boeren.* Zijn woorden bevatten de waarheid van alle waarheden: bij boeren schitteren de mooiste eigenschappen van het proletariaat. Ze zijn altijd ijverig en bereid om ontberingen te doorstaan, zonder een woord te klagen. Bovendien, ze twijfelen nooit en te nimmer aan het wijze leiderschap van de Grote Roerganger en volgen hem met revolutionaire en totale onderwerping. Daarom zwaait Mao hun lof toe: *De boerenklasse heeft het hoogste politiek bewustzijn.* Als jullie straks naar het platteland gaan, zullen jullie merken in wat voor erbarmelijke omstandigheden de boerenklasse het noodzakelijkste des levens – graan – verbouwt. Kijk naar hun positieve houding ten opzichte van het harde werk en het armoedige bestaan. Leer van hun revolutionaire zelfopofferingsgeest, dan zullen jullie pas werkelijk begrijpen waarom Mao de boeren tot de leidende klasse van ons land heeft uitgeroepen.'

Het was zonneklaar waarom de Roerganger de laagsten tot de hoogste rang van de maatschappelijke ladder promoveerde. Hij gebruikte de boeren om de intellectuelen en de geschoolde ambtenaren, die in staat waren om kritisch na te denken, letterlijk en figuurlijk op hun plaats te zetten. Door een paar bochten te nemen begreep Lian Mao's oproep: *Leer van de boeren.* Gezien het gebrek aan mechanisatie in de landbouw, konden de boeren in het oogstseizoen behoorlijk wat hulp gebruiken. Door de stage *Van de boeren leren* in het leven te roepen, loste de overheid het tekort aan arbeidskrachten op, want de leerlingen werkten gratis en voor niks.

Nu mevrouw Meng de ideologische kanten van de stage had uiteengezet, kwam een meer praktisch aspect aan bod: aan het eind zou iedereen een cijfer krijgen voor zijn arbeidsprestaties. Dit cijfer zou in december meetellen bij de verkiezing van de Leerling van de Drie Deugden. Het flitste door Lians hoofd dat noch Kim noch zijzelf eraan gedacht had dat een proletarisch bewustzijn ofte wel de bereidheid om zwaar lichamelijk werk te verrichten, een van de criteria was. Lian schudde haar veren los en dacht: dit is een gouden kans die Kim in de schoot geworpen wordt. Nu kon ze na de Herfstspelen voor de tweede keer de klasgenoten laten zien dat ze successen boekte. Als er een was die niet te beroerd was om te zwoegen, dan was het Kim wel. Door het helpen in de moestuin had Kim ruime ervaring in het ploegen, zaaien, spitten en maaien; ze trok elke dag de heuvels in om brandhout te zoeken en dat vervolgens in bundels, zwaarder dan zijzelf, naar huis te sjouwen. Voor Kim zou het een fluitje van een cent zijn om goede prestaties te leveren.

Ten slotte kwam mevrouw Meng met de voor hen verreweg belangrijkste informatie: de indeling van de slaapgroepen en de toewijzing van de logeeradressen. In de meeste dorpen waren geen hotels, herbergen of slaapzalen; de bezoekers zouden in groepjes van vier à zes bij een boerengezin ondergebracht worden. Iedereen hoopte dat hij niet samen met zijn aartsvijanden in dezelfde groep zou worden ingedeeld. Lian zou het niet kunnen verdragen in een ruimte met Meimei te moeten slapen. Aan de andere kant zou ze een gat in de lucht springen wanneer ze bij Kim in de groep zou zitten. Ze wist natuurlijk ook wel dat ze met zo'n dwaze wens op een kip leek, die ervan droomde als een zwaluw de hemel in te vliegen, want ondanks de preek over *Van de boeren leren* zou mevrouw Meng het nooit zo bont maken dat leerlingen van verschillende kasten in één logeerruimte zouden worden geplaatst.

En inderdaad, toen mevrouw Meng de lijst van groepsleden met het aan hen toegewezen adres voorlas, constateerde Lian dat alle leerlingen van dezelfde kaste bij elkaar zaten, precies zoals het hoorde, zoals het altijd geweest was en misschien wel altijd zou blijven. In Lians slaapgroep zaten Qianyun, Feiwen en Liru, uitsluitend mademoiselles van de eerste kaste.

Om acht uur stond de voltallige klas bij de ingang van de school te wachten op de wagen die hen naar de *Vijf Rode Sterren Commune* zou brengen. Er naderde een gele stofwolk met een zwarte rand en de claxons klonken vanuit de verte op, aangelengd met het gekletter van metalen platen.

'Daar komt ie!' riep mevrouw Meng. 'Stel je netjes in twee rijen op; de jongens gaan het eerst.'

De tractor deed enorme nevels zand opwaaien en stootte pikzwarte gaswolken uit. Het gevaarte kwam met een krakende zucht voor hun neus tot stilstand en vertoonde nog een paar indrukwekkende stuiptrekkingen. Een lenige jongeman, met borstelhaar dat uit zijn kapotte strohoed stak, sprong uit de cabine. Hij maakte de ijzeren ketting aan de laadbak van zijn voertuig los. Nu begreep Lian waarom mevrouw Meng de jongens eerst de wagen op liet gaan: er was geen ladder, geen touw, helemaal niets waaraan je je vast kon houden bij het beklimmen van de twee meter hoge laadbak.

De jongens gooiden hun bagage in de bak en sprongen er – hup! – als een luipaard tegenaan. Ze grepen de rand van de bak – hun spierballen spanden zich kogelrond – ze bouwden snelheid op en klauterden de laadbak in. Nu hadden ze tijd om aandacht aan de wachtende meisjes te besteden. Ze stonden erbij met een blik die niets aan duidelijkheid te wensen overliet: grijp onze sterke handen, dan hijsen we jullie de laadbak in.

Lians benen trilden. Ze zag een paar meisjes als een zak vol groenteschillen in de lucht bengelen – ze waren niet in staat zich voldoende in te spannen om in één ruk boven op de laadbak te klimmen. De jongens moesten hen uit alle macht vasthouden, terwijl de beweeglijke bagage hulpeloos smeekte om losgelaten te worden. Het was geen gezicht. Lian stond te dubben wat ze moest doen. Maar mevrouw Meng werd ongeduldig: 'Gaan jullie nog mee of niet?'

Lian schrok en keek om zich heen. Er waren welgeteld drie meisjes die nog niet omhooggetakeld waren: Meimei, Kim en Lian. Meimei draaide koket met haar achterste en wachtte geduldig tot haar prins – de lange, tengere Wudong met de mooie vrouwelijke huid – haar omhoog zou hijsen.

En Kim? Er was natuurlijk niemand die haar de helpende

hand zou reiken. Mevrouw Meng bleef maar krijsen. Kim beet op haar lip en wierp haar bagage de laadbak in – *tong!* Vervolgens liep ze naar een van de achterwielen, zette haar voeten erop en schoof zich centimeter voor centimeter naar boven.

Terwijl ze dit schouwspel stond te bewonderen hoorde Lian een tedere, mannelijke stem: 'Lian, hier heb je mijn hand. Vertrouw op mij. Ik hijs je er wel op.' Het was Wudong. Zijn zwarte ogen leken ineens bruin– van de tederheid waarmee hij haar toesprak. Ze dacht aan Liqiang…

'Tjie!' Meimei nam niet eens de moeite om haar teleurstelling en jaloezie te verbergen.

Voordat Lian zich realiseerde wat er gebeurde, was ze al naar boven gehesen. Ze stond oog in oog met Wudong en dwong zich om zijn zware ademhaling enkel en alleen te wijten aan de fysieke inspanning waarmee hij haar had opgetrokken.

Uiteindelijk was het Shunzi die Meimei hielp de bak in te klimmen, en dat viel bij haar niet in goede aarde. Hoewel hij de functies van klassevertegenwoordiger en secretaris van de Communistische Jeugdbond van Leerjaar 3 bekleedde, was en bleef hij een tweede-kaster. Door hem geholpen worden was duidelijk beneden haar waardigheid. Ze had sjans bij een groot aantal jongens van de eerste kaste en die vergooide ze door haar zinnen te zetten op Wudong – Wudong, die *z'n anus op de plek van z'n ogen had*: hij zag haar niet eens staan.

Om twee uur 's middags stond hun vervoermiddel eindelijk met een zucht stil. Zij bevonden zich midden in een goudgele zee van maïskolven, die op een pleintje lagen te drogen. Achter het plein stond een rij modderhuizen. Voor de rest waren er tot in de wijde omtrek slechts ritselende gerijpte gewassen te bekennen.

Kwala! De ketting werd nogmaals losgemaakt en Kim en de jongens belandden als stuiterende voetballen op de grond. Wudong plaatste zijn linkerhand op de rand van de bak en met zijn rechterhand nodigde hij Lian uit om naar beneden te springen, met een geruststellende lach op zijn gezicht. Als schroeiende laserstralen brandden Meimei's ogen in haar rug; Lian deed een stap opzij – misschien dat Wudong Meimei zou opmerken en háár zou helpen. Lian had na de ontmoeting met Liqiang geen behoefte aan aandacht van andere jongens.

Wudong keek Lian verbaasd aan toen Meimei haar tere vingers in zijn handen duwde; hij hielp haar op de grond, zijn ogen onafgebroken op Lian gericht. Opnieuw besefte Lian hoe intens mooi, maar tegelijkertijd bijzonder kwetsend de gevoelens tussen een jongen en een meisje kunnen zijn. Het hele gedoe was pijnlijk, zowel voor Wudong als voor Meimei. Lian stond er volledig buiten. Haar grootste zorg was Kim. Ze wilde Kim helpen omdat ze van haar hield, en misschien ook wel een klein beetje uit narcisme.

Mevrouw Meng liet een man van middelbare leeftijd uit een van de modderhuisjes roepen. Hij was het hoofd van de productiebrigade waaronder Lians klas ressorteerde. Breed lachend liep hij naar hen toe. Zijn tanden leken sprekend op hetgeen hier verbouwd werd. Ze waren bedekt met een dikke laag maïskleurige tandplak.

De leerlingen stelden zich in keurige lange rijen voor hem op in afwachting van zijn proletarische preek. Maar hij moest er nog een beetje inkomen. Met zijn duim drukte hij op zijn rechterneusvleugel en – *pie!* – een straal beige pap vloog uit zijn linkerneusgat; met zijn wijsvinger deed hij hetzelfde met zijn linkerneusvleugel, met als resultaat een soortgelijke visvangst. Nadat hij dit volbracht had, schraapte hij zijn keel en spoog op de grond. Hij wisselde het zwaartepunt van zijn lichaam van de linker- naar de rechtervoet, tot hij tevreden was en zijn evenwicht gevonden had. Hij zei: 'Kinders, het heeft drie dagen aan een stuk door pijpenstelen geregend. Zien jullie de maïsstengels daar? Die zitten onder de groene schimmel. Hai, wat een zonde!'

Lian rolde met haar ogen van verbazing: noemde hij hen geen 'revolutionaire kameraadjes', zoals het hoorde? Zei hij geen dingen als 'de rode oostenwind onderdrukt de zwarte westenwind'? Vertelde hij hun niet van de noodzaak van het reinigen van hun bourgeois breinen, en dat het boerse zweet de beste zeep was? Deze man moest wel de galblaas van een leeuw hebben om zo eerlijk over het ware doel van de stage te spreken!

Hij sloeg met zijn handpalmen op zijn bovenbenen en schudde zijn hoofd: 'Zúlke dikke, stevige maïsstengels. Waren ze niet verrot, dan hadden we ze als brandhout kunnen gebruiken! Tja, niks aan te doen… Gelukkig hebben we de stengels in de velden iets verderop tijdig met matten bedekt. Kindertjes, help ons om ze zo spoedig mogelijk naar de grote schuur te brengen. Dan hebben we wat om te stoken in de barre wintermaanden. Bedankt alvast. Ik ben klaar. Ga maar naar de kantine. Daar staat jullie eten al op tafel. En reken maar, er is iets heel speciaals voor jullie klaargemaakt!'

'Hoera!' Ze schreeuwden van opluchting. Iedereen sprong op om naar de kantine te rennen, toen mevrouw Meng waarschuwde: 'Denk aan de ijzeren regels van de Revolutie!'

O nee toch! Nu kregen ze nog een preek van de mentrix. Weer van die ellenlange uiteenzettingen over welke proletarische gedachten ze moesten hebben en hoe ze zich konden omvormen tot bloedrode nazaten van de Vader, Moeder, Minnaar en Minnares in Een. Met de oren en ogen dicht doorstond Lian de toespraak, van haar ene been op het andere wiebelend.

En nu kwam het leukste: smullen! Dat wil zeggen, het 'speciale' waar de brigadeleider op doelde, bestond uit één gestoomd broodje van tarwebloem per persoon. Volgens Kim aten gewone boeren alleen op feestdagen tarwemeel. Verder kregen ze twee broodjes van maïsmeel en twee plakjes gepekelde radijs. Het was raar: gewoonlijk zou Lian zoiets nauwelijks door haar keel krijgen, maar nu smaakte het beter dan met garnalen gevulde bapao's.

Na het feestmaal vertrokken ze naar hun gastgezin. Mevrouw Meng liep met haar bagage op Lian af. O jee, de lerares kon zeker gedachtelezen! Ze wist natuurlijk hoezeer Lian haar schijnheilige leerredenen verafschuwde. Lian kromp ineen, in afwachting van mevrouw Mengs berisping.

Maar haar vrees was ongegrond. Mevrouw Meng zei op bijna menselijke toon: 'Eh... heb ik het jullie al verteld? Ik slaap bij jullie.'

Lian gaf een gil en riep Liru, Qianyun en Feiwen. Met hun zware beddengoed en al huppelden ze verder. Ze voelden zich vereerd dat de lerares voor hun groep had gekozen, ook al stoorden ze zich soms aan haar schijnheiligheid.

Door de aanhoudende regen waren de aarden wegen naar het dorp doorweekt; bij elke stap die ze zetten bleven hun schoenen in de modder steken. Lian besefte wat een luxe het was om in de stad op geasfalteerde straten te kunnen lopen. Als degene voor haar niet oplette, spetterde ze moddervlekken op Lians broek en zelfs op haar jas. Misschien was het alleen maar aarde, maar het kon net zo goed poep van kinderen of dieren zijn. Hier op het platteland werd elke plek ideaal geacht om je behoefte te doen. Lians maag draaide zich in haar om. Maar ze mocht niet overgeven, anders zouden de anderen haar uitmaken voor bourgeois trut en dan kon ze wel fluiten naar een goed cijfer voor de stage.

In het dorp waren zelfs de modderpaden verdwenen, maar Lians nieuwsgierigheid naar haar logeergelegenheid groeide en ze voelde zich meteen beter. Onderweg zag ze haar klasgenoten groepje voor groepje de binnenplaats van hun gastgezin opgaan.

Ze keek naar de huisjes en vroeg zich af hoe het in Boeddha's naam mogelijk was dat ze nog niet weggesmolten waren door de hevige regenbuien van de afgelopen tijd. Ze waren van aarde gebouwd en hun vier hoeken waren reeds door weer en wind afgerond, iets dat ze een gammel en gevaarlijk voorkomen gaf. Op de ramen was rijstpapier geplakt, dat met de jaren vergeeld en bros was geworden. Elk huis bestond uit twee piepkleine kamertjes. Lian schatte dat het bed minstens driekwart van ieder vertrek moest innemen. Om binnen te komen, moest je je een weg banen door een bende kippen, eenden, varkens en schapen, die kakelden, kwaakten, knorden en blèrden dat de vreemd ruikende bezoekers hen stoorden. Lian zag hoe enkele klasgenoten nadat ze hadden aangeklopt door de boerin en haar kroost naar binnen gesleept werden en met een grove, maar ontroerende gastvrijheid werden overladen. Vergeleken met deze plattelanders waren zij stedelingen maar een stel koude kikkers. Het verlangen naar een dergelijke hartverwarmende vriendelijkheid versnelde Lians stappen. Ook zij wilde gauw haar gastvrouw ontmoeten.

Tjiaa... Ze duwden het hek naar de binnenplaats open en het protestkoor van de loslopende veestapel kon beginnen. Hoi, het huis was van baksteen! Lian waande zich in de stad. Vergeleken met de huisjes die ze net had gezien, was dit een villa, een kasteel! Een huis met minstens vier kamers. En wát voor kamers! Met heel hoge plafonds en overal *glazen* ruiten. Het opvallendste was de pomp die midden op de binnenplaats stond. Dit betekende dat ze niet zoals hun klasgenoten voor elk wissewasje honderden meters naar de waterput hoefden af te leggen.

'Goedemiddag! Is er iemand thuis?' Ze klopten aan. Geen

antwoord. Teleurgesteld volgde Lian haar groepsleden naar binnen.

Tegen de muur van de buitenkamer, precies in het midden stond een tafel met vier stoelen. Boven de tafel hing een portret van de Vader, Moeder, Minnaar en Minnares in Een. Aan beide kanten van de foto hingen de in antithetische strofen vervatte heilwensen die men ieder Chinees Nieuwjaar verving:

> *Boeddha zegene ons*
> *door onze varkensstal te vullen*
> *met talloze biggen*
> *en de buik van onze vrouw*
> *met even zovele zonen*

Naast de strofen hing een nieuwjaarsprent. Het was een afbeelding van een enorme rode karper – symbool van overvloed. Op de rug van de vis zat een giechelend jongetje in typische peuterkledij: een korte broek met open kruis. Zijn roze piemeltje – symbool van het hemelse geluk: een zoon bezitten was het beste wat een gezin kon overkomen – bengelde boven de bek van de karper. Overal rond de vis en het jongetje rolden sappige perziken – symbool van gezondheid en een lang leven.

Op tafel, pal onder de foto van Mao, stond een schaal met koekjes en vers fruit. Dit was een soort altaar voor de Grote Roerganger. Een dergelijke verering kwam vroeger alleen de voorouders van de familie toe, een praktijk die door de Wijste Leider van het Heelal als 'contrarevolutionair en feodaal' bekritiseerd werd.

Verder waren er twee bedden, een tweepersoons en een eenpersoons, allebei van hout – een buitensporige verwennerij voor het platteland; zelfs boerenarbeiders in de stad sliepen merendeels nog op een stenen bed.

De muren naast de bedden waren behangen met plaatjes uit gekleurde tijdschriften. Ook dit was een luxe – de meeste boerengezinnen gebruikten hiervoor oude kranten. Fris ogende actrices in revolutionaire boeren- of arbeiderskleding poseerden erop. Hun gezicht straalde proletarische vechtlust uit en hun armen waren immer gericht op een bleekhuidige bourgeoisgezinde hoogleraar of een spion van Hongkong.

Maar als je beter keek, zag je behalve vechtlust ook een eroti-sche uitdrukking op hun gelaat, die niet zo paste bij dergelijke communistische propaganda; onder hun mannelijke kleren verrezen steevast twee voedzame borsten op en uit hun oog-hoeken ontsnapte een steelse koketterie. Natuurlijk hielden de boeren van die plaatjes...

Er waren twee zijkamers. De ene was net groot genoeg voor een kang, waarop een houten kist stond – de bruidsschat. Deze kist werd door de ouders van de bruidegom gevuld met kleren voor hun toekomstige schoondochter, zodat die de eerstvol-gende decennia genoeg te dragen had. De andere ruimte was een soort rommelkamer, waarin spaden, verroeste ploegen en andere oude landbouwwerktuigen bewaard werden.

Lian keek uit een raam en zag in een onopvallend hoekje van de binnenplaats een paar bloemperkjes. Rode, gele, paarse en witte chrysanten richtten hun levendige gezichten naar de zon. Ze begon zo langzamerhand te begrijpen waarom me-vrouw Meng juist hier wilde logeren. De betrekkelijke wel-vaart en de kunstzinnige smaak van dit boerengezin waren uitzonderlijk in deze omgeving. Maar ja, wat kon mevrouw Meng doen? Geen zedenpreken meer houden over 'van de boeren leren'? Dan werd ze binnen de kortste keren vervangen door collega's die het liegen níet schuwden. Het armoedigste gastgezin kiezen en dertig dagen in een krot slapen? Mevrouw Meng was tenslotte ook van vlees en bloed. En iedereen, hoe mooi hij of zij ook over Communistisch Bewustzijn en dergelij-ke kon kletsen, hield van een prettig leventje.

Tegen zessen 's avonds hoorden ze het gekras van een spade over de grond en het geknars van het hek van de binnenplaats. Mevrouw Meng stond meteen op.

'Mama, ze zijn er al!' klonk een vrolijk melkstemmetje en een forse vrouw kwam hun richting op lopen. Onderweg schudde ze de handjes van een vierjarig meisje van haar broekspijpen en zei gehaast: 'Ga je broer eens halen. Hij is oma's moestuin aan het omspitten. Zeg tegen hem dat hij het fornuis moet aanmaken om water te koken voor onze gasten.' Het gezicht van de boerin stroomde over van vriendelijkheid en ze knikte hen hartelijk toe. Op het platteland schudde men elkaar niet de hand bij wijze van groet – men volstond met een hoofdknik.

'Ik weet niet waar ik mijn smoel van rundleer moet verbergen. Het spijt me dat ik jullie in deze vieze troep heb laten zitten. Wat wil je? Een vrouw die zelf de punten voor het hele gezin moet verdienen en die ook nog twee onnozele kinderen heeft die niets anders kunnen dan in de weg lopen...'

Liru pakte een stofdoek en wilde haar helpen de tafel schoonmaken. Maar de vrouw des huizes zei: 'Nee, juffrouw, u moet niet zulk vuil werk doen.'

Mevrouw Meng kwam Liru te hulp: 'Dat is juist het doel van onze komst.'

De boerin draaide zich om, bekeek Liru, Qiangyun, Feiwen en Lian van top tot teen en schudde haar hoofd: 'Ik snap niet waarom de brigadeleider zulke porseleinen poppetjes hiernaar toe haalt. *Ieder beestje heeft zijn eigen nestje.* Mademoiselles horen in de stad te paraderen en boerenkinderen horen zich als karbouwen in de modder rond te wentelen. Zo zit het leven in elkaar, of niet soms? Wie het onderste naar boven haalt, zondigt tegen de traditie en dus tegen de natuurlijke orde.'

Lian durfde bijna niet te ademen: zo'n uitspraak zou in de stad als uiterst contrarevolutionair betiteld worden. Maar de mentrix was wel wat gewend; ze wist dat de boeren zelden het risico liepen om bekritiseerd te worden, wat ze ook uitkraamden. Anders dan de intellectuelen, hadden ze er geen flauw idee van hoe ze met hun mening de politiek van het land zouden kunnen beïnvloeden...

'Mevrouw, het is niet uw brigadeleider die besloten heeft de leerlingen naar het platteland te sturen,' legde ze uit.

De boerin knipperde met haar ogen, want voor haar was het brigadehoofd de hoogste leider die er bestond, door wie de wet geschreven, uitgevoerd en bewaakt werd.

'Het is de CPC... eh, de Communistische Partij van China, die de stage *Van de boeren leren* in het leven heeft geroepen. Trouwens, over traditie gesproken: waar zou het goed voor zijn dat juffrouwen uit de stad de fijne, tere huid van een porseleinen pop mogen hebben, terwijl kinderen op het platteland een verweerd gezicht bezitten? Mao zegt: *Hoe donkerder de huid, hoe revolutionairder het hart.*'

De laatste woorden verdreven de verwarring uit het boerinnengezicht. Ze schaterde: 'Hahaha! O jee, da's een goeie mop! Wat de hoge heren beweren begrijpen wij simpele zielen niet, maar één ding is zeker: niemand in de dorpen wil een donkere huid hebben.' Plotseling zweeg ze. De groep zag haar tot in de oorwortels blozen. Nu viel het Lian pas op dat het gezicht van de gastvrouw lang niet zo bruin was als dat van de meeste plattelanders. Haar huid was opvallend glad.

Kwatja! De poort van gevlochten maïsstengels naar de binnenplaats vloog open en een jongen rende als een mini-cycloon naar de gastvrouw. Hij drukte zijn gezicht tegen haar jas, omklemde haar middel en gilde: 'Mam, oma zei dat ik vandaag als een echte kerel heb geploegd!' Hij spreidde zijn armpjes wijd open en vervolgde: 'Zó'n lap grond heb ik binnen een uur afgekregen! Bij het Lentefeest krijg ik een nieuwe spade cadeau!'

De boerin duwde zijn hoofd van haar jas weg: 'Tiedar! Veeg je snot niet aan mijn kleren! Het wordt tijd dat we een mán in huis hebben.' Ze aaide hem trots over zijn bolletje en zei: 'Ga maar gauw je vieze smoeltje wassen. Dan kun je onze gasten goeiedag zeggen.'

Tiedar gluurde langs zijn moeder naar de middelste kamer en wreef nogmaals zijn vuile gezicht tegen haar jas: 'Nee, mam, ik moet eerst het grote gemak doen.' Hij dook een rieten huisje in, in een hoek van de binnenplaats.

Pts! Lian kon haar ernst niet meer bewaren: wat een keurig opgevoed kereltje! Welke boerenjongen van zijn leeftijd zegt nou 'het grote gemak doen'?

'Góuzi!' Lian schrok van de luide stem die uit het rieten huisje opklonk. Nogmaals: 'Góu-zi!'

Woeps! Een joekel van een hond sprong uit het niets te voorschijn en rende naar de plek waar Tiedar neerhurkte.

Ze hoorde het jongetje babbelen: 'Goed zo... niet alleen maar hier... dáár! Daar heb je nog niet gelikt, ja... braaf zo...'

Lian sloot haar ogen en wist niet wat ze moest doen: walgen of lachen? Was het wc-papier dan zó duur?

's Avonds om negen uur maakten de meisjes aanstalten om naar bed te gaan. Het uitkleden was het gênantst. Vijf paar ogen volgden elke beweging van Lian: van het losmaken van haar knopen tot het uitdoen van haar jas en broek. Niet dat ze alleen op Lian letten, ze bestudeerden elk deel van elkaars lichaam, alsof het hun gezamenlijk eigendom was. Als enig kind was Lian niet gewend zo door leeftijdgenoten aangestaard te worden, zeker niet nu ze bijna naakt was. Professor Maly had eens tegen haar gezegd dat het Engelse woord *privacy* niet in het Chinees vertaald kon worden. Iedereen moest een open boek voor elkaar zijn, mentaal en fysiek. Mentaal, in die zin dat men elkaars diepste gedachten en intiemste gevoelens hoorde te kennen. Daarom voerde men onder leiding van de CPC twee keer per week gedachtewisselingsgesprekken. Drie middagen per week werd er een politieke vergadering gehouden waarin je je innerlijke wereld bloot moest stellen aan de kritische blikken van anderen en waarin de Partij je leerde hoe je je moest voelen, op de juiste, proletarische manier. Fysiek betekende de afwezigheid van privacy, dat men het als een geboorterecht beschouwde om het lichaam van de ander te onderzoeken, te evalueren en te becommentariëren. De openbare wc's hadden geen muurtjes tussen de hurkplaatsen of zitpotten; de openbare badhuizen bestonden uit enorme zalen waarin de badklanten van meters ver konden controleren of iemand een buikje had.

De volgende ochtend, tijdens het ontbijt in de kantine, wisselden de verschillende slaapgroepen hun ervaringen van de eerste nacht op het platteland uit. Tieyan, een meisje van de tweede kaste, dat zich altijd kleedde en probeerde te gedragen als een eerste-kaster – ze was het enige kind van relatief welgestelde ouders die haar op hun veertigste van een anoniem boerengezin geadopteerd hadden – sprak door haar neus en speelde het prinsesje op de erwt: 'Ik heb de hele nacht geen oog dichtgedaan.' De omstanders vroegen met hun ogen: waarom? 'Tja,' zei ze, 'ik moest met twee andere meisjes op het enige bed van het boerengezin slapen. Naar plaatselijk gebruik: wij als gasten in het midden, de twee zonen aan de linkerkant, de drie dochters aan de rechterkant, aan de ene buitenkant de vader en aan de andere de moeder... Maar de oudste zoon is al zestien! En de vader dan? Ik heb met mijn overjas en al aan geslapen!'

Kim wierp een geïrriteerde blik op Tieyan. Het was hier doodnormaal dat het hele gezin één bed deelde. Als er logés kwamen, schoven ze simpelweg een beetje op, zodat ze tussen hen in konden liggen, de veiligste en warmste plek.

Om acht uur precies stonden de meisjes op een afstand van vijf meter van elkaar aan de rand van een maïsveld ten oosten van het dorp. Iedereen kreeg een strook van vijf meter toegewezen en moest de maïsstengels bundelen en naar het paadje langs het veld slepen. De jongens laadden ze vervolgens op een drie- wieler en brachten ze naar een grote schuur, twee kilometer verderop. De meisjes ordenden de stengels, die kriskras over het veld verspreid lagen, bonden ze met een stuk touw vast en trokken ze over het land, dat nauwelijks begaanbaar was door de stoppels die overal uit de grond staken. De maïsplanten wa- ren veel te hoog afgesneden.

De wind geselde Lian met ijzeren riemen in het gezicht. Het zweet stroomde over haar rug en tekende een kletsnatte ring op de kraag van haar jas. Ze was de zware arbeid weer he- lemaal ontwend en meende dat haar rug doormidden zou bre- ken. Na een tijdje voelde ze haar lijf zelfs niet meer. Toch weigerde ze eventjes rechtop te gaan staan om wat uit te rusten. Er hing een voelbare spanning in de lucht – er was een stille competitie aan de gang. Wie haar strook het snelst afwerkte, zou het gunstigst te boek staan bij de evaluatie van de dag. Aan het eind van de maand zouden alle prestaties bij elkaar worden opgeteld en het cijfer van de stage bepalen. Met heimwee dacht ze terug aan het kamp, waar ze met Qin in het molenhuis had gewerkt. Ook daar was het hard ploeteren geweest, maar daar had ze Qin als gezelschap en genoot ze van zijn altijd weer verrassende geschiedenislessen. Bovendien werd ze daar be- loond met een extra maaltijd met echt vlees. Wat betekende zo'n stagecijfer daarmee vergeleken?

Ze kwam overeind. Het koude zweet brak haar uit: ze was een van de langzaamsten. De anderen waren al meters vóór haar aan het werk. Kim zat weliswaar ergens achter Lian, maar zíj was al begonnen met haar tweede strook.

Het was niet eerlijk. Ze had echt haar best gedaan. Ze kon zich niet voorstellen dat ze zo'n uitzonderlijke kluns was, maar de feiten spraken voor zich. Nu ze zo ver achtergebleven was, kon het haar niet meer schelen dat ze een minuut verloor door op adem te komen. *Je kunt een aarden pot met barsten gerust in stukken smijten.* Ze keek om zich heen. In de blik die haar klas- genoten af en toe op Kim richtten, ontdekte ze een zeldzame bewondering. Kim was ontegenzeggelijk degene die het snelst werkte. Dat compenseerde Lians schrik over haar eigen magere prestaties. Wat had ze drie dagen geleden voorspeld? Ze wist allang dat Kim bij de stage hoog zou scoren.

Net op het moment dat ze naar Kim keek, stond deze overeind. Nonchalant slenterde ze naar Lian toe en begon haar – *krats, krats* – zonder commentaar te helpen met haar strook. Al snel haalde Lian, of liever, haalden de twee de anderen in. Overal om haar heen zag ze afgunstig toegeknepen ogen.

Iedereen wilde zo snel mogelijk zijn strook afkrijgen en hulp van een vriendin werd net zo gewaardeerd *als regendruppeltjes op van dorst gebarsten lippen.* Maar wie zou in deze zwijgende concurrentie haar kostbare tijd verspillen door een ander een handje toe te steken? Behalve Kim was er niemand die zoiets waagde.

Kims heldhaftige gebaar werd niet alleen door de leerlingen als een groot mirakel beschouwd, maar ook door de echte boerinnen. Wanneer een jongeman een jonge vrouw met haar portie landarbeid hielp, werd dat als een sublieme liefdesverklaring beschouwd. Gold dat ook voor het gebaar van dit stadskind?

Tijdens het avondmaal kregen ze via de luidsprekers van het omroepstation een lofzang op Kim te horen, geschreven door de secretaris van propaganda van hun klas, Wanquan. Lians maïsbroodjes smaakten ineens stukken beter. Sinds de mensapen op hun achterpoten waren gaan staan en het hertenvlees begonnen te roosteren na de ontdekking van het vuursteen, sinds een kluitje geelhuidige mensen zich aan de oevers van de Gele Rivier gevestigd had, was het nog niet gebeurd dat iemand voor de oren van de hele gemeenschap van de productiebrigade zo de hemel in geprezen werd! Was dit niet het begin van een menswaardig bestaan voor Kim en het eind van haar slechte reputatie?

Die middag kreeg Lian via via te horen waarom hun gastvrouw het financieel beter had dan de anderen. Acht jaar geleden stond deze vrouw te boek als de mooiste meid van de zes dorpen in dit berggebied. Haar huid was uitzonderlijk blank voor een boerin, haar lippen leken rood als kersen en haar ogen sprankelden als een helder beekje. En ze zal nog wel meer kwaliteiten hebben gehad. De boerenkinkels vlogen op haar af als bijen op een pot honing. De winnaar was een boerenarbeider die als bouwvakker in een aangrenzend stadje contant (!) geld verdiende. Het was natuurlijk vooral dat laatste dat het eindschot van de schoonheidsjacht was geweest. Meestal kregen de boeren slechts één keer per jaar – in december – hun 'salaris'. Dat bestond uit het graan en de groente die ze overhielden nadat ze de jaarlijkse productiequota bij de staat hadden ingeleverd, aangevuld met een paar tientjes contant geld, waarvan ze de meest noodzakelijke dingen konden kopen, zoals zout, lucifers, tandpasta en eventueel wat stof om kleding van te maken.

Tien dagen na de bruiloft was haar echtgenoot weer naar het stadje getrokken om te werken. Hij maakte maandelijks vijftien kuai over aan zijn kersverse, begeerlijke echtgenote, een vermogen dat zelfs een doofstomme in gezang had doen uitbarsten. Van dit inkomen kon het gezin zich een groot huis laten bouwen en kon de boerin het met een vleugje stadssmaak inrichten. Het was wel duidelijk waarom de vrouw gisteravond zo gebloosd had, toen ze zei dat ook boeren van een bleke huid hielden.

De volgende ochtend kwam mevrouw Meng met een stapeltje brieven de kamer binnen. Er was een brief van Moeder voor Lian: *Vader komt terug!* Ze schrok. Ze hoorde natuurlijk heel blij te zijn, maar het verwarde haar alleen maar.

Na afloop van de tweede werkdag werd de naam van Kim, de voorbeeldige stagiaire, alweer door de dorpsradio omgeroepen. De hemel scheen Lian breder en blauwer toe en de arbeid in het veld lichter, nu Kim bij de klasgenoten zo in aanzien steeg.

∿

Er ging geen dag voorbij zonder dat Kim door de dorpsradio in het zonnetje werd gezet. In de kantine werd ze niet meer zoals vroeger opzij geduwd als ze aan de beurt was om haar portie eten te halen; de meisjes staken hun neus niet meer in de lucht wanneer ze Kim tegenkwamen; de jongens hielden, zij het met moeite, hun benen in bedwang wanneer Kims verschijning hun schopreflex activeerde.

Tussen het avondmaal en de dagelijkse politieke avondvergadering hadden de leerlingen een half uur vrij. Lian zou nooit vergeten hoe ontspannen en vreugdevol Kim met haar langs de maïsvelden wandelde en hoe ze Lian inwijdde in de techniek waarmee je de maïsstengels het snelst en efficiëntst kon vastbinden. Kims rug stond kaarsrecht van zelfrespect en trots toen Lian haar opzettelijk vroeg de techniek van een of andere landbouwarbeid nogmaals uit te leggen.

Het steenmeisje

De derde week van de stage trad in. De meeste meisjes van Lians klas hadden al hun menstruatie gehad. Met het gevolg dat ze minstens vier dagen niet hard konden werken en geen goede punten voor hun arbeid kregen, terwijl Kim onverstoorbaar de beste prestaties bleef leveren. Hun jaloezie zwol dan ook op als een door een bij gestoken tong en in de kantine hoorde Lian praatjes als: 'Tja, onze "voorbeeldige stagiaire" heeft het maar makkelijk. Ze hoeft niet aan haar lijf te denken, want dat is net als dat van een jongen!' Aanvankelijk lachte Lian erom, want de maandelijkse bloeding was niet bepaald een pretje: Kim, wees maar blij dat je er nog geen last van hebt! Maar de speciale behandeling die de ongestelden van mevrouw Meng kregen, verleende hun een aantrekkelijke status. Ze hoefden bij voorbeeld pas om tien uur 's morgens het veld in en mochten al om vier uur 's middags naar huis. 's Avonds, als ze een briefje aan mevrouw Meng schreven waarin ze melden dat ze buikkrampen hadden, werd hun de dagelijkse politieke vergadering bespaard. Ze hoefden maar een kik te geven of de mentrix stond hun toe een bak warm water bij de centrale ketel van de kantine te halen om zich te verschonen, terwijl de anderen zelfs geen druppel lauwwarm water te pakken konden krijgen om de ijskoude voeten te wassen. Zo begonnen sommigen zelfs te koketteren met hun menstruatie. Het waren juist deze meisjes die Kim uit hun kring stootten en haar status terugbrachten tot het niveau van vóór de stage.

Het was en bleef een bedekte zenuwoorlog; de jongens, die

normaal gesproken als uitvoerders van de treiteracties fungeerden, konden hierbij helaas niet worden ingeschakeld. Het moest vooral geheimgehouden worden als een meisje haar periode had. Het zou een schande zijn, wanneer de jongens er achter zouden komen dat een meisje vrouw werd. Geslachtsrijpheid, net als alles wat met sex te maken had, was taboe. Het mannelijk deel van de klas bleef Kim dus ontzien; het omroepstation zond nog dagelijks gunstige berichten uit over Kims arbeidsprestaties; ook mevrouw Meng verzuimde tijdens de dagelijkse politieke vergadering nooit zich in lovende bewoordingen over Kim uit te laten.

Er ontstonden langere pauzes in Kims babbeltjes tijdens haar wandeling met Lian op het land. Op een avond stond ze midden op een modderige landweg stil en vroeg: 'Wat is een "steenmeisje"?' Lians hart kromp ineen: dit was de term voor meisjes die een stoornis hebben in de afscheiding van de geslachtelijke hormonen, waardoor ze geen maandelijkse bloeding krijgen. Ze wist dit, doordat ze toen ze voor het eerst ongesteld werd haar vrees had overwonnen en stiekem in Vaders medische boeken had zitten lezen. Ze durfde Kim niet te zeggen hoe intens ze met haar meeleefde. Kim was al zestien, twee jaar ouder dan de meeste meisjes van de klas, maar ze was een van de laatste twee die nog niet menstrueerden. Lian wist wel hoe dat kwam. Kim was gewoon te mager. Haar voedingspatroon was te eenzijdig; ze kreeg niet voldoende vitaminen en eiwitten binnen. Maar een steenmeisje was ze beslist niet. Lian had foto's van zulke patiënten gezien: die meisjes waren sterk behaard, net als apen of Europese mannen. Dat kon je van Kim niet zeggen.

De hele weg terug naar het dorp zweeg Lian. Kim voelde Lians stemming aan; ze schopte tegen klonten aarde en dwong zich om te lachen: 'Ik ben al ingehaald door Jiening. Straks denken de anderen dat ík het kleine zusje ben. Afgelopen zomer werd zij ongesteld. Mijn moeder schrok zich lam. Maar moet je haar borstjes zien, echt een vrouw! Nu hoeft ze nóg minder huishoudelijk werk te doen, want ze mag in die periode "geeeejn zwaaaor werrek daaon".' Grappig hoe ze haar moeder imiteerde; door het rekken van de woorden kwam het dorpsdialect goed uit de verf.

'Pfche!' Lian kon het niet helpen – ze lachte met Kim mee.

Terwijl Lian voor de zoveelste keer met een bundel maïsstengels onder haar armen naar de rand van het veld sjokte, schoot haar plotseling iets te binnen: verrek! Haar wens was verhoord! Moeder had inderdaad vergeten Lian eraan te herinneren dat ze Kannibaal moest gaan opzoeken. Of kwam het doordat ze zo snel na het bericht van ooms ziekte naar het platteland vertrokken was?

Hoewel ze blij was dat ze niet naar Kannibaal gehoeven had, het idee dat oom in het ziekenhuis lag stemde haar niet bepaald vrolijk. Ze wist dat hij een ongelijke strijd lag te voeren met het voortwoekerende doodseskader. En zij was te beschaamd om naar hem toe te gaan. Ze kon wel proberen haar geweten weg te moffelen onder allerlei smoesjes, maar het werd alleen maar een steeds groter monster dat haar plaagde.

De regen kwam met bakken neer. Lians slaapgroep, hun gastvrouw incluis, kon het veld niet in; ze bleven thuis. Eerst hielden de leerlingen onder leiding van mevrouw Meng een politieke vergadering, tijdens welke iedereen – behalve de lerares natuurlijk – geacht werd zijn bourgeois gedachten uit te spugen. Qianyun gaf bij voorbeeld toe dat haar haren plakten en stonken – de meisjes hadden bijna een maand geen bad kunnen nemen. Direct daarna bekritiseerde zij zichzelf dat het revisionistisch en kapitalistisch was om last te hebben van die viezigheid. Mao zei immers dat *vuiligheid op het lichaam zuiverheid in de geest* betekende. Ze zei: 'Ik moet van de boeren leren. Zij wassen zich alleen maar in de zomer wanneer het water van de rivier niet te koud is. Wat verbeeld ik me wel, bourgeois trut, om mij al na drieëntwintig dagen te willen douchen?' Opgelucht ging ze weer zitten. Qianyun was een sluwe vos. Door deze zelfberisping kon niemand haar meer haar contrarevolutionaire geklaag voor de voeten werpen, over de zwarte strepen op haar benen en rug, die zo makkelijk weg te halen zouden zijn met een bakje warm water.

Uit zelfbescherming begon ook de rest van de groep hals over kop soortgelijke revisionistische sentimenten van zich af te schudden, zoals hun verlangen naar een paar reepjes vlees en wat verse groenten in hun eten. De meisjes hadden drie weken lang op broodjes met gepekelde groente geleefd. Ze zeiden in koor: 'Ja, we schamen ons voor onze behoefte aan dergelijke luxe. De boeren hebben het hele jaar door zulk karig voedsel, maar ze verbouwen het noodzakelijkste des levens. Geen wonder, dat de Wijste Leider van het Heelal van hen zegt: *Landbouwers zijn net als koeien: ze eten gras, maar produceren lekkere melk.* Bestaat er in dit universum een mooiere lofzang op de boerenklasse?!'

Hun gastvrouw, die aan tafel de sokken van haar kinderen zat te stoppen, beschouwde hun heldhaftige proletarische zelfbeleediging echter als kritiek op haar huishouden. Ze mengde zich verlegen in het gesprek: 'Mag ik jullie even in de rede vallen? Het spijt me verschrikkelijk dat ik geen badwater voor jullie heb gekookt. Kijk, ik vergeet als doodeenvoudige boerin steeds maar weer dat de mensen uit de stad zich om de twee weken of zo moeten wassen. Wij dorpelingen geven niets om hygiëne... Bovendien is het werk op het land zo afmattend dat we wanneer we thuiskomen maar aan één ding denken – slapen. Waar moeten we de fut vandaan halen om een hele dag de bergen in te gaan om hout te sprokkelen en ook nog eens het water voor een bad op te warmen?'

Mevrouw Meng verbleekte. Ze wilde de gastvrouw uitleggen dat ze het helemáál niet zo bedoeld hadden, maar de boerin ging resoluut door: 'Morgen laat ik mijn zoon niet naar school gaan. Wat stellen die lessen nou eigenlijk voor? Gediplomeerde leraren willen niet op een dorpsschool blijven en de schoolmeesters die het wel willen, zijn hoogstens een vingerkootje minder analfabeet dan wij. Ik zal mijn jongen morgen, als het niet regent tenminste, naar de bergen sturen om brandhout te sprokkelen. Dan kan ik 's avonds, na mijn arbeid in het veld, water opwarmen. Dan kunnen jullie je eindelijk eens wassen.' Ze wreef haar grote handen tegen elkaar en bloosde van schaamte.

Lian had zich het liefst in een donkere hoek verborgen om te gaan zitten huilen. Het verschil tussen boeren en stedelingen was onverdraaglijk, vooral als de boeren zich nog begonnen te verontschuldigen ook. Ze wilde haar hoofd als een watermeloen openbreken, waar de revolutionaire leuzen lagen opgeslagen:

Leer van de boeren,
het zijn de leiders van China
Hoe donkerder de huid,
hoe revolutionairder het hart
Vuiligheid op het lichaam
betekent zuiverheid in de geest
Landbouwers zijn net als koeien:
ze eten gras, maar produceren lekkere melk

De tegenstrijdigheden waar ze op het platteland van dag tot dag mee geconfronteerd werd, de kloof tussen Zijn propaganda en de naakte werkelijkheid, plus haar medelijden met de boerenklasse, vergrootten haar woede en twijfel. Wat had Qin haar gezegd? Hoe zou Kannibaal hierop reageren? Ze bad stiekem: 'Boeddha, wijs mij de weg, alstublieft!'

Onder leiding van mevrouw Meng bundelden de meisjes ondertussen hun krachten om de gastvrouw ervan te overtuigen dat ze geen woordje kwaad over haar hadden willen spreken. Het was zelfkritiek geweest; geen kritiek op háár. Ze slaagden er ten slotte in de boerin te kalmeren. Nu pas kon mevrouw Meng met een gerust hart de politieke vergadering afsluiten. Ze gingen bij de gastvrouw zitten om over koetjes en kalfjes te praten.

Liru stelde de vrouw een vraag die al bijna een maand op ieders lippen lag: 'Hoe vaak komt uw man naar huis?'

Ze trok haar kleine dochter naar zich toe: 'De vader van mijn kinderen komt ons meestal één keer per jaar opzoeken, met Chinees Nieuwjaar, snap je. Maar als hij boft, dat wil zeggen, als er niet te veel bouwprojecten zijn en als de buidel aan zijn broekriem goed gevuld is, komt hij ook wel eens in de zomer voor een week naar huis. Dat is feest voor de kleintjes! Ik kan namelijk niet zwemmen en als hun vader er niet is, moeten de kinderen hun oom altijd smeken om mee te mogen naar de rivier. Zielig, hoor, als ik ze zo zie jengelen.'

Feiwen nam geen blad voor de mond: 'Vindt u het niet erg om uw man zo zelden te zien?'

'Vraag maar na in het dorp. Als je ook maar één persoon vindt die ons gezin niet tot diep in zijn ingewanden benijdt, laat ik mijn hoofd als een bloemkool over het landweggetje rollen! Had de vader van mijn kinderen het landbouwwerk moeten blijven doen, dan zouden we niet in zo'n chic huis kunnen wonen.' Ze maakte met haar hoofd een halve cirkel, wijzend op de tekenen van welvaart in de inrichting van het huis, en aaide trots haar vierjarig dochtertje, dat een jasje droeg van de kostbaarste synthetische stof.

Lian had al die tijd gedacht dat man en vrouw niet samenwoonden omdat de Culturele Revolutie hen uit elkaar had gehaald, zoals het geval was met haar eigen vader en moeder. En nu ontdekte ze dat er mensen bestonden die ervoor kózen om niet bij elkaar te zitten. De financiële voordelen van in de stad te werken waren blijkbaar voor een boerengezin zo aanlokkelijk dat het echtpaar het ervoor overhad om de mooiste jaren van zijn leven gescheiden door te brengen.

Kims oudere broer

Ze stonden op het punt om huiswaarts te keren. De tractor met zijn gebruikelijke stof- en lawaaiproductie stond al op het pleintje te puffen en mevrouw Meng beval de jongens weer als eersten de laadbak in te klimmen. Dit keer greep Lian de eerste de beste hand die haar werd toegestoken en liet zich naar boven trekken. Toen ze in de laadbak stond, wilde de hand die haar geholpen had haar echter niet loslaten. Ze keek naar de eigenaar en het bloed stolde in haar aderen – Wudong stond haar met zijn mooie ogen vol genegenheid aan te staren. Haar 'rotsvaste ongeloof' met betrekking tot wonderen onderging een aardverschuiving…

Zodra ze uit de stralingsgordel van Wudongs tedere geladenheid ontsnapt was, zocht ze welgemoed naar Kim, de voorbeeldige stagiaire die een maand lang de hoofdrol in de nieuwsberichten gespeeld had. De jongens zouden wel vechten om haar naar boven te mogen hijsen.

Maar nee.

Kim stond eenzaam op de grond en wierp ondanks haar trots af en toe een schuchtere blik op de rijen jongensgezichten in de laadbak. Hen recht in de ogen kijken durfde ze niet, maar toch hoopte ze stiekem op een klasgenoot, al was het er maar één, die haar een helpende hand zou willen bieden. Een pijnlijke vraag misvormde Kims droge gezicht en Lian kon haar gedachten lezen: zouden de tientallen lofartikelen, die dertig

dagen lang door de dorpsradio uitgezonden waren, mijn nederige positie niet een kléin beetje hebben opgekrikt…?

Lian wilde dat ze de sterke armen van een jongen had. Dan
zou zíj Kim omhoogtillen. Maar helaas, ze wist zeker dat als ze
dat zou wagen, ze beiden in de modder terecht zouden komen.

Tututú! De chauffeur werd ongeduldig.

'Snel! De laadbak in!' zei mevrouw Meng tegen Kim, rende
zelf naar de voorkant van het voertuig en nam plaats naast de
bestuurder.

Kim werd uit haar dagdroom wakker geschud en ze vroeg
de chauffeur om nog even te wachten met vertrekken – ze
moest net als bij de heenreis op een van de achterwielen klimmen en zich daarlangs de laadbak in zien te hijsen. De bestuurder keek verbaasd naar het iele meisje en snapte niet waarom
ze de enige was die niet naar boven geholpen werd. En hup, hij
sprong achter het stuur vandaan en zei met zijn forse stem:
'Meid, laat je oudere broer je erop helpen!' Hij pakte haar bij
haar middel en wilde haar naar boven werpen. 'Nog niet!'
schreeuwde ze, terwijl haar spillebenen al zenuwachtig in de
lucht bengelden, 'ik moet eerst mijn bagage op de laadbak
gooien!' Hij zwaaide haar met bagage en al heen en weer. Zijn
ogen stonden vrolijk – blijkbaar stelde het gewicht van dit
meisje, mét haar rugzak en tassen, niets voor. Oef! daar stond
ze al op de tractor.

De klas op de laadbak had het tafereel met de mond vol tanden aanschouwd. Hoe moesten ze dit nu interpreteren: was
het nu een eer voor Kim om door de bestuurder geholpen te
worden of juist een weerspiegeling van haar zielige positie?

Wat de anderen ervan dachten kon Lian niets schelen, maar
ze had het gevoel dat de hemel op haar hoofd terechtkwam.
De scène maakte één ding duidelijk: het hoge cijfer dat Kim
voor de stage had gekregen en alle aandacht van de leiding
voor haar prestaties zei de klasgenoten totaal niets. In de sno-
bistische holle gaten die zijzelf 'ogen' noemden was en bleef
Kim de verdoemde derde-kaster die door iedereen genegeerd,
vernederd en gejend moest worden.

Dit ontging Kim natuurlijk ook niet. Ze meed doelbewust
de voorkant van de laadbak, want die was vanzelfsprekend 'ge-
reserveerd' voor de eerste- en wellicht ook een paar tweede-

kasters, die omhooggeklommen waren door hun positieve politieke houding of door in de smaak te vallen bij mevrouw
Meng.

De derde-kaster Wanquan was tot secretaris van propaganda
van de klas gepromoveerd, mede dank zij het feit dat hij een
lange, gespierde jongen was – daar was mevrouw Meng, die
naar de geur van een man verlangde, niet ongevoelig voor.
Haar echtgenoot, een brugarchitect, was twee jaar geleden verbannen naar een dorp in de zuidelijkste hoek van het land. In
die contreien konden *muggen mensen optillen, vier maal in het
rond draaien en dan pas de liefdesbeten achterlaten, die de malariaza-
den zouden vermenigvuldigen.* Lian kon het haar niet kwalijk nemen dat ze Wanquan tot een status verheven had gelijk aan
die van de eerste kaste. Iedereen moest maar roeien met de riemen die hij had. Wanquan had zijn mannelijkheid.

Kims wangen waren rood geworden; Lian wist wel waardoor. Dit was de eerste keer geweest dat een jongeman aandacht aan Kim geschonken had, en dat liet haar zichtbaar niet
koud. Ze had kans gezien te worden opgemerkt, al was het
maar door een boer. De toekomst was niet volkomen zwart...

Deel IV

1974

Zelfs een kaars
draagt een vurig hart
en druppelt rode parels
voordat het afscheid u omhelst

Du Mu, negende eeuw

Over twee dagen zou het zover zijn – Chinees Nieuwjaar zou met knallend vuurwerk worden ingeluid. Volgens de maankalender was het vandaag de achtentwintigste dag van de twaalfde maand van het jaar 2876 – of zoiets... Lian wist het niet precies, want ruim een decennium voor haar geboorte had de CPC de maankalender als overblijfsel van het feodale systeem van het vroegere keizerrijk afgeschaft. Met als gevolg dat nagenoeg alle gewoonten en gebruiken die er eeuwenlang mee verbonden waren geweest, in één klap verboden werden. Alleen het vieren van Chinees Nieuwjaar werd nog toegestaan. Chinees Nieuwjaar werd ook wel 'Lentefeest' genoemd, omdat het de groei en bloei van het nieuwe jaar inluidde; het symboliseerde het einde van de pech van het voorgaande jaar en het verwelkomen van het geluk van het komende jaar; het betekende verzoening voor oude vijanden en het aanknopen van nieuwe vriendschappen. In deze dagen werd ook teruggeblikt op het afgelopen jaar; de geesten van de voorouders werden uitgenodigd om de prestaties van hun nazaten te beoordelen. Het sprak vanzelf dat de levenden probeerden hun voorouders gunstig te stemmen, opdat zij hen in het komende jaar zouden blijven beschermen en begeleiden. Daarom werden er letterlijk zoete broodjes gebakken en op het familiealtaar geplaatst. Hoewel het de koudste maand van het jaar was en het genadeloos vroor en waaide, werden de huisdeuren opengehouden, zodat de geesten te allen tijde in en uit konden wandelen. Lian herinnerde zich dat haar oma in Qingdao haar verteld had dat de geesten zelf niet in staat waren de deur te openen – ze hadden geen kracht meer in hun handen.

Oude schulden dienden nu afbetaald te worden, want iedereen wilde met een schone lei het nieuwe jaar ingaan. Vandaar dat vóór de oprichting van de Volksrepubliek China – toen het koesteren van privé-eigendom nog niet tegen de wet was – pachters die hun pachtsom niet betaald hadden de bergen in vluchtten, zodat hun schuldeisers hen niet te pakken konden krijgen.

Het was ook de tijd om zich te wassen. Tweede- en derdekasters, die thuis geen bad- of douchegelegenheid hadden, trokken massaal naar het openbaar badhuis. Ze telden daarvoor vijftien cent neer, genoeg voor ruim een kilo maïsmeel; het was een dure grap die ze zich hoogstens twee keer per jaar konden permitteren. Buiten de poorten van de badhuizen kronkelden meterslange rijen wachtenden die per se in de week voor Nieuwjaar wilden douchen. Niet eerder en niet later – wanneer het minder druk was – want dan zouden ze niet proper zijn tijdens de feestdagen.

Huisvrouwen bleven op tot in de kleine uurtjes om nieuwe kleren voor het hele gezin te naaien; jong en oud moest immers nette kleding dragen. Natuurlijk hoorde bij het feest ook lekker eten; van 's ochtends vroeg tot 's avonds laat klonken de laatste smeekkreten van varkens en koeien – dit waren vrijwel de enige dagen in het jaar dat er in de dorpen vlees op tafel kwam. Kosten noch moeite werden gespaard. Niets was te luxueus voor deze tijd van het jaar. Snoepgoed werd uit de gesloten kast gehaald en open en bloot op tafel uitgestald; fruit verscheen niet alleen op het altaar, maar ook op de schaal waaruit de stervelingen mochten nemen.

Geen kwaad woord mocht er in deze dagen vallen. Alleen heilwensen en beminnelijkheid waren toegestaan. Daarom alleen al was Chinees Nieuwjaar een begrip voor kinderen; ze herkenden deze periode aan de zeldzame overvloed aan voedsel en de plotseling zorgeloze en gelukkige gezichten van de volwassenen.

Het effect van de revolutie

Vader was anderhalve maand geleden thuisgekomen, tijdens Lians stage in de *Vijf Rode Sterren Commune*. Toen ze hem in de woonkamer zag zitten, had ze bijna geschreeuwd: inbrekers!

Het was vreemd; al die jaren had ze naar zijn terugkeer verlangd, maar nu hij er was, vond ze het maar niks. In de eerste plaats voelde ze zich niet prettig met een man in huis. Ze was gewend om met Moeder te leven en nu dook er ineens deze wildvreemde grote kerel op. Ze kon niet meer ongekleed de badkamer uitlopen; ze moest de deur op slot doen als ze op de wc zat; ze kon haar ondergoed niet meer zomaar op de bank gooien. Als Vader haar over het hoofd aaide, kreeg ze kippenvel. En vooral: ze was niet meer het centrum van alle aandacht. Als Vader iets leuks meebracht, zoals kleren of gebakjes, verdeelde hij het tussen vrouw en dochter. Voordien was alles voor Lian geweest.

Wat haar het meest stoorde, was dat ze elkaar constant verkeerd begrepen. Gisteravond bij voorbeeld, had Vader Lian een krantenknipsel in de hand gestopt en gezegd: 'Dit berichtje zul je wel interessant vinden.'

Het ging over een elfjarige scholier die zo goed in wiskunde was dat hij zo naar de universiteit kon. Wat bedoelde hij daarmee? Dat zij vergeleken met die snotneus oliedom was? Dat ze harder moest blokken? Gepikeerd wierp ze het knipsel op tafel en bitste hem toe: 'Jammer voor u dat u niet zo'n intelligente zoon hebt!'

Hij keek haar verbaasd en beteuterd aan.

Moeder zag hun stille oorlog met lede ogen aan, maar zodra ze tussenbeide kwam, deed Lian of er niets te sussen viel. 'Er is niets aan de hand. Ik houd van Papa en hij houdt van mij. Dat hoef je toch niet de hele tijd te laten merken?'

Vader was voorgoed naar Peking teruggekomen. Volgens Mao's bevel Nummer 28 moesten de belangrijkste overheidsinstanties, waaronder het ziekenhuis van Vader ressorteerde, naar de hoofdstad worden gerepatrieerd. Vader behoorde tot een vijftigkoppige voorbereidende groep die alles in orde moest maken voordat de rest van het personeel zou arriveren. Op zich was dit groot nieuws – het gezin zou weer compleet zijn.

Al snel merkte Lian dat de voorrechten waar ze vroeger als eerste-kaster en lid van een doktersfamilie van genoten had, opnieuw op haar neerdaalden.

∿

Vader legde twee kaartjes voor het Nieuwjaarsgala op tafel. Dit gala werd gegeven in het chicste gebouw van de hoofdstad, en dus van het hele land – het Paleis van het Volk aan het Tiananmenplein. Vóór de Culturele Revolutie hadden ze elk jaar zulke kaarten gekregen. Op dit feest werden altijd dezelfde mensen uitgenodigd – zwaarlijvige partijbonzen, streng kijkende officieren, geraffineerde hoge ambtenaren, allen met hun dikke vrouwen en verwende kinderen. De shows en het geboden amusement veranderden ook nooit. Lian zat er niet echt om te springen.

Maar Moeder was dolblij: dit privilege betekende dat haar man weer op zijn oude plaats teruggekeerd was en dat de CPC haar gezin niet langer als contrarevolutionaire, bourgeoisgezinde slangenbeesten en koeiengeesten beschouwde: politiek onzuivere lieden zouden nooit worden toegelaten.

Vader zei: 'Goed dat ik maar twee kaartjes heb, want anders zou ik niet weten wat we met het derde moesten aanvangen. Ga jij maar fijn met Lian. Ik heb geen zin om zo veel mensen te zien.' Hij leed nog altijd onder een cultuurschok, nu hij uit een dunbevolkt woestijngebied regelrecht in Peking terechtgekomen was. Zijn oren deden pijn als hij al het lawaai op straat hoorde en hij werd duizelig als hij tussen de mensenhagen ingeklemd zat.

Moeder trok haar wenkbrauwen op. 'Hoe kom je erbij? Ik? Naar dat bekakte gala? Me met de hoge pieten vermaken die mij naar het heropvoedingskamp gestuurd hebben en die mijn kind in een jeugdkamp hebben laten verkommeren? Voor mijn part mogen die schijnheilige politici die anderen het marxisme opdringen terwijl zij zelf het decadentste bourgeois leven leiden dat ze zich kunnen voorstellen, hun nieuwjaarsfeest in een van hun eigen heropvoedingskampen vieren!'

'Kom op,' probeerde Vader haar te troosten, 'vergeet die kamptijd nou toch en koester geen wrok. Laten we een nieuw leven beginnen. Het is niet voor niets Nieuwjaar.'

'Ik koester geen wrok! Maar ik hoef me daar toch ook niet gaan lopen ergeren? Laten we de kaartjes maar gewoon teruggeven. Lian kan moeilijk alleen gaan.'

'Ben je nou helemaal?! Dit is een teken van waardering van mijn werkeenheid. Als ik die kaartjes weiger, komt er geen tweede keer dat ik iets speciaals aangeboden krijg.'

'Maar aan wie kunnen we ze dan kwijt? Alleen rijksambtenaren boven rang G komen in aanmerking voor dit soort kaartjes. Mijn collega's behoren niet eens tot rang D. Waar vind ik mensen die hiervoor geschikt zijn?'

Ineens kreeg Lian een idee. Ze zei plompverloren: 'Laat maar, ik ga wel. Ik neem Kim mee, dan ben ik niet alleen.'

Moeder keek gespannen naar haar man, want ze wist wat er komen ging. Vader fronste zijn wenkbrauwen. 'Wie is Kim? Toch niet dat scharminkel met wie je vroeger huiswerk maakte?'

Moeder nam Lian meteen in bescherming: 'Let op je woorden. Je hebt het over Lians beste vriendin.'

Vader merkte Lians ongenoegen wel op en haalde bakzeil: 'Lian, het is niet dat ik je verbied om met derde-kasters om te gaan. Je bent tenslotte al veertien. De mensen beginnen zo langzamerhand in de gaten te houden met wie je omgaat en straks…'

Zijn echtgenote schoot in de lach: 'Kom nou! Je bedoelt toch zeker niet dat onze dochter de huwbare leeftijd nadert en dat haar waarde daalt als ze zich in gezelschap van mensen beneden haar stand vertoont? Lian is pas veertien! Bepaald nog niet volwassen. Laat haar maar doen wat ze wil!'

Moeder keek de situatie aan tot ze zeker wist dat Lian geen woede-uitbarsting zou krijgen vanwege Vaders beledigende houding jegens Kim. Toen zei ze voorzichtig: 'Eigenlijk heeft Papa gelijk. Alleen eerste-kasters worden voor het gala uitgenodigd. Hoe zou Kim nu mee kunnen?'

'Herinnert u zich dan niet dat Qianyun een keer haar neefje van het platteland naar het paleis meegenomen heeft? Hij kwam niet eens uit een boerenarbeidersgezin, zoals Kim, maar uit een honderd procent boerenfamilie! Toen kraaide er toch ook geen haan naar?!'

Daar viel weinig tegen in te brengen. 'Oké, oké, maar laat Kim altijd in je buurt blijven. En als de mensen vragen wie ze is, zeg dan dat het je zus is.'

Vader blies zijn neus scheef: 'Leuk hoor, voor Lian, om er zo'n zusje bij te hebben.'

Het verblijf in de woestijn had Vader blijkbaar nóg bewuster gemaakt van de verschillen tussen de klassen. Hij had waarschijnlijk nog meer staaltjes gezien van de wijze waarop de contrarevolutionaire klasse van intellectuelen vernederd en de groep proletariërs verheerlijkt werd. Nu het revolutionaire klassestelsel stiekem had plaatsgemaakt voor het eeuwenoude kastesysteem, waardoor hij eindelijk zijn bevoorrechte positie had teruggekregen, wilde hij inhalen wat hem als bourgeoisgezind slangenbeest ontzegd was: anderen minachten zoals hij zelf was geminacht. Merkwaardig genoeg was het bij Moeder precies andersom: zij had tegenwoordig een onverzoenlijke hekel aan de verschillen tussen klassen en kasten. Terwijl ze toch allebei ongeveer dezelfde ervaringen achter de rug hadden. Kom daar maar eens uit wijs.

De dag voor Chinees Nieuwjaar vertelde Lian het grote nieuws aan Kim. In het begin snapte Kim helemaal niet waar het om ging, maar toen ze het eindelijk doorhad, durfde ze de uitnodiging niet te aanvaarden. Ze geloofde niet dat ze er ook maar iets mee te maken zou kunnen hebben. Lian zette alle zeilen bij om haar te overtuigen, maar Kim kreeg het Spaans benauwd bij de gedachte alleen al hoe de feestgangers haar zouden pesten.

'Maar niemand kent jou daar toch,' zei Lian, 'er komen duizenden genodigden; wie zal zich druk maken om een meisje dat Kim heet?'

Op het laatst kwam Kims lang onderdrukte glimlach bovendrijven. Ze lachte geluidloos, net als een jaar geleden, toen ze haar eerste paar voldoendes op haar schoolrapport had gezien.

Een zitplaats in de bus

Om zes uur precies stonden de twee vriendinnetjes bij de halte van de speciale busdienst van Vaders ziekenhuis. Zon en wind waren in een stoeipartij verwikkeld en lieten oranje vegen op de staalblauwe hemel achter. Die strepen waren uniek; had een schilder ze nagetekend, dan zou niemand hem geloven – hoe zouden de wolken zulke betoverende vormen en kleuren kunnen aannemen? Maar heus! ze zijn echt zo, verzekerde Lian de in haar verbeelding opduikende critici van de 'aquarel'. Zou het komen doordat ze maar zelden de rust had genomen om op zo'n manier aandacht te besteden aan de hemel? Met Kim naast haar, zich verheugend op het galafeest dat dé gebeurtenis van Kims leven zou zijn, en wachtend op de speciale bus die hen regelrecht naar het paleis zou brengen, kon Lian niet anders dan zich vredig en zielsgelukkig voelen.

Lian moest denken aan hoe het hier ging met de busdiensten. De stadsbus instappen stond gelijk aan het gevecht dat twee drenkelingen in de Stille Oceaan voeren om een plank; het vereiste een onvermurwbaarheid die soms letterlijk over lijken ging. Niet zelden gebeurde het dat de ribben van een minderjarige onder de voeten van de zich in de bus wurmende passagiers gebroken werden. Eenmaal binnen bleven de mensen tegen elkaar aan stoten en door het gepers van de lichamen

werden de sleutels in de broekzak van menig medereiziger krom gebo-
gen. De aansluiting tussen de buslijnen liet ook veel te wensen
over. Om van waar Lian woonde in het centrum te komen,
moest je vijf keer overstappen, iets dat alleen al lastig was omdat de chauffeurs zich niet aan de dienstregeling hielden. Gelukkig bleef vele eerste-kasters dit ongemak bespaard, daar
hun werkeenheid een speciale busdienst onderhield, die de
voertuigen op gezette tijden naar de verschillende bestemmin-
gen stuurde.

Lians gedachtestroom werd onderbroken doordat Kim haar
bij de elleboog pakte en uit de rij bij de halte sleurde. Kim wees
gespannen naar de naderende bus en gilde: 'Snel, anders kunnen we er niet meer in!' Haar stem klonk hoog en vals van de
zenuwen, met als gevolg dat de ogen van de hele rij wachtenden zich op de twee meisjes vestigden.

Lian keek om zich heen; ze stonden als enigen op het pleintje voor de bushalte. Haar rug gloeide van de op haar gerichte
ogen van de rij wachtenden. Ze trachtte Kim terug te sleuren
naar hun oude plaats. Maar nu vergiste ze zich toch. Ten eerste
was Kim vele malen sterker dan zij – om haar te verplaatsen
moest ze de kracht hebben die een honderdjarige eikenboom
met blote handen kon ontwortelen. Ten tweede, als Kim haar
zinnen ergens op had gezet, was ze er met geen bulldozer van
af te brengen. Lian fluisterde in haar oor: 'Luister naar mij,
Kim. Dit is geen gewone bus. Kijk naar de mensen die netjes
hun beurt afwachten. Niemand hoeft bang te zijn dat hij de bus
niet in komt. Het is niet voor niets een speciale busdienst...'

Verlegen liet Kim Lians arm los. Maar zo gauw gaf ze zich
niet gewonnen: 'Toch is het beter om eerder de bus in te gaan.
Om zeker te zijn van een zitplaats, begrijp je?'

Lian onderdrukte de neiging in lachen uit te barsten: 'Er is
een stoel voor iedereen.'

'Nóu...' Kim keek naar de kronkelende rij en twijfelde aan
Lians rekenkundige vermogens. 'Voor zo veel passagiers?'

Lian wees triomfantelijk naar de twee andere bussen die inmiddels ook gearriveerd waren. Nu was het Kims beurt om stil
te worden. Maar Lian had meteen al spijt. Kim was gewend
aan de gewone stadsbus, die doorgaans minstens het dubbele
van het toegestane aantal passagiers vervoerde.

Zodra Kim haar plekje had uitgezocht, probeerde ze haar vingers door een raam te steken. Vervolgens stond Kim twee keer op om de leren stoel te bewonderen, die veerde als een hooiberg. Toen ze daarmee klaar was, sloot ze haar ogen en begon een onbestemd, waarschijnlijk zelfverzonnen wijsje te neuriën.

Lian was blij voor Kim, maar tegelijkertijd in de war. Nauwelijks anderhalve maand na de dertig dagen durende stage, die hen zo hoognodig had moeten duidelijk maken dat de boeren de leiders van het land waren, kon een dochter van de leidinggevende klasse de weelde ervaren waarin de laagste klasse ofte wel de hoogste kaste zwom. Het was ingewikkeld en triest.

'Kijk, de sterrenhemel!' Kim had haar ogen geopend en wees naar de hoge gebouwen en de brede boulevards, die feestelijk versierd waren met neonlicht. Lian keek naar buiten: het was bewolkt. Maar ze begreep waar Kim op doelde. De straten in de modderhuisbuurt waren nauwelijks van lantaarns voorzien. De enige lichtjes die men daar 's avonds zag, waren de sterren aan het hemelgewelf. Hier leken de boulevards zelf een sterrenhemel. Kim zat op de zachte stoel met haar spillebenen heen en weer te wiebelen, als een baby die net de borst heeft gekregen.

Ongekende genoegens

Bij de ingang van het Volkspaleis moesten ze door een scanner, die regelmatig onheilspellend begon te piepen. De mensen werd dan gevraagd hun broekzakken te legen en hun handtassen open te maken; meestal kwam er een flinke bos sleutels te voorschijn. Kim liep op haar tenen door de scanner, die braaf zweeg. Haar gezicht klaarde op – als het aan haar lag, zou ze er nog een keer doorgegaan zijn. Ze was buitengewoon opgelucht dat ze niet tegen de lamp liep, aangezien ze er op school steevast uit gepikt werd, waar ze ook naar toe ging en hoe voorzichtig ze zich ook verborg. Ze lachte breeduit naar Lian, alsof ze een duivelin was die deze keer per ongeluk niet gesnapt werd. Lian kon er niet om lachen; het was beschamend om te zien hoe verrukt Kim over zoiets doodgewoons was. Ze sloeg haar ogen neer, liep regelrecht het paleis in en liet Kim, die nog altijd smakelijk van haar 'ontsnapping op het nippertje' stond na te genieten, daar staan. Kim liep snel achter haar aan.

Uit de luidsprekers in de hal klonk een reeds lang verboden liedje:

Vlinders houden van bloemen
Bloemen willen niets liever
dan door vlinders worden betast

Hó, sinds het begin van de Culturele Revolutie rustte er een gevangenisstraf van een half jaar op het draaien van deze muziek!

Voor zich zag Lian een paar slanke benen met glanzende kousen. Toen ze ietsje naar boven keek, schrok ze zich een aap: de eigenares van dit onderstel droeg de traditionele Shanghai-dress, die haar gevulde billen, ranke rug en sensuele armen accentueerde. Kim trok aan Lians hand. Lian probeerde haar met een blik te sussen: hier, in dit paleis voor de Partij-elite, is wat bourgeois is gewenst en wat proletarisch is verwerpelijk. Je moet gewoon doen alsof vanavond hemel en aarde van plaats verwisseld zijn.

Kleurrijke ballonnen en slingers omringden de marmeren pilaren; de kristallen van de kroonluchters verspreidden fantasieprikkelende lichtvlekken op de spiegelende vloer; liefdesmuziek dwarrelde door de geparfumeerde lucht; de galante gebaren van de heren en de charmante glimlach van de dames completeerden de romantische sfeer. Binnen een paar seconden gaven Kim en Lian hun ideologisch verzet op. De tegenstelling tussen wat ze over kapitalistische decadentie leerden en wat ze hier met eigen ogen zagen, was onbevattelijk. Lichtvoetig liepen ze naar zalen waar allerlei amusement hun wachtte.

Het eerste spelletje waaraan Kim meedeed, was 'droog hengelen'. Op een plateau stonden tientallen speelgoedbeestjes, elk met een haakje op zijn kop. Met een dunne stok – de hengelroede – kon men naar de beestjes vissen. Er stond een lange rij en Kim had al twee keer gespeeld. Toch was ze er niet weg te slaan. Ze moest en zou een prijs winnen.

'Kí-ím, er zijn nog acht zalen in dit gebouw, met in elk tientallen spelletjes. Als je hier blijft plakken, zie je vanavond niet eens een kwart van het hele paleis. Is dat wat je wil?'

Kim keek Lian ongelovig aan. Ze kon blijkbaar het idee niet vatten dat ze in een onbegrensde zee van plezier gedropt was. Morrend volgde ze Lian naar een volgend spel – 'touwtrekken'. Kims ogen glinsterden; ze spoog in haar handen om zichzelf moed in te spreken en zich gereed te maken voor de zware opgave. Natuurlijk won haar kant. De beloning was een gifgroene badhanddoek voor iedere deelnemer. Deze keer was Kim met geen atoombom weg te blazen. Ze speelde net zo vaak mee tot ze een badhanddoek voor al haar familieleden gewonnen had. De scheidsrechter klopte Kim op de schouders. Als het aan hem lag, zou ze niet meer weggaan. Ze waren dikke maatjes geworden. Kim glunderde, telkens wanneer hij de nieuwe deelnemers adviseerde: 'Kies de kant van dit meisje en jullie mogen alvast nadenken welke kleur badhanddoek jullie het liefst willen hebben!' Ze had veel bekijks.

Ten slotte huppelde ze met vier badhanddoeken onder de arm naar Lian, haar ogen glanzend van gelukzaligheid. Lian leidde haar snel naar een zaal die *Des Dichters Wijn* heette. Hier stonden tafels vol gebakjes, hartige hapjes en drankjes. Lian wilde Kim verrassen met de overvloed aan lekkernijen die er te krijgen waren. Kim durfde de zaal eerst absoluut niet binnen te gaan: 'Kom, Lian, laten we gewoon spelletjes doen. Ik heb al gegeten vanavond.'

'Maar het is al over tienen. Je hebt al vier maal touwgetrokken en aan drie andere wedstrijden meegedaan. Heb je geen trek in een hapje?'

Kim keek naar de tafels en wierp een woedende blik op Lian: hoe kón ze! Een uitgehongerde wolf vragen of hij een lammetje lust. Toen pas zag Lian Kim in haar broekzakken tasten.

'O, zó! Alles is hier gratis, hoor.'

De duivel schijt altijd op één hoop. Hoe hoger men zich op de sociale ladder bevond, hoe minder men voor alles hoefde te betalen. Al verdienden de partijbonzen op het eerste gezicht niet bijzonder veel meer dan het klootjesvolk – per slot van rekening propageerde de Roerganger gelijkheid tussen alle burgers – zij genoten daarnaast allerlei privileges die bankbiljetten vervingen. Ze kregen vlees-, kleren-, fietsen- en horlogebonnen, zodat ze deze waar niet op de zwarte markt hoefden te kopen; ze reisden met de auto van de werkeenheid zonder een cent te betalen en ze werden uitgenodigd op diners en feestjes die hun gratis schranspartijen verschaften, zoals dit nieuw-jaarsgala.

Kim stond voor Lian in de rij bij de bar. Ze keek haar ogen uit; de taartpuntjes die ze nog nooit gezien, laat staan geproefd had, de veelkleurige drankjes, de dure hapjes – ze verslond alles met haar ogen en droomde weg.

Ineens klonk er een zware stem achter haar: 'Mademoiselle, gaat u eerst uw gang.'

Kim keek om zich heen en zocht naar de persoon tot wie de chic geklede jongeheer die voor haar stond sprak. Er kwam verder niemand voor in aanmerking. Ze haalde haar schouders op – ze had het zeker verkeerd verstaan.

'Alstublieft, mademoiselle, gaat u voor. U zult wel dorst hebben.'

Kim schudde ongelovig haar hoofd toen ze besefte dat deze charmante jongeheer het tegen háár had. Ze stond hem zonder met de ogen te knipperen aan te staren.

Lian geneerde zich voor haar; ze fluisterde: 'Zeg dankuwel en neem snel wat limonade!'

Het kunstwerk Kim bleek diep in de grond verankerd te zijn, maar de meneer bleef beleefd tegen haar glimlachen. Hij keek haar aan met een blik die zeggen wilde: als u niet vóór mij geholpen wil worden is het mij ook goed, hoor, het was maar een aanbod.

Zo onopgemerkt mogelijk verliet Lian de rij en sleepte Kim met zich mee, die haar als een robot volgde. Lian durfde niet om te kijken. De jongeheer vond hen beslist maar een raar stel.

Toen ze in een hoek terechtkwamen, rolde Kim met haar ogen – ze smolt ter plekke. 'Hoorde je dat, Lian Shui, hij noemde mij "mademoiselle"!'

Lian was bang dat Kim meende dat hij een oogje op haar had. Dan zou Kim van een koude kermis thuiskomen, want bij dit soort gelegenheden plachten de jongeheren tegen iedereen hoffelijk te zijn. Maar nee, Kim lachte als een peuter die net op een driewieler had leren rijden en ze keek naar haar zondagse kleren. Zag ze er soms uit als een eerste-kaster? Wisten ze hier niet dat ze constant door haar klasgenoten geslagen werd? Ze draaide in het rond, haar armen gespreid, als een engel die zijn vleugels strekt om naar de hemel terug te keren. Ze keek naar de ingang van het paleis en naar het plafond, waar de kristallen kroonluchters de prachtigste dessins getekend hadden. Hier, tussen de vier muren van dit magische gebouw, wist Kim zich veilig. Ze werd door niemand herkend; hier was ze geen pispaal van de klas; hier was ze niet langer de dochter van een armzalige boerenarbeider; hier ging men ervan uit dat iedereen tot de elite behoorde en behandelde men elkaar als zodanig; hier werd Kim door anderen geaccepteerd, zonder meer. Van enige inbeelding over de amoureuze intentie van die knappe jongeman was bij Kim geen sprake.

Daar zaten ze nu, in het Paleis van het Volk op het Tiananmenplein, te midden van alle luxe, de 'proletarische rijkdom' of hoe je het ook moest noemen. Ze keken elkaar in de ogen en hun gegiechel vlocht een krans van onbevangen plezier en gelukzaligheid om hen heen.

Ze huppelden de ene zaal uit, de andere in, niet langer specifiek naar een spel kijkend, maar gewoon doelloos genietend. Ze wentelden zich in de onaardse sfeer van vrijheid en luchtigheid. Af en toe, wanneer Lian er in haar verrukking even bij stilstond, zag ze hoe Kims oudemannetjesgezicht doorsneden werd met lachrimpels. Ooit zou er een tijd komen dat ze genoeg te eten had en er gevulder uitzag, daarvan was Lian overtuigd. Ze draaide in het rond en liet deze overtuiging tot haar hart en hoofd, tot haar hele wezen doordringen. Op dit moment, in dit toverpaleis, leek alles mogelijk en eenvoudig te bereiken.

De kracht van het verbod

Zoals afgesproken, logeerde Kim bij Lian thuis. Lians ouders stonden niet toe dat Kim midden in de nacht in haar eentje naar huis liep. *Op fluwelen poten* slopen ze de flat binnen, maar Vader hoorde hen; hij was speciaal voor hen opgebleven. In zijn gestreepte pyjama kwam hij Lians kamer binnen en fluisterde: 'Leuk gehad? Zeker veel gespeeld en gezweet. Mama heeft water voor de douche opgewarmd en de radiator in de badkamer is al aan. Wees voorzichtig en maak geen lawaai. Ze slaapt al.'

Lian deed de deur achter Vader dicht en zei tegen Kim: 'Ga jij je maar douchen. Ik heb vanavond niet zo veel gezweet als jij, maar ik ben wel doodop. Ik poets mijn tanden wel hier bij de wasbak en ga direct naar bed.'

Kim wreef met haar handen over haar plakkerige gezicht en stond blijkbaar in dubio. Aan de ene kant zou ze dolgraag een lekkere douche nemen, maar aan de andere kant vertrouwde ze de zaak niet. Volgens haar zat er een addertje onder het gras – dat je je thuis kon baden was in haar ogen al iets ongelooflijks, en daarom alleen al eng. Daar kwam nog bij dat ze in de onbevattelijke, luxueuze badkamer aan haar lot zou worden overgelaten – wie weet wat voor griezeligs haar daar te wachten stond. Ze zei: 'Als jij niet meegaat, douch ik me ook niet.'

Lians vermoeidheid maakte meteen plaats voor kwaadheid: 'Kim, ik weet dat je zelden de kans hebt om een bad te nemen... Sorry, ik wilde je niet beledigen, zo goed ken je me wel, toch? Nu heb je de kans te douchen en je laat haar schieten!'

Maar de koppige Kim maakte zich gereed om in bed te kruipen. Ten einde raad speelde Lian haar laatste troef uit: 'Er is maar één douchekop en de douchebak is klein.'

Kim gooide haar deken op het bed en keek Lian aan alsof ze zeggen wilde: als je niet mee wilt, zeg het dan; je hoeft geen doorzichtige smoes te verzinnen. Opeens snapte Lian waar Kims verontwaardiging vandaan kwam. In het openbaar badhuis was het de gewoonste zaak van de wereld om met zijn vijven onder één douchekop te staan. Van gêne om voor de ogen van velen in je blootje te staan was geen sprake. Lians slaperigheid was op slag verdwenen. Ze zou zo genieten als Kim zich lekker in een privé-badkamer kon douchen. Dus zei ze: 'Oké, ik kom met je mee.'

De radiator had zeker al een uur aan gestaan, want een hittegolf kwam hen tegemoet zodra ze de badkamer binnentraden. Kim schoof de enige kruk in Lians richting, zodat zij daarop kon zitten om zich uit te kleden. Zelf deed ze staande haar kleren roef-roef uit en hing ze aan een haak op de deur. Ze draaide zich om naar de douchekop, niet wetend of ze hem zelf mocht bedienen en zo ja, hoe. Uiteindelijk wendde ze zich naar Lian, ongedurig wachtend totdat die ook klaar was...

Schaamte voerde de hitte op. Lians gezicht en haar hele lijf brandde. Vreemd, dit was nog erger dan toen Liqiang naar haar had staan staren op die onvergetelijke zondagochtend, terwijl Kim toch een meisje was. Hoe kon dat nu? Met de handen voor de borst geslagen – ze had haar hemd nog aan – haastte ze zich om de douche voor Kim aan te zetten.

Sjaaa! Waterstralen hebben geen ogen. Ze wisten niet dat Lian zich nog niet helemaal had uitgekleed – ze plensden haar van top tot teen nat. De dunne onderkleding plakte tegen haar huid en tekende alle rondingen en details van haar lichaam meedogenloos af.

'Haha! Kijk dan! Je lijkt wel een kip die per ongeluk in de soeppan gesprongen is. Ik wou je nog zeggen dat je eerst je kleren uit moet trekken voordat je de kraan…'

Kims woorden bevroren op haar lippen. Haar ogen gleden langs de ups en downs van Lians lichaam…

Gedurende een paar eindeloze seconden stond Kim roerloos en zonder schroom naar haar boezemvriendin te turen. Lian voelde haar lichaamsdelen rijzen en dalen; ze was zich maar al te zeer bewust van haar eigen lijf. Naast haar gedachtewereld, waarin ze haar leven lang aan het wroeten was, had ze zo te zien ook nog een 'vleselijk omhulsel', en dat had blijkbaar op zich al een betekenis. Zonder dat ze iets hoefde te zeggen of te denken of te doen, kon dat omhulsel, dat nu rijp en vrouwelijk was geworden, een boodschap naar iemand toezenden en daardoor een verandering in de gemoedstoestand van die ander teweegbrengen…

Sjaaa… Het geluid van de waterstraal herinnerde hun aan hun bestaan. Kim snelde erop af. Lian pelde de drijfnatte kleren van haar lijf en daar stond ze, met al haar maagdelijke geheimen blootgesteld aan de persoon aan wie ze haar hart verloren had. Lian wist niet of ze moest bukken en doen alsof ze zich inzeepte, of juist rechtop blijven staan. Ze kon niet besluiten of ze zich nu voor haar lijf moest schamen of er juist trots op moest zijn. Kims houding was de beslissende factor. Uit het hakkelende wijsje dat Kim stond te zingen begreep Lian dat haar vriendin ook de kluts kwijt was. Het ene moment gluurde ze gretig naar Lian, alsof ze haar met huid en haar wilde opeten, het volgende moment wierp ze Lian een nonchalante blik toe in de trant van: waar zit je aan te denken? Ik ben me aan het douchen, meer niet. Snel, anders liggen we nog later in bed.

Ook Lian keek met vluchtige en nieuwsgierige blikken naar het lichaam van haar vriendin. Kims borstkas leek wel een wasbord; de dikste plekken op haar lichaam waren de knokkels; en haar huid was net een lap geelgroen keukenpapier: grof, rimpelig en sterk absorberend. Op Lians huid vormde het douchewater flonkerende druppeltjes, terwijl Kims lichaam het water als een spons opzoog. De drang om Kims magere lichaam in haar gevulde armen te sluiten werd haar bijna te sterk. Ze moest een paar keer diep ademhalen om te verhinderen dat ze aan dit wilde verlangen zou toegeven. Moederinstinct? Of was het iets anders…?

Zachtjes sloten ze de deur van de slaapkamer. Ze schoven de twee eenpersoonsbedden tegen elkaar aan en maakten er één groot bed van, zomaar, zonder overleg, alsof ze over deze gewaagde stap reeds uitgebreid nagedacht en gediscussieerd hadden.

Toen Lian in bed ging liggen, was ze gespannen als een pianosnaar. Kim lag naast haar, net zo gespannen en verstijfd. Een lange, ondoorgrondelijke stilte lagen ze daar. Lian kon niet meer denken. Tevergeefs probeerde ze zich te concentreren en erachter te komen wat Kim op dit ogenblik voelde of dacht. Na wat een eeuwigheid leek, draaide Kim zich naar haar om en legde haar hand zachtjes op Lians buik. Lian hield haar adem in. Ze durfde zich niet te verroeren en probeerde te raden wat Kim wilde. Maar dat deed Kim waarschijnlijk ook.

Er kwam een moment dat Lians langdurige bewegingloosheid Kims moed in de kiem smoorde. Uiteindelijk gaf Kim Lian een verwijtende stoot tegen haar zij. Het was natuurlijk geen echt verwijt – het was eerder een soort liefkozing. Nee… het was meer. Ze onderdrukte haar behoefte om Lian te strelen met geweld, omdat die omgeslagen was in zelfbeschuldiging – haar verlangen was immers een verboden verlangen.

Kim doorbrak de pijnlijke stilte: 'Nu moet je me iets vertellen…' Ze draaide zich op haar rechterzij en keek Lian recht in de ogen, '…over je leven in het strafkamp. Ik heb je er nooit naar gevraagd. Ik *wilde niet in je keuken kijken.*'

Lian schrok. 'Wat valt er over te zeggen? Het is een gesloten boek. Een mooi boek, dat wel, maar het is nu eenmaal voorbij. Ik ben nu hier. Ik hoor in de stad, in dit vrije leven, bij mijn leeftijdgenoten.'

'Wat zei je? Hoezo mooi? Het was toch een soort gevangenis?'

'Niet alleen. Of misschien niet voor mij. Ik heb daar de beste leraren voor alle vakken gehad, allemaal professoren en hoogleraren. Ik werd gewoonweg in de watten gelegd. Professor Qin was de beste geschiedenisleraar die je kunt krijgen, en ik werd vertroeteld door tante Maly, mijn lerares Engels, en door oom Kannibaal…'

'Kannibaal? Wat een rare naam!'

'Dat was zijn bijnaam. Maar het was wel de liefste man van de hele wereld.'

'Blijkbaar heb je erg geboft.'

'Zeg dat wel. Nou ja, er gebeurden ook vervelende dingen, hoor. Per slot van rekening zat ik niet in een pretpark of zo.'

'Wat voor dingen?'

'Ze… ze waren niet zo aardig voor de mensen, heel gemeen soms, ook tegen dieren.'

'Maar dat is toch overal zo?' Kim rolde haar ogen omhoog. 'Waar zijn de mensen nu aardig voor elkaar?'

'Toch was het anders dan bij ons op school, zoals ze tegen jou doen bij voorbeeld.'

'Wat bedoel je?'

'Nou ja, die etters van onze klas schoppen jou alleen maar tegen je achterwerk. In het kamp waren de bewakers veel gemener, echt grotemensentreiterij. Er was een doctor in de psychologie, echt een lieve man hoor, en die noemde ze 'het Roze Varken', alleen omdat ie een beetje dik was. Dan moest hij voor de ogen van honderden gevangenen zakken kunstmest los stampen. De bewakers gierden van de pret – net een stel hyena's.'

Kim hield zich doodstil. Lian hoorde haar alleen slikken. Het was heel koud in de kamer.

Lian aarzelde. Ze keek de andere kant op en zei: 'Laten we gaan slapen. Een andere keer vertel ik wel meer. Vind je het niet erg?'

Kim stak haar hoofd onder Lians gevouwen armen door en vlijde zich tegen Lians schouder. Nu was Lian niet bang meer.

❧

De ochtendgloed penetreerde de vitrage, die zacht trilde in de wind. Nu pas zag Lian dat ze gisternacht vergeten was de overgordijnen dicht te trekken. Perzikrode zonnestralen, bewerkt door de geborduurde vitrage, beschilderden de kamer met afwisselende bloemdessins – niet zoals ze gewend was met keurige, hoekige strepen.

Naast haar werd nog iemand wakker. Kim leunde op een elleboog en bekeek Lian. Lian voelde haar blik, maar deed alsof ze nog sliep. Ze wist wel zo ongeveer wat Kim zag: 's ochtends waren haar wangen altijd een beetje roze van de slaap. Haar lippen waren waarschijnlijk rood, haar gezicht ontspannen en misschien wel... teder... Waarom dacht ze dat?

Kims warme adem kwam dichterbij. Lian hoopte zo dat Kims gezicht het hare zou aanraken! Haar gezicht stond in brand. Maar toen het bijna zover was, kwam de angst die zich de afgelopen nacht teruggetrokken had weer boven. Het benauwde haar zozeer dat ze bijna stikte. Meteen opende ze haar ogen. De droom was verbroken. *Een blinde giraf staarde haar aan.*

Kim ging weer liggen en de twee begonnen te praten. Over de lessen op school en over de komende toetsperiode. Ze waren weer twee kameraadjes tussen wie niets was voorgevallen.

Kim zei: 'Je zou me toch verder vertellen over het strafkamp?'

Daar kon Lian niet onderuit. En ze wist precies wat ze Kim moest vertellen, hoe moeilijk ze het ook vond.

'Een paar dagen voor Chinees Nieuwjaar,' begon ze, 'zouden we met zijn allen naar het dorp Taohua Zhen gaan, waar een grote nieuwjaarsmarkt gehouden werd. Het lag tien kilometer verderop en we moesten heel vroeg op...' Lian rilde. Weer voelde ze de stijfbevroren, hobbelige landweggetjes onder haar voeten. '...Na een kilometer of twee begonnen onze voeten al pijn te doen, maar dit deed niet in het minst afbreuk aan onze opwinding. Inkopen doen voor het grootste feest van het jaar en een vier dagen durend verlof in het vooruitzicht hielden ons op de been.' Ze zwaaide met haar handen in de lucht, alsof ze zich moest weren tegen de dwarrelende sneeuwvlokken in de vaalblauwe lucht. Ze stak haar vingers in haar oren: 'We konden het vuurwerk al horen. Dus ver kon het niet meer zijn...'

Lian vergat helemaal waar ze was. Ze zag de gebeurtenissen van die dag glashelder voor zich. Haar ogen werden wazig...

'Blijf bij mij in de buurt,' waarschuwde Moeder haar van tevoren, 'het wemelt daar van de vreemde mensen.'

Het oorverdovend geschreeuw van aanprijzen en afdingen, het knallen van vuurwerk, de felgekleurde dracht van de boerinnen en hun kinderen, de rustieke nieuwjaarsprenten, dat alles vrolijkte het barre winterse landschap op. Lian kwam ogen en oren te kort.

Ia-ía. Lian sjorde Moeder mee om de ezel te kunnen zien.

'Wacht even, meisje. Mama moet nog eieren kopen. Daarna gaan wij samen naar de veemarkt. Afgesproken?'

'De-li-ca-tés-se voor het nieuwjaarsavondmaal : vérs apenvlees!' riep een zwaargebouwde koopman op een straathoek.

'Mama, hoort u dat? Die rotzak verkoopt apenvlees!'

'Sjt! Kom, we gaan naar de veemarkt.'

Hó, wat een hoop mensen stonden er rond de apenverkoper. Het leek wel een circus. Lian bukte zich, zodat ze onder de armen van de grote mensen naar voren kon gaan. Er stonden vier kooien, met in elk twee levende aapjes.

'Pas in de bergen gevangen! Mijn broer weet precies in welke uit- gehoolde boomstam hij een apengezin kan vinden! Is het niet zalig om het nieuwe jaar in te luiden met een heerlijk bord roodgeroosterde apenfilet?' De verkoper schuimbekte en zocht met zijn ogen naar een potentiële klant onder de omstanders.

'Hoeveel kost dat?' vroeg een oudere vrouw met een rieten mand aan haar arm.

'Speciale prijs voor ú : vijf yuan per kilo!'

'Man, ga de luiers van je kinderen wassen! Verspil je tijd niet op de markt; geen hond wil je peperdure waar hebben. Kijk eens naar die scharminkels! Ze hebben twee maal zo veel botten als vlees. Vijf yuan per kilo! Je denkt zeker dat je smeüig mensenvlees in de aanbieding hebt!'

'Hé, oudste zuster, kraak mijn koopwaar niet zo af! De apen lijken misschien wat magertjes, maar hun vlees is mals als boter. Het zijn echte baby-aapjes. Mijn broer heeft net zo lang gewacht tot hun moe- der de boomstam verliet om naar voedsel te zoeken; toen pas haalde hij het nest leeg. Maar enfin, het is tenslotte bijna Nieuwjaar en ik wil ook wel eerder naar huis : vier yuan per kilo dan.'

'Drie.'

'Drie vijftig.'

'Vooruit dan maar.'

Hij pakte een ketel kokend water van een kacheltje dat achter hem stond en vroeg: 'Welke wil je hebben?'

'De dikste daar.' De vrouw wees naar een angstig kijkend aapje in een van de kooien.

'Zo gepiept.' De verkoper goot het kokende water over het bruine aapje, dat onmiddellijk een serie hartverscheurende kreten uitstootte: 'Tjia-tjia!' Een wolk van stoom steeg van hem op, terwijl het gloeiend-hete water van hem afdroop. Zijn gezicht trok zich samen en zijn smalle armpjes en beentjes beefden spastisch van de pijn. Het gegil was niet om aan te horen. 'Iíie-ííi!' klonk het uit zijn dichtgeknepen keel. Ten einde raad plukte hij de haren uit zijn lichaam, huilend en om hulp roepend. De tranen rolden langs zijn reeds kaalgeplukte borst. Nu hij in versneld tempo de rest van zijn lichaam kaalplukte, werd zijn vachtloze rossige lijfje zichtbaar. Binnen een paar minuten was hij een van top tot teen onthaard, kreunend, schreiend en rood aapje.

Dat was precies wat de apenhandelaar op het oog had – zo hoefde hij het diertje niet zelf te ontharen.

Daar hij merkte dat de pijn allerminst verlicht was, begon het baby-aapje zijn vel af te scheuren. Nu kwam de verkoper in actie, want een opengescheurde aap kon hij niet aan de man brengen. Hij opende de kooi, legde de krijsende aap op een stuk hout dat als snijplank fungeerde, en hakte – katch-katch – de aap in drie moten. Vervolgens wikkelde hij het lijkje in een oude krant.

'Twee kilo, dat maakt zeven yuan. Eet smakelijk, oudste zuster.'

'Wie wil er met mij een aap delen? Een hele krijgen Die Van Mij Die Met Duizend Messteken Gelyncht Moet Worden en ik niet op,' vroeg een jonge vent aan de omstanders.

'Ikke,' antwoordde een oude meneer.

De aap die met het vorige slachtoffer een kooi gedeeld had, bonkte met zijn hoofdje tegen de spijlen, schreide en smeekte om genade. Met zijn tengere vingers bedekte hij zijn ogen, alsof hij zodoende zijn eigen lot niet hoefde aan te zien.

Het bloed steeg Lian naar het hoofd en het was alsof haar schedel van razernij uit elkaar zou barsten. Ze vloog de verkoper aan, schopte zijn ketel kokend water omver en zwaaide als een bezetene met haar armen. Ze wist niet waar ze de moed vandaan haalde, maar schreeuwde: 'Politie, politie! Grijp de moordenaar! Hier! Ooms en tantes, ziet u niet dat het een béul is? Help mij dan toch, we moeten hem arresteren! Slacht míj maar af, als jullie per se apenvlees met Nieuwjaar willen vreten!'

*Brandende tranen vertroebelden haar zicht en ineens voelde ze
niets meer...*

Kim sloeg haar armen om Lian heen en huilde met haar vriendin mee. Zij verwarmden elkaar met hun lichaam; er was niets
meer tussen hen in.

～

Na het ontbijt wilde Kim meteen naar huis; op de tweede
dag van Chinees Nieuwjaar was er thuis veel te doen, beweerde ze.

Lian liep zwijgend met Kim mee. Bij de de poort van de
campus pakte Kim Lians handen vast en zei: 'Dit waren de
mooiste dagen van mijn leven.' En ze lachte geluidloos. Net als
Lian.

Een vreemde vergadering

Toen Lian thuiskwam, trof ze een zitkamer vol mensen aan.
Moeder liep als een dronken tor in het rond en de rest rookte
of wrong zich de handen. Lian begreep eerst maar nauwelijks
wat er aan de hand was. Ze was nog helemaal in de ban van de
glamour en glitter van het galafeest van gisteravond en fronste
haar wenkbrauwen nu ze de grauwe, in lompen geklede troep
zag.

Haar verwarring duurde niet langer dan een seconde. Ze
riep: 'Oom Qin! Tante Maly! Oom directeur Gao! Oom Fu!
Wat een verrassing! Wat een geschenk van Boeddha om u allemaal terug te zien!'

Hierop draaide het hele gezelschap zich naar Lian. Ze lachten – kort. Te kort, vreemd kort. Lian pakte Qin bij zijn middel
en wreef haar gezicht tegen zijn jas. De geur bracht haar de
stoffige landwegen in herinnering, de eindeloze graanvelden
en de staalblauwe lucht boven het kamp.

Qin duwde haar hoofd naar rechts en zei: 'Moet je je andere
ooms en tantes niet groeten?'

Met tegenzin rukte ze zich uit de vertrouwde warmte van
de taaie geschiedkundige los en bood zich, de armen gespreid,
aan tante Maly aan.

Maly nam Lians gezicht tussen haar grove, verdroogde handen: 'Het doet me deugd dat de jonge generatie het kamp bespaard blijft.'

Lian bezag de lieve ogen van Maly, haar getaande, maar zachte gelaatstrekken; tante Maly keek haar aan met een blik vol heimwee en streelde haar wangen als betrof het de bladeren van een waterlelie. Ze werden er allebei stil van.

Toen ze directeur Gao zag, wist ze niet wat ze moest doen. Hoe kon het dat hij zo lief voor haar was geweest, en daarna…? Ahuang… Iedereen keek naar haar. Ze groette hem beleefd en verlegen, en wendde zich zo snel mogelijk tot Fu. Oom Fu was de enige die zat. Hij zat erbij als een notulist, de pen in de aanslag. Ze omhelsde hem onhandig en draaide zich om – wat was er eigenlijk aan de hand? Wat deed iedereen hier? Wat zat Fu te schrijven?

Alsof de komst van Lian niets had teweeggebracht, begon professor Qin te spreken. Hij dicteerde: 'De trouwe dienaar van de Communistische Partij, onze revolutionaire strijdmakker Changshang Luo…' Hij keek afwachtend naar de kampdirecteur. 'Mogen we een gevangene "revolutionair" noemen? Ik hoop van wel, want… want dit is waarschijnlijk de laatste keer dat we eer kunnen betonen aan deze zeldzaam fijne man…' Tjeee! Hij snoot zijn neus en keek de andere kant op.

Lian zakte door haar knieën. Ze keek van het ene bedroefde gezicht naar het andere. Wat was dit? Ze wilde het uitschreeuwen: hij is toch niet dood, hè? Oom Kannibaal is toch niet overleden, hè?! Ze schudde haar hoofd en richtte het vervolgens naar boven: ze begon te bidden… Oom, alsjeblieft! Niet voordat we afscheid hebben genomen!

Ze snelde op Qin af en vroeg: 'Hij leeft nog, nietwaar? Hij is nog helder, hij kan nog praten. Ik wéét het.'

Qin hielp haar overeind en klopte haar zachtjes en lief op de rug: 'Sst, rustig maar. Waarom denk je dat we deze brief schrijven als oom Kannibaal hem niet meer zou kunnen lezen? Zo dadelijk gaan we samen naar hem toe en lezen hem dit voor, om hem te laten merken dat we…'

Maly onderbrak hem: 'Nou ja, luisteren… luisteren… Laten we hopen dat hij dat nog kan.'

'Ik ga mee. Ja, Mama?' Lian rukte haar winterjas van de kapstok en opende de deur.

'Wacht even! We zijn nog niet klaar met de brief.' Moeder liep haar achterna.

'Junxiang, laat haar maar gaan. Wat moet ze hier bij ons? Kannibaal wacht op haar.' Qins stem klonk ineens verrassend helder.

Maar Moeder negeerde Qins raad en stroopte Lian de jas van het lijf.

Lian werd wild. Ze trok aan haar jas. Toen ze hem niet uit Moeders handen kon bevrijden vloog ze zonder naar buiten.

Het Witte Geluk

Ze rende naar Ziekenhuis Nummer 14 en zocht de hoekkamer op de tweede verdieping. Het was alsof ze de route al tien keer had afgelegd – in haar droom, misschien? In ieder geval wist ze precies waar ze Kannibaal kon vinden.

Voor zijn kamer hield ze stil. Uit de spleten van de houten deur ontsnapte de doordringende geur van ontsmettingsmiddelen. De geur was zo intens dat hij haar opborrelende gedachten en gevoelens verdoofde. Het enige waar ze nu aan kon denken, was de confrontatie met Kannibaals dood, of zijn naderende dood.

Lian klopte op de deur en het bleke gezicht van tante Xiulan verscheen. 'Ha!' Er ontsnapte een schrille kreet aan haar keel. Maar meteen hierop kneep ze met duim en wijsvinger haar lippen tegen elkaar. Blosjes van opwinding sprongen op haar wangen; ze draaide zich om en wapperde met haar handen achter haar rug – een teken dat Lian haar moest volgen.

Ze volgde tante Xiulan naar een wit bed bij het raam, waardoor overweldigende zonnestralen het vertrek binnendrongen. Lian moest haar ogen samenknijpen om er niet door verblind te worden. De typische geur van ether had blijkbaar een zuiverende werking – hoe dichter ze bij het bed kwam, hoe kalmer ze werd.

'Shan! Shan, kijk eens wie er gekomen is!' riep tante in Kannibaals oren.

In het bed lag een hoofd, alleen maar een hoofd, leek het. Van de contouren van de rest van zijn lichaam was nauwelijks iets te zien – al was het laken nog zo dun. Oom was een *pit van een mens* geworden! Ze moest denken aan een perzik waarvan het vlees was weggerot tot slechts de bruine pit overbleef. Ze moest zich inhouden om niet te kreunen: o, mijn dierbare verlichter, leraar, vader en liefste op aarde is bijna een schim geworden! Ze liep naar het hoofdeinde.

Kannibaal sloeg moeizaam zijn ogen op toen tante hem nog een keer riep. Eerst was zijn blik troebel, maar langzaam schoof de mist als een gordijn opzij, totdat zijn heldere pupillen te zien waren. Maar nu werden zijn ogen opnieuw wazig...

Onder het laken bewoog iets. Tante begreep het meteen en tilde een hoek van het laken op: zijn rechterhand.

'Liantje, zie je dat oom Changshan je herkent en je een hand wil geven?' Ze legde haar mond tegen zijn oor en zei: 'Het is goed zo, Shan. Lian snapt wel dat je haar wilt begroeten.' Ze droogde zijn ooghoeken en wendde zich tot Lian: 'Kijk hoe heftig zijn borstkas op en neer gaat. Hij verzamelt al zijn adem en kracht om je te spreken... Je hebt er geen idee van hoe vaak hij over je *gedaoniand* heeft...'

Nu pas kon Lian huilen. Ze legde haar gezicht op het deel van het laken waaronder zijn hand lag te beven. Dwars door de stof heen voelde ze de kilte van zijn ledematen. Ze kuste het laken, in de hoop dat haar warmte op de een of andere manier in zijn aderen zou overvloeien.

Een verpleegster liep op haar tenen de ruimte binnen en riep tante naar buiten.

'Ehn, ehn...' Lian hoorde een zwakke echo van de stem die ze zo goed kende tegen haar zeggen: '...Met Nieuwjaar mag niemand huilen.' Toen ze naar hem opkeek, zag ze een vage, maar stralende glimlach op zijn uitgemergelde gelaat. Meteen stond ze op en legde haar lippen tegen zijn oor: 'Oom, haat u me nog?'

'Foet, foet!' hijgde hij en vlijde zijn gezicht tegen het hare. 'Mijn zonnetje, mijn Liantje, hoe... hoe kom je erbij? Ik heb jou nooit gehaat... alleen mezelf... Mijn meditatiemeester in de Qingyuntempel heeft me gezegd... dat het voornaamste doel van deze levensreis van mij is... de zeven gevoelens... en zes verlangens te overstijgen... Zie je, het is me... het is me niet gelukt. Liantje, mijn sterretje, je bent te... te...' Hij snakte naar adem.

Lians knieën botsten tegen elkaar: 'Oom, praat niet zo veel – u wordt veel te moe!'

Kannibaal knipperde met zijn ogen en ging verder: 'Kun je... wil je voortaan alleen maar aan de goede dingen denken die je oom voor je gedaan heeft... en hem de rest vergeven? Mijn Lian-naaa... Ik wil met een licht hart vertrekken...'

'Natúúrlijk vergeef ik u! Maar, oom, wát en waarom moet ik u eigenlijk vergeven? U bent de beste, liefste mens die ik ooit heb gekend. Nee, u gaat niet weg, oom, ga alstublieft niet dood.'

Hij rolde zijn hoofd van links naar rechts en toverde de breedste lach te voorschijn waarover hij nog beschikte: 'Lian, mijn zonnetje, weet je wat voor dag het vandaag is? Het is Nieuwjaar. Vandaag word ik herboren. In het Nirwana zal ik je zien wanneer ik maar wil. Dan hoef ik je nooit meer te missen...'

Even dacht ze dat hij erop doelde dat zij zo lang verzuimd had hem op te zoeken. Ze maakte een kowtow voor hem: 'Oom, vergeeft u mij mijn harteloosheid?'

Er rolde een druivengrote traan uit zijn oog. Hij zei: 'Lian, je hart is zuiverder dan de ochtenddauw op een bloemkelk... mooier dan de helmdraad van de azalea. Hoe kom je erbij over harteloosheid te praten?'

Ze vloog hem om de hals en kuste zijn koortsige lippen.

'Hjemmm,' zuchtte hij. Zijn ogen schitterden.

Toen Lian weer overeind stond, voelde ze tante achter zich. Xiulan aaide haar over de bol en zei: 'Nu kan je oom met een gerust hart zijn voorouders ontmoeten. Changshan, mijn hele leven heb ik mezelf verweten dat ik je geen enkel kind heb kunnen schenken. Vandaag heb je tenminste Liantje, die als een dochter voor ons is, voor je sterfbed staan. Boeddha is barmhartig...' Ze huilde zonder gêne.

'Xiulan... *Het Witte Geluk*... weet je nog? Zo noemen ze het doodgaan toch? Lach, alsjeblieft, jullie beiden. Ik... ik wil jullie vrolijke gezicht in mijn geheugen graveren...'

Tante en Lian lachten in elkaars armen door hun tranen heen. En vreemd genoeg voelde Lian zich ook werkelijk gelukkig. Maar het werd blijkbaar tijd. Tante moest haar wegsturen: 'De verpleegster heeft me net medicamenten gegeven. Ik moet oom verzorgen.'

De azuurblauwe hemel hield zich koud en afstandelijk. Het vale zonlicht kon het niet winnen van de ijzige wind. Oom Kannibaal was al een week dood, zomaar zachtjes weggezakt in wat zijn lichaam verteerde. Lian klappertandde toen ze het huis uitliep. Het was pas zeven uur, te vroeg om al naar school te gaan. Maar ze had het in haar bed niet langer uitgehouden en tegen Moeder gezegd dat ze buiten in de boomgaard haar Engelse woordjes ging leren.

De kale donkerbruine takken staken haarscherp af tegen het wit van de lucht. Ze deden Lian denken aan knokige skelettenvingers die uit een graf naar buiten kropen. Ze rilde. Hoe kwam ze bij zo'n krankzinnig visioen? Ze schopte tegen een afgebroken twijg, glinsterend van de rijpkristalletjes. Toen het takje onder haar voeten brak, stond ze plotseling stil. Ze begreep heel goed waar dit beeld vandaan kwam. Het zeurende gevoel in haar buik, dat nu al dagen aanhield en waaraan ze niet had willen toegeven, kwam tot ontploffing in de stille, kille atmosfeer. Vannacht had ze geen oog dichtgedaan – telkens had ze de foto van oom Kannibaal gezien, omlijst met een zwart lint.

Ze liet zich op de bikkelharde grond neervallen en haar dagenlang onderdrukte verdriet kwam naar buiten, verpakt in woede en vragen. Waarom had het lot haar oom Kannibaal afgepakt, zo snel, te snel, veel te snel? Ze blies een wolkje adem in haar bijna gevoelloos geworden handen en vroeg een uitgeklede perzikboom: 'Waarom doet de Barmhartige Boeddha mij zoiets aan?'

Geen antwoord.

Lian hield aan: 'Waarom worden we geboren, als we ook weer zullen sterven en wie ons dierbaar is in de steek moeten laten?' Ze huilde zachtjes.

Niets.

In de hoop dat deze zich niet stom zou houden, wendde ze haar blik naar een pereboom een stukje verderop: 'Oom zei dat de dood Het Witte Geluk is. Maar wist hij dan niet dat de ingewanden van tante Xiulan en mij in tientallen stukken zouden breken als hij ons zou verlaten? Waarom zei hij dat dan?'

Ook deze boom zweeg in alle talen. Nu kon het Lian niet meer schelen. Ze krabbelde overeind en hoorde zichzelf praten: 'Zou het kunnen dat de dood voor wie doodgaat een zegen is, ook al is het een vloek voor wie achterblijft? Zou oom Changshan werkelijk het absolute geluk zijn binnengegaan, zoals hij ons voorspiegelde?' Haar blik liet de bomen met rust en richtte zich omhoog, de dikke witte lucht in: 'Krijg ik nog antwoord of niet? Oom Kannibaal luisterde tenminste naar mij.'

Oom Kannibaal was weg, voorgoed, en zij had alleen de zwijgende bomen. Het bloed stolde in haar aderen.

Een unicum

Het was pas kwart voor acht, vijftien minuten voor aanvang van de les, maar het leslokaal was reeds vol en rumoerig. Iedereen stond op z'n plaats, gerangschikt naar kaste. Er werd over koetjes en kalfjes gekletst, terwijl ieders gedachte maar om één ding draaide – de cijferuitslag. In het laatste jaar van de onderbouw telden de punten bijzonder zwaar voor de eventuele overgang naar de bovenbouw.

Het werd vijf voor acht.

Drie voor acht.

Lian keek ongeduldig naar de deur: Kim was er nog steeds niet. Wist ze niet hoe belangrijk deze dag voor haar was, voor Lian, voor hen allebei? Jarenlang hadden ze zich hiervoor te pletter gezwoegd. En vandaag, nu het eindelijk zo ver zou zijn dat ze enige vonken van succes te zien zouden krijgen, kwam ze niet opdagen!

Nerveus keek Lian uit het raam. Ahá! Nu begreep ze waarom Kim er nog niet was: *het regende alsof Boeddha's ochtends vergeten was de kraan dicht te draaien.* Op ochtenden als deze wachtte Kim net zo lang met van huis gaan – in de hoop dat het op het laatste nippertje op zou houden met gieten – tot ze gevaar liep om te laat op de les te komen. Dan vloog ze als een raket naar school. De enige paraplu waarover de familie Zhang beschikte, was natuurlijk het alleenrecht van haar zus Jiening. Niet dat Kim bang was om nat te worden, ben je gek. Daar was ze veel te taai en stoer voor. Het punt was alleen dat wanneer ze de school binnenholde, de klasgenoten een extra kans zagen om haar te tergen: 'Zie je die waterrat? Kim heeft geen regenjas of paraplu nodig. Ze is gewend om in de sloot te zwemmen! Hahahaha!'

De goedkoopste paraplu kostte bijna tweeënhalf kuai. Daarvoor moest Kims moeder duizenden luciferdoosjes vouwen en lijmen, hetgeen haar dagenlang zoet zou houden, áls ze al een opdracht van de luciferfabriek los kon krijgen. Met zo veel geld kon je ruim tien kilo maïsmeel kopen, een week voedsel voor een gezin van vier monden. Om te voorkomen dat zo'n gigantisch bedrag in de lucht gegooid werd, had Kim het er ruimschoots voor over om door haar klasgenoten beschimpt en getreiterd te worden. Geen haar op haar hoofd dacht erover haar ouders te vragen een tweede paraplu aan te schaffen. Als het motregende was ze wel eens met een ingetogen lach op haar gezicht en heimelijke trots in haar hart met een paraplu aan komen zetten. Langzaam en zo sierlijk mogelijk liep ze dan het klaslokaal binnen. Tot Tieyan, een trut van de tweede kaste, op een dag Kims geheim ontdekte en er ogenblikkelijk ruchtbaarheid aan gaf. Toen had je de poppen aan het dansen.

Tiezhu, een jongen van de tweede kaste, zette een keel op: 'Daar hebben we háár weer! Die hoer die een tempel van kuisheid voor zichzelf wil laten bouwen! Kijk naar buiten! Waar heeft ze in die miezerregen een paraplu voor nodig?!'

Er viel even een stilte. Maar in een flits beseften de klasgenoten dat Kims zus het bij druilerig weer niet de moeite vond de paraplu te gebruiken, zodat Kim hem mocht lenen... Het was een publiek geheim dat bij de Zhangs Jiening de koningin en Kim de slavin was.

Tiezhu straalde, nadat zijn nieuws het bedoelde effect had teweeggebracht. Van de weeromstuit begon iedereen op het thema te variëren.

'Als Kim met een paraplu verschijnt, dan weten we dat het juist níet regent!!'

Het aanvankelijk aarzelende hoongelach zwol aan tot een lang en enthousiast gebulder.

Twee voor acht.

Dertig seconden voor acht.

Vijf seconden voor acht.

Het was alsof Kim op het pedaal van de schoolbel trapte. Precies om acht uur stormde ze het leslokaal binnen. Haar hoofd was tot de helft gekrompen: de doorgaans alle kanten uitstekende bos haar plakte als een laagje glanzend asfalt tegen haar schedel. Ze haastte zich met gebogen rug naar haar stoel en bleef er stofstijf zitten.

Mevrouw Meng opende haar map en het hart klopte de klas in de keel.

'Ping Chen: wiskunde 60, natuurkunde 70, scheikunde 55...'

De klas hield de adem in. Ping ademde voorlopig helemaal niet. Hij was blootgesteld aan een dubbele beproeving: enerzijds de gespannen afwachting van zijn examenresultaten, en anderzijds de reacties van de klasgenoten op zijn studieprestaties. Gelukkig behoorde hij tot de veilige middenmoot, die jaloezie noch minachting waard was...

De stilte die hierop volgde stelde de lerares in staat om probleemloos over te gaan naar de lijst van Jiajun Bai; pas nu liet Ping zijn schouders opgelucht zakken. Hij haalde diep adem en zijn paars geworden gezicht kleurde stukje bij beetje bij. Al wist hij uit ervaring dat zijn punten niet geweldig hoog of laag zouden zijn, zodat hij niet door de afgunstige klas doodgebeten of aan de schandpaal genageld zou worden, toch had hij een ondefinieerbare vrees gekoesterd, zoals een verstandig mens hoorde te doen. Bibberen was in zo'n situatie op zijn plaats. Als Ping eerlijk was, moest hij erkennen dat de reactie van de klas op zijn cijfers hem meer angst had ingeboezemd dan de cijfers zelf.

Lian voelde zich hoogst ongemakkelijk tijdens dit soort ritulen. Ze wist dat er iets niet klopte aan de manier waarop de cijfers 'uitgereikt' werden; volgens haar was het een inbreuk op de privacy en een verkrachting van de menselijke waardigheid. Maar wie was zij om zo te denken? Haar klasgenoten zaten zwijgend te luisteren; geen spier in hun gezicht verried afkeuring. Blijkbaar lag het aan Lian zelf. Misschien was het wel abnormaal om behoefte te hebben aan privacy en respect. Net als bij haar afkeer van het dubbeldenken, de alomtegenwoordige hypocrisie en de passie om elkaar het licht in de ogen niet te gunnen, scheen ze een van de weinigen te zijn die er moeite mee had. Als ze daar iets over zei tegen Qianyun of een van haar andere vriendinnen, snapten die niet waar ze het over had; erger nog, ze meenden dat er bij haar een schroefje los zat. Lian zat tussen twee vuren. Aan de ene kant wilde ze haar gedachten en gevoelens niet verloochenen, aan de andere kant wilde ze door haar vriendinnen geaccepteerd worden. De enige oplossing leek verbergen wat ze dacht en voelde en haar leeftijdgenoten naar de mond praten.

'Yougui Fang: wiskunde 30, natuurkunde 30, scheikunde 30, biologie 30, Chinese grammatica 30…'

Je zou verwachten dat de niets en niemand ontziende klasgenoten nu uit leedvermaak en absolute minachting in een bulderend geschater zouden uitbarsten. Maar nee, op dit ogenblik waren zij aan de beurt om voorlopig de adem in te houden. Ze keken schuchter Yougui's kant op en er verscheen een slaafs, slijmerig lachje op hun gezicht. Dat was ze geraden ook, want ook al snapte Yougui helemaal niets van de leerstof, in de klas genoot hij groot aanzien: hij zou er niet voor terugdeinzen iemands hoofd open te kraken, diens benen te breken en hem te geselen tot zijn huid drie maal zo dik was. Het was een publiek geheim dat hij altijd een zweep bij zich droeg, hetgeen door de leraren oogluikend geduld werd. Met Yougui viel niet te redeneren, omdat hij gewelddadig werd zodra hij niet meer wist wat hij moest zeggen – en dat was al snel het geval.

Pjá! Pjá! Yougui sneed met zijn zweep de gespannen luchtkoek van het leslokaal in vieren. Hij gierde het uit: 'Haha, ik neuk je grootmoeder van vaderskant! Ik heb weer vreselijk lage klotecijfers gekregen! Wat vínden jullie ervan?' Hij liet zijn uitdagende blik over de hele klas gaan, met zijn zweep in de aanslag om ieder die hem durfde te bespotten een bloedige striem te verkopen.

Yougui's vader was koetsier van een paard en wagen die landbouwproducten van het platteland naar Peking vervoerde. Het was een echte boerenarbeider en Yougui derhalve een bloedzuivere derde-kaster. Armoede, duidelijke tekenen van ondervoeding en beroerde studieresultaten achtervolgden hem als zijn tweelingbroer, iets dat hij gemeen had met velen van zijn kastegenoten. Maar hij had niet te lijden van het soort vernederingen en treiterijen waaronder Kim gebukt ging, omdat hij voor terreur koos. Hij slaagde redelijk in zijn opzet; dat bleek wel uit het feit dat niemand op school die geen bandieten als ruggensteun had, hem oneerbiedig durfde te behandelen. Wat dat betreft vormde hij een contrast met Kim, die te veel fatsoen en geweten had om de oplossing te zoeken in geweld. Zo te zien beschikten derde-kasters over twee soorten overlevingstechnieken: zich laten pijnigen of zelf anderen pijnigen. Een tussenweg bestond niet.

Een loodzware stilte hing over het leslokaal.

Mevrouw Meng begon zo snel mogelijk de cijferlijst van de

volgende leerling voor te lezen om de aandacht af te leiden. Yougui grijnsde triomfantelijk in het rond en rolde zijn zweep tergend langzaam op. Met veel gevoel voor theater ging hij weer zitten, met zijn benen wijd. Je kon hem nog horen navloeken.

'Kim Zhang... wiskunde 90, natuurkunde 100, scheikunde 90, biologie 80, Chinese grammatica 90...'

Lians hart sloeg een slag over. Kim had het gemaakt! Na jarenlange pogingen had Kim eindelijk bereikt wat zij voor ogen hadden gehad. En haar studieresultaten waren niet zomaar goed – ze waren bijna perfect! Tot dan toe was er nog geen sprake geweest van iemand die een 100 haalde, voor welk vak dan ook, laat staan voor zoiets moeilijks als natuurkunde! Lian keek met onverhulde trots naar haar vriendin.

Kim had al vroeg geleerd haar gezicht in de plooi te houden. Ze keek mevrouw Meng onaangedaan aan. Ze had haar punten gehoord; werd het niet tijd om door te gaan met het voorlezen van de cijfers?

Maar natuurlijk kon de lerares deze prestatie niet onopgemerkt laten passeren. De leerling die tot nog toe doorging als de slechtste van de klas, haalde zúlke cijfers? Ze zette haar bril recht en zocht naar woorden. Ze wierp een vluchtige blik op de klas en concludeerde dat het voorlopig geen zin had om de orde te herstellen. Iedereen kletste links en rechts met zijn buren – ze deden niet eens moeite wat zachter te praten. Verbazing stond op hun gezicht te lezen: Kim, ons pechvogeltje, heeft opeens zulke uitmuntende studieresultaten?! Waren zij nou gek of hoe zat dat? Dit was de wereld op zijn kop.

'Stilte! Stilte!' Mevrouw Mengs uitroep had niet meer effect dan het gezoem van een mug.

Kims harde gelaatstrekken leken zachter en milder te worden; af en toe keek ze niet zonder zichtbare voldoening naar haar klasgenoten. Maar mevrouw Meng was niet voor niets een lerares; ze had iets bedacht: 'Kim Zhang, sta op en vertel ons hoe je je leerprestaties verbeterd hebt.'

De klas leek wel een slecht afgestelde radio die door de geïrriteerde luisteraar plotseling was uitgedraaid; je kon een pluk haar horen vallen.

Lian bestierf het. In haar stoutste dromen had ze niet durven hopen dat Kim ooit gevraagd zou worden om als een overwinnaar haar succeservaringen met de klas te delen.

Twintig seconden gingen voorbij. Kim gaf nog steeds geen gehoor aan mevrouw Mengs uitnodiging. Maar niemand vond dat vreemd. Iedereen, Kim incluis, was verbijsterd. Kim kon haar oren niet geloven: zij, de vieste, zieligste derde-kaster van alle derde-kasters, viel de eer te beurt om als voorbeeldigste leerling de klas toe te spreken; de klas wreef zich de ogen uit – dit was ongehoord.

De lerares herhaalde haar verzoek en nu moest Kim er wel aan geloven. Ze schoof haar tafel iets naar voren, zodat ze meer ruimte had om te staan, leunde met haar armen op het tafelblad en richtte zich centimeter voor centimeter op. Het lenige en sterke meisje was ineens een zwak en stijf oud vrouwtje geworden. Ze liet haar hoofd hangen en van verlegenheid was haar tong in een knoop geraakt. Mevrouw Meng kwam haar te hulp: 'Wees niet bang. Ontspan je een beetje. Vertel ons gewoon hoe je je leerstof bestudeerd hebt, hoe je je achterstand zo fantastisch hebt kunnen inhalen.'

Kim keek de lerares aan en opende eindelijk haar mond: 'In het begin dacht ik dat het allemaal hopeloos was en dat ik nooit iets van de leerboeken zou kunnen snappen, maar stukje bij beetje brokkelde mijn negatieve overtuiging af, toen ik al was het maar één woord of zo van de leerstof begon te begrijpen...'

De rest van haar woorden was niet meer te volgen. Het rumoer in het klaslokaal zwol opnieuw aan. Iedereen was weer aan het kletsen. Ditmaal droop er een kwaadaardige grijns van het gezicht van de medeleerlingen. Lian ontwaakte uit haar roes. Wat zaten ze nu weer uit te kramen?

'Hihi, de apenkont heeft het over "toen-ik-al-was-het-maar-één-woord-of-zo-van-de-leerstof-begon-te-begrijpen"...'

Verbouwereerd bestudeerde Lian haar vriendin om erachter te komen waar de treiteraars het over hadden. Omdat Kims tafel in de eerste rij vooraan in de lesruimte stond, zag het merendeel van de klas slechts haar achterkant. Op het zitvlak van haar blauwe broek waren drie lagen o-vormige bruine lappen genaaid, die op een vreselijke manier afstaken tegen de blauwe achtergrondkleur en die inderdaad deden denken aan de roze billen van een gibbon. Tegen haar rug kleefden twee vlechten, die door de stortregen waarin ze naar school was gehold kletsnat waren geworden en nog altijd op haar jas uitdruppelden. Twee donkere strepen tekende zich af op de vale jas.

Pjá! Pjá! Yougui begon weer met zijn zweep te knallen en gilde het uit: 'De bedelaarster boft vandaag! Ze heeft een gouden klomp in de vuilnisbelt gevonden! Kijk hoe dolgelukkig ze is! Meer dol dan gelukkig! Dat stuk ellende is glad vergeten wat haar achternaam is!' Zijn woorden hadden effect; de klas lachte Kim uit volle borst uit en schold haar de huid vol.

Nu fleurde Yougui helemaal op. Hij vervloekte alles wat hem voor de geest kwam, van de amoebe tot de orang-oetan, van het Changbaigebergte in het noorden tot de Ali-berg in Taiwan, van de grootouders zaliger tot de achterkleinkinderen in de maak…

Kim klapte helemaal dicht, maar had niet door waar de klasgenoten om lachten. Toen ze zich verbaasd omdraaide, gierden haar medeleerlingen nog harder. Het lawaai dat ze veroorzaakten werd oorverdovend. Juist mensen zoals Yougui, die zeer lage cijfers hadden gekregen, werden hysterisch en putten kracht uit hun schaamte en afgunst. Sommige jongens begonnen ritmisch op hun tafels te slaan.

Mevrouw Meng wreef zich in de handen en leek even de kluts kwijt te raken in de chaos. Alleen uit de bewegingen van haar lippen kon Lian opmaken dat ze zoiets als 'stilte' zei. Ze gebaarde Kim weer te gaan zitten.

Kim zette zich neer…

Tong!

…op de steenkoude grond.

Iemand die achter Kim zat, had van de wanorde gebruik gemaakt om de stoel onder haar weg te trekken.

Een doodse stilte nam bezit van de klas.

Kims keuze

Het regende niet, maar de volgende ochtend was Kim één minuut voor acht nog altijd niet verschenen. Zou ze zo'n pijn hebben dat ze niet naar school kon lopen?

De lessen kropen voort, als met de pootjes van een schildpad. Lian had telkens het gevoel dat de klok stilstond, alleen om haar te tergen.

Op het moment dat de schoolbel de lunchpauze inluidde,

vloog Lian het gebouw uit, regelrecht naar de modderhuisbuurt.

In Kims huis was het een en al bedrijvigheid. Torenhoge stapels luciferdoosjes stonden op de vloer en Kim wedijverde met
haar moeder wie het snelst kon vouwen en lijmen.

Lian slaakte een zucht van opluchting. Ze verweet Kim: 'Je
hebt me vanochtend laten schrikken. Ik dacht dat je van de pijn
crepeerde en aan bed gekluisterd was.'

Kim veranderde van houding en klopte op haar linkerheup:
'Helemaal over is het ook weer niet, maar genoeg om klusjes
als deze te doen.' Ze ging onverstoorbaar door met vouwen en
lijmen en scheen geen behoefte te hebben om Lian uit te leggen waarom ze vanmorgen gespijbeld had.

Kims moeder verbrak de stilte: 'Mademoiselle Shui, je komt
uit een geleerd gezin en hebt meer verstand van dit soort zaken. Vind je ook dat Kim beter niet meer naar school kan gaan,
zodat ze mij kan helpen met geld verdienen? Kim zegt van
wel. Wat voor toekomst heb je nu als derde-kaster, hoe prachtig je schoolrapport ook mag zijn? Ik ben het met haar eens,
maar ja, wie ben ik? Ik ben een simpele ziel en weet alleen
maar dat hoe meer doosjes ik afwerk, hoe meer centen ik in het
laatje krijg…'

'Mam, verneder uzelf toch niet zo!' snauwde Kim. Ze smeet
de lijmkwast in de pot.

Kims moeder keek verongelijkt naar haar oudste dochter
en verdedigde zich: 'Kind, vanochtend vroeg je me nog wat ik
ervan vond als je zou spijbelen. En nu je beste vriendin gekomen is, mag ik haar niet eens om raad vragen?!'

Daar stond Kim, hoog op de kang waarop ze net nog rustig
doosjes had zitten vouwen, als een tijgerin, bereid om iedere
belager die poogde een hand naar haar kroost uit te steken aan
stukken te scheuren: 'Als je soms van plan was om een preek
te houden over de noodzaak van goed leren en over het schitterende perspectief dat een goede leerling heeft, bewaar je
ideeënbraaksel dan maar voor jezelf. Wees zo verstandig om
mij mijn gang te laten gaan, en rep voortaan met geen woord
meer van school. Ik ben het spuugzat. Van nu af aan zal ik
hoogstens op school verschijnen voor de afwisseling, als het
werk me hier de keel uithangt. Maar verwacht niet dat ik ook
maar een spiertje zal spannen om de les te volgen.'

Noch de catastrofe van Kims kampioenschap bij de Herfstspelen noch het fiasco na de stage noch de gevolgen van haar uitmuntende examenresultaten had Lian duidelijk kunnen maken tegen wat voor windmolens ze aan het vechten waren geweest. Nu Kim haar zwaard neerlegde en Lian waarschuwde haar niet meer aan hun gevecht te herinneren, had Lian niet langer de moed om te protesteren.

Lians zwijgen maakte dat Kims moeder zich ongemakkelijk begon te voelen. Ze klom van het bed en wilde water opzetten voor de thee.

'Doe geen moeite, mevrouw. Ik kan geen druppel door mijn keel krijgen.' Lian wierp een smekende blik op Kim, maar Kim ging onverstoorbaar door met haar klus en deed of Lian niet bestond.

Lian werd razend. Ze klom op het bed, hurkte naast Kim, keek haar diep in de ogen en zei dramatisch: 'Laf-aard...!'

Kim schrok. Dit was ze van Lian niet gewend. Ze stotterde: 'Zeg dat... zeg dat nog eens!'

'Ik zei dat je een lafaard bent. Hoor je mij nu wel? Je hebt geen gal in je blaas om bij de eerste de beste tegenslag af te haken.'

'Nu is het welletjes.' Kim schoof opzij en meed elk oogcontact met Lian.

Lian gooide het over een andere boeg: '*Behalve regen en hagel krijgen we niets van de hemel cadeau.* Voor alles moeten we hard werken en de weg naar succes is nu eenmaal bezaaid met rotsen van hindernissen...'

'Maar de weg waar jij op doelt, loopt dood.'

'Hoezo?'

'Weet je waarom het telkens misgaat, hoe geweldig mijn overwinningen ook zijn?'

Lian rilde over haar hele lijf en spitste haar oren. Ze bad stilletjes tot Boeddha dat Kim niet zou zeggen wat ze allang wist, maar steeds koppig bleef ontkennen.

Kim trok haar wenkbrauwen omhoog, als een oude monnik die het Nirvana ervaren had en maakte een grapje: '*C'est la vie,* lieve Lian Shui. Ik ben voor een dubbeltje geboren en zal nooit een kwartje worden. Derde-kasters worden nu eenmaal geminacht en vernederd. Alleen eerste-kasters zijn voor aanzien, lof en respect in de wieg gelegd.'

Lians hersenen draaiden op volle toeren; ze moest en zou

een lading tegenargumenten op Kim afvuren. Ze vroeg: 'Zo, en wat zeg je dan van Wanquan? Dat is toch ook een derde-kaster? Hij is maar mooi aangesteld als Secretaris van Propaganda.'

'Wanquan? Die is opgeklommen door zijn uiterlijk. Voor een derde-kaster is hij abnormaal knap. Brede schouders, een vierkant gezicht, gespierde armen en benen. Hij is helemaal niet zo mager als de andere hongerlijders van onze kaste. Daarom schonk mevrouw Meng hem die post. Heb je erop gelet wat voor cijfers hij meestal voor Chinese grammatica krijgt? Nooit meer dan een 60. Maak een houtworm wijs dat hij die functie heeft gekregen omdat hij zo goed is in het schrijven van propaganda-artikelen.

Waarom dacht je dat ik me met luciferdoosjes bezighoud? Om aan centen te komen. Ik heb mijn uiterlijk niet mee, maar ik kan wel wat aan mijn kleding doen. Kijk maar naar Tieyan. Haar gezicht heeft de vorm van een pompoen en de kleur van een aubergine, maar haar kleren zijn van synthetische stof. Dat scheelt. Wordt zij ooit gepest? Nou dan! Als ik een maand lang elke dag twaalf uur doosjes vouw, kan ik me ook veroorloven om een nieuwe jas te kopen. Dan maakt het niets meer uit of ik een 30 of een 100 haal.'

'Dit is het toppunt van waanzin!' Lian stond rechtop op het bed en schreeuwde: 'Als jij je wilt opstellen als een pop die behalve een mooi kleedje niets anders te bieden heeft dan vodden als vulling in haar buik, moet je dat zelf weten, maar verwacht niet dat je door wie dan ook gerespecteerd wordt! Zou jij van jezelf een hoge dunk hebben, alleen maar omdat je een dure jas draagt?'

Kim keek Lian verbitterd aan. 'Heeft het ooit iets uitgemaakt wat ik van mijzelf vind? Vanaf de eerste dag op de lagere school moet ik elke minuut van de dag links en rechts om me heen kijken, uit angst vernederd en afgeranseld te worden. Het is genoeg geweest. Ik sta het m'n klasgenoten niet langer toe me te sarren. Mooie kleren zullen hun de mond snoeren; ze zullen mij niet meer als een lelijke heks vervloeken. Wat is daar nou mis mee?'

Haar blik ging Lian door merg en been. Lian schaamde zich diep. Wie was zij om Kims hang naar chique kleren te veroordelen? In de ogen van een verwende eerste-kaster, die nooit voor haar klasgenoten op de vlucht hoefde te slaan, die nimmer hoefde te ploeteren voor dure kleren, was het spijbelen en het lijmen van luciferdoosjes tijdens schooluren, alleen om een synthetische jas te kunnen kopen, een blijk van een oppervlakkige mentaliteit. Maar voor iemand als Kim, die niets had en zich voor alles in het zweet moest werken, was die 'oppervlakkigheid' de enige manier om aan een primaire levensbehoefte te voldoen: veiligheid. Hoe kon ze beweren dat Kim daar verkeerd aan deed? Dat ze de oplossing in leuke kleren zag mocht dan wel niet de verstandigste beslissing zijn, maar hoe moest het dan?

Lian veranderde opnieuw van strategie: 'Ben je niet bang dat de mentrix je zal berispen, wanneer je alsmaar spijbelt?'

'Mevrouw Meng? Ben je gek! Meng zou niets liever willen dan dat ik voorgoed van school wegbleef. Dan wordt haar tenminste de moeite bespaard om de klas, die om de haverklap door mijn aanwezigheid in rep en roer is, tot de orde te roepen.'

'Spreek niet zo oneerbiedig over onze lerares.'

'O nee? Is het een heilige of zo? Schijnheilig zul je bedoelen. Weet je nog hoe ze tijdens de stage het meest comfortabele boerenhuis als logeeradres koos, terwijl haar bek vol schuim stond als ze een preek afstak over de noodzaak van ontberingen voor een verheven politiek bewustzijn? Larie!' Lian had gedacht dat alleen zíj Mengs hypocrisie doorhad. Kim ging verder: 'Leg jij mij dan eens uit waarom onze mentrix elk jaar opnieuw Qianyun tot Leerling van de Drie Deugden uitroept? Sorry hoor, Qianyun haalt maar net een 70 voor bijna al haar toetsen; tijdens de stage was ze de helft van de tijd ziek; sporten is zogenaamd te vermoeiend voor dat poppetje. Wat zijn haar drie deugden? Haar status als eerste-kaster, haar vader die een hoge post bekleedt bij het ministerie van Volksgezondheid, haar vollemaansgezicht dat men blijkbaar zo bewondert en niet in de laatste plaats haar modieuze kleding. Zie je, ze heeft zelfs méér dan drie deugden!'

Lian voelde zich ellendig. Ze gluurde naar Kim, die alweer helemaal verdiept was in de kunst van het doosjes vouwen. Ze durfde Kim niet aan te spreken; ze wist zich geen houding meer te geven. Kims wenkbrauwen waren gefronst, de lippen stonden strak en wolken van irritatie bedekten haar gezicht. Geduldig wachtte ze tot Kim haar mond weer open zou doen.

Eenmaal buiten telde Lian de stoeptegels, alsmaar herhalend *het is waar dat Kim voor een dubbeltje geboren is en geen kwartje zal worden... het is waar... het is niet waar... het is waar... het is niet waar...* Ze liet het even of oneven aantal van de stenen beslissen wat ze moest denken. Als de uitkomst gunstig was, geloofde ze het niet; als ze ongunstig, was ging ze door met tellen, in de hoop op een gunstiger resultaat. Ook de traptreden van haar flat gebruikte ze voor dit doeleinde... én de happen van haar lunch.

De prinses op de kang

De volgende dag verscheen Kim weer niet op school. En warempel, er kraaide geen haan naar. De leraren konden rustig lesgeven, zonder gestoord te worden door de luidruchtige en baldadige opwellingen van de klas.

Lian maakte zich ongerust. Zou het Kim ernst zijn? Wat wilde ze dan? Voortaan de kost verdienen met luciferdoosjes lijmen?

Om drie uur 's middags haastte Lian zich opnieuw naar de modderbuurt. Het was stil in Kims huis. Lian riep een paar keer Kims naam, maar kreeg geen antwoord. Ze zocht in het donkere vertrek naar enig teken van leven.

Pas na een hele tijd hoorde ze het geritsel van kleren, en daarna een belletje van een stem: 'Ze is naar het fabrieksterrein.'

Lian probeerde de spreekster te lokaliseren en ontdekte Jiening in een hoek van de kang. Had ze niet eerder iets kunnen zeggen, in plaats van haar in het duister te laten rondtasten? Ze had sowieso iets tegen Jienings stem, die dan wel bevallig kon klinken, maar veel te geaffecteerd en bestudeerd was voor een meisje van veertien. Hoe kwam ze zo truttig? Hoe was zo'n vreemde eend in dit nest beland? Het ergste was dat de drie andere gezinsleden haar nog verafgoodden ook. Jiening was het pronkstuk van het gezin, met haar lichte gelaatskleur, bekoorlijke gezicht en ontluikende vrouwelijke figuur. De drie bleven zich er maar over verwonderen hoe het kwam dat Jiening weinig tot geen teken van ondervoeding en armoede vertoonde. Alleen al daarom deden ze er alles aan om haar een hogere-kastebehandeling te geven: ze hoefde geen zware lichamelijke arbeid te verrichten; ze kreeg het meest voedzame eten en de duurste kleding die ze zich konden veroorloven. De gracieuze Jiening was ingedeeld in de hoogste klasse binnen de laagste kaste. Ze behoorde tot de adel onder de boerenarbeiders.

'Kan je zus dan al weer beter lopen met haar zere heup? Hoe ver is het naar het fabrieksterrein? Vijf tot zeven kilometer?' vroeg Lian bezorgd aan Jiening.

'O, ze hinkt nog wel.' Jienings bloed bestond zeker uit vloeibaar ijs.

'Wat doet ze daar?'

'Wat denk je dat ze daar doet? IJzer- en koperafval verzamelen, natuurlijk. Waar zou ze anders zo'n grote afstand voor afleggen?' Deze jongedame kon blijkbaar niet normaal praten – de woorden schoten als kogels uit haar keel.

'Wil ze tegenwoordig geld verdienen met het verkopen van oud ijzer?'

Bij wijze van antwoord rolde de tuttebel haar amandelogen naar boven en toonde haar oogwit. Haar gezicht suggereerde ongeduld en minachting. Ze vond het blijkbaar een verspilling van haar adem om met een imbeciel als Lian te communiceren, die vriendin van haar zus, die van toeten noch blazen wist.

'Zeg, Lian, nu we onder vier ogen kunnen praten, kun je mij eerlijk vertellen waarom je je zo voor Kim inspant?' Haar ogen fonkelden alsof ze voor het sleutelgat van de slaapkamerdeur van een kersvers echtpaar stond.

Jienings ogen waren kooltjes vuur; de felle straling die ze uitzonden boorde zich in Lian en zocht tevergeefs naar de ware reden voor Lians verbondenheid met haar armoedige en lelijke zus.

Lian moest ervan braken. Ze keerde zich van Jiening af en verliet de kamer, zonder haar speeksel te verkwanselen om welk antwoord dan ook aan die cynische slang te geven.

Maar Jiening liet Lian niet zomaar gaan. Met stemverheffing riep ze haar na: 'Als ik jou was, zou ik mijn zus laten vallen. Nu is je kans, nu ze zelf niets meer van je wil weten. Ga terug naar je eigen kring, naar de charmante juffrouwen en galante heertjes met blauw bloed. Geniet van je aangeboren privileges en gedraag je net als alle anderen van jouw komaf.'

Lian stopte haar vingers in haar oren en wist niet wat wijsheid was: terug naar binnen gaan en Jiening een oorvijg verkopen of weghollen, om zo spoedig mogelijk buiten gehoorafstand van Jienings giftige woorden te komen. Maar ze deed geen van beide. Ze schuifelde langzaam het huis uit, terwijl Jiening doorging met preken.

'Zo zit het leven in elkaar, Lian. Iedereen heeft zijn eigen voorbestemming. Het staat in Kims lot geschreven dat ze misère en nog eens misère moet verduren. Ook jij kunt daar niets aan veranderen. Geef maar toe dat dat zo is en leg je erbij neer.'

Nu werd Lian ziedend. Ze stormde de kamer binnen en riep: 'Boze heks, hou je bek!'

'Zie je wel dat ik op je zere plek heb gedrukt? Had je niet van die belachelijke ideeën in Kims hoofd gezaaid over een schitterende toekomst door goede prestaties, dan zou ze niet zo kapot zijn geweest van teleurstelling. Denk je dat ik niet doorheb waar jullie het dag in en dag uit op gemunt hebben?'

Lian haatte die griet. Ze keerde zich om en zei knarsetandend tegen Jiening: 'Bewaar je fatalistische theorie voor jezelf en geef je over aan het noodlot van de derde kaste. Ik laat Kim niet vallen. Wij zullen tot het bittere einde strijden tegen zo'n ongunstige voorbestemming.'

'*Ptsch!* De poesmooie duivelin schoot in de lach.

Lian snapte er niets van. 'Wie zegt dat ik me schik in het noodlot van de laagste kaste? Kijk hier.' Ze liet zich van haar troon glijden en trok een baksteen uit de kang. Voorzichtig tastend trok ze een dikke stapel kreukelig papier te voorschijn. De trots op haar gezicht deed Lian denken aan die van een koppensneller die de doodskoppen aan zijn deurpost aan het tellen is. Ze overhandigde de stapel aan Lian.

Lian kon haar ogen niet geloven. Zo'n stapel liefdesbrieven kreeg niemand. Zij waren van de hand van talloze leerlingen van school. Sommigen kende Lian – ze zaten in haar jaar. Van anderen had ze alleen maar de naam horen vallen – ze waren om de een of andere reden beroemd of berucht. Opvallend was het grote aantal eerste-kastejongens. Waren hun vrouwelijke kastegenoten niet aantrekkelijk genoeg voor hen? Lian bekeek Jiening nog eens goed en wist het antwoord meteen. Dat lekkere stuk hier had iets exotisch over zich, iets dat de weldoorvoede mademoiselles misten – een bijna ziekelijk tenger figuur, dat een niet te verdringen opwelling van tederheid en genegenheid bij een jongen teweeg kon brengen. Als contrast vlamde er af en toe een wild, opwindend vuur uit Jienings ogen, waar welopgevoede eerste-kastemeisjes zich voor zouden schamen, maar waar jongens het instinctief warm van kregen.

Een andere categorie aanbidders waren de kopstukken van de bendes uit de buurt. De stijl waarin de brieven geschreven waren varieerde, afhankelijk van de taalbeheersing van de aanbidders, maar de inhoud kwam steeds op hetzelfde neer:

> *Jiening, Jiening, mijn wandelend suikerriet!*
> *Wie zou niet in je bijten, zodra hij je ziet?*
>> *Wie zou zich niet buigen*
>> *Het sap uit je zuigen?*
> *Je zalige lichaam, dat zoet is, verkwikt;*
> *Van jou, Jiening, droomt het hele district!*
>> *Kom in mijn armen*
>> *Laat mij je verwarmen*
> *Kom, Jiening, of ik sterf veel te snel!*
> *Kom, Prinses, of mijn dood is mijn hel!*

Jiening pakte Lian de stapel af en grijnsde: 'Vraag maar na bij je eerste-kastevriendinnetjes. Wie ontvangt er nu in 's hemelsnaam zo veel liefdesbrieven? Ik, mij schikken in mijn noodlot? Je begreep mij daarnet verkeerd. Wat ik je zeggen wilde, is dat men zijn stand moet aanvaarden, hoe laag die ook mag zijn. Maar men kan wel zijn sterke kant ontwikkelen. Mijn pluspunt is een mooie huid en die buit ik uit om omhoog te klauteren. En dit zijn de treden van mijn ladder.' Ze schudde de blaadjes zo heftig op en neer dat ze een koude windstroom veroorzaakten. 'Alleen weet ik nog niet welk soort jongens ik het beste kan gebruiken. De tweede- en derde-kasters tellen niet mee. Wat koop je voor hun liefde? De eerste-kasters en de belangrijke bandieten lijken mij wel wat, maar ook die hebben zo hun nadelen.' Ze hield haar hoofd koket scheef en was in gepeins verzonken…

Lian kon haar oren niet geloven. Een meisje van veertien, dat zo koel en berekenend was…

Jiening praatte meer tegen zichzelf dan tegen Lian: 'Die rijkelui kunnen mijn status verhogen en mij dure cadeaus geven als ik met hen omga, maar ze zijn veranderlijk als de pest. In hun ogen ben ik niet meer dan een stuk mals vlees. Zodra ze genoeg van me hebben, laten ze me in de steek. De machtige boeven hebben geen fatsoenlijke naam en zijn meestal geregelde bajesklanten... Aan de andere kant, het zijn mijn kastegenoten, ze zullen mij dus trouw blijven... Bovendien zijn ze guller dan de jonkies van de hoge pieten; met stelen en roven kom je nu eenmaal gemakkelijker aan geld dan met een vast salaris, hoe hoog het ook mag zijn...'

Lian kon niet meer denken. Ze hoorde Jienings overwegingen met open mond aan.

'Welk soort jongens denk jíj dat ik het beste kan pakken?' Jiening wachtte op antwoord, maar er kwam niets. 'Lian, slaap je? Hoor je mij?' Door haar schelle stemgeluid schrok Lian op uit haar droom. Hoe dikhuidig moest deze trien wel niet zijn om haar om raad te vragen?

Tjiiie... De deur ging langzaam open en Kims moeder schuifelde binnen met een nieuwe berg kartonnen platen die ze tot luciferdoosjes zou gaan bewerken. Jiening trok Lian aan de mouwen en fluisterde: 'Eén woord over mijn aanbidders en ik zorg ervoor dat je hier nooit meer welkom bent.' Ondertussen verstopte ze de brieven onder haar billen en mat zich haar gebruikelijke nonchalante gezichtsuitdrukking aan. Als een houten pop zat ze kaarsrecht op het bed en keek strak voor zich uit.

Lian liep regelrecht naar het fabrieksterrein. De lentezon scheen roder en feller in haar ogen, vergeleken met een paar weken geleden. Het was al half vijf, maar het was nog altijd sprankelend licht. De bomen langs de weg hulden zich in een frisgroene nevel. Het was lastig om het getjirp van de krekels te negeren. Lian schudde de gedachte van zich af.

Na drie kwartier lopen hoorde Lian het geronk van zandauto's, een teken dat ze bij de *Rode Vlag Landbouw Machine Fabriek* was aangekomen. Aan de achterkant was een gigantisch fabrieksterrein, met in de oostelijke hoek een stortplaats. De zandauto's brachten er elke dag industrieel afval naar toe, waaronder al dan niet verroeste stukjes metaal. Dit was wat de modderhuiskinderen zochten; ze konden de metaalresten voor een cent of twee de kilo aan tweedehandswinkels kwijt.

Eigenlijk zou je gewoon de zandauto's kunnen volgen, dan kwam je automatisch bij de stortplaats terecht. Maar bij de ingang van het fabrieksterrein was een bewakershuisje, waarin een oud mannetje zat dat de boel in de gaten moest houden. Lian liep dus wijselijk om en vond een gat in het prikkeldraad. Ze drukte haar haren plat, streek haar kleren strak langs haar lijf en kroop door het gat. *Tjie-tjie.* Het was al gebeurd. In de mouwen van haar jas verschenen twee lange scheuren. Het gat was veel te klein. De meeste ijzer- en koperverzamelaars waren broodmagere derde-kasters tussen de vijf en tien jaar. Ze klopte het stof van haar knieën en ellebogen en rende naar de afval-berg.

Wammm! Een oranjekleurige zandauto kieperde de inhoud van zijn laadbak op de belt. Ogenblikkelijk stoof een grijze mas-sa in lompen geklede bleekneusjes op het vuilnis af. *Tjing-tja-kla-kla.* Ze prikten met een ijzeren staaf in het afval om stukjes metaal op te sporen. Alleen het gerinkel en geklengel doorbrak de stilte. Af en toe was er een triomfantelijk gilletje te horen, wanneer iemand een buitengewoon groot stuk ijzer gevonden had, en van tijd tot tijd klonk er geruzie:

'Hé, dat heb je van míjn plek opgeraapt! Dat is van mij.'

'Geef terug! Het lag hier, in míjn territorium!'

Maar dit soort discussies duurde nooit lang; niemand wilde er z'n kostbare tijd mee verdoen.

Lian zocht Kim, maar ze zag haar nergens. Jiening had toch gezegd dat ze hier naar toe was gegaan? Zou ze al weer naar huis zijn? Dat was onzin – juist rond deze tijd kwamen de meeste zandauto's er hun afval storten. Kim zou deze gouden kans zeker niet hebben laten schieten. En daarbij, dan waren ze elkaar onderweg wel ergens tegengekomen. Lian liep het ter-rein op en vroeg aan een groepje kinderen: 'Hebben jullie Kim gezien?'

Een jochie van een jaar of acht met een roestrode 'baard' stelde zijn wedervraag: 'Kim wie?'

'Kim Zhang, het meisje van de vierde rij modderhuisjes.'

'O, die grote idiote. Ze staat daar te wroeten in de restjes die we achtergelaten hebben.' Hij grijnsde als een overwinnaar en wees naar een hoopje rotzooi naast een afvalberg, half plat-getrapt door vorige plunderaars. Daar stond Kim vooroverge-bogen het afval om te scheppen.

Lian verbaasde zich over wat het kereltje zei. Kim werd maar zelden 'groot' genoemd. Maar in de ogen van deze kleintjes was haar vriendin natuurlijk een reuzin. Waarom deed ze daar dan haar voordeel niet mee? Ze kon eindelijk haar lengte en spierballen gebruiken om op haar strepen te gaan staan. Nee dus. Kim was ingenieus en vindingrijk genoeg om elke situatie in haar nadeel te doen verkeren. Het was duidelijk dat de kinderen hier een front hadden gevormd en Kim, 'die grote idiote', op haar plaats hadden gezet.

Lian haastte zich naar Kim toe en begon haar te helpen met ijzer zoeken. Kim wierp haar een verwijtende blik toe: Wat doe je hier? Mij weer van mijn werk afhouden, zeker?

Zag Kim niet dat Lian de enige in de wereld was die begrip voor haar toonde, die haar vriendschap en liefde aanbood en altijd voor haar opkwam? De laatste tijd had Lian zich wel eens afgevraagd of ze zelf ook slachtoffer aan het spelen was. Waarom bleef ze anders Kim achternazitten, ook al stootte die haar telkens van zich af? Hunkerde ze soms naar de kwelling van het afgewezen worden? Waren het alleen maar oprechte bedoelingen?

De stukjes metaal die Kim en Lian zwijgend uit de troep te voorschijn toverden stopten ze in Kims plunjezak, die pas half gevuld was, terwijl die van de kleintjes prop- en propvol zaten. Stukje bij beetje verminderde Kims vijandige houding. Ze vormden een goed team: Kim doorwoelde het vuilnis en Lian haalde er de verkoopbare stukken metaal uit. Ze werkten tot ze nog maar nauwelijks konden zien wat ze deden; de zon had zich achter de bergen verscholen en naar het duister te oordelen was het allang etenstijd.

Kim kroop als eerste door het gat in het prikkeldraad en reikte Lian de helpende hand. Voorzichtig hield Lian de volle plunjezak precies in het midden van het gat, opdat de zak niet zou scheuren, en kroop er ten slotte zelf doorheen, dit keer zonder haar kleren te beschadigen. Toen ze weer op haar voeten stond, lachte ze trots; ze kreeg ook al ervaring met prikkeldraad.

Onderweg werd Kim wat spraakzamer: 'Morgenochtend ga ik naar de tweedehandswinkel bij ons om de hoek. Deze zak weegt minstens tien kilo – daar krijg ik twintig cent voor. Dat is makkelijk verdiend. Hier heb ik maar drie uur voor hoeven werken. Drie uur luciferdoosjes lijmen brengt op z'n hoogst tien cent op. Ik ga voortaan elke middag naar de stortplaats.' Maar er viel meteen een schaduw over haar blijdschap. Ze zou elke middag geconfronteerd worden met een stel schoffies dat haar verbood om bij het 'verse' vuilnis te komen.

Lian leefde met haar mee: 'Die schooiers zijn spruitjes van gifplanten. Ze zijn nog klein, maar ze terroriseren als volleerde criminelen hun oudere buurmeisje!'

Kim zei: 'Ik begrijp het wel, hoor, waarom die kinderen mij van de vuilnisbelt weg willen hebben. Het sorteren van afval is een van de weinige dingen die ze aankunnen om aan wat geld te komen. Tieners "verdienen" hun geld meestal door groente en fruit te verkopen.'

Lian had van deze 'branche' gehoord. Dagelijks arriveerden talloze paardenwagens van het platteland in de stad; ze vervoerden groente en fruit van de volkscommunes naar de winkels van Peking. Tieners van de modderhuisbuurt verschuilden zich in de struiken langs de weg om op de passerende wagens te klimmen. Ze trokken de achterklep van de laadbak open, zodat de witte kool, de knolselderij en de aubergines de straat op rolden. *Woep!* De kinderen stormden erop af en binnen een mum van tijd was er van de afgerolde landbouwproducten geen spoor meer. Daarna klommen ze opnieuw de wagen op om de klep dicht te doen. Ze waren slim genoeg om de wagens nooit helemaal leeg te plunderen. Een tiende van iedere vracht was meer dan genoeg, anders zouden er geen wagens meer langsrijden en viel er helemaal niets meer te roven, en dat was ook niet de bedoeling. Ofschoon de chauffeurs donders goed wisten wat er zich achter hun rug afspeelde, grepen ze nooit in. Ze gingen ervan uit dat de boefjes de vracht grotendeels onaangeroerd lieten en het verlies van tien procent werd in de prijs verrekend.

'Is het geen wetsovertreding, dat plunderen of stelen, hoe je het ook noemt?'

Kim knikte: 'Daarom wil ik er niets mee te maken hebben.'

Lian stelde voor: 'Zal ik voortaan elke middag komen helpen? Met zijn tweeën verdienen we dubbel zo veel.'

Kim liet de plunjezak op de grond vallen. 'O, dan kan ik weer gewoon naar school.'

Wat? Lian kon haar oren haast niet geloven. Wensen worden vervuld wanneer je dat het minst verwacht. Stond het in de sterren geschreven dat ze bij elkaar hoorden? Dat niets hen uit elkaar kon rukken?

De volgende ochtend zat Kim om vijf voor acht keurig in de schoolbank. Lian knipoogde naar haar. Ze zouden zich door niets of niemand van hun stuk laten afbrengen.

De scheikundelerares, mevrouw Yang, kwam het leslokaal binnen en deelde de toets uit die de leerlingen ruim een week geleden hadden gemaakt. Zoals gepland besprak ze vandaag de meest voorkomende fouten, bij wijze van herhaling van de leerstof van het afgelopen semester. De leerlingen hielden hun adem in, want elke keer als ze dit soort lessen kregen, schaamden ze zich diep. Steeds werden ze dan met hun neus op de feiten gedrukt: de formules die mevrouw Yang maar liefst tien keer uitgelegd had en waarvoor ze hen even zovele keren gewaarschuwd had, hadden ze in de toets toch weer verkeerd toegepast. De lerares zette de bewuste formules voor de elfde keer geduldig en glashelder uiteen, waarschijnlijk alleen maar om hun te laten voelen dat ze absurde en onvergeeflijke fouten hadden gemaakt.

Maar vandaag was er iets vreemds aan de hand. Mevrouw Yang stelde zich abnormaal coulant, zelfs enigszins timide op. De gebruikelijke vastberadenheid die gepaard ging met haar uitstekende vakkennis werd afgezwakt door een zenuwachtig gedrag dat helemaal niet bij haar paste. En het vreemdste was dat ze tijdens het analyseren van de fouten telkens een soort 'ja en nee'-zinnen gebruikte.

'Ja,' zei ze schuchter, 'deze regels horen eigenlijk niet bij deze formule thuis, maar och,' ze perste een wrange lach op haar gezicht te voorschijn, 'als jullie ze per se zo willen toepassen, is het mij ook goed.'

Wat was dat nou? Mochten ze nu ineens met de regels sollen? Lian herkende de anders zo strenge lerares niet meer.

De klas rook dit soort dingen. Aarzelend begonnen een paar leerlingen achter in het lokaal te 'telefoneren' met degenen die vooraan zaten, en de eerste papieren vliegtuigjes werden gelanceerd. Desondanks bleef iedereen op zijn hoede. Ieder moment zou mevrouw Yang het gevreesde commentaar kunnen leveren: 'Willen jullie de hemel omkeren?!'

Maar de klap bleef uit. Verbaasd keek Lian naar de lerares. Mevrouw Yang stond met hulpeloos gespreide handen voor de brutale klas; de besluiteloosheid stond op haar gezicht geschreven.

Waarom deed ze niets…?

De volgende les was biologie. Meneer Zeng vroeg Shunzi, de klassenvertegenwoordiger, de stapel gecorrigeerd huiswerk uit te delen. Normaal gesproken deed meneer Zeng dit zelf en maakte van die gelegenheid gebruik om complimenten uit te delen aan wie zijn huiswerk goed gemaakt had, om zo de anderen tot betere prestaties aan te zetten. Toen Lian haar schrift in handen kreeg, sprong ze een gat in de lucht, want de leraar had er maar één karakter op geschreven: *Briljant!* Het was heel uitzonderlijk dat ze een dergelijk commentaar kreeg. Maar wat raar, achter twee van de zes vraagstukken stond een x. Waar had ze dan dat 'briljant' aan verdiend?

Links en rechts steeg gejuich op; overal pronkten de klasgenoten met hun schrift. Ze hadden allemaal hetzelfde commentaar gekregen.

Tijdens de pauze van tien uur slofte er een aantal leraren met gebogen hoofd door de gang, als Chinese kool die door de nachtvorst overvallen was. Als klap op de vuurpijl haastte mevrouw Meng zich na de pauze naar het leslokaal en stuurde de leerlingen naar huis.

'Wat zei u, mevrouw Meng? Geen les meer vandaag? Hè?! Morgen en zaterdag ook niet…? We hebben vrij! We hebben vrij!' Een golf van gejubel deed de landkaarten aan de muren trillen, maar het gezicht van mevrouw Meng was grijs van de zorgen…

De leerlingen stopten roef-roef hun leerboeken in de schooltassen en holden het gebouw uit. Kim en Lian keken elkaar aan; ze wisten niet wat ze moesten doen. Boeddha's wegen waren ondoorgrondelijk. Als Kim niet wilde leren, zei haar geweten haar dat ze naar school moest; als ze op school kwam, werd ze naar huis gestuurd. Ze versmalde haar ogen – waardoor haar gezicht nog meer op dat van een verkreukeld oud mannetje leek – en zei: 'Pas maar op, de cpc begint weer met het onderwijs te klooien. Als dat zo is, blijf ik liever thuis luciferdoosjes vouwen.'

Toen Lian vier dagen later de schoolpoort binnenkwam, was het hoofdgebouw verdwenen. Het was van top tot teen ingepakt. Grote rode karakters schreeuwden van de ritselende muren.

De tere lentebries streelde de vuurspuwende krant en deed haar op vele plaatsen rimpelen, als een anders vechtlustige jongeman die in de armen van zijn liefje beeft van ontroering. Rond de taille van het ritselende bouwsel hing een leus in koeienletters:

> *Leer van onze revolutionaire medeleerlinge Huangshuai en zuiver de leerkrachten van feodale, bourgeois en revisionistische elementen*

Lian rende naar het gebouw en begon de krant te lezen, die geheel uit bekritiseringsartikelen bestond. Enkele leraren werden bij name genoemd.

Een van de artikelen had als 'titel' meegekregen:

> *Gong Wei, houd je bek die naar je reet ruikt!*

De eerste alinea luidde:

> *Vervuil ons proletarisch podium niet met dat geslijm over de kapitalist Isaac Newton. Dacht je soms dat wij, Chinese arbeiders, zonder die buitenlandse duivel niet zelf de zwaartekracht zouden hebben ontdekt?! Steek die kippennek van je met die regenworm erbovenop eens omhoog en spuug de ware bedoeling van het onderwijzen van Newtons theorieën uit. We hebben jou wel door: jij wilt ons – de jonge generatie – opleiden tot slijmballen van het kapitalistische Westen, opdat wij, als we eenmaal volwassen zijn, de Communistische Partij van ons Vaderland omver zullen werpen! Gong Wei, beken je contrarevolutionaire motieven snel en gauw, anders zorgen wij ervoor dat je dat doet…!'*

Lian sloeg een stukje over en bekeek de laatste alinea:

> *Klassebroeders en -zusters, laten we uitroepen: dood aan de revisionisten! Verklaar de oorlog aan de reactionaire leraren. Steek de bourgeois onderwijswereld in brand! Overwinning aan de Communisten!*

Lian nam een slok van de koude wind. Meneer Gong Wei, bijgenaamd Einstein, behoorde tot de meest gevierde onderwijzers. Zijn lessen waren volgens zeggen mateloos boeiend en nagenoeg iedere leerling die les van hem had, werd verliefd op natuurkunde én op hem.

Ze las nog een paar andere opstellen, maar ze waren allemaal van dezelfde strekking: de beste leraren werden voor *doodgravers van het Communisme* uitgemaakt. Lian vroeg zich af waarom mevrouw Yang, die toch ook befaamd was om haar vakkundigheid, nergens genoemd werd. Ze zette de aangeklaagde leerkrachten op een rijtje... en ja hoor, alleen de leraren van de hogere jaren werden onder vuur genomen. Ze had het vorige week donderdag al raar gevonden dat de ouderejaars braaf in hun leslokalen waren blijven zitten, toen zij naar huis mochten. De ouderejaars waren dus al eerder van de nieuwe beweging op de hoogte gesteld.

Voorafgaand aan elke politieke campagne bracht de CPC verschillende soorten documenten en pamfletten in circulatie.

Het kabinet kreeg stukken met drie rode kruisjes, waarin topgeheimen onthuld werden, zoals waarom de Roerganger een bepaalde minister geëlimineerd wilde zien – meestal omdat de betrokken persoon het aangedurfd had om de eeuwige waarheid van de Wijste Leider van het Heelal in twijfel te trekken. De Nooit Ondergaande Zon riep vervolgens een politieke beweging in het leven. Ten eerste om de invloed van de bewuste minister te neutraliseren, door de plaatselijke bestuurders die hem gesteund hadden van hun post te verwijderen; ten tweede om de indruk te wekken dat 'Hij' de minister om ideologische redenen en niet bij voorbeeld vanwege puur machtsvertoon uit het kabinet had gezet.

Leden van het politbureau ontvingen documenten met twee rode kruisjes. Daarin werd de ware bedoeling van Zijn campagne gehuld in mooie praatjes over de strijd tussen de Grote Roerganger en de 'revisionistische' minister, ook al schemerde Zijn boosheid op de bewuste politicus er hier en daar nog wel in door.

Ambtenaren van de eerste tot en met de achtste rang kregen documenten met één kruisje, waarin in hoogdravende politieke termen de 'aard' van de beweging toegelicht werd. Deze pamfletten waren opgeluisterd met instructies over hoe de lezer het volk gedurende de campagne moest leiden.

Mensen van de negende tot en met de twaalfde rang ontvingen stukken zonder kruisje, waarvan de inhoud niet veel verschilde van de propaganda-artikelen in de spreekbuis van de CPC – het *Volksdagblad*. Arbeiders, boeren en leerlingen kregen hier fragmenten uit voorgelezen. Onder geen beding mocht de eigenaar deze stukken laten rondslingeren, opdat ze niet in handen van het lagere volk terechtkwamen. Blijkbaar stonden er toch geheimen in. Van haar moeder, die de stukken zonder kruisje mocht lezen, hoorde Lian af en toe dingen die haar anders niet bekend waren geweest. Tijdens de vorige campagne, waarin Confucius uit het graf werd opgedolven en geen botje van zijn lijk intact gelaten werd, had Moeder aan het ontbijt gezegd: 'Volgens de overheidsdocumenten heeft de minister van Economie en Handel gepleit voor een vorm van autonomie bij staatsbedrijven. De Nooit Ondergaande Zon heeft hem daarom tot *volger van de kapitalistische weg* verklaard.' Bij het voorlezen aan de scholieren sloeg de schooldirecteur dergelijke passages over. De strijd die de Wijste Leider met Zijn politieke partners voerde, was taboe; het zou Jan Publiek aan het denken zetten – en een zelfstandig denkende massa was niet bevorderlijk voor de goede gang van zaken. Balancerend tussen het verstrekken en het onthouden van informatie, schreef de Roerganger de juiste dosering inlichtingen aan iedere sociale klasse voor.

Toen de schoolbel ging, vloog Lian naar het klaslokaal. Kim zat al keurig op haar plaats. Mevrouw Meng trok aan een touwtje aan de muur, waarmee ze de luidsprekers aanzette die waren aangesloten op de geluidsinstallatie in de directeurskamer. Eerst kraakten de sinds lang niet gebruikte boxen als afgestorven boomtakken in de wind, waardoor het nu uitgezonden liedje *De Communistische Revolutie kent geen genade* klonk alsof het in mootjes gezaagd was. Na het strijdlied kuchte de plaatsvervangende directeur, meneer Chen, even in de microfoon en stak de volgende redevoering af: 'Rode wapenbroedertjes en -zustertjes, het onderwijs van ons land staat onder de betovering van de boze bourgeoisie. De leerlingen worden gedwongen om alsmaar meer wetenschappelijke kennis te verwerven. Ze zwoegen zich door examens heen en worden geketend aan cijfers. Wáár...' Chen rekte zijn stembanden tot ze bijna knapten en de leerlingen schrokken zich een aap toen ze geconfronteerd werden met zijn hysterische gekrijs: '…blijft het politieke bewustzijn van de leraren?! Is het niet hun taak om de jonge generatie op te leiden tot verdedigers van Mao's wijze regime? Waar dient het toe dat kinderen kapitalistische kennis als algebra en het periodieke systeem van Mendelejev in hun hoofd geprapt krijgen?! Hoeveel bladzijden van het Rode Boekje kennen ze tegenwoordig nog van buiten? Hoe vaak krijgen ze les in de Wonderbaarlijke Geschiedenis van de CPC? Kunnen ze Communisten van revisionisten onderscheiden? Wordt het niet hoog tijd om ons serieus af te vragen welke kant het onderwijs van het proletarische China op gaat?!!'

Een glimlach verscheen op het gezicht van een aantal leerlingen. Dat klonk goed. Het zag ernaar uit dat er een gouden tijd zou aanbreken. Als ze het goed begrepen hadden, hoefden ze niet meer te blokken en de toetsen zouden hoogstwaarschijnlijk worden afgeschaft.

Maar Chen was nog niet uitgeraasd: 'Twee weken geleden heeft een leerlinge met een revolutionaire geest, het twaalfjarige meisje Huangshuai, een open brief aan het politbureau geschreven, waarin ze de kwalijke ontwikkeling van het onderwijssysteem aan de kaak stelt. De Grote Roerganger heeft nogmaals bewezen dat hij een ongeëvenaard politicus is: Hij doorzag meteen dat de bourgeoisgezinden bezig zijn met het ondermijnen van zijn Communistische regime, door scholieren met rotte kapitalistische kennis vol te pompen! Dus heeft Hij een campagne gelanceerd om de onderwijswereld van revisionistische en kapitalistische elementen te zuiveren. Als teken van waardering voor de leerling die de proletarische alertheid had om deze gevaarlijke tendens in het onderwijs te signaleren en erover te schrijven, heeft de Grote Roerganger de campagne naar haar genoemd: de *Huangshuai Beweging.*'

Voorts legde de plaatsvervangend directeur hun aan de hand van voorbeelden uit hoe ze zich tegen hun leraren moesten keren:

> — *Heeft de onderwijzer Engels jullie gevraagd om werkwoordsvormen van buiten te leren? Dat is dan reactionair van hem, want leerlingen horen hun geheugen te gebruiken voor revolutionaire leuzen, niet voor de omgangstaal van behaarde buitenlandse duivels.*

- *Wil de leraar jullie soms bewerken tot aspirant-spionnen voor het kapitalistische Westen? Vraag je met proletarische waakzaamheid af welk revisionistisch doel dit soort leerkrachten met hun lessen willen bereiken.*
- *Heeft de onderwijzer van Chinese grammatica jullie opgedragen opstellen over vriendschap te schrijven? Helemaal verkeerd! Jullie creatief vermogen dient gewijd te worden aan het bezingen van de haat tegen de vijanden van de Roerganger en Zijn onvolprezen Revolutie, en aan de onafgebroken strijd tegen het kapitalisme.*

Tot slot zei hij dat iedere klas zich na de uitzending in vieren moest verdelen om zich te buigen over de misdaden van haar leraren. Vóór de lunchpauze diende iedere groep een bekritiseringsartikel van duizend woorden te voltooien. Dat moest dezelfde middag nog worden overgeschreven op een vel papier zo groot als een huisdeur, en tegen drieën op een door de schoolleiding aangegeven plek geplakt worden...

'Bedek de gebouwen, boomstammen, lantaarnpalen en alles dat een vel papier kan dragen met strijdvaardige muurkranten! Steek de school in de revolutionaire fik! Bombardeer de geest van de bourgeois leraren totdat ze in rook opgaan! Lang leve Mao! Lang leve de CPC! Leer van Huangshuai! Verwerkelijk de idealen van de Huangshuai Beweging tot het bittere eind! Dood aan het kapitalistische onderwijssysteem!'

Chens speeksel spatte hoorbaar tegen de microfoon, en hij schreeuwde alsof hij een varken was dat op het punt stond gekeeld te worden. Waar haalde hij het vandaan! Hoe kon hij oproepen tot lerarenhaat, terwijl hij nota bene zelf leraar was?

Lian wist wat voor een saaie en klunzige leraar Chen was. Waarom juist deze man, gezegend met twee linkerhanden, les gaf in handenarbeid was haar altijd al een raadsel geweest. En nu sprak hij hen toe als een 'geïnspireerd' aanvoerder van de campagne. Waar was directeur Dong gebleven?

Na Chen kwam er een vrouw aan het woord. Lian herkende haar stem meteen: de lerares biologie voor de eerstejaars. Haar ware naam kende ze niet – iedereen noemde haar 'Bij-ons-op-de-universiteit'. Als afgestudeerde aan een of andere kweekschool was ze een van de weinige leraren die geen universitaire opleiding achter de rug had. Tijdens de wanorde aan het begin van de Culturele Revolutie had ze kans gezien op deze school aangesteld te worden. Haar collega's tekenden daar geen bezwaar tegen aan en keken niet op haar neer; ze behoorde weliswaar niet tot de intelligentsten, maar ze deed duidelijk haar best, ook al praatte ze zichzelf een minderwaardigheidscomplex aan. Volgens de leerlingen ging er echter geen les voorbij zonder dat ze van haar te horen kregen: 'Bij ons op de universiteit...' Dat ze haar kweekschool omgedoopt had tot universiteit stoorde in wezen niemand, maar zowel de kleinerende toon die ze aansloeg tegenover haar leerlingen als de minachting waarmee ze haar collega's becommentarieerde was de scholieren een doorn in het oog. Ze verdiende haar bijnaam dubbel en dwars, vond men.

Het was deze vrouw die nu zei: 'Dank u wel voor uw toespraak, kameraad Chen, voorzitter van het nieuwe Rode Hoofdkwartier van de Huangshuai Beweging...' Hoezo? Had Chen van de gelegenheid gebruikgemaakt om de plaats van directeur Dong over te nemen? '...Als plaatsvervangend voorzitster van het Hoofdkwartier wil ik allereerst de Huangshuai Beweging toejuichen.'

Geen wonder, dacht Lian bij zichzelf, zonder deze campagne zou ze nooit tot de schooldirectie hebben kunnen opklimmen. Chen, de onhandige leraar handenarbeid en zij, de lerares biologie die vanwege haar incompetentie altijd krampachtig voor haar plaats op school had moeten vechten: zulke zwarte schapen onder de leraren haalden de politieke beweging met open armen binnen en benutten de chaos als helikopter om regelrecht omhoog te vallen.

'Ten tweede wil ik revisionistische leraren zoals Yang, Wei, Tian en nog zo'n stelletje waarschuwen: laat jullie hondenkop hangen en beken jullie reactionaire misdaden, anders hebben de kogels van de Revolutie geen ogen.'

Tjitjih... Lian hóórde haar knarsetanden. Als het aan Bij-ons-op-de-universiteit lag, zou ze deze uitmuntende leraren levend villen en hen tot saté verwerken. Al die jaren had ze met de door haarzelf gecreëerde frustraties ten opzichte van haar collega's geleefd, en nu zag ze haar kans schoon zich op hen te wreken. En ze had een geldige smoes – het actief deelnemen aan de Huangshuai Beweging...

En wat te denken van Chen? Die jarenlang, dag en nacht had uitgezien naar het moment waarop hij zijn meerderen naar beneden kon sleuren? Zulke lieden zorgden er wel voor dat

de campagne erin slaagde om de kern van het onderwijspersoneel te ruïneren; de school zou spoedig platliggen. Wat dat betreft was de Wijste Leider van het Heelal werkelijk een genie.
Welke beweging hij ook bedacht, het lukte hem altijd om over
het hele land toegewijde volgelingen te krijgen. Een van Zijn
lijfspreuken was dan ook: *Waar mensen zijn, daar zijn geschillen.*
En geschillen zetten de mensen tegen elkaar op. Een politieke
campagne bood de zwakkere groep een unieke gelegenheid
om de sterkere de grond in te boren. Was het gek dat Zijn oproep tot het voeren van wat voor strijd dan ook altijd en immer
gehoor kreeg bij de bevolking?

Nadat Bij-ons-op-de-universiteit haar gal over haar geleerde collega's gespuwd had, klonk ze een stuk geruster. Ze
ging nu over tot haar eigenlijke taak: mededelingen doen over
praktische dingen, zoals waar de leerlingen papier en lijm voor
de muurkrant konden afhalen, welke klas welk stuk muur van
welk gebouw toebedeeld kreeg en hoeveel karakters een stuk
muurkrant minstens moest bevatten. Toen ze daarmee klaar
was, schoot haar weer te binnen dat ze ongestraft en onbeperkt
haar collega's mocht bestoken. Ze kreeg opnieuw een hysterische aanval:

'Klassevertegenwoordigers, roep jullie klasgenoten op en
sleep jullie leraren van het podium. Organiseer aanklachtenbijeenkomsten tegen hen en beschiet hen met verbaal machine-
geweervuur. Ga net zolang door met bekritiseren tot ze
toegeven dat ze jullie inderdaad hadden willen opleiden tot samenzweerders van het imperialistische Westen!'

Instinctief keek de klas naar mevrouw Meng, die ineenkromp en van het podium af schuifelde.

Shunzi stond meteen op en beval de lerares: 'Ga terug naar
je kantoor en wacht op onze oproep voor de aanklachtenbijeenkomst. Ondertussen kun je een zelfbekritiseringsartikel
schrijven.' Hij tutoyeerde haar alsof hij dat sinds jaar en dag gewoon was. De vastberaden, meedogenloze uitdrukking die om
zijn mondhoeken speelde, toonde aan dat hij veranderd was
in een heel andere jongen: hij begon al trekken te vertonen van
mensen als Chen en Bij-ons-op-de-universiteit.

Mevrouw Meng knikte bedeesd en slofte het leslokaal uit.
Wanquan en andere leerlingenleiders sprongen op om Shunzi
te helpen met het in vier groepen verdelen van de klas.

Het viel niet mee om de wandaden van de leraren op een rijtje te zetten. De leerlingen wisten donders goed dat wat de onderwijzers gedaan hadden, bevorderlijk was geweest voor het leerproces. De leraar scheikunde, bij voorbeeld, had hun de structuur van de atomen van de meest voorkomende stoffen zoals zuurstof en koolstof uit het hoofd laten leren. Zonder die basiskennis zouden ze nooit verder komen in dit vak. Maar van de directie moesten ze vóór de lunchpauze bladzijden vol 'reactionaire misdaden' van deze leraren op papier gezet hebben. Bovendien probeerden Wanquan, Yougui, Shunzi en enkele andere snotneuzen hun alsmaar bang te maken: 'Als jullie laks zijn bij het opsommen van de misdaden van de leraren, ademen jullie uit dezelfde neusgaten als zij.' Dat brandmerk durfden ze niet te dragen, want het zou ook hen in de beklaagdenbank doen belanden. Dan maar liever je geweten een oor aannaaien en er flink op los liegen.

Aangezien Lian meestal goede cijfers voor haar opstellen kreeg, werd ze gekozen, dat wil zeggen, gedwongen om namens haar groep het bekritiseringsartikel neer te pennen. Ze zat midden tussen een stel klasgenoten die met volle overgave aan het brainstormen sloegen. Ze probeerden elkaar te overtroeven in het bedenken van de meest bizarre misdrijven die de leraren ten laste gelegd konden worden. En Lian maar notuleren...

'Lian, schrijf op,' zei Xiuli, 'vetzak met je tomatenneus, waarom stamp je ons hoofd vol met die stomme atoomstructuren? Wil je op deze manier soms verhinderen dat we onze aandacht richten op de hoofdzaak – het verhogen van ons politiek bewustzijn en de strijd tegen de klassevijanden? Volger van de kapitalistische weg, we hebben heus wel door hoe je de scheikundeles als afleidingsmanoeuvre gebruikt, zodat we geen tijd meer over hebben om aan de Proletarische Revolutie te besteden. Het zou ons niet verbazen als je een geheim agent bent van een of ander imperialistisch Westers land! Laat je in de kaart kijken en beken je misdaden, anders zwaait er wat!'

'Néé-éé!' deed Kejian er nog een schepje bovenop, 'hij komt er veel te makkelijk vanaf als je alleen maar zegt "anders zwaait er wat". Het moet zijn: "anders hakken wij je in mootjes en voeren we je aan de vissen".' Hij grijnsde triomfantelijk naar Xiuli. Xiuli keek op haar neus: waarom was zíj niet op zulke krachtige woorden gekomen?

'Noteer!' Lian schrok zich lam. Een ziedende meisjesstem klonk achter haar: 'De levende weduwe mevrouw Meng... of nee, laat dat "mevrouw" maar weg. Ik begin opnieuw: loopse teef die dag en nacht naar je man ligt te kwijlen die – terecht – in het strafkamp in Yunnan vastzit, heb je je proletarisch bewustzijn als diarree uitgepoept of zo? Waar is je respect voor de arbeidersklasse gebleven dat je mij, dochter van een rode arbeider, mijn Engelse uitspraak durft te corrigeren? Als je dat nog eens waagt, scheur ik je lippen als een versleten vaatdoek aan slierten!'

Het werd doodstil. Lians hand trilde als die van een bejaarde. Gingen ze niet te ver? Dat was de vraag die op ieders gezicht te lezen stond, ook al was er niemand die het lef had haar uit te spreken. Het was al erg genoeg voor mevrouw Meng dat ze haar man drie jaar niet had kunnen zien. Iedere klasgenoot wist dat toen haar man verbannen werd, mevrouw Meng *een zware buik met zich meesleepte.* Hun zoontje, dat vier maanden later geboren werd, had zijn vader nooit gezien. Wanneer de leerlingen met het jochie speelden, vroegen ze hem voor de grap: 'Waar is Papa?' Dan wees het jongetje steevast naar een houten kist die zijn vader hun ooit gestuurd had, volgepropt met bananen. Dan zei hij: 'Papa!' Tien van de tien keer stroomden de tranen uit zijn moeders ogen... Dat dat kreng van een Tieyan op deze manier met het leed van mevrouw Mengs gezinnetje spotte was de meesten een beetje al te gortig. Maar ja, de leus *De Communistische Revolutie Kent Geen Genade* legde hun het zwijgen op.

Ter compensatie dachten de klasgenoten met heimelijk genoegen aan de frustraties van Tieyan. Drie jaar geleden hadden ze hun eerste Engelse les gehad. Tieyan slaagde er niet in onderscheid te maken tussen *th* en *d*. Mevrouw Meng had haar maar liefst twintig keer voorgedaan wat de juiste manier was om de *th* uit te spreken – zonder succes. Op een dag moest Tieyan een zinnetje uit het leerboek voorlezen. Ze las: *My elder brodder is dirty en my elder sister is dirty too.* De klas ontplofte zo'n beetje. Het arme schaap kende niet eens het verschil tussen *thirty* en *dirty*! Met veel moeite bracht mevrouw Meng de klas tot bedaren en wees Tieyan op het belang van een correcte uitspraak. Al die drie jaar had het draakje wrok gekoesterd jegens mevrouw Meng en dit was dé gelegenheid om zich te wreken.

Enfin, zo ging het maar door.

Lian zette haar verstand op nul en notuleerde braaf, ook al schaamde ze zich van tijd tot tijd, als ze zag wat ze had opgeschreven. Van de lerares Chinese grammatica had ze eens geleerd om inductief of deductief te schrijven, maar dit leek nergens naar. Het deed niet onder voor een banale vloekpartij die je op iedere vismarkt kon beluisteren. Waar waren ze in beland?

Een schapenkop

Om vijf voor drie was het Lians groep godzijdank gelukt hun quota te halen: twee vellen muurkrant, ieder blad lang en breed als een huisdeur, volgeschreven met een artikel waarin welgeteld tien misdrijven van hun leraren opgesomd en bekritiseerd werden. Maar Wanquan was niet bepaald tevreden over deze prestatie – hij begon tegen hen te schreeuwen: 'Zaadloze nietsnutten! Ik geef jullie tien extra minuten. Als jullie niet snel nóg twee vellen volkalken, geef ik jullie bij de Voorzitter van het Rode Kwartier aan als saboteurs van de Huangshuai Beweging!'

Yuehua, een van de meisjes uit de groep, trok helemaal wit weg; ze begon te huilen: 'Revolutionaire Klassevertegenwoordiger Shunzi Ding, het is niet dat we er geen zin in hebben, maar – de ogen van Boeddha zijn alziend – zo snel kunnen we echt niet nog eens twee vellen met bekritiseringsopstellen vol krijgen. Spaar ons en geef ons alstublieft niet aan!'

Het was duidelijk dat zij de angst van de meesten verwoordde – Aimei was niet de enige die lijkbleek geworden was.

Shunzi zag dit natuurlijk ook wel in. Met een gemene grijns op zijn gezicht zei hij doodleuk: 'Dat hangt van jullie zelf af.'

Iedereen slikte zijn woede in. Je kon hun hersens horen kraken:

Shunzi, jij zoon van een ongehuwde moeder, plas op de grond en kijk omlaag. Zie je daar die kale hond? Precies. Dat ben jij! Je schudt de vacht die je niet meer hebt. Nu je de kans krijgt, deel je links en rechts hondsdolle beten uit.

Maar niemand durfde dit natuurlijk hardop te zeggen.

Shunzi bekeek zijn angstig zwijgende publiek en voegde er triomfantelijk aan toe: 'De oude reactionaire orde is omgekeerd. Nu zullen wíj die leraren eens een lesje leren. Als jullie niet meewerken en weigeren de vloer met hen aan te vegen, hoe kunnen we die klootzakken dan duidelijk maken wie hier de baas is?'

In de ogen van zijn klasgenoten brandde angst en haat. Shunzi was zelf een klootzak. Erger nog: hij hád niet eens ballen meer: het was een eunuch!

Shunzi rondde zijn staaltje machtsvertoon maar zo snel mogelijk af: 'En vlug een beetje. Anders krijg ík op mijn donder.'

Aha, hij gaf het toe! Nu was het de beurt van de klas om te grijnzen. Shunzi was zeker bang dat de nieuwe directeur hem op het matje zou roepen omdat zijn klas niet genoeg z'n best had gedaan. Waarom zei hij dat niet gewoon, ze zagen ook wel dat hij in de rats zat. Maar dan moest hij niet aankomen met dat gelul over de 'oude reactionaire orde'!

Om kwart over drie hadden ze, zo goed en zo kwaad als ze konden, het vereiste aantal woorden op papier gezet, mede dank zij de hulp van de groepen die eerder klaar waren. Ze moesten wel, want niemand wilde morgen graag via de luidsprekers te horen krijgen dat hij veroordeeld was tot 'handlanger van revisionistische leraren', iets waar Bij-ons-op-de-universiteit vanochtend mee gedreigd had.

Nu was het tijd om de muurkrant op te hangen. Een paar jongens gingen op pad om een ladder bij de schoonmaakdienst te lenen; Lian werd erop uitgestuurd om een emmer lijm plus kwast te halen.

≈

In de verlaten gangen was het stil – de meeste leraren zaten gespannen hun zelfbekritiseringsartikelen te schrijven. Lian liep op haar tenen; ze wilde niemand storen.

Plotseling hoorde ze een vrouw snikken. Ze spitste haar oren en keek nieuwsgierig rond. Het gebeurde maar zelden dat je een lerares hoorde huilen. Voor de deur met het bord WISKUNDE, LEERJAAR I stond ze stil.

Voorzichtig keek ze door het sleutelgat. Daar, pal tegenover haar, zat mevrouw Xu haar tranen weg te vegen. Lian schrok. Ze had deze jonge lerares altijd erg sympathiek gevonden.

Mevrouw Xu zei: '...de muurkrant van mijn klas? Ik heb nooit iets anders gedaan dan lesgeven. Hoe kunnen ze mij zo afkatten? Wat heb ik in 's hemelsnaam fout gedaan?'

Lian schoof haar oogbol iets naar rechts, om te zien tegen wie ze het had. Met moeite zag ze een schouder en een haarlok... Maar dat was mevrouw Feng! Mevrouw Feng was een oudere collega van Xu, ook lerares wiskunde in het eerste jaar. Ze legde haar hand op Xu's schouders. Lian hoorde haar zeggen: 'Je fout is dat je dit beroep gekozen hebt. Sinds 1949 heeft de Wijste Leider van het Heelal om de paar jaar een campagne tegen de "denkende elementen" gelanceerd – dat zijn wij. Als je al die politieke zuiveringen stuk voor stuk overleefd hebt, krijg je vanzelf zo'n olifantshuid als ik. Zie je mij huilen om die kinderachtige beledigingen? Waarom zou ik? Die kinderen zijn onschuldig en puur als de eerste sneeuw in de winter. Zonder het gestook van de CPC zouden ze het nooit in hun hoofd halen hun leraren zo de grond in te boren. Als je wilt treuren, treur dan over het feit dat een zeker leider de onwetendheid en het kinderlijke enthousiasme van de scholieren misbruikt om zijn machtsstrijd daarboven kracht bij te zetten...'

Opeens hield Feng op met praten. Ze bestudeerde behoedzaam het gezicht van haar collega. Angst en twijfel vloeiden uit Fengs ogen. Ook Lian stond te bibberen. Ze wist net als mevrouw Feng hoe gevaarlijk het was om eerlijk te zijn – ten opzichte van wie dan ook – vooral als het de handelwijze betrof van de Vader, Moeder, Minnaar en Minnares in Een.

De volgende ochtend stonden er drommen leerlingen voor het schoolgebouw. Ze wezen op de teksten en gaven luidruchtig commentaar. De meesten kraakten de bekritiseringsartikelen van andere klassen af en hemelden hun eigen kunststukjes op. Op één punt waren ze het echter unaniem met elkaar eens: wie de smerigste en wreedste teksten schreef, werd als de grootste revolutionair geprezen.

Hier en daar stonden ook een paar leraren met gebogen hoofd hun eigen veroordeling te lezen. Ze deden dat zo snel mogelijk, uit angst dat ze ter plekke bont en blauw geslagen zouden worden. De ouderen onder hen wisten dat deze vrees niet ongegrond was; ex-collega's meneer An en mevrouw Lin hadden tijdens de vorige campagne respectievelijk anderhalve arm en een oog verloren, als gevolg van door scholieren op touw gezette ranselpartijen.

Iedereen wist waarom de leerkrachten hier toch durfden te komen. Ze wilden precies weten wat voor kritiek ze 'geoogst' hadden, zodat ze zich in hun zelfbekritiseringsartikelen doelgerichter de vernieling in konden schrijven. Zo hoopten ze het Rode Hoofdkwartier ervan te overtuigen dat ze daadwerkelijk bereid waren alle berispingen ter harte te nemen.

Kim was er weer eens niet. Maar ja, wat had Kim hier op dit moment te zoeken? Zelfs uit je neus eten was nuttiger dan naar school gaan. Dan was luciferdoosjes lijmen zo gek nog niet.

Het opstellen van bekritiseringsartikelen ging al een stuk soepeler– ze begonnen het aardig onder de knie te krijgen. Hun geweten was allang afgedropen en de leerlingen schroomden niet het ene na het andere reactionaire misdrijf van welke leerkracht dan ook uit hun duim te zuigen. Maar ja, na een tijdje was de lol er wel af, nu ze er zeker van waren dat ze ongestraft – en zelfs door de Partij aangemoedigd – al dit verbale geweld konden plegen. Wat ze nodig hadden was een nieuwe uitdaging.

'Lian, noteer!' beval Meimei. 'Meneer Jiang is sméééérig bourgeóóóis.' Ze leek wel een krolse kat.

'Wauw!' reageerde een viertal jongens met energiek geloei.

Hoewel Lian een afkeer had van Meimei's gezeur, durfde ze niet op te houden met notuleren – ze moest nu eenmaal actief meedoen aan de campagne.

'Vorige maand heeft hij het hoofdstuk *De reproducerende functie van de mens* behandeld. Wáááárom?' Zo klonk de in revolutionaire woorden verpakte lokroep aan de andere oever van de rivier Meimei.

Tjietjie! De vier jongens klakten met hun tong en snakten naar meer. Lian had een vaag vermoeden dat er een soort paringsritueel aan de gang was, maar met het schaamrood op de kaken wees ze haar verdenking van de hand. Van één ding was ze overtuigd: ze moest niets hebben van dit gedoe.

Meimei was niet meer te stuiten: 'Waarom Jiang ons juist dat hoofdstuk liet leren, laat zich raden: hij wilde onze ongerepte proletarische geest bederven met bourgeois kennis over dat vúnzige onderwerp!'

'Ehmmm, dat klinkt góóóed,' kreunden de jongens.

Lians handen trilden. Ze durfde niet op te kijken – iedereen om haar heen stond te ginnegappen. Blijkbaar vonden ze het vreselijk grappig. Ze ging ijverig door met notuleren terwijl het gelach van de omstanders alleen maar onbeheerster en brutaler werd. Ze had niets in de gaten – ze moest twee maal nalezen wat ze op papier had gezet, voordat ze zich realiseerde dat ze al die tijd voor de gek was gehouden: zo te zien had iedereen allang begrepen dat wat Meimei haar gedicteerd had, niet voor een bekritiseringsartikel bestemd was, maar als smoesje diende om verbaal met die jongens te kunnen flikflooien. En zij was zo oenig geweest om dat woordelijk te noteren!

Lian stond op, smeet haar pen op de grond en zei tegen de anderen: 'Ik stop ermee! Zoek maar een ander voor dit baantje. Jullie maken er een circusvoorstelling van.'

Haar groepsgenoten hielden meteen op met hun gegiechel; ze keken haar aan met ogen als verkeersborden.

'Hoe bedoel je? Noem mij één woord van wat ik zei dat afweek van het doel van de Huangshuai Beweging!' Meimei, die daarnet nog zo geil deed, was plotseling veranderd in een 'revolutionaire draak'.

Meimei had natuurlijk gelijk. *De slager hangt een schapenkop in de etalage, maar hij verkoopt hondenvlees.* Strikt genomen had ze geen schunnig woord gezegd. Als Lian haar daarvan zou beschuldigen, had ze geen poot om op te staan. Meimei maakte gebruik van Lians vertwijfeling en ging tegen haar tekeer: 'Vertel eens aan je revolutionaire klasgenoten: wat bedoelde je precies met "ik stop ermee"? Wil je soms de Huangshuai Beweging die door de Vader, Moeder, Minnaar en Minnares in Een in leven is geroepen torpederen?'

Dat was genoeg om de hele klas stil te krijgen. Lian kromp ineen.

Meimei's intimidatie had Lians hele dag vergald. Lian moest zich dwingen om haar afkeer van dit soort praktijken te verbergen. Haar enige troost lag in de gedachte dat ze Kim weer zou zien als de waanzin hier afgelopen was. Straks zou ze samen met Kim naar het fabrieksterrein gaan om ijzer te verzamelen.

Toen Lian om half vier voor Kims huisdeur verscheen, liep ze meteen door naar de oostelijke hoek van de binnenplaats en pakte de twee harkjes waarmee ze het ijzer uit de vuilnisbelt opgroeven. Kim rende naar de keuken om de plunjezak te halen.

Op weg naar het fabrieksterrein vertelde Kim opgewonden dat ze met het verkopen van metaalafval in nog geen vijf dagen één yuan en vijftig cent bij elkaar had gekregen. 'Ik ben vanochtend naar winkelcentrum *De Zwarte Klauw Van Het Kapitalisme Kan De Rode Zon Niet Verduisteren* geweest.' Snel corrigeerde ze zichzelf: 'Ik kwam er toevallig langs op mijn weg naar de luciferfabriek. In het voordeligste warenhuis *Om Het Communisme Te Verdedigen Beklimmen We Bergen Van Messen En Duiken In Zeeën Van Vuur* kosten de jassen gemiddeld vijftien kuai per stuk. In vijf dagen heb ik één vijftig bij elkaar. Dat betekent dat ik binnen twee maanden zo'n mooie synthetische jas kan kopen. Wat vind je ervan? Ik heb het dragen van dat soort kledingstukken altijd als een reis naar de maan beschouwd, maar zo onbereikbaar is het nou ook weer niet!'

Ze naderden de prikkeldraadversperring. Kim zei: 'Weet je nog dat je de vorige keer je kleren scheurde? Laat mij de draden maar vasthouden. Deze keer zul je er gegarandeerd zonder schrammetje doorheen komen.'

Krats-krats. De verroeste ijzerdraden maakten knarsetandend plaats voor Lian; ze wurmde zich door het gat, plaatste haar voet op de grond, en hup! daar ging ze. De grond had het onder haar voet begeven en ze viel in een naar aarde en schimmel ruikende kuil. Ze probeerde zich lukraak ergens aan vast te houden en greep in het prikkeldraad.

'Loslaten!' beval Kim.

Lian liet zich vallen.

Toen Lian bijkwam uit wat een diepe slaap leek, keek ze in Kims rode ogen. Ze toverde een lach op haar gezicht en zei zo nonchalant mogelijk dat ze geen pijn had.

Kim balde haar vuisten: 'Als ik die etters te pakken krijg... Ik zal het ze betaald zetten!'

Nog voordat haar laatste woord uitgeklonken was, verscheen

er een rij hoofden achter de afvalberg. Ze hadden zich daar verschanst om te zien hoe Kim in hun val zou lopen. Ze grijnsden en zongen in koor: 'Wie niet horen wil, moet voelen! Gecondoleerd met je mooie vriendin. We hadden eigenlijk jóuw poten willen breken.'

Kim trok plotseling haar armen onder Lians oksels weg. Een ongekend, beestachtig vuur stond in haar ogen. Die stomme etters hadden Kim op haar zwakste plek geraakt. Ze sprong op, schudde haar kleren los en stoof op de naarlingen af. Eer de schoffies zich realiseerden wat er gebeurde, had Kim er drie te pakken en bonkte hun hoofden tegen elkaar. *Dong-dong-dong* klonk hun bol vol gemene trucjes en *tjie! tjie!* piepten de schoffies, als gekeelde ratten.

De rest van de pestkoppen kreeg de kans niet om er ongedeerd vandoor te gaan, want Kim schopte hen stuk voor stuk tegen de knieën. Sommigen tolden rond met hun handen op hun schedel, anderen knielden schreeuwend in de modder.

Kim maakte van elke arm een v met de punt naar opzij en spuugde in haar palmen: 'Wie de gal heeft om ook maar één vinger uit te steken naar mijn vriendin Lian of mij, jullie grootmoeder, kan rekenen op een driedubbele wangverdikking!' Op haar gezicht verscheen een sadistische grijns; ze zag blauw van de moordlust. Ze humde een strijdlied en stampte de maat met haar rechtervoet:

> *Vecht, vecht, vecht!*
> *Voor de Grote Proletarische*
> *Culturele Revolu-utie!*
> *Vecht, vecht, vecht!*
> *Tot de laatste klassevijand*
> *onder de hoe-oeven*
> *van onze Rode,*
> *Rode Rakkers*
> *vermo-orzeld is!*

Met pijn in haar hele lichaam strompelde Lian naar Kim. Halverwege ging ze weer zitten; het lopen deed te veel pijn. Ze keek naar haar vriendin. Was Kim nu ook een treiteraar geworden?

Kim genoot van de aanblik van haar slachtoffers, van wie sommigen op de grond zaten te kreunen. Ze plaatste haar linkervoet op de rug van een van hen en beval: 'Herhaal mijn zin':

Overgrootmoeder Kim Zhang,
wij vereren u als onze Eeuwige Overwinnaar
en we zullen Uw Superioriteit
nooit meer in twijfel trekken

Het jongetje maakte angstige maar eerbiedige kowtows voor Kim en zei haar na:

Over... Overgrootmoeder K-kim Zhang,
wij vereren u, overwinnaar,
en wij zullen geen superioriteit
betwijfelen...

Kim gierde van pret: 'Niet helemaal goed, maar vooruit...'
De ceremonie was afgelopen. Ze baande zich een weg over het slagveld en liep naar Lian. Zodra Kim Lian zag, verdween de duivelse lach van haar gelaat. Ze knielde naast haar neer en zei lief: 'Klim op mijn rug. Ik breng je naar het ziekenhuis...' Ze barstte in snikken uit: 'Lian, mijn liefste vriendin, ik beloof je dat je niet veel pijn zult hebben en dat je snel beter wordt!'

Kim had Lian op haar rug gehesen en liep met forse schreden door de straten. Lian liet zich dragen. Ze genoot van elke seconde van deze rit en grifte dit moment in haar geheugen. Ze wist dat het de eerste en misschien wel laatste maal was dat ze zo dicht bij elkaar zouden zijn.
Kim legde Lian voorzichtig, alsof ze een zeepbel was, op het leren bed in de EHBO-afdeling van Lians ziekenhuis. Ze haalde haar mouwen langs haar bezwete gezicht en riep een dokter.
Lian moest een lange reeks vragen beantwoorden. Daarna werden er röntgenfoto's genomen. Ruim een half uur later kwam dezelfde dokter met de mededeling: 'Botbreuk aan de linkerbovenarm en kneuzingen aan beide benen.'
De arts vroeg de verpleegster om Lians arm in het gips te zetten. Eerst moest ze Lians rechterhand behandelen. De zuster stak een met jodium doordrenkt watje in de kleine, maar diepe wond in haar handpalm. Lian kromp ineen van pijn. Ter

afleiding knoopte de verpleegster een praatje met haar aan: 'Zeg meisje, wat voor kattenkwaad heb je uitgehaald dat je zo'n gemene wond hebt opgelopen?'

Tot nu toe hadden Kim en Lian zorgvuldig gezwegen over de kuil op het fabrieksterrein. Het was immers niet normaal dat een mademoiselle van de eerste kaste zich in die buurt begaf en helemaal niet dat ze in een afvalberg wroette. Maar door de pijn was Lian haar voorgenomen zwijgen glad vergeten. Ze zei ronduit: 'Als u die lange, verroeste doornen aan het prikkeldraad langs het fabrieksterrein had gezien, zou het u niets verbazen.'

De zuster vergat ineens wat ze aan het doen was. Ze zei: 'Wat zeg je? Wat is de oorzaak van je wond?'

Lian wilde haar woorden terugnemen, maar de zuster rende als een tyfoon naar Lians behandelend arts en fluisterde iets in zijn oor.

De dokter keek op zijn horloge: 'Ze is ongeveer veertig minuten geleden binnengekomen.' Hij snelde op Lian toe en vroeg haar: 'Hoe lang is het geleden dat je je hand aan dat verroeste ijzer hebt bezeerd?'

Waarom al die paniek? dacht Lian. Ze steunde met haar goede elleboog op het bed en zei: 'Och, anderhalf, twee uur geleden. Hoezo?'

'Het vaccin tegen bloedvergiftiging! Als de bliksem!' beval de dokter. Hij stak een thermometer onder haar oksel en overstelpte haar met vragen die volgens Lian niets met een armbreuk of kneuzing te maken hadden.

Kim greep Lians linkerhand en hield die krampachtig vast.

Lian begreep de ernst van de toestand pas goed toen hij zijn laatste vraag stelde.

'Wat is de naam, werkeenheid en eventueel het telefoonnummer van je ouders? We moeten hen meteen waarschuwen.'

Opeens voelde Lian zich echt ziek.

'Ja, ik had het kunnen weten.' Zijn gezicht klaarde op. 'Je naam is, laat mij even spieken, Lian Shui. Je vader is zeker het hoofd van de afdeling cardiologie, dokter Shui.'

Vader zat op de vierde verdieping in hetzelfde gebouw; hij werd ogenblikkelijk naar beneden geroepen. Hij las Lians thermometer af, voelde aan haar voorhoofd en stelde haar dezelfde vragen. Ten slotte zei hij tegen zijn collega: 'Naar mijn mening is er geen reden tot bezorgdheid, maar we kunnen in dit stadium bloedvergiftiging niet uitsluiten.' Hij glimlachte waarderend naar Lians dokter: 'Dank u dat u erachter bent gekomen waardoor de wond is ontstaan. U weet hoe moeilijk het is om de waarheid uit een kindermond te krijgen.'

De dokter bloosde (en de verpleegster straalde); hij werd wat spraakzamer: 'Alleen is het jammer dat we te laat achter de oorzaak van haar wond gekomen zijn. Normaal gesproken moeten dergelijke patiënten binnen zestig minuten na de verwonding een vaccin toegediend krijgen. Dan zijn we nu een uur te laat. Laten we hopen dat haar lichaam sterk genoeg is om weerstand te bieden.'

Eenmaal ontspannen, stapte hij van de rol van medicus over op die van ouder. Hij keerde zich naar zijn dochter toe, zag dat ze onder zwart stof, bruine ijzerroest en rode bloedvlekken zat en probeerde tevergeefs niet boos te worden: 'Wáár heb je rondgehangen? Kijk wat je uitgespookt hebt! Wil je nog leven of niet? Wacht maar tot je moeder dit ziet!'

Kim liet Lians hand los en nam haar in bescherming: 'Meneer, het is niet haar schuld. Het kwam door mij.'

Nu pas zag Vader wie er naast haar zat. Hij fronste zijn wenkbrauwen. Maar hij was niet voor niets een intellectueel die geleerd had zijn kwaadaardige gedachten te verpakken in het glanzende cadeaupapier van de hypocrisie: 'Als ik jou was, klein meisje' – hij sprak dat 'klein' uit op een manier waaruit zijn minachting voor Kim overduidelijk moest blijken – 'zou ik maken dat ik wegkwam. Dit is geen plaats voor jou.' Na een veelbetekenende pauze ging hij verder: 'Voor gezonde kinderen als jij, bedoel ik.'

Lian voelde Kims hand in de hare verstijven, ijskoud worden. Zelfs daarnet op het fabrieksterrein, toen ze weer probeerde te lopen, had ze niet zo'n pijn gehad als nu. Dit zou ze Vader nooit vergeven. Nooit! Lian deed alsof de pijn aan haar arm erger werd en begon vreselijk te kreunen, alleen om Vader op stang te jagen.

Een publiek geheim

De volgende drie dagen hoefde Lian niet naar school. Ze had van de dokter een verlofbriefje gekregen. Het was een heerlijk idee, want ze had zich al afgevraagd hoe ze het op school zou uithouden zolang de Huangshuai Beweging aan de gang was. Nu had ze even respijt. Laat die anderen maar bekritiserings-opstellen schrijven, zij kon lekker thuis zitten lezen.

De dokter had gezegd dat ze vanaf volgende week elke mid-dag naar het ziekenhuis moest voor een 'kaarstherapie'. Daarbij werd er een soort plastic zak met gloeiend hete was op de ge-kneusde plekken gelegd; dat moest de bloedsomloop stimule-ren en de genezing bespoedigen. In ieder geval betekende dit dat Lian voor de helft van de schooltijd om gezondheidsrede-nen afwezig mocht zijn.

Vader had vrij gevraagd om bij zijn dochter te kunnen blij-ven, iets dat zelden toegestaan werd als je zo'n drukke baan had als de zijne. Als er binnen achtenveertig uur na de verwonding geen symptomen van bloedvergiftiging optraden, was het ge-vaar zo goed als geweken. Vader hield de wacht.

Afgezien van een zeurende pijn in arm en benen wanneer ze zich bewoog, voelde ze zich prima. Maar ze kon zich niet goed op haar boek concentreren; onwillekeurig hoopte ze voortdurend dat Kim haar zou komen opzoeken. Ze moest denken aan de manier waarop Kim de kinderen op de vuilnis-belt had aangepakt. Zo had ze haar vriendin nog nooit gezien. Ze kende Kim als iemand die de pesterijen van haar klasgeno-ten met neerhangend hoofd verdroeg, net zo lang tot de treite-raars er zelf moe van werden…

Rond elf uur 's ochtends werd Vader opgebeld door zijn afde-ling. Hij moest meteen komen: een spoedgeval. Weiren Su, de opperbevelhebber van een van de belangrijkste legereenheden, moest een open-hartoperatie ondergaan. Het zou een enorme politieke blunder zijn als ze niet dé hartchirurg van hun afde-ling het lancet zouden laten hanteren. Er was geen haar op Va-ders hoofd die eraan durfde denken de oproep te negeren.

Lian beschouwde het telefoontje als een zegen van Boeddha. Ze had zich al zorgen gemaakt: wat moest ze doen als Kim zou komen?

De jonge arts die door Vaders afdeling was gestuurd om de wacht over te nemen, groette haar verlegen en trok de stoel die naast Lians bed stond zo ver mogelijk weg, alsof Lian een besmettelijke ziekte had. Dat was natuurlijk onzin, want hij was dokter en wist heus wel dat bloedvergiftiging niet besmettelijk was. Hoe dan ook, hij deed of Lian een krokodil was die het op hem gemunt had.

Hij zat in zijn hoekje en bladerde in een medisch tijdschrift dat hij bij zich had. Hij las het tijdschrift en Lian las hem.

Raar, het was haar nooit eerder opgevallen dat een man ook fijne gelaatstrekken kon hebben. Ze raakte ervan in de war, want tot dan toe was ze de mening toegedaan dat mannen grove, gespierde en ongevoelige reuzen waren, die niets, maar dan ook niets gemeen hadden met die andere mensensoort – vrouwen. Nu ze deze man lag te bekijken, zag ze dat dat niet altíjd zo was. Hij had haar vooroordeel aan het wankelen gebracht en dat beangstigde haar. Ze bleef maar kijken en zich verbazen. Hoe kon een man zo'n mooi gezicht hebben?

Gelukkig werd er op de deur geklopt. Zodra ze Kim voor haar bed zag staan, vergat ze alles en iedereen. 'Dokter,' vroeg Lian de vreemde man, 'wilt u mij alstublieft alleen laten met mijn vriendin?'

De arts stond op en rolde zijn blad tot een koker. Bij de deur verzocht hij haar beleefd, maar verlegen over drie kwartier de thermometer in haar mond te steken.

Lian keek naar haar vriendin, die gisteren voor ambulance gespeeld had. Maar wat was er aan de hand? Kim had een blauw oog, haar lippen waren opgezwollen en ze had een paarse bult op haar wang.

Kim wreef met beide handen over haar gezicht, alsof ze alles zo weg kon vegen. 'Het is niet wat je denkt,' zei ze, 'de ellendelingen hebben geen wraakacties ondernomen.' Er verscheen een zelfingenomen lach op haar gezicht. 'Ze zouden niet dúrven.' De zichtbare pret waarmee ze aan haar 'heldendaad' terugdacht, deed Lian huiveren. 'Dit komt door Jiening.' Ze wees naar haar ogen en legde Lian uit: 'De slet! Weet je wat mijn ouders tussen haar spullen ontdekt hebben? Zó'n stapel liefdesbrieven!' Ze hield haar duim en wijsvinger zo ver mogelijk uit elkaar en gaf daarmee eerder de dikte van een Chinees woordenboek aan. 'Maar erger is dat ik dat vanochtend van mijn buurjongens moest horen. Ik heb me ook laten vertellen dat Jiening de liefde van geen van de tientallen briefschrijvers afwijst en *oogjes maakt* met hen allemaal! Ze houdt er een ware harem op na! Het is een publiek geheim in de buurt én op school, terwijl mijn ouders en ik er niets van afwisten! Wist jij dat?'

Lian knikte.

Kims oogwit werd purper van woede: 'Waarom heb je mij dat dan niet verteld?'

'Omdat ze, toen ze mij die stapel liet zien, dreigde te verhinderen dat ik ooit nog bij jou thuis kon komen als ik haar zou verraden.'

Nu werd Kim pas echt giftig: 'En je liet je zo door haar chanteren? Dat is het nu juist! Jij bent een lafaard! En Jiening is een uitgekookte vos! Mijn bloedeigen zus! We zouden niets van haar geheim geweten hebben, als een van haar aanbidders gisteravond niet ons huis was binnengestormd... met een hakmes in zijn hand! Weet je wie dat was? Het hoofd van De Vliegende Tijger: Erfu. De schoft die voor de ogen van honderd man een afgelikte boterham maakte van het meisje dat hem had verlaten. Hij trapte de deur open, sloeg zijn mes op de rand van de kang en schreeuwde: "Nu is het welletjes, Jiening. Wat moet je met al die andere jongens? Die bleekhuidige verwende sprietjes van de eerste kaste! Ik heb je wel tien brieven geschreven en honderd cadeautjes gestuurd! Met wie denk je dat je te maken hebt? Ik neuk je grootvader! Hoe haal je het in je mooie smoeltje om met mij te sollen?!"

Tjang! Hij hakte zo hard op de rand van de kang dat het mes er rechtop in bleef staan.

Jiening schrok en zei meteen: "Opa Erfu, ik ben van u."

Ik wist niet wat ik hoorde. Jiening sprak op een toon vol tandbederf, als een concubine van de keizer uit de films over vroeger. Was dat mijn kleine zusje? Erfu grijnsde tevreden. Hij vroeg Jiening een blokje met hem om te gaan. Om elf uur 's nachts! Mijn ouders durfden geen nee te zeggen, want het hakmes stond nog op de rand van de kang na te trillen. Ik was niet bang en stelde voor met hen mee te gaan. Jiening vond het een geniaal idee. Zij chanteerde hem. Als haar oudste zus niet mee mocht, zette ze geen voet buiten de deur. Je had het gezicht van Erfu moeten zien. Alsof hij per ongeluk poep in plaats van pindakaas op zijn brood had gesmeerd...! Maar hij kon er niet omheen. Toen we eenmaal buiten waren, bleef ik braaf op een paar passen afstand. Vanochtend ging ik Moeders luciferdoosjes bij de fabriek afleveren. Onderweg stond Erfu mij op te wachten om mij dit uiterlijk te bezorgen.'

'Maar hij zou toch juist bij je moeten slijmen omdat je de zus bent van zijn liefje?'

'Denk je dat de leider van de machtigste straatbende van het district ooit bij wie dan ook zoete broodjes hoeft te bakken? Een mandvol oorvijgen, die heeft hij wel in voorraad, en reken maar dat hij die graag uitdeelt. Hij heeft mij een lesje geleerd omdat ik zijn romantische avondje verpest had.'

Lian wist niet wat ze ervan moest denken. Eerst die treiteraars bij de fabriek, en nu dit! Kim had er een vijand bij. En wat voor een. Deze was in staat ieder die hem in de weg stond de nek om te draaien, zonder met z'n ogen te knipperen. Desondanks zei ze: 'Er moet toch iemand zijn die hem pakken kan! We geven hem aan bij de politie!'

'Ben je nou helemaal! En frons niet zo met je wenkbrauwen, Lian. Dat staat je helemaal niet. Kijk wat ik voor je heb meegebracht,' zei Kim opgewonden en stortte de inhoud van haar broekzak op Lians nachtkastje. Het waren snoepjes met vruchtensmaak, ingepakt in een stukje papier voorzien van een laagje was in plaats van celluloid, dat gebruikt werd voor de duurdere toffees. Het was het meest luxueuze cadeau dat Kim Lian kon geven; nooit in dit leven op aarde zou Kim zo veel geld over de balk smijten om zichzelf te verwennen. 'Proef eens of het lekker is.'

Lian pakte een snoepje uit en stak het in haar mond.

Kim zat haar aan te gapen met een mengeling van trots en onderdrukte jaloezie. Lians keel kneep zich plotseling samen. Wat een oen was ze toch! Kim had zoiets waarschijnlijk nog nooit geproefd.

'Auwa!' Lian deed alsof haar kiezen pijn deden, 'Zie je wel, mijn vader had gelijk. Ik mag geen zoetigheid eten.'

Kim liet haar hoofd beteuterd hangen. Haar cadeau bleek toch niet zo geschikt te zijn. Maar toen Lian de snoepjes stuk voor stuk in Kims broekzak terugstopte, grijnsde Kim van oor tot oor – ze had nooit gedacht dat ze zelf nog eens van deze lekkernij zou smullen. Op Lians aandringen stopte ze er voorzichtig eentje in haar mond. De rimpels op haar gezicht smolten als sneeuw voor de zon. Ze glom van gelukzaligheid. Lian zou haar wel om de hals kunnen vliegen, zo gelukkig werd ze van die aanblik. Dit was misschien de eigenlijke reden waarom

Lian zich zo tot haar aangetrokken voelde: Kim kon zo in- en intevreden zijn met het kleine beetje dat Lian haar bood. Het gaf haar het gevoel dat ze leefde.

Nog nagenietend van het smeltende wonder in haar mond, zei Kim: 'Van het gedonder met de kinderen op het fabrieksterrein heb ik één ding geleerd: nooit meer zal ik op mijn knieën geld verdienen. Als ik eerder had ingezien dat het beneden mijn waardigheid was om dat ijzerafval met die snotneuzen te delen, dan had ik me niet zo veel ellende op de hals gehaald… en dan had ik jou er niet nog eens in betrokken ook. Al is het lijmen van luciferdoosjes een kronkelpad naar een paar centjes, op die manier word ik tenminste door niemand vernederd. Dan maar liever dag en nacht doosjes maken!'

Lian zag het al voor zich: Kim, een soort lijmende robot die de rest van haar leven stukjes karton plakte. Ze vroeg: 'Is er werkelijk geen andere methode om geld te verdienen?'

'Jawel. Groentewagens kapen, je weet wel. Maar aan gemene zaken doe ik niet mee.'

Lian moest de neiging onderdrukken tegen haar te zeggen: lap die morele en sociale normen toch aan je laars, die zijn door de hogere-kasters in het leven geroepen, alleen maar om hún belangen te beschermen…

Het Rode Paard

Na drie dagen constateerde Vader opgelucht dat Lian geen tekenen van bloedvergiftiging vertoonde. De 'kaarstherapie' die Lian elke middag onderging, nam maar een half uur in beslag; ze hield dus tijd genoeg over. Lezen ging niet zo goed; het aanknopingspunt dat ze in een boek zocht tussen haar eigen gedachten en gevoelens en die van de schrijver, scheen telkens weg te glijden, alsof de auteur kat en muis met haar speelde. Ze verlangde naar een nieuw soort menselijk contact, hoe precies wist ze niet. Haar honger naar fantasie was niet met bestaande boeken te stillen. Ze begon zelf te schrijven. Ze schreef stukjes waarin niets echt plaatsvond en alles zich in het hoofd en het hart afspeelde. Ze beschreef de smachtende blik op de geliefde, ze associeerde de ogen, handen en lippen van haar droomprinses met de zon, de maan, rozen, enzovoorts. Clichés uit meisjesboeken, zouden Vader en Moeder dat noemen. Het maakte haar niets uit of die vergelijkingen romantisch, ouderwets of origineel waren.

Destijds, in het kamp had ze een klankbord gevonden in het meer achter de barakken. Qin had naar haar geluisterd, Kannibaal had naar haar geluisterd, en beiden hadden haar op hun eigen manier van repliek gediend. Zelfs de kikkers en de krekels hadden haar geduldig aangehoord. Waar moest ze nu naar toe? Wie bleef er over om naar haar te luisteren? Kim zocht haar steeds minder op, die had zeker al haar tijd nodig om luciferdoosjes te vouwen. Verdrietig keek ze uit het raam en haar blik ging over de boomgaard van de campus. Ze griste haar schrift van het bed en een minuut later stond ze buiten.

De teergroene donzige blaadjes waren uitgegroeid tot donkergroene handpalmgrote kanjers, die elke boom van een reuzenparasol voorzagen. De natuur had het goed geregeld: toen het koud was, lieten de kale taken de zonnestralen ongehinderd door; nu het heet was, werden de bomen door hun eigen bladeren tegen verbranding beschermd. Ze sprak haar overwegingen uit en voelde zich heel wijs.

Daarna begon ze haar verhalen aan de bomen voor te lezen. Opnieuw beeldde ze zich in voor een geïnteresseerd publiek te staan. Het ritselen van de boombladeren was het applaus voor haar literaire optreden. Wat ze nu precies vonden van haar fantasieën wist ze niet, en het kon haar ook niet veel schelen. Ze voelde zich in elk geval een stuk minder alleen.

~

Eén ding stoorde zich niet aan natuurwetten: de Huangshuai Beweging. Er leek geen eind te komen aan de massahysterie. De school was en bleef een martelkamer voor leraren, die door de zweepslagen van de kritiek en aanklachten gevoelloos waren geworden. Alsof dat nog niet genoeg was plaagde sinds een maand een nieuwe waanzin de onderwijswereld: de *Zhang Tiesheng* of *Blanco Toetspapier Beweging*.

Zhang Tiesheng, een jonge boer, had bij het toelatingsexamen voor de universiteit een onbeschreven velletje ingeleverd, uit protest tegen het 'bourgeois onderwijssysteem' dat de studenten 'volpropte met revisionistische rotzooi die professoren wetenschap noemden'. De handlangers van de Wijste Leider van het Heelal maakten gebruik van dit incident en verwezen al doende ook het hogere onderwijs naar het revolutionaire vagevuur. Het had de Grote Roerganger helemaal niet behaagd dat alleen het middelbare onderwijs van kapitalistische elementen gezuiverd werd. Het was een logische volgende stap om de Zhang Tiesheng Beweging in gang te zetten; ook de universiteiten kregen een ideologische schoonmaakbeurt.

Aan de donkere ringen rond Moeders ogen was te zien dat ze door een hel ging. Ook het universiteitsgebouw waarin ze werkte was in een papieren huis omgetoverd. De muren, de deuren, zelfs de ruiten waren volgeplakt met bekritiseringsartikelen. Moeders naam prijkte op verschillende plaatsen, verlucht met een rood kruis, als teken dat ook zij verdoemd was. Lian mocht niet meer op Moeders kantoor komen. Moeder was natuurlijk bang dat Lian de muurkranten zou zien waarop zij verbaal gelyncht werd. Maar dat verbod bood niet voldoende bescherming, want de aanklachtenbijeenkomsten tegen Moeder werden soms gewoon bij hen thuis gehouden.

Twee weken geleden had een student Moeder van het podium geduwd. De meniscus van haar rechterknie was gescheurd en Moeder kon de volgende dag niet naar kantoor. Toen Lian tijdens de lunchpauze thuiskwam, stond er rond Moeders bed een bende schuimbekkende studenten met hun vuisten te zwaaien en te schelden. Ze hadden de aanklachtenbijeenkomst voor de gelegenheid naar Moeders slaapkamer verhuisd!

Ontzet rende Lian het huis uit, de trappen af, naar buiten, naar de boomgaard. De stilte die tussen de boomkruinen hing vormde een indrukwekkend contrast met de klassenstrijd die er bij haar thuis gevoerd werd. Het vervulde haar met een diep ontzag. Op de takken waar een paar weken geleden nog bloemen geurden stonden nu glanzende knopjes, die, zo klein als ze waren, alvast de vorm van peren of perziken begonnen te vertonen. Net zo, realiseerde zij zich, hadden haar eigen daden vrucht afgeworpen. Lian werd van de weeromstuit religieus: Boeddha wilde haar blijkbaar laten zien wat het voor een lerares betekende om op zo'n barbaarse manier aangevallen te worden door haar leerlingen. Als Lian niet zou hebben meegedaan aan het schrijven van de wrede bekritiseringsartikelen tegen mevrouw Meng, dan zou Moeder niet zo door haar studenten mishandeld worden…

※

De afgelopen drie maanden was Kim hoogstens één keer per week op school verschenen. Lian en Kim gebruikten de school als ontmoetingsplaats. Meestal had Kim iets nieuws te vertellen, zoals die keer dat ze een spoedopdracht had gekregen van de luciferfabriek en binnen drie dagen vijfduizend doosjes moest afleveren. Ze kreeg daarvoor één cent meer per tien dozen uitbetaald – een buitenkansje. Als het aan haar lag, mocht de fabriek vaker in tijdnood zitten, giechelde ze. Lian was benieuwd naar wat Kim vandaag te melden had.

Tijdens de ochtendpauze gingen de twee vriendinnen naar een stille hoek van de gang, waar Kim haar vertelde: 'Ik hoef vandaag niet zo veel doosjes te lijmen, want volgens moeder… moet ik het rustig aan doen.' Er klonk iets zachts en verlegens in Kims woorden door – iets dat Lian niet bepaald van haar gewoon was. Ze bloosde en legde uit: 'Sinds gisternacht *rijd ik op het rode paard*…'

'Wat?' Lian hield Kim bij de armen vast, draaide met haar in het rond en schreeuwde veel te hard – het galmde door de gang. Als Kim niet tijdig Lians mond met haar hand bedekt had, zou Lian het van de daken geroepen hebben: eindelijk, Kim, jij ook! Maar ze fluisterde het in Kims oren. En Kim glom van trots.

Lian stopte met draaien en staarde naar Kim. Ja, de knobbeltjes onder haar blouse hadden zich ontwikkeld tot twee spitse heuvels en haar heupen staken uit de nog altijd smalle taille. Het was Lian niet eerder opgevallen dat Kims gezicht niet meer zo mager en groenig was. Het was nu gevulder en op de wangen schemerden blosjes door de lichtgele huid. De vroegere warboel van dorre haren was zorgvuldig gekamd en glansde in de zomerzon.

Lian geneerde zich dat ze haar boezemvriendin met de ogen van een vreemde bestudeerde, maar ze moest toegeven dat zelfs in de kritische ogen van een kieskeurige buitenstaander Kim alles behalve mager en lelijk was. De armoedige, zielige indruk die ze altijd had gemaakt, was verruild voor het beeld van een bloeiend meisje, vol van de geurige adem van de lente. Ze had wel niet de popperige trekken van haar zusje, maar wel dezelfde adembenemende kracht die haar een heel eigen charme verleende. Ze zag eruit als een levendige, robuuste paardebloem die niet bepaald misstond in het effen groene grasveld.

Nooit meer terug

Kim was weer naar school gekomen. Maar dit keer had ze niets te melden tijdens de pauze. Soms hoorde ze niet eens wat Lian zei – ze staarde wezenloos voor zich uit.

Kim liet zich vaker zien op school. Ze liep langzaam en sierlijk door het klaslokaal. Voorzichtig meed ze de pestkoppen onder de klasgenoten en als ze desondanks schoppen tegen haar schenen opliep, liet ze de tranen die ze vroeger zou hebben ingeslikt de vrije loop. Vreemd genoeg waren haar treiteraars onder de indruk van haar reactie en lieten ze haar met rust.

Op een dag fluisterde Kim in Lians oren: 'Als ik vanmiddag de doosjes naar de luciferfabriek terugbreng, heb ik precies vijftien kuai bij elkaar gespaard!'

Lian moest even denken. 'Bijna vier maanden geleden zei je dat je nog een dikke maand nodig had om zo'n bedrag in handen te hebben. Waarom nu pas?'

Kim zuchtte: 'Jiening had nieuwe zomerkleren nodig. Enfin, morgen is het zover. Ik heb een blouse gezien, die supermodern en uniek is. Ik koop 'm direct na de aflevering.'

Lian was blij voor haar. 'O, ik ben zo benieuwd hoe hij je staat! Vast heel mooi.' Kims vrouwelijke lijnen en tedere gelaatstrekken vormden een schril contrast met de lompen die haar lichaam verpakten. Lian verlangde er vurig naar om een naar behoren geklede Kim te kunnen bewonderen.

Lian was speciaal tien minuten eerder naar school gegaan. Ze wilde de historische entree van Kim niet missen.

Ondanks het feit dat Kim bijna geen gevaar meer liep door haar klasgenoten geslagen te worden, hield ze de oude voorzorgsmaatregel in ere: ze stapte het leslokaal pas binnen als de schoolbel rinkelde. Maar misschien had ze vanochtend wel andere redenen: ze zou de klas laten zien wat ze verdiend had na vier maanden metaal sjouwen en bergen luciferdoosjes lijmen.

Toen Kim eindelijk de deurpost naderde, schrok Lian. Kim had haar nieuwe blouse aan: oranje en rode strepen. Het waren fleurige kleuren, maar samen op één kledingstuk? Het was een beetje te veel van het goede. En waarom schitterde de blouse zo fel? Toen Kim trots naar binnen liep, het hoofd geheven, hoorde Lian de stof ritselen. Met verholen trots vlijde Kim zich op haar stoel. *Krats-krats.* Weer maakten haar kleren dat vreemde geluid.

Over de speakers klonk een van de preken die de dagelijkse portie revolutionaire vechtlust bij de leerlingen moest opwekken. Het was van het grootste belang de leraren te beledigen. Maar de laatste tweeënhalve maand luisterde er geen hond meer naar. Sommigen zaten er rustig doorheen te kletsen en anderen zaten uitvoerig naar elkaar te lonken. Maar vandaag heerste er een geladen stilte. Iedereen keek zonder met de ogen te knipperen naar Kims schreeuwerige blouse.

Yougui, die twee tafels achter haar zat, stond op, zogenaamd om naar de wc te gaan. Onderweg raakte hij 'per ongeluk' Kims mysterieuze blouse aan. Hij stopte even, draaide zich om en voelde de stof tussen zijn vingers. Een duivelse lach deed zijn gezicht opklaren. Hij gilde bijna, het hysterische stemgeluid van Bij-ons-op-de-universiteit overtreffend: 'Het is een nylon regenjas! Kijk! Kim dacht dat het een deftige blouse was en nu heeft ze dít hier gekocht! Of heb je hem gestólen, Kim?'

Kim verroerde zich niet. Kalm verdroeg ze de beledigingen die haar naar het hoofd geslingerd werden, zonder een traan te laten, zoals ze al die jaren gewend was. Lian vreesde het ergste. Deze keer zou Kim haar hart opnieuw achter slot en grendel zetten. Haar plaaggeesten hadden haar op haar kwetsbaarste plek geraakt. Lian was de enige in de klas die wist met wat voor helse moeite Kim deze droom had verwezenlijkt. Juist omdat Kim zich nooit nieuwe kleren kon permitteren, had ze geen enkele ervaring met het kopen ervan, laat staan dat ze enige smaak had. Dat had uiteindelijk tot deze fatale miskoop geleid. *Wanneer de arme voor het boeddhabeeld wierook aansteekt, keert Boeddha hem zijn kont toe.*

In de pauze snelde Lian op Kim af om haar te troosten, maar die duwde haar met de kracht van een woeste stier van zich af en maakte zich uit de voeten.

's Middags na schooltijd liep Lian met lood in haar schoenen naar de modderbuurt. Ze kon op haar vingers natellen dat Kim in haar triestheid haar aanwezigheid niet zou dulden.

Ze bleek niet thuis te zijn. Maar waar zat ze dan wel? Deze keer was ook Jiening nergens te bekennen. Die zat zeker bij haar gangstervriendje. Ook Kims moeder was er niet. Om de luciferdoosjes aan Kim over te laten, nam haar moeder de laatste maanden allerlei losse baantjes aan, zoals straten vegen, gierputten van openbare toiletten legen en riolering aanleggen.

~

Drie weken gingen voorbij. Op een ochtend zag Lian haar klasgenoten in de pauze met elkaar smoezen. Via Qianyun kreeg ze het nieuwtje te horen: 'Kim is lid van het centraal comité van Erfu's bende geworden!' Wat krijgen we nou?! Lian ontplofte bijna. In geuren en kleuren vertelde Qianyun wat ze wist.

Twee weken geleden had Kim zich voorgesteld aan een divisie van de straatbende die zich hoofdzakelijk verrijkte door het kapen van groentewagens. Ach, had Kim gezegd om haar motivatie te onderstrepen, ik heb geld nodig voor een tweede blouse. De plunderaars lachten zich een aap om haar bescheiden wens. Kijk! Ze ontblootten hun polsen − tot de ellebogen vol merkhorloges. En Kim wilde een hemd! Maar goed, wat kon ze voor hen betekenen? Nu was het Kims beurt om te grijnzen. Wat kon de kampioene van de 1500 meter voor hen betekenen? Of de kampioene granaatwerpen wellicht?

De dag daarop rende Kim als een luipaard achter een wagen vol paprika's aan; voordat de anderen met hun ogen hadden kunnen knipperen, had ze de achterklep open. Ze overtrof de langste kerel met de rondste spierballen onder de bendeleden. Normaal moest zo'n vent met handen en voeten de groente uit de laadbak scheppen, een karwei dat heel wat tijd vergde, een boel kabaal veroorzaakte en regelmatig protest van de chauffeur uitlokte. Daarbij bracht deze methode schade toe aan de kwetsbare etenswaren. Maar Kim zette haar handen in de paprikaberg en trok een kaarsrechte lijn. *Woep!* Voordat de snelste zakkenroller in de gaten had wat er gebeurde, had Kim tientallen rijen paprika's licht en kunstig naar beneden gerold.

Het kunststukje was zo behendig uitgevoerd dat de sappige groente een zachte landing maakte en ongedeerd op de grond terechtkwam. Kim blonk ook uit door haar slimme plannetjes en vindingrijkheid. Ze bedacht steeds nieuwe methoden om de groep te verrijken. Zo stelde ze voor een jongen op het fabrieksterrein op wacht te zetten, die in de gaten moest houden wanneer er meterslange metalen platen naast de vuilnisbelt gedeponeerd werden. Dan moest hij zijn kameraden waarschuwen, desnoods midden in de nacht; het was de bedoeling dat ze met zijn allen de boel gingen ophalen. De smoes was dat ze zogenaamd dachten dat het metaal door de fabriek als afval gestort was. Dat viel moeilijk tegen te spreken – het was een ongeschreven wet dat alles wat open en bloot op het fabrieksterrein lag, door Jan en alleman meegenomen kon worden. Terwijl iedereen wist dat de fabriek het materiaal in de open lucht naast de vuilnisbelt bewaarde, omdat de loods tijdelijk overbezet was. Niemand met een beetje gezond verstand en enig geweten zou misbruik maken van zo'n noodsituatie en de fabriek een poot uitdraaien. Maar als mensen zoals Kim het wel deden, was er geen wettelijke bepaling die het hun verbood. Hoe dan ook, al gauw werd Kim gekozen tot lid van het centraal comité van de bende.

Met een mengeling van ontzag en afschuw eindigde Qianyun haar relaas. 'Eerlijk gezegd had ik zoiets nooit achter die zielepoot gezocht. Zo zie je maar: *armoede en misère zijn de ouders van de misdaad.* Lian, ik zie je soms met haar praten. Als ik jou was, zou ik voortaan met een grote bocht om haar heen lopen.'

Lian hoorde het verhaal vertwijfeld aan en walgde van haar eigen laksheid. Ze had nauwelijks stilgestaan bij de vernedering die Kim had ondergaan na haar miskoop. En nu was het te laat. Had Kim de weg gekozen die ze al die jaren zo had veracht en met ijzeren wilskracht had gemeden? Was het mogelijk dat Kim, die altijd zo recht door zee was geweest, zich had overgegeven aan diefstal en plundering? Of speldden haar vriendinnen haar maar wat op de mouw?

Wat Lian niet verbaasde, was dat Kim blijkbaar binnen de kortste keren een zo hoge positie in de organisatie verworven had. Kim had er nu eenmaal de fysieke en intellectuele capaciteiten voor.

Hoe had ze het zo ver kunnen laten komen? Als ze Kim tijdig had opgezocht en met haar had gepraat, zou ze deze stap dan ook gezet hebben? Of waren het alleen maar roddels? Ja of nee? Ja of nee? Ja of nee?

Direct na school liep ze bijna gedachteloos de route die ze zo vaak had afgelegd. Toen Kims huis in zicht kwam, voelde ze zich niet speciaal blij om Kim weer te zien – eigenlijk had ze er helemaal geen zin in. Ze was natuurlijk wel nieuwsgierig naar de transformatie die Kim had ondergaan, maar uiteindelijk was ze bang, bang voor de confrontatie, voor het gezichtsverlies, voor de afwijzing. Ze schaamde zich dood. Hoe kon ze zich zo voelen ten opzichte van haar liefste vriendin?

Toen ze naar binnen liep, stikte ze bijna. De zware rook die Kims huis dichtmetselde, benam haar de adem. Ze durfde haar ogen niet open te doen – anders zouden ze door de scherpe sigarettengeur gaan tranen. Of liever, dan zouden ze zien wat hier aan de hand was. Zo stond Lian even in het duister van Kims wereld.

Ten slotte schrok ze op van een grove mannenstem: 'Kijk eens aan, tante Kim, wat een mals stuk van een mademoiselle heb je nu weer aan de haak geslagen!'

'Ben je gek!' Kim kuchte onwennig en schudde klungelig de as van haar sigaret.

Ondanks de schrik hield Lian haar vriendin goed in de gaten. Sinds wanneer rookte ze? Maar Kim opende haar mond, daarbij haar amandelen tonend, alsof ze haar keel door de dokter liet onderzoeken: 'Maak het nou! Ik háár aan de haak slaan? Ze is een luis in mijn pluimstaart, ze is niet van me af te slaan! Hoe ik ook windjes laat, poep of plas! Dat is nou kunst, een eerste-kastetrut zo aan je te binden. Lianneke, kom hier. Laat mijn wapenbroeders je poezelige gezichtje eens keuren!'

Schoorvoetend kwam ze de kamer binnen, alleen maar om een betere blik op te vangen van Kim, aan wie ze zo verslaafd was. Maar het was niet alleen de rook en de duisternis waardoor ze niet goed kon zien.

Ze zag dingetjes schitteren, goudkleurige dingetjes, die telkens verschenen wanneer een van die kerels iets zei. Pas later realiseerde ze zich dat het zijn gouden tanden moesten zijn.

Lian stommelde in Kims richting. Er gleed een nerveuze trek over Kims gezicht, maar ze herstelde zich snel en deed haar masker weer op. Ze greep Lians handen en stelde haar voor aan een man, die half tegen haar aan geleund zat: 'Voel eens wat een huidje dit eerste-kastewijfje heeft, zacht als een gepeld ei.'

Even dacht Lian dat Kim dit voor de show deed, om stiekem wat fysiek contact met haar te hebben, maar blijkbaar wilde Kim alleen maar pronken met haar 'bezit'. Lian rukte zich los en holde de kamer uit. Een boom van een kerel die bij de deurpost de wacht hield, blokkeerde met uitgestoken arm de uitgang. Hij spoog de sigaret, die scheef in zijn mond hing, op de grond, pakte Lian beet en schopte haar tegen de knieën. Kreunend viel ze op de vloer.

'Wie heeft jou bevel gegeven om haar te slaan? Jij zaadloze! Durf je wel, tegen een weerloos meisje!' Kims stem trilde een beetje. Lian vergat opeens haar verdriet. 'Lian Shui, rol je staart op en verdwijn uit ons leeuwenhol! Laat je hier nooit meer zien! Het is voor je eigen bestwil!'

Nooit-meer-zien-nooit-meer-zien-nooit-meer-zien-nooit-meer… De woorden tolden rond in Lians hoofd. Ze had het ijskoud.

Van horen zeggen

Op een ochtend zat Kim weer keurig op haar plekje in de klas. Lian had wat afgepiekerd de laatste weken. Ze durfde Kim niet meer aan te spreken. En Kim keurde haar geen blik waardig. Waarom Kim toch nog bijna elke dag naar school kwam, was haar een raadsel. In de eerste plaats viel hier niets te leren, want de revolutionaire epilepsie was nog in volle gang; in de tweede plaats scheen het haar toe dat Kim haar tijd beter kon gebruiken om meer geld te 'verdienen'. In vroeger dagen had Lian zich nog kunnen voorstellen dat Kim dit deed om haar goede wil te tonen: kijk, ik gedraag me als een keurige leerling, ook al kijken jullie op mij neer. Maar tegenwoordig deed Kim mee aan georganiseerde misdaad en kon het haar geen mallemoer schelen wat voor imago ze bij haar klasgenoten had. Maar waarom nam ze dan de moeite om elke dag op school aanwezig te zijn?

Kim had een ware metamorfose ondergaan. Om de andere dag droeg ze een nieuwe blouse. En niet zomaar een blouse, maar een van de zuiverste synthetische stof én nog naar de laatste mode ook. Ze rook mijlenver naar een of andere merk gezichtscrème. Ze kreeg de laatste tijd blijkbaar meer groente en vlees voorgeschoteld – haar gelaat was roziger, lichter van kleur en gevulder van vorm.

Maar dat was niet de reden waarom de klasgenoten haar beter behandelden; anders zouden ze zich niet zo onderdanig tegenover haar gedragen. Zelfs de meest onverschrokken jongens die vroeger voor niets terugdeinsden om Kim te sarren, waren niet te beroerd om een slijmerige lach op hun smoel te toveren wanneer ze Kim zagen; ze dribbelden op de toppen van hun tenen, als ze er niet onderuit konden zich in haar buurt te begeven. Kim kreeg een behandeling als een leeuwin tijdens haar eerste optreden in het circus.

De herinnering aan hun laatste ontmoeting, of liever confrontatie, verstikte elke aandrang een praatje met haar aan te knopen. Dat was haar geraden ook, want zodra ze in Kims richting keek, voelde ze de kille afwijzing in haar ogen, die niets of niemand leken te herkennen – alsof de pot van Kims geheugen grondig ontkalkt was, waardoor het gezamenlijke verleden zich met geen mogelijkheid kon hechten aan de spiegelgladde wanden. En ook al zou Kim haar de kans geven, waar zou ze het met haar over moeten hebben? Dat het niet verstandig is om op onwettige manier aan je geld te komen? Dat zou net zoiets zijn als een carnivoor ervan te proberen overtuigen dat vlees eten wreed is. Niemand kon haar de garantie geven dat Kim niet geïrriteerd zou raken en haar in elkaar zou slaan. Geweld was nu toch puur routine voor haar?

Toch bleef ze van tijd tot tijd naar Kim gluren – ze kon het niet laten. Was dit haar liefste vriendin? Was dit haar liefste vriendin *geweest*? Waarom kreeg ze de koude rillingen telkens wanneer Kim haar kant op keek?

Een paar dagen later kwam haar weer nieuwe informatie ter ore. Lian spitste haar oren. Erfu's bende leefde helemaal op door Kims dapperheid en creativiteit. Nieuwe doelen werden gesteld, nieuwe koersen uitgestippeld. Zo diende er bescherming te komen voor alle derde-kasters die slachtoffers waren van vernedering en mishandeling door hogere-kasters. Dat hoopten ze te realiseren door grotere onderlinge solidariteit van de kastegenoten. Voordien placht Erfu nog wel eens een vergeldingsactie op touw te zetten, als een van zijn maatjes door rijkeluiskinderen gekweld werd, maar dat ging allemaal lukraak, tijdens snel in elkaar gezette acties. Dank zij Kims aanpak ging dat soort zaken er tegenwoordig veel doordachter aan toe. De derde-kasters kregen meer zelfvertrouwen. Op een dag hoorde Lian een derde-kaster zelfs dreigen: 'Als je mij nog een keer aanraakt, vertel ik het aan mijn kastebroeders. *Dan kun je het eten dat je niet op krijgt ingepakt meenemen!*'

Roddels – zo ongeveer het enige kanaal waarlangs min of meer waarheidsgetrouwe nieuwsberichten binnenkwamen – draaiden tegenwoordig om één onderwerp: de recente ontwikkelingen rond Kims knokploeg.

De eerste- en tweede-kasters waren er natuurlijk niet blij mee dat er zo'n machtige groepering uit het laagste volk gevormd was, maar ze maakten zich voorlopig nog niet echt zorgen. Ze waren ervan overtuigd dat de wet aan hun kant stond en dat de veiligheidsdienst wel zou ingrijpen indien het algemene belang werd geschaad. De hogere-kasters hielden nauwkeurig in de gaten wat de bende aan het uitspoken was. Het stond buiten kijf dat kastegenoten die door de bende de les gelezen werd het ronduit verdienden. Dan hadden ze maar niet zo dom moeten zijn het klootjesvolk te treiteren. Wat dat betreft hadden ze geen medelijden met hun herseloze medekasters. Van jongs af aan werd ze geleerd om zich niet te mengen met de lagere-kasters. *Wie likdoorns in zijn oren had, moest het maar elders in zijn lijf voelen,* zo simpel was dat. Ze beschouwden het hardhandige optreden van de bandieten als een unieke gelegenheid om eens en voor al de scheidslijn tussen de hogere en lagere kasten te trekken.

Een andere reden waarom de eerste-kasters zich geen zorgen maakten over de bende, was dat haar geweldpleging in negen van de tien gevallen naar binnen gekeerd was. De boeven takelden eerder elkaar toe dan de leden van een andere kaste. Bovendien, als je goed om je heen keek, vond je dat verschijnsel niet vreemd. Het was Lian althans opgevallen dat in een gezin waarin de ouders hun kinderen mishandelden, de oudere broers en zussen de jongere sarden, terwijl de jongsten de huisdieren te grazen namen. Als er geen honden of katten in huis waren, kon je er donder op zeggen dat er ergens onder het hoofdkussen of de matras van het jongste gezinslid een pop te vinden was, die opengescheurd en kapotgekrabd was.

Wil je je vijand martelen? Begin er alvast mee,
opdat hij van je leert en jouw taak overneemt:
hij maakt zichzelf het leven zuur

De derde-kasters bevonden zich in het soort situatie waarin je gewend raakt aan kwellingen. De eerste- en tweede-kasters hoefden zich op den duur niet het hoofd te breken over hoe ze de lagere-kasters stuk voor stuk moesten pijnigen – ze deden het zichzelf wel aan.

❧

Nieuwe roddels, en nog smeuïg ook! De beeldschone Jiening had Erfu de bons gegeven! Lians haren stonden recht overeind toen ze het hoorde. Ze wist nu wel zo'n beetje waar die Erfu toe in staat was. Weilin, Jiening, Kim…

Het stond blijkbaar in de sterren geschreven dat ook zijn tweede liefje hem verliet voor de een of andere bleekhuidige rijkeluiszoon. Een schande, een belediging en een nederlaag voor het opperhoofd van zo'n invloedrijke straatbende! Maar deze keer moest hij zijn nederlaag als een ontwortelde kies inslikken – dit was andere koek. De vader van Jienings nieuwe vriendje was generaal. Op het moment dat ze Erfu te kennen gaf dat ze bij hem weg zou gaan, stond haar nieuwe minnaar bij de deur, geflankeerd door pa's lijfwachten, compleet met geladen revolvers aan de heupen. Toen Jiening klaar was met haar toespraak, stapte haar vriendje voor de vorm nog even Erfu's kamer binnen om hem te vertellen dat hij het niet in z'n hoofd moest halen wraakacties te ondernemen, in welke vorm dan ook – anders zou zijn vader er wel op toezien dat zijn bende binnen de kortste keren opgerold was. Dat was niet aan dovemansoren gericht: geen wijfje, hoe appetijtelijk haar vlees ook rook, was de opheffing van zijn organisatie waard.

❧

HOOR DE NIEUWSTE RODDELS!
VERS VAN HET FRONT!
ERFU SMOORVERLIEFD OP KIM!

Verliefd op Kim? Erfu? Hij die vroeger alleen maar oog had

460

voor klassieke schoonheden en popperige prinsesjes op hun dito erwtjes? Kim? De bandiete galoppeerde rapper dan de stoerste kerel, tilde een groentezak van vijftig kilo als een luciferdoosje van de vloer, rookte als de schoorsteen van een elektriciteitscentrale en vloekte zelfs een dode stijf. Hoe bestond het dat de leider van de boevenorganisatie met zijn kieskeurige smaak op Kim viel?

En hij was niet zo'n beetje verliefd ook, als je de roddels mocht geloven. Maar vanuit Kim bekeken, zij die behalve afschuw en treiterimpulsen nooit gevoelens van een ander genre bij jongens had opgewekt, was het een wolkenkrabber van een eer om bemind te worden door zo'n belangrijk man als Erfu!

Maar nu moest je deze horen. Het werd echt te idioot voor woorden. Kim dreigde met aftreden uit het centraal comité van de bende, als Erfu doorging haar 'lastig te vallen' met mierzoete woorden, belachelijke gebaren, uitingen van hartstocht en genegenheid en vuilnismanden vol kostbare cadeaus. Wat wilde die griet nou?

De pad en de zwaan

Op een ochtend stond er een honderdtal leerlingen samengedromd voor een stuk muurkrant. Merkwaardig, want het schrijven van de krant was allang een formaliteit geworden. Niemand nam de moeite die onzin te gaan staan lezen. Er stond absoluut niets nieuws in de bekritiseringsartikelen. De meeste waren overgeschreven van die van de vorige dag, alleen om aan de dagelijkse quota te voldoen en de schoolleiding gerust te stellen. Waarom er vandaag plotseling zo'n enorme belangstelling was voor die flauwekul, was Lian een raadsel. Zou er weer een nieuwe leraar beschuldigd zijn van het bewandelen van de kapitalistische weg? Ach, welnee, dat was toch geen *nieuws*.

En daarbij, dat was zo goed als onmogelijk. In de vier maanden dat de Huangshuai-hysterie zich voortsleepte, had nagenoeg iedere onderwijzer een martelbeurt gekregen. Directeur Chen en de plaatsvervangende directrice Bij-ons-op-de-universiteit waren de enigen die de dans ontsprongen waren. Of zou het kunnen dat een opportunist zijn kans schoon had gezien om Chen te overtreffen in rode radicaliteit, door hem van zijn troon te stoten onder het mom van het bewaken van de zuiverheid van de proletarische beweging? Maar zelfs dat zou geen echt nieuws zijn. De ene ruimde de andere op, en de smoes was altijd dezelfde: hij was trouwer aan de Partij dan de rest.

Natuurlijk! Het was geen bekritiseringsartikel waaraan de leerlingen zich stonden te vergapen. Ze had het kunnen weten – het was een liefdesbrief, die dwars over een verweerde belediging geplakt was.

Lian wrong zich naar voren. Al snel mengde ze zich in het gegiechel van de meisjes. Ze genoot van het gegier van de jongens. Wat een hartstochtelijk schrijven! Ze moest toegeven – het was een literair meesterwerk. Anders dan de gangbare smachtende, mijmerende en kwijlende zinsneden van tot over hun oren verliefde dwazen, wist de schrijver zijn emoties helder, logisch en zelfs nuchter te formuleren. Tegelijkertijd was hij in staat zijn overweldigende passies als bergen tijdens een aardbeving te laten bulderen, de omgeving en de toeschouwers te doen schudden, tot de kern van hun wezen op zijn hartstochtelijke ritme meetrilde en in een meeslepende extase in elkaar stortte... Dit was poëzie.

Maar hoe beter de brief, hoe groter het vermaak van de omstanders. Er werden karakters aangewezen, zinnen nagebauwd en woorden op hun mogelijke dubbele betekenis uitgetest. Wat een lol! Wat een inspiratie had de auteur uit zijn amoureuze opvliegingen geput!

Lian grijnsde met de omstanders mee, vergetend dat het eigenlijk bij de beesten af was van de geadresseerde, om de brief aan de hele school bekend te maken en daarmee de gevoelens van haar aanbidder aan de schandpaal te nagelen. Eerlijk gezegd lachte Lian de schrijver niet uit, maar ze schermde zich angstvallig af tegen de neiging om zich net als de briefschrijver over te geven aan zulk soort verlangens. Ze had de laatste tijd last van hartkloppingen wanneer ze fantaseerde over liefde, iets waar ze in Boeddha's naam geen raad mee wist. Telkens als er zich zoiets voordeed, moffelde ze haastig haar emoties weg en deed ze net of ze de ouwe Lian Shui was, die niets van affectie moest hebben en die de hang daarnaar een teken van zwakheid en geestelijke ongesteldheid vond. Hierin stond ze zeker niet alleen; anders zouden haar medeleerlingen zich niet zo krampachtig en overdreven geamuseerd voordoen over de liefdesbrief.

Maar er was iets wat haar minachting voor de ontvangster van dit schrijven nog versterkte. De muurkrant was, in de woorden van Chen, 'de guillotine van contrarevolutionairen, revisionisten en bourgeoisgezinden'. Door de brief hier aan te plakken, had de geadresseerde haar aanbidder naar dezelfde plaats gesleurd als waar de leraren met revolutionaire artillerie beschoten werden – een slimme zet!

Al met al was Lian blij met dit incident; het strooide tenminste wat piment in het flauwe schoolleven. Het Huangshuai-gedoe kwam haar zo langzamerhand de neus uit.

Maar wacht eens even – dat handschrift kwam haar bekend voor. Haar blik zoefde naar het eind van de brief, en de lach op haar gezicht bestierf: *ondertekend, Kim Zhang.* Onder de brief was de enveloppe gepind. *Ontvanger: Wudong.*

Wudong, de Adonis. Hij die Lian op de laadbak van de tractor geholpen had. Zelfs de bloedmooie mademoiselle Meimei maakte geen schijn van kans bij hem. Wudong. Kim. Wudong. Hoe haalde Kim het in haar hoofd haar diepste gevoelens aan hém te verspillen? En daar had ze Erfu voor laten vallen? De gouden gelegenheid om de liefdevolle toewijding van de bendeleider in ontvangst te nemen sloeg ze in de wind, alleen vanwege Wudong?

Lian had spijt als haren op haar hoofd dat ook zij plezier had beleefd aan de 'dwaze brief van de hand van een doorgedraaide verliefde'. Hoe had ze zo wreed kunnen zijn om de auteur te beschimpen? Ze had bedorven eieren in de lucht gegooid en nu petsten die stinkend op haar voorhoofd. Maar hoe had ze dan ook kunnen voorzien dat de schrijver niemand anders was dan Kim? Ze kon die Wudong wel levend villen! Was zijn hart van marmer dat hij zo met het hart van een verliefd meisje liep te voetballen? Ze was maar wat blij, achteraf gezien, dat ze destijds niet op zijn avances was ingegaan! Of had ze dat juist wél moeten doen, zodat ze nu zijn gevoelens in zoutzuur kon dompelen?! Maar goed, dit soort hersengymnastiek had nu geen enkele zin meer; het kwaad was al geschied. Kim was met haar gevoelens van genegenheid compleet voor schut gezet.

Waar was Kim trouwens? Lian rende naar het leslokaal. Daar zat ze, moederziel alleen, niet wetend welk zwaard er boven haar hoofd bengelde. Blijkbaar was ze de enige die nog niets van Wudongs actie afwist. Haar ogen stonden vol vraagtekens – de schoolbel had allang geluid, waar was iedereen? Lian durfde Kim niet in de ogen te kijken; Lian bad tot Boeddha dat Hij haar de aanblik van Kims ontreddering zou besparen, wanneer ze erachter kwam welk vuil spelletje er met haar gespeeld werd.

Toen de klasgenoten eindelijk het lokaal binnendruppelden, stond de tweestrijd op hun gezicht te lezen. Aan de ene kant barstte hun buikvel bijna open van leedvermaak en verachting voor de geschifte Kim – *de wrathuidige pad, die ervan droomde het vlees van een witte zwaan te proeven*; aan de andere kant waren ze bang voor de reactie van deze keiharde bandiete, *wier vuisten geen oogkleppen hadden.*

Maar het duurde niet lang voordat Kim ontdekte wat er aan de hand was. Uit het gegrinnik en gefluister van haar klasgenoten kwam ze er stukje bij beetje achter wat er aan de hand was. Halverwege de revolutionaire preek van 'directeur' Chen stond Kim op, gooide haar tafel omver en schopte links en rechts tegen tafels en stoelen, of er leerlingen zaten of niet. De tafels vielen krakend omver, de benen van de net nog grijnzende klasgenoten ertussen geklemd. Gespannen volgden de klasgenoten de woedeaanval van de getergde leeuwin; ze vreesden het ergste, nu Kim in een razend tempo de achterkant van het lokaal naderde, waar Wudong zat te klappertanden. Iedereen stond meteen op als Kim in de buurt kwam; sommigen schoven slaafs hun tafel in haar handen, zodat ze er ongehinderd haar woede op kon koelen.

Wudong zat in een hoek, aan twee kanten beschermd door muren. Hij maakte zich alvast zo klein mogelijk, zodat Kim hem niet al te hard zou kunnen treffen. Niet na te vertellen gore vloeken spuiend, stormde ze op hem af. Vlak voor zijn neus kwam ze tot stilstand.

Ze keek hem aan.

Het ijzer in haar vuisten smolt.

Haar gevloek doofde.

Het werd stil.

Kims hete tranen stroomden langs haar modieuze blouse op de kille, kille grond.

Opeens begon het bij Lian te gloren: daarom was Kim elke dag naar school gekomen – ondanks de volstrekt nutteloze 'lessen' – daarom droeg ze om de andere dag een nieuwe blouse, daarom smeerde ze dure crème op haar gezicht… daarom zat ze zo vaak wezenloos in het oneindige te staren! Kims hart was naar Wudong gevlogen en haar verstand was bedolven onder romantische fantasieën.

Wudong keek naar zijn slachtoffer, en had het lef de stilte te doorbreken. Hij dacht dat hij in aanmerking zou komen voor strafvermindering als hij de schuld op zijn vrienden zou schuiven: 'Kim… Kim, eerst wilde ik jouw brief niet op de muurkrant plakken, maar zíj stonden erop dat ik het deed…'

'Hou je bek!'

Kim hief haar vuist en sloeg in plaats van op Wudongs hoofd, tegen de muur naast zijn oren. Op het cement bleef een bloedige afdruk achter. Kim kreunde hartverscheurend.

Haar droom was vermorzeld door een laaghartige en vooral laffe droomprins. Had hij nou maar zijn snavel gehouden! Dan zou Kim deze nieuwe ontgoocheling bespaard zijn gebleven. De afwijzing van haar liefde had ze wel kunnen voorspellen – ze wist ook wel dat zij de *wrathuidige pad* en hij de *witte zwaan* was; ook de wreedheid van het openbaar maken van haar brief zou eventueel nog goed te praten zijn – het steenkoude hart van haar droomprins zou het tragische effect van haar Grote Liefde tot het uiterste kunnen drijven – maar zijn lafheid sloeg alles. Was dit de jongen die ze zo bewonderd had? Tussen de ruïnes van haar luchtkasteel stond haar idool, ontdaan van zijn koninklijke gewaden – er bleef niets van hem over dan een weerzinwekkend, beschimmeld skelet. Wie had kunnen vermoeden dat onder Wudongs mooie vel zo'n wrede, laffe kwal huisde?

Kim veegde haar bloedende vuist aan haar spierwitte nylon blouse af en sleepte zich geluidloos snikkend het lokaal uit.

❧

Direct na school rende Lian naar de campus en dook de boomgaard in. Het was een oase van stilte en rijping. De knoppen waren overal uitgegroeid tot levensgrote peren en perziken. Was ze hier zo lang al weer niet geweest? Ze zuchtte van genoegen en nam de zoete geuren dankbaar in ontvangst. Hoe meer ontspanning deze plek haar leek aan te bieden, des te onverdraaglijker werden haar gedachten over de afgelopen tijd. Kims miskoop – de als fraaie blouse bedoelde regenjas –

het feit dat zij haar heil zocht in de onderwereld, en vooral haar dwaze liefde voor de lafhartige Wudong...

Lian leunde tegen een perenboom. Ze voelde de boom leven, voelde de ongeduldige bewegingen van de vruchten die de takken deden doorbuigen en voelde hoe die door het gewicht van haar lichaam tot trilling werden gebracht. Ze vroeg de groene zee: 'Snapt u misschien waarom het uiterlijk zo bedrieglijk is? Wudong, de zo begeerde prins, bleek vandaag niets anders te zijn dan een koeienvlaai, beschilderd en gelakt met fraaie kleuren. Had Kim dat niet in de gaten? Moest ze zich zo met hart en ziel op hem storten? Eigenlijk, dat moet ik u bekennen, was ik vanochtend net zo geschokt als Kim. Wie had kunnen denken dat zo'n mooie jongen zulke bedorven ingewanden kon hebben?'

De stilte sloeg Lian in het gezicht. Tegen beter weten in verwachtte ze een antwoord van de bomen. Maar de enige respons was de alomtegenwoordige geur van fruit en gras. Ze versmalde haar ogen en stelde zich voor dat de geuren de armen van Kannibaal waren, die haar optilden en meevoerden het Nirwana in. Ze spreidde haar armen en maakte zich gereed voor de vlucht.

Liefdeslabyrint

Het zou maanden duren eer Lian Kim weer zou zien.

Verhalen deden de ronde dat Kim zich sinds de dag van Wudongs verraad in het openbaar met Erfu vertoonde, arm in arm, iets dat ronduit als zedenbedervend werd beschouwd. Zulk gedrag werd ofwel verfoeid ofwel toegejuicht, afhankelijk of men de Roerganger naar de mond praatte of zijn eigen hart volgde. Ondanks het protest van haar ouders hokte Kim met Erfu. Wat niemand begreep, was waarom ze Erfu stelselmatig een dreun in zijn kruis gaf, telkens als hij haar 'liefje' noemde.

Kims status binnen de bende steeg met de dag en zelfs Erfu moest drie keer nadenken voor hij probeerde af te wijken van door haar voorgestelde actieplannen. Als zijn ondergeschikten met een nieuw voorstel kwamen, zei hij: 'Ik zal mijn gedachten erover laten gaan.' Hij bedoelde natuurlijk: 'Mijn vriendin Kim zal haar gedachten erover laten gaan.' Maar ondanks Kims bekwaamheid als leider van de organisatie en het diepe respect van de bendeleden dat ze genoot, kleefde er een nare bijsmaak aan haar naam. Ze stond bekend als een rare vogel, een bikkelharde, onverstoorbare meid, die voor geen enkele vorm van geweld terugdeinsde en in de gevaarlijkste situaties het hoofd koel hield... maar die al haar zelfbeheersing verloor als iemand het waagde oprechte genegenheid voor haar te tonen. Tederheid haalde de trekker over van haar moordlust – of zelfvernietiging – en daarom liet Erfu, blijkbaar gebiologeerd door haar unieke persoonlijkheid, haar met rust. Hij was al lang tevreden dat Kim met hem samenwoonde; waarheen haar geest zweefde, kon en wilde hij niet achterhalen. Hij maakte van de nood een deugd en smeerde altijd dezelfde mop op zijn lippen: 'Mijn vriendin is een engel. Ze forenst tussen hemel en aarde en onderhoudt twee minnaars. De een fladdert daarboven in het rond en de ander ben ik. Wat een mazzelaar ben ik!'

~

Er restten nog vier dagen tot de zomervakantie. Lians leven kabbelde voort zonder Kim. Er gebeurde van alles, maar het gleed langs haar heen alsof ze immuun was, als een hand die door drie lagen truien heen haar rug probeerde te krabben. Met de jonge lerares wiskunde mevrouw Xu, die Lian had horen huilen omdat ze niet begreep waarom haar leerlingen zo barbaars tegen haar tekeergingen, en haar oudere collega mevrouw Feng, die haar had proberen te troosten en steunen, was iets gebeurd dat de hele school in beroering had gebracht. Als dank had Xu mevrouw Feng bij de directie aangegeven als verborgen contrarevolutionair element. Na haar eerste huilbuien was Xu tot bezinning gekomen. Toen ze wat beter om zich heen – en vooral naar boven – keek, had ze geconcludeerd dat alleen degenen die zich aanpasten en gewetenloos meededen aan de rode waanzin, overlevingskansen hadden, of beter: omhoog konden klimmen. Opportunistisch als ze was, nam ze 'directeur' Chen en Bij-ons-op-de-universiteit als haar lichtende voorbeelden. Ze zette Fengs als troost bedoelde uitspraken woordelijk op papier, dikte een en ander met haar vruchtbare fantasie aan om de reactionaire aard beter uit de verf te laten komen en voegde er haar proletarische, naar buskruit riekende kritiek aan toe.

Chen prees Xu's gedrag de hemel in, omdat hij zich zo langzamerhand in een nogal geïsoleerde positie had gemanoeuvreerd – hij had al zijn collega's op de plaatsvervangende directrice na, de grond in geboord en hield zodoende geen medestander meer over om de Huangshuai Beweging voort te zetten. In deze jonge verklikster zag hij de kans om een aantal leraren zonder ruggegraat of integriteit te rekruteren. Hij schonk Xu de belangrijkste post naast die van de twee directeuren: hoofd van het secretariaat. Het gevolg was dat dit vrouwtje *met haar neusgaten in de lucht* rondliep en bevelen begon uit te delen met betrekking tot het berispen, aanklagen en martelen van haar oudere collega's.

Feng werd in een geïmproviseerde isoleercel in een van de bijgebouwen van de school opgesloten en niet lang daarna overgeplaatst naar een heropvoedingskamp in de provincie Heilong Jiang – het noordelijkste deel van China – opdat de verraadster zowel haar slachtoffer als haar geweten niet onder ogen hoefde te komen.

Lian was inmiddels zo gewend geraakt aan dergelijke intriges onder het mom van de revolutie dat ze niet eens haar wenkbrauwen optrok, toen ze dit verhaal hoorde. Ze had afstand genomen van elke betrokkenheid bij de politiek, die in haar ogen niets anders dan een machtsstrijd tussen twee partijen was – degenen die de kunst van het liegen en overbluffen beter onder de knie hadden, gooiden hun tegenstanders achter de tralies. Simpeler kon niet.

Het enige wat haar interesseerde was hoe ze de kennis over de Grote Liefde in praktijk kon brengen, zoals ze die had opgedaan bij het lezen van verboden romannetjes die nog altijd van hand tot hand gingen. Ze kende het genot van een gefantaseerd idool, maar begon nu om zich heen te kijken of hij ook in werkelijkheid bestond. Haar leeftijdgenoten trokken haar niet aan, misschien omdat die jongens, net als zij, eigenlijk alleen met zichzelf bezig waren, op zoek naar hun eigen identiteit. Ze waren vooral egocentrisch en waren niet in staat voldoende aandacht aan hun meisje te besteden, hoeveel ze ook beweerden van haar te houden. Lian hing daar een hele theorie aan op, niet omdat ze ooit verkering met een jongen van haar leeftijd had gehad – na het korte verbond met de bende in het jeugdopvangcentrum had ze nog maar nauwelijks een woord met hen gewisseld – maar omdat ze aan allerlei kleine dingen dacht te kunnen merken hoe iemand in elkaar zat. Haar conclusie hoefde niet per se volkomen met de werkelijkheid overeen te stemmen, maar ze leek haar reëel genoeg om als richtlijn te fungeren voor haar doen en laten. Hoe het ook zij, de jongens hadden een blik in hun ogen die Lian niet bepaald beviel. Ze keken naar een leuke meid alsof het een lolly was, die hun snoeplust kon stillen. Lian had het meer op de leraren.

Vooral de leraar natuurkunde voor de hogerejaars, meneer Gong Wei, viel bij Lian zeer in de smaak. Al had zij nooit bij hem in de klas gezeten, ze had voldoende vleiende woorden over hem gehoord om te weten dat hij niet alleen zijn vak uitstekend verstond, maar bovenal een sympathieke man was. Daar kwam bij dat ze hem de laatste drie maanden geregeld op de speciale aanklachtenbijeenkomsten gezien had, waar de hele school bij aanwezig moest zijn. Tijdens deze bijeenkomsten werden alleen de zwaarste criminelen, dat wil zeggen de bekwaamste leerkrachten, onder vuur genomen. Hun handen werden met een dik touw op de rug gebonden; ze moesten vooroverbuigen tot hun hoofd tussen hun knieën hing. Om de paar minuten, wanneer de spreker een alinea van zijn bekritiseringsartikel voorgelezen had, werden de leraren in het gezicht geslagen, aan hun haren getrokken en – als de bewuste alinea een gewichtige politieke inhoud had – tegen de onderbuik getrapt. Aangezien de leraren met hun vastgesjorde handen zich moeilijk in evenwicht konden houden, vielen ze vaak lelijk op de grond. Ze kreunden smartelijk, terwijl de leerlingen hen als een zak vuilnis optilden en weer op hun benen zetten. Gong Wei behield tijdens dit soort toestanden altijd zijn waardigheid, op wat voor beestachtige manier hij ook gemarteld werd; ook al stond hij met zijn neus tegen de grond gedrukt, hij uitte nooit een enkele klacht. Op een dag pakte een leerlinge hem zo ruw beet dat ze een handvol haren uit zijn hoofd trok. Ze sprong verschrikt op, liet de pluk haar op de grond vallen en barstte midden op het podium in snikken uit, ten overstaan van honderden deelnemers. Gong Wei keek vol medeleven naar haar op en stelde haar met een vriendelijke glimlach op haar gemak, terwijl het bloed langs zijn schedel liep.

Sindsdien liep dit meisje voortdurend achter hem aan. Op zich was dat niet zo'n groot kunststuk – hij had samen met een aantal van zijn bourgeoisgezinde collega's een nieuwe baan gekregen: de wc's, gangen en leslokalen dweilen. Ook veegde hij de straten in de omgeving van de school. Telkens als dat meisje hem zag, gaf ze hem een glas water tegen de dorst of een handdoek voor het zweet. Maar hij deed alsof hij haar niet zag, want hij wist dat men in de gaten had gekregen dat ze sympathie koesterde voor een reactionair element, iets dat haar op zich al als misdrijf aangerekend kon worden. Hij beschermde haar door haar van zich af te stoten. Zo'n integere, liefhebbende persoon deed Lians hart sneller kloppen…

Helaas, als wilde het lot een truc met Lian uithalen, zag Gong Wei haar niet staan, terwijl 'directeur' Chen, de intrigant aan wie ze zo'n gloeiende hekel had, meer dan normale aandacht aan haar besteedde.

Een dubbelzinnige bloemlezing

Half juli werd een tiental leerlingen uit verschillende leerjaren, die hoog scoorden voor het schrijven van opstellen, op het Hoofdkwartier van de Huangshuai Beweging ontboden. Lian was een van hen. Ze moesten ieder binnen een week vijf bekritiseringsartikelen van hoge kwaliteit inleveren, die gebundeld zouden worden; de leerlingen kregen deze bloemlezing mee om tijdens de vakantie te bestuderen. Lian kreeg daarnaast de taak toebedeeld de artikelen te redigeren. Chen was natuurlijk de hoofdredacteur. Aangezien ze onder zijn directe leiding stond, moest ze hem vaak om instructies vragen. Het gekke was, dat hij tegen haar niet schreeuwde als een beer onder het castreermes, iets dat hij wel placht te doen tijdens zijn ophitsende revolutionaire preken die ze elke ochtend via de luidsprekers kon beluisteren. Integendeel, in haar bijzijn zat hij ontspannen in zijn bureaustoel, draaide een pen tussen duim en wijsvinger en rolde zijn ogen van links naar rechts en van boven naar beneden. Hij zei nooit iets overduidelijk flirterigs, maar toch lukte het hem Lian het gevoel te geven dat hij haar aan het versieren was.

Zo las hij op een middag vluchtig haar kladversie van de inhoudsopgave van de bloemlezing en zei op opzettelijk lage toon: 'Het is prachtig!' Hij keek daarbij echter helemaal niet naar de vellen papier in zijn handen, maar liet zijn ogen als een roltrap op en neer pendelen tussen Lians gezicht en borsten. Het woord 'prachtig' sprak hij zodanig uit dat zelfs het achtereind van een varken er niet in zou trappen dat hij daarmee de inhoudsopgave bedoelde. Tot overmaat van ramp vatte Lians ijdelheid vlam en raakte ze zonder meer in de ban van zijn gevlei, ondanks haar verstandelijke afschuw van deze opportunistische bruut. Ze moest hem nageven dat hij, een oudere man, het in zijn vingers had, het bekoren en verleiden van een meisje. Hierbij verbleekte het gestuntel van Liqiang. Maar ze hoefde maar even uit het raam te kijken om meneer Gong Wei te zien, die daarbuiten in de brandende zon de binnenplaats aanveegde terwijl een onhandige leraar handenarbeid in zijn koele kantoor een leerlinge probeerde te versieren. Ze bewaarde een veilige afstand tot de man, ondanks zijn overduidelijke misnoegen en zijn vele steekjes onder water.

Schade en herstel

De verhalen over Kim en haar getrouwen werden hoe langer hoe griezeliger. Hun plunderingen begonnen uit de hand te lopen. Terwijl ze vroeger meteen de benen namen als de chauffeur riep: 'Nu is het welletjes, wegwezen!' begonnen ze tegenwoordig de chauffeur te molesteren als hij zijn vracht probeerde te verdedigen. Kims groep vond blijkbaar dat ze het zich kon permitteren open en bloot te roven. Maar de groenterijders waren ook niet van gisteren en waarschuwden de politie. Kim en haar maatjes hadden nu te kampen met gewapende agenten, die steeds vaker ter plekke toesloegen. Om dat probleem het hoofd te bieden, moest er naar vuurwapens gezocht worden; dat leek moeilijker dan het in werkelijkheid was. Tijdens de eerste fase van de Culturele Revolutie werd er, zogenaamd om de zuiverheid van de maoïstische leer te bewaken, tussen verschillende groeperingen gevochten met allerlei wapens, machinegeweren incluis, en ondanks het strenge verbod op wapenbezit, bleven heel wat exemplaren in handen van het volk. Bovendien was de bewaking van de wapenvoorraden mede door de wanorde van de Rode Revolutie niet langer waterdicht. Volgens zeggen had Kims groep handgranaten en een tiental geweren weten te bemachtigen, die ze ergens in de heuvels niet ver achter de modderhuisbuurt hadden verborgen.

Het gerucht alleen al was voldoende om de politie te doen afzien van haar voornemen Kims plundertochten te saboteren.
Het rammelde overal van het geweld, ook binnen de politie-
korpsen, waarbij de linksradicalen de volgers van de kapitalistische weg martelden of zelfs doodknuppelden. Daarmee
vergeleken was het wegpikken van wat groente en het in elkaar slaan van een paar boerenkinkels niet vermeldenswaar-
dig.

Toen de zomervakantie naderbij kwam, was Lian teruggekeerd
naar de twijfelachtige, maar relatief veilige omgang met haar
kastegenoten. Een volle maand lang waande Lian zich in har-
monie met haar vriendinnen. Ze had geen last meer van
schuldgevoelens jegens Kim.
   Deze maand werd de Huangshuai en Zhang Tiesheng Bewegingen een halt toegeroepen. Volgens de krant – keel en
tong van de CPC – omdat de onderwijswereld geheel van revisionistische elementen gezuiverd was, en volgens de onafhan-
kelijke berichtgeving van de roddelkanalen omdat des
Roergangers ziekte van Parkinson verergerd was, waardoor zijn
tegenstanders in het Politbureau de overhand hadden gekregen. Deze door Hem als 'volgers van de kapitalistische weg'
onderdrukte moderngezinden hadden korte metten gemaakt
met de talloze campagnes die het land lam hadden gelegd. Om
orde op zaken te stellen, zetten ze het onderwijsapparaat weer
in gang, met als gevolg dat Huangshuai en Zhang Tiesheng
van hun voetstuk tuimelden.

Toen Lian de schoolpoort binnenging, zag ze dat de gebouwen
schoongeschrobd waren; er was geen snippertje muurkrant
meer te zien. De lantaarnpalen, die maandenlang met strijdlustige leuzen omzwachteld waren geweest, toonden weer hun
ware aard: grijs beton. De leraren liepen rond met leerboeken
onder hun armen, ter vervanging van zwabber of bezem. De
lompen die ze hadden gedragen, hadden plaatsgemaakt voor
nette kleren die bij onderwijzers pasten. Ze snelden heen en
weer tussen kantoor en leslokaal en bereidden zich voor op het
begin van het nieuwe semester. Als je het opgeruimde uiterlijk
en het verantwoordelijkheidsgevoel dat ze uitstraalden zag,
zou je niet zeggen dat ze een paar weken geleden nog als politieke misdadigers getreiterd en geslagen waren. Maar als je be-

ter keek, zag je de sporen van de ravage die de Huangshuai Beweging bij hen had aangericht: zelfs de jongste leraren hadden grijze haren en kraaienpoten gekregen, om maar niet te spreken van degenen die over de veertig waren. Meneer Gong Wei liep weer rond in de fiere houding die Lian van hem kende, maar zijn stappen waren niet meer zo zeker als voorheen – zijn linkerknie, waar een leerling in een contrarevisionistische opvlieging met een kettingslot op had geslagen, was onherstelbaar beschadigd.

Deze mengeling van herstel en blijvende schade was ook bij de schoolleiding te bespeuren. Volgens het ministerie van Onderwijs moesten degenen die tijdens de Huangshuai Beweging de macht hadden gegrepen het veld ruimen. Twee maanden geleden had meneer Dong, de voormalige directeur, tijdens een aanklachtenbijeenkomst een hersenbloeding gekregen, waardoor hij aan de linkerkant verlamd was. Aangezien Chen vóór de Beweging reeds de post van plaatsvervangend directeur bekleedde, was hij de aangewezen persoon om hem op te volgen. En omdat Chens plaats vrijkwam, kon Bij-ons-op-de-universiteit haar plaatsvervangend directeurschap behouden. Het leek allemaal logisch en wetmatig, maar zelfs de grote teen van een oen kon zien hoe de vork in de steel zat. Alleen mevrouw Xu, die haar oudere collega had verraden en zo omhoog was geklommen, was het niet gelukt om van haar nieuw verworven status een fait accompli te maken. Nu het onderwijs weer normaal draaide, rustte er een zware taak op de schouders van het hoofd van het secretariaat. Degene die deze functie vervulde moest verstand hebben van zowel de financiële als de personele administratie en tevens coördinatiecapaciteiten in huis hebben, anders zou de school, met haar elfhonderd leerlingen, negentig docenten en dertig onderwijsondersteunende personeelsleden, een gekkenhuis worden. Dat risico kon Chen zich niet permitteren, hoezeer hij de bijdrage aan de Huangshuai Beweging van de verraadster ook waardeerde. Wetend dat zijn directeursstoel nog wankel was, moest en zou hij zijn superieuren bewijzen dat hij deze post aankon. Om te voorkomen dat Xu niet al te zeer afging, scheepte Chen haar af met de eretitel Commissaris voor Propaganda. In feite stelde die propaganda niets meer voor nu de politieke cycloon was voorbijgeraasd, maar toch betekende het een respectabel afstapje voor de eens zo invloedrijke opportuniste – ze was zonder gezichtsverlies afgedaald van de top naar de plaats die bij haar kwaliteiten paste.

Maar er hing Xu nog meer boven het hoofd. De collega die door haar toedoen in het heropvoedingskamp was terechtgekomen, zou volgens zeggen vrijgelaten worden. Wanneer wist niemand precies, haar dossier zat ergens halverwege de ambtelijke molen. Maar vroeg of laat zou ze terugkeren en dan zou ze weer samen met haar aangeefster de wiskundelessen voor de eerstejaars verzorgen. Dan zouden ze net als voorheen tegenover elkaar zitten – de wiskundeleraren hadden maar één kamer tot hun beschikking.

Hoe zou Xu haar slachtoffer in de ogen kunnen kijken? En hoe zou Feng het kunnen uithouden om dag in, dag uit in één kleine ruimte te zitten met de levende oorzaak van haar gevangenisstraf? Enfin, ze zouden er wel aan móeten wennen. In dit land waar politieke campagnes met de regelmaat van de klok de bevolking terroriseerden en verdeelden in vijandige kampen, moest men leren met zijn ex-beul, ex-treiteraars en ex-verklikkers vreedzaam samen te leven; daar was geen ontkomen aan. Men leefde binnen de vier muren van dezelfde communistische staat, en al konden sommigen de smoel van bepaalde *gezichtloze* collega's niet uitstaan, ze moesten zich voor hun eigen gemoedsrust een eeuwige, ondoorgrondelijke grijns aanmeten.

'Opstaan!' riep Shunzi de klas toe, toen mevrouw Meng het leslokaal binnenstapte, waarmee hij het routine-eerbetoon in ere herstelde.

'Goedemorgen.' Mevrouw Mengs stem klonk zwakjes, zwakker dan de leerlingen van haar gewend waren vóór de Huangshuai Beweging. Haar toon was even vriendelijk als vroeger, alsof ze nooit door haar leerlingen uitgescholden, vernederd, vals beschuldigd en gemarteld was. Ze liep naar het podium en legde haar leerboeken en mappen op tafel.

Het zorgvuldig verborgen schuldgevoel kwelde niet alleen Shunzi. Ook de rest van de klas vroeg zich af: hoe kan mevrouw Meng na alles wat we haar hebben aangedaan nog zo aardig tegen ons zijn? Koestert ze dan geen rancune? Waarom maakt ze geen gebruik van haar macht om zich op ons te wreken? Het was overigens wel even wennen om de lerares rechtop te zien staan; maandenlang hadden ze niet veel meer dan haar kruin gezien, omdat haar hoofd steeds tegen haar knieën gedrukt was geweest.

Stukje bij beetje ontspanden ze zich. Mevrouw Mengs vergevingsgezindheid bleek uit de enthousiaste en verantwoorde manier van lesgeven die ze van haar gewend waren.

Kims stoel was leeg. Lian had eigenlijk niet anders verwacht; het zou haar niet verwonderen als Kim niet eens de moeite had genomen om zich voor dit schooljaar in te schrijven. Zou Kim wel beseffen wat ze miste? Het gerommel van de Huangshuai Beweging was voorbij en ze zou gemakkelijk de draad weer kunnen oppakken. Er was nu toch geen reden meer om in die bende te zitten? Lian vreesde dat Kim te diep gezonken was in het drijfzand van het bendeleven om de meer sociaal geaccepteerde weg naar succes te willen bewandelen.

Maar wie schetst haar verbazing toen Lian de volgende dag Kim op haar vertrouwde plek zag zitten! Ze droeg een gloednieuw pak van synthetische stof, haar haren waren gekamd en haar gezicht glansde van de amandelgeurige crème, die er iets te dik op gesmeerd was. Ze zat braaf aan haar tafel en hield zich keurig aan de regels. Tijdens de wiskundeles kreeg ze een beurt en tot ieders verbazing was haar antwoord perfect. Eigenlijk was dat ook niet zó gek, want in de periode dat ze gespijbeld had, hadden haar klasgenoten zich alleen maar beziggehouden met leerkrachten het leven zuur maken; ze had in wezen niets gemist. Bovendien had ze haar studiepeil vóór de Huangshuai Beweging verhoogd tot boven het 80-niveau.

Maar haar aanwezigheid had wel degelijk effect. De leerlingen reageerden nerveus en geschrokken. De leraren staken hun afkeer en minachting niet onder stoelen of banken. Mevrouw Meng bij voorbeeld, gebruikte termen als 'bij jullie' en 'in jullie circuit', telkens als zij Kim toesprak. Het was opvallend dat de leraren geen wrok koesterden tegen de leerlingen die hen tijdens de Huangshuai Beweging gekweld en beledigd hadden en hen behandelden als waren het onschuldige engeltjes, en dat zij juist ten opzichte van Kim, die in hun moeilijkste tijden geen lelijk woord tegen hen gesproken en geen vinger naar hen uitgestoken had, grof en denigrerend deden. Blijkbaar beschouwden de leraren de massale wreedheden tijdens een politieke beweging als een incidenteel verschijnsel dat met begrip voor de algehele toestand in het land vergeeflijk was, maar de verschillen tussen kasten en sociale groepen daarentegen als een eeuwig gegeven dat ze onder geen beding mochten vergeten.

Het voornemen van Kim om te integreren in de 'nette' maatschappij en een goede leerling te worden, werd hierdoor in de kiem gesmoord. Ze werd hoe langer hoe onhandelbaarder voor de leraren. Maar ze spijbelde niet meer en tergde met haar punctuele aanwezigheid de leerkrachten, die haar als tuig verafschuwden. Kims constant opeengeperste lippen en vuurspuwende ogen voorspelden weinig goeds. De klasgenoten en de leraren probeerden Kim uit hun milieu te weren en Kim probeerde er uit alle macht deel van uit te maken.

Op naar Miru

Getooid in haar o zo magnifiek bontgekleurde jurk, walste de gouden herfstvrouw naar Peking. Ze wendde zich om en om, toonde elk kleurvlak van haar japon en verblindde het menselijk oog met de ontelbare facetten van haar geurige charmes, doelbewust, verbluffend en verbijsterend. De verfrissende wind strooide de citroengele waaiervormige bladeren van de ginkgo-bomen door de lucht en bedekte er de straten en landweggetjes mee.

Tegelijkertijd namen gerijpte lichtbruine eikels afscheid van hun ouderlijke takken en rolden op de voedzame zwarte aarde, waarin ze een nestje hoopten te vinden om er hun eigen boomkinderen in groot te brengen; bordeauxrode esdoorns keken hun neerdwarrelende bladeren vol bewondering na.

Ze zwaaiden hen uit met een lied:

Ga in vrede en zoek jullie voorbestemde plek
Maak je geen zorgen over wat er van ons wordt
Wij blijven – wij zullen de veelkleurige herfstbelevenis
van de mensen brouwen tot hun wijnrode herinneringen
en na een tijdje plaatsmaken voor het wit van de winter
In drie maanden zal het brouwsel bezinken
In het voorjaar trekken we de kurk van de fles
Dan is het bouquet van het najaar gedestilleerd
en zullen we diens verfijnde smaak mogen testen
Zo is de cirkel rond

De herfstvakantie was hét moment voor een schoolkamp. Het was jaren geleden dat Lians school zo'n kamp georganiseerd had. Maar dit jaar, om zowel de leraren als de leerlingen te laten zien dat de Huangshuai Beweging definitief van de baan was, dat het reguliere schoolleven serieus hervat werd en misschien ook wel om de ravage die de politieke waanzin had aangericht enigszins goed te maken, zette Chen een bijzonder kamp op touw.

Hij had zich werkelijk uitgesloofd. Via allerlei relaties van relaties was het hem gelukt om een handpalmgroot eilandje, zo'n honderdvijftig kilometer uit de kust, Miru genaamd, voor twee weken af te huren, met alles erop en eraan. Inclusief een gebouw van vijf verdiepingen met slaapzalen, een kantine en een stoombootje dat het vervoer van en naar het eiland verzorgde en ook ingezet kon worden voor speurtochten langs de kust.

De leerlingen konden zich niet meer op de lessen concentreren – opgewonden kletsten ze door alles heen. Of het zeewater warm genoeg zou zijn om in te zwemmen, of er wilde dieren te bespeuren vielen – Miru was toch een natuurreservaat? – en of ze op het strand zeldzame schelpen zouden vinden.

Alleen de voorbereidingsprocedure was minder leuk. Ze moesten allemaal naar de dokter voor een schriftelijke verklaring van goede gezondheid. Daarvoor moesten ze uren in de rij staan, viervoudig formulieren invullen, bloed laten testen en meer van die rompslomp. 'Ja,' zei mevrouw Meng, 'we willen niet het risico lopen dat iemand met een chronische of besmettelijke ziekte meegaat. Miru ligt zo ver van de bewoonde wereld; als iemand onwel wordt, is goede raad duur.' De ouders werden geacht schriftelijk toestemming te geven, want de school wilde in geen geval een moederskindje naar het eiland verschepen dat ter plekke alleen maar zou gaan zitten grienen van heimwee.

Net als vorig jaar moesten de klasgenoten in slaapgroepen verdeeld worden. Op zich viel dat wel mee; ze waren er door de jaren heen wel aan gewend geraakt om zich simpelweg naar kaste te laten indelen. Kim leverde echter een onvoorzien probleem op. Tijdens de stage *Leer van de boeren* was het voor haar

477

kastegenoten niet zo'n ramp geweest om op eenzelfde logeer-adres te belanden als Kim, maar nu ze bandiete was geworden, sprong iedereen van haar weg alsof ze een emmer opspattend zwavelzuur was. Van mevrouw Meng kreeg Kim geen medele-ven, eerder een veelbetekenend ophalen van de wenkbrauwen, en dat betekende niet minder dan een onherroepelijke ban-vloek. Na veel gevoetbal tussen de groepen derde-kasters, die elkaar afkraakten in de hoop dat de andere groep geschikter zou lijken om Kim gezelschap te houden, floot scheidsrechter Meng de wedstrijd af: 'Hou op met dat gebakkelei! Jullie heb-ben allemaal gewonnen. Kim hoeft bij geen van jullie te slapen. Ik ga wel naar de directeur en vraag naar een voor alle partijen aanvaardbare oplossing.'

Tijdens het geruzie van haar kastegenoten was Kims gezicht eerst rood van boosheid, daarna bleek van onverschilligheid geworden, en op het laatst, nadat mevrouw Meng had ingegre-pen, kroop er langzaam maar gestaag een ondoorzichtige grijns over haar gezicht. Kim vouwde haar armen voor haar borst en bekeek op haar gemak hoe haar medeleerlingen elkaar in de haren vlogen vanwege haar logeeradres, alsof ze over iemand anders ruzie maakten.

Drie dagen later kwam directeur Chen inderdaad met een op-lossing: hij had Kim het schoonmaakhok toegewezen ergens op de begane grond; de emmers, blikken, bezems en dweilen zouden weggehaald worden om plaats te maken voor een stro-matras voor Kim.

'Wat? Een kamer voor mezelf! Helemaal voor mij alleen! Wat een bofkont ben ik!' Dit was de eerste maal sinds de aan-kondiging van het herfstkamp dat Kim haar mond opendeed. Ze lachte dat haar geraamte schokte en gedurende een minuut krompen haar klasgenoten ineen. Kims ogen schoten vuur, net als op de dag dat ze met tafels en stoelen gesmeten had en zich een weg gebaand had naar Wudong.

Mevrouw Meng veranderde snel van onderwerp: wat moes-ten ze meenemen?

– beddengoed
– een groot stuk plastic voor het picknicken
– een kom en eetstokjes
– een regenjas

- een handdoek en een voetdoek
- wc-papier
- een waterfles
- een rol stevig touw
- een zaklantaarn
- geen lucifers (want het huis waarin ze zouden gaan logeren was geheel uit hout opgetrokken)

Aangezien het gebouw op Miru hoogstens zeshonderd man kon herbergen, die als sardientjes op elkaar geperst in elke beschikbare ruimte moesten slapen, zouden de leerlingen van de drie hogere jaren, onder wie Lian, er de eerste week doorbrengen. Wanneer zij het eiland verlaten hadden, zouden de lagerejaars er intrekken. Kim zat het allemaal aan te horen met een ondoorgrondelijke grijns op haar gelaat.

Maandag 20 oktober 1974 was het eindelijk zover. Na een drie uur durende busreis stapten ze op de ongeduldig trappelende boot. Eenmaal aan boord gaf Lian haar ogen goed de kost. Het was even wennen om overal om haar heen maar één kleur te zien. Het bruin van de aarde waarmee ze vertrouwd was, gleed uit zicht en daarmee raakte haar veilige gevoel van verbondenheid met de omgeving bedolven onder een zachtjes kietelende nieuwsgierigheid en een vage angst. Ze haalde de vingers door haar haren, die door de zilte wind in de war waren gebracht, en liet de ruimhartige zeelucht toe in haar longen en geest.

Alle passagiers waren op het dek samengedromd en drukten zich tegen de railing. Anders dan gewoonlijk kletsten ze elkaar niet de oren van het hoofd. Onder de indruk van de immense watervlakte, zwegen de stadskinderen nadenkend. Lian had altijd in de waan verkeerd dat de mens de baas was van het heelal. Hij kon immers met zijn technologie groene weiden veranderen in een grijze fabriek of een witte wolkenkrabber, door het zwaaien van een penseel respectabele leraren in één nacht omtoveren in bourgeoisgezinde koeiengeesten en slangenbeesten; hij kon met politieke leuzen het vredig samenlevende volk binnen een paar uur ophitsen tot revolutionaire strijders die elkaar rauw lustten. Maar de zee, de zee stond buiten de terreur en manipulatiedrift van de mens. Hoe de in menselijke ogen almachtige Roerganger ook tegen de zee zou schreeuwen en haar zou trachten te intimideren met de betiteling 'volger van de kapitalistische weg', zij zou ongestoord haar eigen gang blijven gaan.

Het puntje in het water, waar ze naar toe voeren, werd groter en zichtbaarder, om uiteindelijk de vorm van een heuveltje aan te nemen. Miru kwam in zicht.

∿

Lians droom was net een schilderij. Goudwit strand, oranjerode koralen, donkergroene heideplanten, bruine aarde en het beige gebouw waarin ze logeerde; de overheersende kleur was echter die van de zee, zo intens blauw en alomvattend immens dat Lian het gevoel kreeg dat haar lichaam ook blauw zou worden als ze er maar lang genoeg naar zou blijven kijken. Ze zag Kim eenzaam aan de achterkant van het dek staan, terwijl de voor- en zijkanten letterlijk en figuurlijk tot barstens toe met medeleerlingen gevuld waren. Letterlijk, omdat de ijzeren railing een bocht vertoonde door de trekkende en duwende massa, waarvan niemand het zicht op de fascinerende zee wilde missen. De tegenstelling tussen de leegte van Kims plek en de drukte slechts een paar meter van haar af, was ijzingwekkend.

De trieste uitdrukking op Kims gezicht gleed weg en in plaats daarvan verscheen er een grimas. Ze stak haar wijsvinger in de mond en floot. De vloer van het dek splitste zich in tweeën en uit de opening sprongen vijf jongens wier lange haren kaarsrecht op het hoofd stonden, alsof ze onder stroom stonden. Eerbiedig maakten ze drie kniebuigingen voor Kim en spitsten hun oren naar haar bevel.

Kim bewoog haar lippen. Ze zei: '...'

Uit alle macht probeerde Lian haar ogen te openen. Ze wilde niet horen wat Kim hun opdroeg. Maar de nachtmerrie draafde voort.

Toen Lian eindelijk wakker schrok, beval ze zichzelf om te vergeten en te ontkennen wat ze gehoord en gezien had. Gelukkig lag er op het strand genoeg om op te rapen – dat zou haar wat afleiding bieden.

∿

De volgende dag werd er een zwemwedstrijd gehouden. De leerlingen ontdekten tot hun aangename verbazing dat hun zwemprestatie over de hele linie verbeterd was, ofschoon ze naar eigen gevoel niet meer moeite hadden gedaan dan gewoonlijk in het zwembad. Meneer Gong Wei legde hun uit dat het water hier voor dertig procent uit zout bestond en dat ze daardoor makkelijker bleven drijven. Lian kende de theorie uit de natuurkundeles, maar ze had geen flauw idee gehad dat er enig verband zou kunnen bestaan tussen zo'n theorie en het reële leven.

's Middags kregen de leerlingen een rondleiding door het bos op de heuvel midden op het eiland. De biologieleraren zouden hun een en ander tonen en uitleggen. *Jó*, zulk dichtgegroeid struikgewas hadden ze nog nooit gezien! De opwinding werd opgevoerd door het bevel van de leraren: volg het wandelpad, anders lopen jullie het risico om in moeras of drijfzand te belanden of jullie maken de wilde dieren die het bos bewonen aan het schrikken. Tot hun verrukking zagen ze een leguaan, nou ja, zijn staart dan, die – *zoef!* – onder een rots verdween zodra hij hun kreten van verbazing hoorde. Onderweg, terwijl een lerares een heel verhaal over de anatomie en het voedselpatroon van de familie der hagedissen ophing, plukten de leerlingen gretig de exotische vruchten die het struikgewas hier droeg. Ze luisterden beleefd met een half oor naar de 'les'. Ze hadden meelij met de leerkrachten, die het zelfs in de vakantie niet konden laten hun vak te beoefenen. Met trotse handen hielden de leerlingen hun propvolle broekzakken vast. Ehmmm! Wat zouden ze vanavond van de gratis verworven vruchten smullen!

Stroomstoring

Om half tien 's avonds stonden Lian en haar veertig zaalgenoten in een piepklein badkamertje, dat bedoeld was voor hooguit zes personen. Ze waren zich aan het voorbereiden om naar bed te gaan. Het was natuurlijk een getrek en geduw voor de wasbak. Lians schouders zaten ingeklemd tussen een stuk of vijf sterke meiden; zelfs als ze de poging om zich te wassen zou opgeven, zou ze dit uit z'n voegen barstende vertrek niet kunnen verlaten. Alsof dat nog niet genoeg was, viel de stroom uit. Met de tandenborstel in de hand en schuim om de mond stootten de tientallen leerlingen tegen elkaar aan en jutten elkaars verwarring en paniek op naarmate de ondoordringbare duisternis langer aanhield. Elke vorm van redelijkheid was zoek. In plaats van kalm te blijven en degenen die het dichtst bij de deur stonden te vragen het eerst de ruimte te verlaten, blokkeerden ze elkaar de weg om als eerste dit benauwde hokje te kunnen ontvluchten. Het gevolg was dat ze niet voor- of achteruit konden; ze zaten gevangen.

Mevrouw Meng haastte zich al struikelend naar hen toe. Lian hoorde de voeten van de lerares botsen tegen krukjes, tinnen waterbakjes, rugzakken en schoenen die overal over de vloer verspreid lagen.

Mevrouw Mengs ferme stem overtrof het gekrijs van de samengeperste meisjes: 'Directeur Chen en meneer Gong Wei zijn al op weg naar de meterkast. Deze technische storing is gauw verholpen, wees dus niet bang.'

Maar naarmate de donkerte hen meer benauwde, verloren mevrouw Mengs woorden hun kalmerende effect. Het huilerige gejammer, geklaag en gevloek verdronk in een oceaan van lawaai.

Te midden van al dit rumoer klonk er een minuscuul geluid, als een onooglijk draadje, dat van heel ver kwam. Er zat ergens iemand te lachen.

Was dit een waanvoorstelling? Het was toch onmogelijk dat Lian te midden van dit kabaal zo iets kon horen?

Na ongeveer een kwartier verdreef een gloeilamp de duisternis. Met moeite wisten de meisjes zich te beheersen en het kostte hun nog bijna tien minuten om de ruimte te verlaten. Er waren er maar een paar die nog zin hadden om zich te wassen. Die hadden de ruimte voor zich alleen.

⁓

De derde ochtend van het herfstkamp stond in het teken van 'berichten van thuis.' De enige boot, die om bezuinigingsredenen maar één keer per drie dagen de post van het vasteland ophaalde, bracht zakken vol brieven.

De brief van Lians ouders leek meer op een enquête:

Hoe staat het met de slaapgelegenheid op Miru?
Eet je wel gezond?
Zijn de kleren die je meegenomen hebt bestand tegen het winderi-

ge weer aan de kust?
Wat is de temperatuur van het zeewater?
Is het niet te fris om te zwemmen?

Het was wel begrijpelijk dat ze zich zorgen maakten. Lian was per slot van rekening zelden uithuizig en de eerste de beste keer ging ze uitgerekend logeren op een onbewoond eiland, honderdvijftig kilometer van het vasteland verwijderd.

Voor directeur Chen had de boot een andere betekenis: het was de enige verbinding tussen Miru en de mensenwereld aan de andere kant van het water. Weerberichten over eventuele stormen en cyclonen, instructies van zijn superieuren en nieuws over de politieke toestand van de staat konden alleen maar door dit vaartuig hierheen worden gebracht. Het eiland was van te weinig belang om het met onderzeese telefoonkabels te verbinden; voor het opzetten van een radiostation gold hetzelfde. Het personeel van de kantine zag de komst van de boot met vreugde tegemoet; de voedselvoorraad en de zoetwatertank moesten om de drie dagen worden aangevuld.

's Avonds om half tien precies viel de stroom opnieuw uit. Deze keer brak er geen paniek meer uit – het hoorde blijkbaar bij de primitieve toestand waarin ze verkeerden. De meisjes wachtten min of meer geduldig op het herstel van het elektriciteitsnet. Via via kreeg Lian te horen dat directeur Chen en meneer Gong Wei zich afvroegen hoe dit mogelijk was, want de zekeringen waren beide keren intact geweest. Het leek net of iemand de hendel opzettelijk naar beneden had getrokken. Nou ja, dat was wat vergezocht. Misschien was de generator op Miru aan vernieuwing toe en begon het ding mankementen te vertonen. Meneer Gong Wei had toegezegd de machine morgenochtend grondig te onderzoeken.

Spookhuis

Om negen uur 's ochtends stonden de leerlingen, gewapend met de voorgeschreven overlevingsuitrusting, keurig in de rij voor de boot. Ze zouden op verkenningstocht langs de kust gaan en een paar vingertopkleine koraaleilandjes zoeken die alleen aangegeven waren op de gedetailleerde zeekaart die Chen nu stond te bestuderen.

Tùh, tùh… fsùh. De boot haalde twee keer adem en gaf een snik tot besluit. Na een paar minuten kwam de stuurman het vaartuig uitrennen, met bezweet gezicht en wanhopig ten hemel gespreide armen: de boot was met geen mogelijkheid aan de praat te krijgen.

'Oòòòch…' riepen de tot de tanden gewapende leerlingen teleurgesteld in koor, toen Chen hun vertelde dat de geplande excursie tot morgen moest worden uitgesteld.

Hun teleurstelling was een peulenschilletje, vergeleken bij die van de directeur. Hij draaide om zijn as, sprak afwisselend hoog en laag, smekend en autoritair – op alle mogelijke manieren probeerde hij de stuurman ervan te overtuigen dat hij er verstandig aan deed om liefst gisteren nog dit ding in orde te maken. De man in blauwe overall schudde pertinent zijn hoofd en weigerde Chen het herstel van de boot te garanderen: 'Meneer de directeur, ik werk al tien jaar op deze pont. U hoeft míj niet te vertellen hoe dringend de boot aan een onderhoudsbeurt toe is. Ik weet alles over de voedselvoorraad, de zoetwatertank en de communicatie met het vasteland. Als de boot het niet meer doet, verandert Miru in een gevangenis. Binnen een paar dagen zitten we ook nog zonder eten en drinken. Vijf jaar geleden heb ik zoiets meegemaakt en toen zei ik tegen mezelf: een tweede keer overleef ik niet. Dus, meneer de directeur, u begrijpt wel dat ik zo waar als ik leef, alles op alles zal zetten om de pont te repareren. Maar beloven kan ik niets.'

Lian had hun gesprek gehoord doordat ze in de buurt stond, maar het leek haar een typisch staaltje grotemensengewichtigdoenerij – over niets. Wat gaf het nou als ze een dag langer op het eiland moesten vertoeven? Dat was toch juist lollig! Haar hart werd aangetrokken door de azuurblauwe golven, die nu gehuld waren in een witte ochtendnevel, maar langzamerhand oranjerood gesproeid werden door de opgaande zon.

Ze verzamelden eerst schelpen, daarna basketbalden ze op het gouden zand en na de lunch, toen het warmer werd, doken ze de zee in. Vruchten plukken om tijdens het avondmaal van te smullen, maakte de cirkel van hun pret rond. Als het aan hen lag, zouden ze hier wéken doorbrengen.

Maar die avond viel voor de derde achtereenvolgende maal

de stroom uit – op exact dezelfde tijd. De apathie die ze gisteren voelden toen het voor de tweede keer gebeurde, sloeg om in angst. Al gaven velen het niet toe, uit hun verwarde gelaatsuitdrukking maakte Lian op dat hun vermoeden met het hare overeenstemde: dit was een spookhuis! Hoe kon het, in 's hemelsnaam, dat de elektriciteit elke avond precies om half tien uitviel, terwijl Chen en Gong Wei geen enkel mankement hadden kunnen ontdekken aan de meterkast of aan de generator? Natuurlijk repte niemand er met een woord over. Stel je voor dat de grotere leerlingen hen als onnozele, bijgelovige kleuters zouden uitlachen!

Zand in de rijst

De vijfde dag. De leerlingen gedroegen zich als een kudde schapen die door hun herders in de steek is gelaten. Alle leraren waren opgeroepen voor een spoedvergadering. Geruchten deden de ronde dat de boot niet alleen onherstelbaar was verklaard, maar dat ook de dieseltank leeggelopen was. De kinderlijke onbezorgdheid waarmee de leerlingen het kapotgaan van de pont verwerkt hadden, werd als een zandlaag weggespoeld. Nu waren ze gedwongen om de feiten onder ogen te zien. Sommigen van hen beweerden zelfs dat ze dubbel verdoemd waren. 'Kijk,' zeiden ze, 'al zou de boot wonder boven wonder gerepareerd kunnen worden, het zou ons toch niet lukken om van het eiland weg te komen – we hebben geen brandstof meer. Er zijn weliswaar twee opblaasbare rubberen roeiboten, maar wie garandeert dat we op weg naar het vasteland geen huizenhoge golven op ons dak krijgen, om maar niet te spreken van een eventuele storm?'

O, Boeddha! Lians hart vloog haar naar de keel en ze wilde het uitschreeuwen: verberg gauw de roeiboten! Ze had het angstige voorgevoel dat de gammele vaartuigjes morgen tot de meest recente slachtoffers van de serie mysterieuze ongelukken zouden behoren, als ze niet op tijd in veiligheid werden gebracht. Met moeite slikte ze haar woorden in. Haar verstand bekritiseerde haar gevoel: *Lian, ben je doorgedraaid of zo? Hoe kom je erbij dat er iets geheimzinnigs aan de hand is? Een boot kan altijd een of ander mankement hebben, de tank kan te allen tijde door verroesting beginnen te lekken, de generator kan een stoornis vertonen, waardoor hij het op vaste tijdstippen begeeft... Zie niet overal spoken.*

De volgende dag waren de roeiboten spoorloos verdwenen.

De leraren bleven maar vergaderen, en de leerlingen verloren zo langzamerhand oog voor het schone landschap van het verdoemde eiland. Sinds gisteren waren de maaltijdporties gehalveerd. Hun maag knorde overdag en verstoorde 's nachts hun slaap. Je een beetje wassen was er ook niet meer bij en voor tandenpoetsen kregen ze per persoon een half glaasje water. Ze hadden voorlopig nog wel genoeg te drinken, maar volgens de ochtendtoespraak van directeur Chen zou dat morgen wel eens kunnen veranderen. Als de boot kapot bleef, konden de voedselvoorraad en de zoetwatertank niet aangevuld worden. Ze kropen na het ontbijt maar weer in bed, niet alleen uit verveling, maar ook op aanraden van de biologieleraren. Aangezien ze zich suf voelden van de honger en dorst en ze zich daar steeds meer over opwonden, verbruikte hun lichaam nog meer calorieën. Door het bed te houden zou volgens de biologen hun bloedsuikerspiegel niet zo snel dalen.

Lians maag knorde, maar haar hoofd was buitengewoon helder. Alle warrige gedachten die in de afgelopen dagen haar geest hadden bewolkt, verdampten. Ze begreep de ware oorzaak van de toestand op Miru. Na dagenlang zichzelf half onbewust en half opzettelijk voor de gek te hebben gehouden, vatte ze vandaag eindelijk de moed om de feiten onder ogen te zien.

Het bezemhok waar Kim sliep grensde aan de meterkast op de begane grond, waar niemand woonde en waar zelden iemand kwam, zeker niet 's avonds. Iedere avond om half tien sloop Kim naar de meterkast en trok de hendel naar beneden. Daarna rende ze snel terug naar haar kamertje en gierde als een hyena, terwijl de logés op de bovenverdiepingen als blinde ratten tegen elkaar opbotsten en gilden.

Nieuwe terreur

Het gezicht van directeur Chen was krijtbleek; de leraren liepen er als verloren bij. Lian hoorde dat Miru's ondergrondse dieseltank, die de pont van noodrantsoen voorzag, leegstond.

Lian wist niet dat er zo'n tank bestond. En bovendien, *waarom heb je de moeite genomen om ook de tank leeg te halen? Je had toch al de enige boot doeltreffend buiten werking gesteld?*

Lian schrok. Ze praatte in haar verbeelding met Kim. Ze beet op haar lip en keek behoedzaam om zich heen. Gelukkig had niemand het gemerkt.

Men zei: *kennis is macht.* Daar klopte niets van. Het feit dat Lian wist wat de oorzaak van de gebeurtenissen op Miru was, bracht haar juist in een zwakke positie. Aan de ene kant voelde ze zich verplicht om de directeur haar vermoeden kenbaar te maken, zodat ze hun krachten konden bundelen om als de bliksem maatregelen te treffen tegen de veroorzaakster van hun problemen; aan de andere kant kon ze het niet laten om haar voormalige boezemvriendin in bescherming te nemen. Ze vergoelijkte haar zwijgen door zich voor te stellen hoe ze Kim zouden aanpakken, hoe ze haar zouden opsluiten en molesteren. Als ze niets zou verklappen, zou ze gewoon een van de zeshonderd angstige leerlingen zijn. Samen waren ze 'sterk'. Maar als ze Kim zou aangeven, dan zou ze moederziel alleen aan haar knagende geweten overgeleverd zijn. Kim zou geen leven meer hebben als haar terroristische aanslagen boven water zouden komen. Met dezelfde koppigheid waarmee ze altijd van Kim had gehouden, stelde ze nu het belang van Kim boven dat van de hele wereld. Dat van haarzelf incluis.

Ze nam deel aan de klaagzangen van haar lotgenoten en stootte 'wanhopige' kreten uit, telkens als er weer een onheilspellend feit geconstateerd werd. En daar kwam voorlopig geen einde aan: de EHBO-koffer liet zijn bodem zien; steeds meer leerlingen werden ziek; er waren nauwelijks nog medicamenten voorhanden.

Lian huiverde. Had ze wel de juiste keuze gemaakt? Ze piekerde zich suf: wat wilde Kim met haar terreuracties bereiken? Wilde ze de verwaande en wrede eerste-kasters een lesje leren, dat ze niet ongestraft een derde-kaster konden vernederen? En, mochten ze deze 'les' werkelijk leren, zou Kim hen dan verder met rust laten? Of wilde ze voor eens en altijd afrekenen met haar vijanden? Als dat zo was, dan waren hun uren geteld. Kims vindingrijkheid en doorzettingsvermogen kennende, achtte Lian de kans dat ze aan Kims moordlustige plannen zouden ontkomen minimaal. Als Kim ergens haar zinnen op gezet heeft, hoed je!

Lian had nog nog één strohalm om zich aan vast te klampen: de alertheid van de plaatsvervangende directrice. Volgens afspraak zou Bij-ons-op-de-universiteit deze middag met de andere helft van de school naar Miru komen, wanneer de hogerejaars naar het vasteland waren teruggekeerd. Maar daar lag ook juist het probleem. Alleen als de directrice hen in Peking zou zien arriveren, zou ze met de andere vijfhonderdvijftig leerlingen hier naar toe kunnen vertrekken – waar zouden ze anders moeten slapen? Als Bij-ons-op-de-universiteit slim was, zou ze zich afvragen waarom de pont de afgelopen dagen niet gekomen was om voedsel en water te halen. Er moest bij haar toch ook een lichtje gaan branden nu ze van Chen geen enkel bericht ontving over de gang van zaken en over zijn terugkomst? Al kon de directrice niet zelf naar Miru varen, ze zou minstens de kustwacht of de waterpolitie kunnen waarschuwen. Of dacht ze er eenvoudig niet bij na – liet ze het aan directeur Chen over wanneer hij zin had om met zijn zeshonderd leerlingen terug te keren?

Een aantal leraren en een paar flinke jongens van het zesde leerjaar hielden om beurten de wacht op het strand en keken reikhalzend uit naar elk stipje dat op een naderend vaartuig zou kunnen duiden. Telkens als de wacht wisselde, daalde de stemming van de leerlingen een kilometer verder onder de zeespiegel.

Voordat Bij-ons-op-de-universiteit begreep dat er iets mis was, kwam er dreiging uit een onverwachte hoek. Op de achtste dag van hun gevangenschap op Miru ontdekte Chen in zijn slaapkamer, die tevens dienstdeed als zijn kantoor, een briefje op zijn 'bureau'.

SNAPPEN JULLIE HET NU NOG NIET?
ZESHONDERD STUKS LEEGHOOFDEN!
JULLIE UREN ZIJN GETELD

MIRU

Hoe vreemd Chen de ongelukken ook had gevonden, tot nog toe had hij ze als een samenspel van akelige toevalligheden beschouwd. Pas nu drong het werkelijk tot hem door dat er een menselijke hand achter de incidenten stak en gaf hij zich rekenschap van de ernst van de situatie. Maar wie gaf zich uit voor *Miru*? Tot nu toe had hij geen enkele gedachte gewijd aan de betekenis van die naam. *Mi*, 'geheim', en *Ru*, 'alsof'... *Als een geheim*? Wat moest dat voorstellen? Hij rilde. Instinctief stopte hij het briefje in zijn broekzak, alsof hij daarmee de aanstormende ramp kon voorkomen. Hij plofte op zijn bed en liet zijn denkmachine de vrije loop, die op dit moment als een tredmolen werkte.

Als je een rein geweten hebt, vrees je de geesten niet die je 's nachts bezoeken. Chen liet de collega's die hij tijdens de Huangshuai Beweging voor de leeuwen had geworpen de revue passeren en rilde van top tot teen. Van de twaalf leraren die naar Miru gekomen waren, was er niet één die niet direct of indirect door hem gemarteld was. Ze hadden stuk voor stuk meer dan één reden om zich op hem te wreken...

Hij ademde een slok ijskoude lucht in, sloeg zich op de wangen en mompelde: 'Xingshun Chen, jij grootvader van alle dwazen! Hoe kon je zo aartsdom zijn om te denken dat je straffeloos van je zonden zou afkomen? De tijd van de totale afrekening is gekomen. Je gaat eraan, zonder twijfel, maar...' De wallen onder zijn spleetogen begonnen plotseling te dansen. Waarom had de briefschrijver het over 'jullie'? Misschien was het een doodgewone crimineel die gewend was misdaden te plegen... maar waaróm, als het niet ging om Chens beestachtige optreden tijdens de Huangshuai Beweging? Het zou toch oliedom zijn om aan te nemen dat hij zijn straf zou ontlopen? Aan de andere kant, hadden de leerlingen niet net zo hard meegedaan aan de pesterijen? De eerste cirkel van Chens redenatie was voltooid. Na nog een stuk of twintig van zulke rondjes, voelde hij zich zo slap als een koeienvlaai.

Inquisitie

Om drie uur 's middags riep Chen alle 'bewoners' van Miru bijeen. Hij las het dreigbriefje dertien keer voor, net zo lang tot het door hem gewenste effect bereikt was: iedereen was in alle staten en bereid alles te doen wat Chen hun opdroeg – de verborgen terrorist uit zijn schuilplaats lokken. Ze schreeuwden moord en brand en zogen als een spons op wat de directeur van hen verlangde: 'Verdeel elke klas in vier groepen en som elkaars verdachte gedragingen van de afgelopen vijf dagen op. Bij voorbeeld, zat hij of zij vlak voor of na het uitvallen van de elektriciteit te lang op de wc? Waste hij zijn handen opvallend vaak, om de geur van dieselolie te verwijderen? Zo ja, zet zijn naam op de zwarte lijst. Het hindert niet hoe lang de lijst wordt. Liever een paar onschuldigen te veel oppakken dan één schuldige door de mazen van het net laten glippen. Heb vertrouwen in mij, jullie directeur. Ik zal de verdachten wel uitzeven.'

Ook de daden van de leraren moesten onder de loep genomen worden. Uiteindelijk waren zij degenen op wie Chen het gemunt had. Dat was voor de leerlingen geen gemakkelijk karwei; het kostte Chen liters leugenspuug om de jongens en meisjes te overtuigen dat ze juist hun onderwijzers van terroristische aanslagen moesten verdenken. Het was immers bekend dat spionnen van westerse kapitalistische landen onze Communistische Staat onder de dekmantel van intellectuelen of zakenlieden probeerden te infiltreren? Wie weet, misschien was er onder de leerkrachten wel een geheim agent van de vs die de proletarisch-gezinde leerlingen op Miru wilde vermoorden, als onderdeel van het plan om heel Communistisch China te ontwrichten!

Chen had een ware heksenjacht ontketend. Hij vouwde zijn armen voor zijn borst, inspecteerde de hevig debatterende groepen en hield nauwlettend in de gaten hoe zijn collega's op zijn oproep reageerden.

Tot zijn verbazing en teleurstelling waren zijn collega's even geschrokken als hijzelf en tastten ze even angstig in het duister bij het speuren naar de boosdoener. Hij realiseerde zich dat politiek vuil spel noch massamanipulatie hem uit de stront kon helpen. Er was iets fataal mis met dit eiland, waar ook hij als volleerde intrigant geen enkele invloed op had. Zijn enige troost was dat hij dank zij deze opsporingsactie tot de ontdekking was gekomen dat hij niet het enige doelwit van de serie misdaden en van de naderende ramp was.

Tientallen leerlingen werden naar voren gesleurd om ten overstaan van de woeste, angstige massa te bekennen dat zij de schuldigen waren. Ook meneer Gong Wei werd het podium op gesleept. Reden van verdenking: elke keer als er een incident plaatsvond, was hij ter plekke, zogenaamd om de zekeringen te controleren en ze 'na veel gefriemel' in goede staat te verklaren. Hoe kon de elektriciteit uitvallen als de zekeringen niet kapot waren? Toen de motor van de veerboot het begaf, was het Gong Wei die aan boord ging, zogenaamd om de machineonderdelen te onderzoeken en 'na een hoop gefrutsel' de poging tot repareren op te geven; naar zijn mening mankeerde er niets aan de motor. Hoe verder de massa dit dwaalspoor volgde, hoe levensechter Gong Weis criminele gedrag leek. Vrees voor de aanstormende catastrofe maakte iedereen blind voor een belangrijk feit. Gong Wei was de enige leraar natuurkunde op Miru; hij was van huis uit ingenieur en dus de aangewezen persoon om technische storingen te verhelpen. Mevrouw Meng daarentegen, was geen enkele keer op de plaats van het misdrijf aanwezig geweest, simpelweg omdat ze geen verstand had van machines. In de massale paniek moest en zou er een zondebok gevonden en geofferd worden, opdat het leven van de rest zou worden gespaard. Zo werd Gong Wei voor de tweede keer dit jaar het mikpunt van aanklachten en afranselingen.

Terwijl haar medeleerlingen Gong Wei sloegen om hem tot een bekentenis te dwingen, gluurde Lian onwillekeurig naar Kim. Daar zat ze, midden tussen het publiek, het ene been prinsheerlijk over het andere geslagen – met een grijns op haar gezicht. Ze genoot zichtbaar van de scène. Hoe kon Kim het lijden van tientallen onschuldigen zo rustig aanzien en er nog plezier aan beleven ook?

Maar ja, gewoonlijk waren de rollen omgekeerd: de menigte keek altijd vol leedvermaak toe hoe Kim vernederd en afgetuigd werd. Waarom zou dat normaal zijn, en wat er nu gebeurde gemeen?

Lian begon zich serieus af te vragen of het de moeite waard was Kim te blijven beschermen ten koste van Gong Wei en zijn lotgenoten. Welke verantwoordelijkheid had Lian? Kon ze ongestraft haar mond houden en Kim de zeshonderd 'bewoners' van het eiland laten intimideren, tegen elkaar uitspelen en bedreigen met de totale ondergang?

Doorslaggevend was echter Lians eigen gehechtheid aan het leven. Het jammerende koor om haar heen en het zwaard boven haar hoofd zorgden ervoor dat haar houding ten opzichte van haar voormalige vriendin plotseling een draai van honderdtachtig graden maakte. Ze voelde zich één met de treiteraars van Kim. Hoezeer ze sommigen ook gehaat had omdat ze Kim jenden en sarden, op dit ogenblik zat ze samen met hen in hetzelfde bootje en het was deze boot die Kim tot zinken wilde brengen.

Verraad

Na de bijeenkomst besloot Lian directeur Chen van haar vermoedens op de hoogte te brengen.

Staande voor de deur van Chens kamer, aarzelde ze opnieuw. Hoe moest ze hem de motieven van Kims wraakacties uitleggen? Het enige wat hij van Kim wist, was dat ze een van de kopstukken was van de grootste straatbende van het district. Als hij overtuigende bewijzen had gehad van haar wandaden, zou hij haar al lang van school hebben gestuurd. Voor hem lag het in de lijn van het gedragspatroon van een crimineel om aanslagen te plegen op onschuldige mensen. Hij had Kim nooit van dichtbij meegemaakt en zou zich niet kunnen voorstellen dat zij oorspronkelijk onschuldig was en jarenlang belaagd was door meedogenloze medeleerlingen, dezelfde die op dit moment door haar bedreigd werden. Daarom zou hij Kim zonder pardon keihard aanpakken en desnoods, omwille van de veiligheid van de meerderheid, gevangennemen of zelfs laten doden.

De directeur wilde zijn 'kantoor' uitgaan, toen hij Lian voor zijn deur aantrof. Aangenaam verrast liet hij haar meteen zijn kamer binnen. Zoals altijd verscheen er een onweerstaanbaar charmante glimlach op zijn gezicht. Hij schoof de enige stoel in het vertrek naar haar toe en ging zelf op een wiebelend krukje zitten. Zijn ogen fonkelden veelbetekenend, alsof ze wilden zeggen: Lian, sinds de ontbinding van het redactieteam voor de bloemlezing met bekritiseringsartikelen, heb ik je heel erg gemist. Ik heb je destijds nog gezegd dat je me altijd voor je studie of werk mocht komen opzoeken. Maar ik heb tot vandaag op je moeten wachten…

Stukje bij beetje trok hij zijn kruk dichterbij. Ze kon zijn hete adem bijna voelen. Het deed de waakvlam van haar angsten oplaaien.

De directeur keek haar vol verwachting aan en zei: 'Lian, je weet hoe blij ik ben om je te zien, maar ik heb maar vijf minuten voor je. Ik moet een manier vinden om de waterpolitie te waarschuwen, anders staren we de dood in de ogen.'

O, ja, daar kwam ze voor. In één adem vertelde ze wat ze dacht te weten. Hoe het uitvallen van de elektriciteit, het kapotgaan van de pont, het leeglopen van de dieseltank en het verdwijnen van de rubberbootjes met elkaar in verband stonden, en waarom ze zeker was dat Kim hier achter zat.

Naarmate haar verhaal vorderde, kromp de gluiperige glimlach op zijn gezicht zienderogen, totdat die ten slotte als een hoopje verdorde blaadjes naast zijn gezicht viel. De kruk waarop Chen zat kraakte en leek het te begeven onder zijn gewicht. Chen stond trillend overeind. Hij draalde, ijsbeerde door het kamertje en liet zich op het bed neerploffen. Hij was lijkbleek geworden.

'Hoe is het mogelijk, sorry, ik móet vloeken – *laat je doorsmeren door een schildpad!* – dat zo'n keurige, bloedmooie mademoiselle als jij een gangster als boezemvriendin heeft!! Zijn de leuke eerste-kastemeisjes uitgestorven of zo, dat je bij hen geen maatje kon vinden? Waarom heb je mij niet eerder geïnformeerd als je al lang wist wie er achter dit hele gedoe zit? Besef je wel dat je als medeplichtige gestraft kunt worden?!'

Tranen welden op in haar ogen.

'Als je, zoals je zelf zegt "Kim als je wederhelft kent", kun je me dan misschien uitleggen wat ze bedoelt met JULLIE UREN ZIJN GETELD?'

In een flits begreep ze wat er aan de hand was. 'Directeur Chen! Zou het kunnen dat ze de dieseltank niet zomaar leeg heeft laten lopen, maar de brandstof heeft overgegoten in vaten?'

Chen knipperde met zijn ogen. Hij schudde haar door elkaar: 'Wát zei je?! In vaten doen? Waarvoor?!'

Ze stonden zwijgend tegenover elkaar.

De man ging met zijn vingers door zijn haren en verweet zichzelf hardop hoe dom hij was geweest om een criminele leerlinge op dit eenzame eiland toe te laten. Drie, vier keer zei hij dit.

'Maar ze ís helemaal geen crimineel!' probeerde Lian ertussen te komen.

'Schei uit! Heb je medeleven met dat stuk tuig?'

Nooit eerder had hij zo ruw tegen haar gesproken. Hij klonk weer net zo moordlustig als over de luidsprekers tijdens de Huangshuai Beweging. Haar hoofd begon te zweven. Haar voeten werden lichter...

Eer ze op de grond viel, greep hij haar bij de armen en drukte haar hardhandig tegen zich aan. Ze moest bijna braken – nooit eerder was ze door een man op zo'n manier aangeraakt, en dan nog wel door zo'n opportunist, zo'n gluiperd! De angst verlamde haar. Apathisch keek ze de andere kant op toen zijn adem in haar rechteroor ontplofte. Als wurgslangen omsloten zijn ledematen haar lichaam. *Ehn…* Hij zuchtte en smeekte haar met zijn ogen.

De man trok haar naar het bed en duwde haar bij de schouders omlaag. Elke spier in haar lijf verkrampte; ze beet op haar tanden. Niets voelen, niets voelen, herhaalde ze voor zichzelf en balde haar vuisten. Hij graaide naar haar handen, trok haar vingers uit elkaar en sloeg die regelrecht in zijn kruis. Ze rukte zich los, krabbelde rillend overeind en sloot haar ogen. Ze wist niet hoe ze naar de man moest kijken.

Drie vingers komen dichterbij. Mijn ene oogbol. De vingers draaien, draaien. Een plotselinge pijn.

Ik hoef niet meer te zien.

'Had u geen haast? U ging toch proberen de waterpolitie te waarschuwen?'

De man keek op zijn horloge. Met gefronste wenkbrauwen streek hij zijn kleren in de plooi. 'Ik moet gaan. Wees niet bang. Vertel aan niemand wat je tegen mij hebt gezegd. Ik roep een paar leraren en een stelletje flinke jongens van het zesde leerjaar bijeen. We zetten Kim voorlopig in een provisorische isoleercel. Dan zullen we zien of je theorie klopt. We hebben toch niets te verliezen. Als de intimidatie ophoudt, *dan roepen de bergen lang leve Mao!* En als dat niet zo is, dan hebben we in ieder geval ons best gedaan. Ondertussen leggen we 's avonds overal kampvuren aan en hopen dat passerende schepen of vliegtuigen ons zullen ontdekken en redden.'

Lian werd er stil van. Ze was een verrader.

Droge takjes

Kim zou Kim niet zijn als ze het naderende gevaar niet geroken had.

Om half zes hadden Chen en zijn knokploeg het gebouw

van de kelder tot aan de zolder uitgekamd, maar Kim was natuurlijk nergens te bespeuren. Tijdens hun zoekactie staken ze hun brandende verlangen om de misdadiger te pakken te krijgen niet onder stoelen of banken, iets dat de nieuwsgierigheid van de leerlingen aanwakkerde. Chen voelde zich verplicht om uitleg te geven over wat zij aan het doen waren; bovendien greep hij de kans aan om van de woede van de massa gebruik te maken: zij konden helpen Kim op te sporen. Hij vertelde hun van Kims vernietigingsplannen. De twijfels die hij tijdens zijn onderhoud met Lian had geuit, waren helemaal weggevallen nu bleek dat Kim spoorloos verdwenen was.

Nu was het hek van de dam. Vooral Lians klas- en jaargenoten schreeuwden tot het plafond trilde: 'Zie je wel, we hebben al die tijd al gezegd dat zij een stuk schorem is, afval van het menselijk ras, een geboren gangster en, en, en...' Ze knarsetandden en popelden om haar te pakken, levend te villen en tot vleesslierten uiteen te scheuren. En ditmaal was de woordkeus niet bepaald figuurlijk bedoeld, te oordelen naar de ziedende blikken. Versterkt door dagen van ongemak, honger, dorst, onzekerheid, paniek en angst, werden ze door een razernij bevangen die haar weerga niet kende. Kim hoefde niet te rekenen op enige consideratie; ze zou dit herfstkamp niet heelhuids verlaten... áls ze gearresteerd zou worden.

De tientallen verdachte leerlingen, plus meneer Gong Wei, werden onder wagonladingen verontschuldigingen vrijgelaten. Eensgezind renden de 'bewoners' van Miru het gebouw uit en begonnen een deels warrige, deels georganiseerde speurtocht naar de oorzaak van dit drama, die nog altijd op twee benen ergens rond moest lopen. De haat jegens de toch al weerzinwekkende derde-kastepechvogel en gevreesde bendeleidster nam alleen maar toe.

Maar geen spoor van de jonge terroriste.

De avond viel en iedereen haastte zich naar de kantine. De maaltijd verliep triester dan ooit. Iedereen kreeg een half kommetje maïspap. Die was zodanig verdund dat ze haar als spiegel konden gebruiken om hun vermagerde gezichten in te bewonderen. Grote kerels van het hoogste leerjaar likten gretig aan hun kom; Lian vreesde dat ze in hun gekmakende honger het porselein zelf zouden opvreten. Vóór vanmiddag was de ontevredenheid in de eetzaal nog onbestemd geweest, maar nu waren alle verwensingen aan het adres van Kim gericht. Het was niet om aan te horen.

Wat moest dat, als ze Kim in handen zouden krijgen? Lian werd al benauwd bij de gedachte alleen. Maar wat zou er gebeuren als ze Kim niet zouden vinden, en ze haar wraakacties ongehinderd zou voortzetten?

Toen Chen Lians vermoedens openbaar had gemaakt, had hij een deel van haar verhaal achtergehouden. Het leek hem niet verstandig te vertellen dat Kim mogelijkerwijs de diesel bewaard had om daar het gebouw mee aan te steken. Hij wilde de emotionele en fysieke uitputting van de leerlingen niet nog eens bekronen met slapeloze nachten. Wel stelde hij een team van nachtwakers samen, dat iedere verdachte beweging moest rapporteren aan het hoofdkwartier van de gebouwbewaking: Chen en vier mannelijke leraren.

Behalve dat een vijftigtal leerlingen van uitdroging en honger was flauwgevallen, was er de afgelopen drie nachten niets noemenswaardigs voorgevallen. Hoe langer er op de fatale klap gewacht werd, des te extremer werden de speculaties over de op handen zijnde ramp.

De twaalfde dag van hun gevangenschap op het eiland ontdekte Chen, precies op hetzelfde tijdstip als vier dagen geleden, een tweede briefje op zijn 'bureau':

JULLIE MINUTEN ZIJN GETELD

MIRU

Op dat moment zat Lian in hun slaapzaal Qianyun, Liru en Feiwen moed in te spreken: 'Geloof mij maar, de schoolleiding zal dat stuk tuig snel arresteren en dan kunnen we naar huis.' Ze schrok er zelf van: nu noemde ze haar 'boezemvriendin' zelf al een 'stuk tuig'. Vier dagen geleden had ze nog het lef gehad de directeur af te snauwen vanwege dezelfde woordkeus. Zelfs toen Kim haar in aanwezigheid van een vijftigtal klasgenoten voor 'kontlikker' had uitgemaakt, alleen omdat ze geprobeerd had haar aan te spreken, had Lian nog de rotsvaste overtuiging gehad dat haar liefde voor Kim voor eeuwig was. En nu vormde ze een front met klasgenoten die ze vroeger hartgrondig gehaat had. En ze hadden maar één wens: Kim pakken en onschadelijk maken. Hoe konden haar gevoelens opeens zo'n ommezwaai hebben gemaakt! Was het omdat haar zelfbehoud in het geding kwam? Wenste ze Kim het ergste – vrijheidsberoving en de doodstraf – toe, opdat ze zelf kon blijven leven? Ze had altijd gedacht dat haar genegenheid voor Kim heilig was en dat ze er zo nodig zichzelf voor zou opofferen.

Chen kwam de slaapzaal binnenstormen, troonde Lian mee naar zijn kantoor en liet haar met bevende handen de tweede dreigbrief zien. Wat betekende JULLIE MINUTEN ZIJN GE- TELD? Op het vorige briefje had gestaan: JULLIE UREN ZIJN GETELD. Na minuten komen seconden. Wilde dat zeggen dat ze nog wat tijd overhielden om de rampspoed te voorkomen? Of stopte Kims tijdsbesef bij minuten?

Chen stelde voor een viertal vrijwilligers te vragen naar de kust te zwemmen. 'Ik ben een van de vier,' zei hij stoer en druk- te Lian tegen zich aan.

Ik hoef niet meer te zien.

Ze duwde de man van zich af. 'Je bent niet wijs! Honderdvijftig kilometer! Dat is je reinste zelfmoord!' Met schrik realiseerde ze zich dat ze de directeur tutoyeerde. Chen ging op zijn knieën zitten. Hij zat nu op schouderhoogte met Lian. 'Laat míj Kim opzoeken. Ik zal met haar praten. Ik kan niets beloven, maar zal alles op alles zetten om haar van haar moordlustige voornemen te doen afzien. Ik heb maar één voor- waarde. Gebruik mij niet als lokaas. Volg mij niet. Anders ben ik er geweest. En jullie ook. Ik ken Kim: ze zal geen verrader dulden. En degene die mij in de rol van verrader dwingt, zal geen genade kennen in haar ogen.'

Nu ze eenmaal een besluit over Kim had genomen, begon Lian een plan te smeden. Hoe kon ze haar vinden? Ze wilde meteen terug naar haar slaapzaal om zich op deze kwestie te concen- treren. Ze stond al met de klink van de deur in haar hand.

De man pakte haar beet. Hij rook aan haar, en liet geen plekje ongemoeid. De aderen op zijn hals leken uit hun voegen te spatten. Zijn ogen doorboorden haar blouse als laserstralen een stalen plaat. Hij had ineens een gloeiende hekel aan de knopen van haar kleren. 'Niet doen,' smeekte ze. Maar hij had haar schouders al ontbloot; ze voelde zijn natte mond op haar borst. Ze vreesde dat hij haar werkelijk zou verslinden. Ze duwde hem met haar knieën van zich af. Maar dit maakte hem alleen maar gewelddadiger.

Mijn hals. De handen op mijn pluche. De pijn wordt dood. Ik word gebogen. Ik breek.

Ik hoef niet meer te voelen.

~

Het was vier uur in de middag, maar ze kroop in bed en waarschuwde haar zaalgenoten: 'Stoor me niet. Ik ga slapen. Ik heb afgelopen nacht geen oog dichtgedaan.' Ze viel als een blok in slaap en raakte verstrikt in een beangstigende kluwen dromen.

Opnieuw liep ze over het dek van de afgeladen veerpont. Maar op de plaats van de stuurhut stond nu een enorm boeddhabeeld. Het beeld begon te spreken, eerst met de stem van opa in Qingdao, daarna met die van oom Changshan. Ergens achter haar zat Kim, moederziel alleen, en keek naar haar. Ze kon haar niet zien, maar ze wíst dat zij daar zat. Het georakel van Boeddha, of opa, of Kannibaal ging haar door merg en been. Ze probeerde te verstaan waar hij het over had, maar kon zich niet goed concentreren – Kims ogen priemden in haar rug. Ze was vertrouwd met het stemgeluid en probeerde de woorden op te vangen, als van een slecht afgestemde radio. '...droge takjes... krekels... achter de barakken...' Ze draaide zich naar Kim om. Haar vriendin was bijna net zo groot als het boeddhabeeld. De boot schokte vervaarlijk onder het gewicht. Achter Kim zag ze een eiland. De zon ging onder in oranje licht – nee, het was de maan, groot, ovaal en rood... De zee stond in brand. '...bij het meer, Lian... red ons... het is zo stil...'

Heel in de verte, boven de vuurgloed, stonden de tweelingsterren.

Zwetend werd ze wakker. Ze sprong overeind.

Het grootste cadeau

Het maanlicht in de heldere herfstnacht schilderde alles zilver: het strand, de zee, de rode, gele en oranje vruchten aan het struikgewas en de bruine aarde. Krekels tjirpten en kikkers kwaakten. De avond rook fris als citroen. Vrede aaide het eiland, een vrede die de natuur na elke zonsondergang op een zilveren dienblad naar de mensen bracht.

Iedereen in het gebouw was in rep en roer. Zelfs hier op het strand kon Lian de bewoners horen jammeren. Terwijl zij zich juist zo kalm voelde, als een boeddhist die de koers van zijn lotsbestemming volgde. Haar doodsangst werd door het maanlicht als een vuiltje van haar lijf gespoeld.

Het was alsof ze op weg was naar het lelietheater. Ditmaal niet om de krekels en kikkers haar geschiedenisverhalen te vertellen, of om zich aan de wijsheid van haar leermeesters – Qin en Kannibaal – te laven, maar om in de stilte achter de barakken Kim te ontmoeten. Kim, die eens haar vriendin was geweest, voor wie ze zich zo had ingespannen, maar die ze verloren had aan de andere kant van een onoverbrugbare kloof. Qin was ver weg, ergens in het kamp, ergens in een grijs verleden had hij haar losgelaten. Kannibaal was misschien nog wel verder weg, opgelost in het verschiet van *Het Witte Geluk*... Maar zij leken eindeloos veel dichterbij dan haar vriendin, die veranderd was in een terroriste en zelfs Lians leven op het spel zette.

Ze vroeg zich af hoe Kim het maakte, nu ze zich al vier dagen tussen de struiken had verschanst. Boeddha wist hoe ze zich in leven had weten te houden. En Boeddha zou ook wel weten wat er in haar omging.

Na een tijdje de kustlijn gevolgd te hebben, ging ze landinwaarts, vertrouwend op haar ingebouwde, geheime kompas. Ze week van het pad af, iets dat haar biologieleraren haar streng verboden hadden, omdat de kans groot was dat je in een moeras of in drijfzand zou belanden. Of het territorium van slangen en vossen zou betreden. Maar volgens de aanwijzingen van Boeddha moest ze juist daar Kim zoeken. Vreemd, de angsthaas die zij gewoonlijk was, voelde zich opeens dapper en zelfs roekeloos. Ze sprong over de ene plas na de andere en zong het liedje waar Kim zo dol op was:

> *Vlinders houden van bloemen*
> *Bloemen willen niets liever*
> *dan door vlinders worden betast*

Meer nog dan de gehechtheid aan het leven, ervoer Lian de behoefte aan duidelijkheid. Duidelijkheid over wat de drie jaar durende vriendschap voor Kim betekend had, over de zin van alle dingen die ze met pijn en moeite, maar ook met zo veel hoop en plezier voor elkaar hadden gekregen. En vooral: ze wilde haar vriendin terug.

Ze dook in een rietbos en baande zich een weg door het hoge gras. Ze kon Kim bijna ruiken. Geen seconde had ze getwijfeld aan de juistheid van de route die ze nam, alsof ze het paadje naar Kim in haar dromen tot op de meter nauwkeurig uitgestippeld had gekregen.

Krats-krats. Droge takjes schuurden haar mouwen. Zou alles nu afgelopen zijn? Ze kende Kim goed genoeg om te weten dat wat deze dame in haar kop had, met geen mogelijkheid tegen te houden was.

Het werd stiller dan stil om haar heen. Opeens zag ze de maan op de grond! Er was een ven, midden in het bos. Op het spiegelgladde oppervlak dreef de maan, haarfijn uitgetekend. Het gekwaak van kikkers verbrak de stilte. Ook haar krekelvrienden waren voor de gelegenheid overgekomen en kondigden haar komst aan met een ingewikkeld concert.

Aan de andere kant van het ven stond een grote, ondoordringbare jujubestruik. De opwinding schoot door haar ruggemerg. Dat was Kims schuilplaats! Ze wist het zeker! Al was ze hier nooit eerder geweest, ze kende elk takje om haar heen. Ze had dit allemaal al eens gezien in haar dromen. Als ze zich ook maar een centimeter vergiste, zou ze zonder tegenstribbelen in een kikker veranderd mogen worden.

Het schroeiende verlangen om Kim te ontmoeten spoot moed in Lians aderen en ze zette haar linkervoet alvast in het ven. Waar zou ze eigenlijk bang voor zijn? Om te verdrinken? Ben je gek! Of ze nu met de anderen op een onverwacht moment levend zou verbranden of hier in het ven zou verdrinken, dat maakte niet veel uit.

'Pas op!' Lian schrok zich lam toen de zo vertrouwde stem de stilte op de ingedommelde heuvel verbrak. 'Het water is diep.'

Ze stond daar als een standbeeld, zich vergapend aan de bosmens die haar vriendin Kim moest voorstellen. Haar haren leken wel blond, met al die verdorde grassprieten erin. De ooit zo chique synthetische blouse was door de doornen tot een dweil gesneden. Haar broek zag eruit als een mislukt schilderij – een ratjetoe van allerlei onbestemde kleuren, met modderbruin als basis.

Instinctief wilde ze naar Kim toe lopen.

'Blijf waar je bent!'

Dat was Lian geraden ook, want ze stond al tot haar knieën in het water.

Kim stond voor de jujubestruik aan de overkant van het ven. Het militante stemgeluid drukte Lian met de neus op de ijskoude feiten. Ze had hier te maken met een terroriste, niet met de vriendin naar wie ze zo verlangd had.

'Ben je alleen?'

'Ja. Ik wil je onder vier ogen spreken.'

Nauwlettend bestudeerde de bosmens de rietkraag achter Lian en pas toen ze geen verdachte bewegingen meende te bespeuren, verdween de argwaan van haar met groene, bruine en gele strepen 'geschminkte' gezicht. Ze schopte tegen een afgestorven boom, die daarop met een toegeeflijk *jiejow* in het donkere water viel. De top kwam aan Lians walkant terecht. Toen het water weer tot rust gekomen was, stapte Lian met trillende, maar ongeduldige benen op de drijvende brug.

Toen ze bijna halverwege was hoorde ze Kim zeggen: 'Stop!'

Gehoorzaam stond ze stil, midden in het ven, op een dobberende boomstam. Ze had zich al lang neergelegd bij de rol van weerloos slachtoffer van haar vriendin.

Kim rende naar Lian toe, alsof de smalle stam een brede geasfalteerde weg was. Toen ze oog in oog met Lian stond, vergat Lian helemaal de reden waarom ze hier naar toe gekomen was. Het was zo zalig om weer dicht bij Kim te zijn, zonder bang te zijn dat ze zich belachelijk zou maken.

Kim glimlachte tegen haar. Ze fluisterde in haar oren: 'Ik wist wel dat je zou komen. Ik wist dat je mij zou weten te vinden.'

Nu verdween zelfs de schaduw van Lians oorspronkelijke voornemen. Ze bloosde vanwege Kims vleiende woorden en was in de ban van haar genegenheid voor haar boezemvriendin. Kim kruiste haar armen en wachtte geduldig Lians preek af: 'Begin maar. Zeg gerust dat het bij de beesten af is om honderden mensen de schrik op het lijf te jagen met sabotage en dreigbriefjes. Vertel me niet dat je niet doorhebt dat ik de boot heb kapotgemaakt en de diesel heb gestolen. Nou? Hebben ze je de tong soms uitgesneden? Moet je mij niet waarschuwen dat er een zware straf op mijn misdaden rust en dat ik er verstandig aan doe om me over te geven?'

Bij de laatste woorden ontwaakte Lian uit haar romantische roes. Ze knikte gretig.

'Me overgeven? Aan wie? Aan dat stelletje laffe oenen dat niet beseft dat het gebouw omringd is met grote blikken diesel en dat het elke minuut in een vlammenzee kan veranderen, als ík het wil?'

'Dus het is echt waar dat je het huis in brand wilt steken?' vroeg Lian naar de bekende weg.

'Is er iemand anders die van mijn plan afweet?'

'Alleen directeur Chen en een paar leraren.'

'Weten ze ook hoe laat?'

Het duizelde Lian. Ze kon zich nog net staande houden. 'Wat bedoel je? Gebeurt het vandaag nog?!'

Kim keek Lian met een spotlach aan. 'Je kent mij toch zo goed? Hoe komt het dan dat je niet weet wanneer ik mijn slag zal slaan?'

Nu herinnerde Lian zich een scène uit haar nachtmerrie: de ochtendgloed mengde zich met de vlammen van het gebouw.

'Toe, Kim, kun je ons voor deze ene keer niet sparen?'

'Waarom zou ik?'

De tranen stonden in Lians ogen. 'Ben je de zalige uren die we samen hebben doorgebracht dan helemaal vergeten? De oefeningen voor de 1500 meter, het huiswerk maken, de medicinale kruiden die je voor mij geplukt hebt, voor de genezing van de vitiligo, het nieuwjaarsfeest, de logeerpartij bij mij…' Stiekem schaamde Lian zich voor de manier waarop ze Kim probeerde over te halen. Wat een geslijm om al die herinneringen aan hun gemeenschappelijke verleden aan te spreken.

Maar Kim maakte haar opsomming af: '…en de rampzalige cijferuitreiking, mijn zuurverdiende spaarcenten voor een als blouse bedoelde regenjas, uitgelachen worden om mijn dwaze liefde voor Wudong, die laffe castraat!' Ze stampte als een bezetene op de boomstam onder hun voeten, die de waterspiegel in duizend stukjes brak. Lian viel. Maar Kim ving haar tijdig op. Zodra haar stevige armen Lian omsloten, voelde Lian zich veilig, als een baby die zich tegen de verende borsten van zijn moeder aandrukt.

Lian smeekte nogmaals, deze keer te wanhopig om zich te generen: 'Ik wilde dit eerst niet zeggen, maar kun je dan, kun je… kun je dan je vernietigingsplan stopzetten, voor… voor mij?'

'Voor jou? En waarom zou ik dat doen?'

Lian was verbijsterd. Ze wist niet wat ze hierop moest antwoorden.

'Vooruit dan,' grijnsde Kim, 'mijn hart is ook niet van graniet. Jij bent de enige die ik zal missen als ik straks de doodstraf krijg of in de bajes de muren met graffiti mag beschilderen.'

Van blijdschap wankelde Lian opnieuw. Misschien ook wel omdat ze nog een keer door Kim vastgehouden wilde worden. Ze had het toch goed gezien. Kims gevoelens voor haar waren innig genoeg om op het kritische moment aan haar te denken. Maar Kim bleef maar grijnzen. Ze graaide in haar broekzak en trok een lang mes te voorschijn. Ze blies erop en het vlijmscherpe moordwapen zong: *fwie*. Ze keerde het om en om, vol trots, alsof ze het nog nooit gezien had. Het oogverblindende maanlicht dat het terugkaatste, kapte haar laatste verbinding met Lian af.

'Ik zal het snel doen. Je zult geen pijn voelen. Ik heb heel wat kippen geslacht. Dit is het grootste cadeau dat ik je kan geven. Hierbij vergeleken is als saté geroosterd worden in een brandend huis miljarden keren ondraaglijker, lijkt me. Hé, zeg eens wat! Wat vind je van mijn speciale gunst voor jou?' Het mes flikkerde in het maanlicht.

Lian dacht even dat het al gebeurd was. De boomstam onder haar voeten leek in drijfzand weg te zinken. Ze had haar laatste houvast verloren. Ze draaide zich om en rende, zo hard als ze kon. Ze had niet eens in de gaten dat ze over een vervaarlijk wiebelende boomstam banjerde – voor ze het wist had ze de oever bereikt.

Maar Kim zat haar op de hielen en had haar snel genoeg ingehaald. Ze kneep Lian in de armen. 'Lian, als je zo onverstandig zou zijn om terug te gaan naar dat verdoemde gebouw en Chen wilt waarschuwen, verlies je het grootste cadeau dat ik je kan geven.'

'Láááát mij lós!' Opeens haatte Lian Kim, met heel haar hart.

Ze schreeuwde het uit: 'Jij, ondankbaar stuk derde-kaste schorem! Je bent inderdaad voor een dubbeltje geboren, en nooit zul je een kwartje worden! Bevroren slang! Ik heb je aan mijn borst gekoesterd om je te verwarmen! En nu, nu je eindelijk wakker wordt, zet je je giftanden in mijn bloedvaten!'

Fwie.... Kim trok het mes opnieuw uit de schede en drukte de punt van het wapen tegen de onderkant van Lians kin: 'Vertel Chen erbij dat ik geheime hulpjes onder de leerlingen heb, die ervoor zullen zorgen dat, waar hij zijn roedel angsthaasjes ook naar toe verhuist, mijn plan geen minuut later uitgevoerd zal worden en geen millimeter zal afwijken van wat in de bedoeling ligt.'

Lian schudde als een gek haar mouwen los uit Kims greep en zette het op een lopen. Ditmaal had zíj de Herfstspelen gewonnen.

Ze had de maan niet nodig om haar bij te lichten. De eerste keer dat ze omkeek, liep ze allang op het strand. Kim was haar niet gevolgd.

Huiswaarts

De leraren en sterkste jongens van het zesde leerjaar werden opgetrommeld en op de hoogte gesteld van Kims plannen. Zij hielpen Chen het gebouw ontruimen. Met dekens om zich heen geslagen krulden de zeshonderd leerlingen zich op het strand en trachtten ondanks de kou, het ongemak, de opwinding en de angst in te dutten, vooral omdat hun maag knorde en ze te versuft waren om wakker te blijven...

Pfúúú-pfúúú...! Tegen de morgen bereikte een vertrouwd geluid de angstige troep op het kille strand. Ze rekten hun hals en het was Qianyun die als eerste riep: 'Papa! Papa komt eraan!'

Iedereen dacht dat ze gek was geworden van honger en angst, maar toen er een glimmende patrouilleboot in zicht kwam, gaven ze haar maar al te graag gelijk. Aan dek stonden vier gewapende soldaten en midden tussen hen in stond inderdaad Qianyuns vader. Met het laatste zuchtje kracht dat nog in hun lijf was, juichten ze hun redders toe.

Het was moeilijk te zeggen wie er nieuwsgieriger was, de

redders of de leerlingen. Qianyuns vader schreeuwde over het water en stelde een eindeloze keten vragen: 'Wat is hier aan de hand? Waarom laten jullie niets van je horen? Twee weken! Weten jullie dat jullie ouders sterven van ongerustheid? Qianyun, waar ben je? Laat je vader je eens bekijken. Als ik jou niet veilig thuisbreng, vermoordt je moeder mij nog!'

Toen de boot was aangemeerd, schudden Chen en de zijnen op hun beurt de oude generaal door elkaar en eisten uitleg: 'Hoe komt het dat ú gekomen bent? Waar blijft de plaatsvervangend directrice? Op haar luie gat zitten, terwijl we oog in oog staan met de dood?'

Na veel heen-en-weergeschreeuw kwam Chen erachter dat Qianyuns vader een patrouilleboot van de zeemacht ingeschakeld had, iets dat in zijn functie niet moeilijk te realiseren viel. Vervolgens kreeg de generaal te horen wat er hier aan de hand was.

'Wie is de dader?' De oorlogsveteraan fronste zijn wenkbrauwen. Maar tegelijkertijd voelde hij zich verkwikt; zijn lang niet gebruikte militaire instinct leefde helemaal op. 'Wat? Een leerling van uw school? Een iel meisje? Hebben jullie het daarvoor meer dan een week in je broek gedaan?!'

Geëscorteerd door een aantal leraren en interessantdoenerige jongens vertelde Chen in geuren en kleuren van de angstaanjagende gebeurtenissen op het eiland.

De spottende lach verdween van het generaalsgezicht. Niet zozeer omdat het Chen gelukt was hem van de ernst van de situatie te overtuigen, maar omdat hij de kriskras liggende leerlingen zag, stuk voor stuk lijkbleek en broodmager van honger en uitdroging. Hij deed radiografisch verslag over de toestand op Miru aan de waterpolitie en de politie van Peking en vroeg dringend om versterking. Toen hij klaar was, vroeg hij Chen: 'Heeft u enig idee waar dat terroristje van u zich schuilhoudt?'

Chen zocht met zijn ogen de groep leerlingen af, waartussen Lian zich bevond. Lian begreep waar het over ging. Wat moest ze doen? Hen naar het ven leiden en Kim laten arresteren? Of net doen alsof ze gisternacht in het donker het weggetje naar Kims schuilplaats niet goed bekeken en onthouden had? De mooie herinneringen aan haar vriendin vochten met de gedachten aan het mes dat Kim tegen haar strot gehouden had en Kims plannen om zeshonderd man als luciferstokjes te verbranden.

De directeur riep Lian en chanteerde haar: 'Vertel deze meneer de waarheid of ik vertel hem over je geheime, tweeslachtige houding ten opzichte van die bendeleidster!' Tegelijkertijd legde de man zijn handen op haar schouders.

Lian schreeuwde: 'Láát mij lós!'

'Ergens in het bos daar op de heuvel moet ze zitten,' zei Chen. Lian had gisternacht laten doorschemeren in welke richting ze zou zoeken.

'Haal de megafoon uit de stuurkamer!' zei Qianyuns vader tegen een van zijn mannen, 'en roep hoe heet dat stuk gespuis alweer, Pang, Bang, Zhang... dat ze zich moet overgeven. Anders hebben we zwaardere middelen voor d'r!'

Nog voor de middag was de Pekingse politie gearriveerd. Lian werd ondervraagd alsof zíj de terroriste was. Daarna werd ze in een kamertje opgesloten. De politie durfde het niet aan de enige potentiële informante vrij rond te laten lopen.

Lian werd letterlijk ziek van de situatie. Ze moest steeds maar overgeven. Ze bonkte net zo lang met haar hoofd tegen de muur tot alles zwart werd.

...

Toen ze haar ogen opsloeg, zag ze het gehate gezicht van Chen boven haar bed. Hij zei mierzoet: 'Lian, ik had geen keus. Het gaat om het leven van zeshonderd man!' Hij gluurde naar haar blouse.

Lian spuugde de man in zijn gezicht.

De man greep de spijlen van haar bed vast. 'Toe, Lian, kwel mij niet zo... Doe alsjeblieft je ogen open. Kijk naar mij! Wil je naar mij luisteren? Ik heb goed nieuws voor je: je hoeft de politie niet meer naar Kim te brengen. Ze hebben toestemming gekregen om het heuveltje op te blazen.'

Als een vuurpijl sprong ze overeind. 'Het is tegen de wet om iemand op zo'n gruwelijke wijze te vermoorden!' Auwa! Haar hoofd deed zo'n zeer!

Chen lachte: 'Tegen de wet? Als het aan de politie lag, zou Kim aan stukjes gereten worden! Zeshonderd mensen terroriseren en hen levend willen verbranden. Een veerboot van een miljoen kuai onklaar maken en de dieseltank leegroven. Weet je wat voor straf daarop staat?'

'Ik breng de politie wel naar Kim!' Ze snapte zelf niet waarom ze nu weer Kims kant koos.

'Daarvoor is het te laat. Ze zijn al onderweg.'

'Snel, ik wil naar Kim toe! Zij luistert naar mij.'

Dat laatste zou ze toch moeten betwijfelen. Gisteren had Kim haar nog de strot willen afsnijden, zogenaamd als beste cadeau dat ze haar dierbaarste vriendin kon geven.

'Maar ze zijn al weg,' herhaalde Chen.

Lian rilde.

Hónghóng… dónnng! Te laat. Vuurballen en hittegolven schokten het eiland uit zijn voegen.

Uit rode kelken ontsnapt witte stoom. Duizenden sintels dwarrelen in de gouden gloed. Een nimmer eindigende veeg, een zucht, een komeet die naar huis terugkeert.

Verklarende woordenlijst

bie tîle! – 'daar zijn geen woorden voor!'

chihuo – slokop; iemand die nergens anders voor geschikt is dan vreten

dakheer – inbreker; in vroeger dagen drongen inbrekers doorgaans via het dak het huis van hun slachtoffers binnen, door eenvoudig enkele dakpannen weg te schuiven, op een dwarsbalk neer te hurken en geduldig te wachten tot de bewoners het huis verlieten. Vervolgens liet de misdadiger zich langs een verticale balk naar beneden zakken, verschafte zich aldus toegang tot de woning die hij vervolgens leeghaalde. Aangezien dit beroep nogal wat acrobatische vaardigheden en een hoeveelheid geduld en tact van de beoefenaar eiste, noemde men hem met niet weinig respect 'Heer van het dak'. Een andere verklaring wordt gevonden in een verhaal uit de Han-dynastie, waarin een wijze man een inbreker op heterdaad betrapt en zegt: 'Hoewel u zich bezighoudt met criminele activiteiten, weet ik zeker dat de kern van uw wezen intact is, en dat u van binnen een echte heer bent.'

dao – gekomen; present; aanwezig

daonian-nen – voortdurend vol liefde en bezorgdheid over iemand spreken

Die Van Mij Die Met Duizend Messteken Gelyncht Moet Worden – mijn lieveling; schattebout; Chinezen springen zuinig om met koosnaampjes, vooral tegenover hun echtgeno(o)t(e). Een van de meest sublieme liefdesbetoningen van een jonge vrouw voor haar beminde luidde: 'Rol weg en verberg je varkenssnuit daar in de hoek!' Het

antwoord van de alerte jongeman aan zijn droomprinses was dan: 'Kom je nou nog eens met me mee, zeug?'

Een andere reden waarom levensgezellen elkaar op dergelijke wijze betitelden is te vinden in de traditie van het uithuwelijken. Velen ontmoetten hun levensgezel(lin) voor het eerst op de dag van de bruiloft. In de loop der jaren groeide men naar elkaar toe en in het gelukkigste geval begon men ook werkelijk van elkaar te houden. Dat laatste was hun geraden ook, daar scheiden vrijwel net zo onmogelijk was als trouwen uit vrije wil. Het sprak vanzelf dat er desondanks echtparen te over waren waarvan beide partners elkaar een leven lang bleven haten. Aangezien er geen ontsnappen mogelijk was, zocht men verbale compensatie en begon men elkaar uit te schelden en te vervloeken. *Gaiside*, 'hij/zij die er verstandig aan doet ter plekke dood te vallen' en *Laobusi*, 'hij/zij die de laatste adem maar niet wil uitblazen' zijn voorbeelden van de talloze varianten op 'mijn schat'

donggua – kalebas

duì – klopt; precies; inderdaad

erhoe – tweesnarig strijkinstrument; Chinese viool

eten (het ... dat je niet op kon krijgen ingepakt moeten meenemen) – het op je brood krijgen; je verdiende loon krijgen

fuwuyan – lid van het bedienend personeel in de horeca

gal – (hondengal, berengal, et cetera...) durf; moed; lef; overmoed; gebaseerd op het geloof dat het orgaan van het dier dat men eet het corresponderende orgaan in het eigen lichaam versterkt en geneest. De galblaas maakt volgens zeggen durf en moed aan. Van iemand die moedig of overmoedig is, zegt men dat hij veel dierlijke gal naar binnen heeft gewerkt. Hoe groter of vervaarlijker het dier, des te moediger of onbesuisder gedraagt de betrokken persoon zich.

Om deze reden is overigens de zogenaamde 'acht-zwependrank' zeer geliefd onder Chinese mannen. In deze drank drijven acht ingemaakte penissen van liefst wilde dieren. Gewapend met al was het maar een slok van deze drank kan de man er weer keihard tegenaan – zo meent hij althans

hesong – (volks) boom, waarvan de wortel geacht wordt een geneeskrachtige en bloedzuiverende werking te bezitten

huangjiang – saus van gegiste, gezouten sojabonen

jianbing – soort pannenkoek

jiaozi – Chinese ravioli

jimu – (*ji* = verzamelen, opstapelen en *mu* = hout) 'op te stapelen blokjes hout'; Chinees equivalent van lego

kang – familiebed van steen; meestal met ingebouwde kachel

ki-stroom – (*ki* = adem, levensadem) je hebt de ki-stroom niet mee: je hebt het niet getroffen; het lot is je niet welgezind; als iemand pech heeft, zegt hij: de ki, de adem die in en om me is, is troebel geworden

kowtow – (*kow* = met iets zachts op iets hards slaan en *tow* = hoofd) wijze van begroeten of smeken, waarbij men knielt, beide handen op de grond plaatst en met het hoofd de grond nadert of raakt. Hoe harder en heftiger het hoofd op de grond tikt of bonkt, des te groter zijn het ontzag en de wanhoop die men wenst uit te drukken

kuai – Chinese geldeenheid, in functie vergelijkbaar met de Nederlandse gulden

mantou – gestoomd broodje in de vorm van een wit bolletje; een mantou is gezout noch gezoet; het deeg plakt gemakkelijk aan de tanden, omdat het door het stomen bijzonder nat is geworden

ning-en – met de nagels van duim en wijsvinger een stuk vel van de arm of ander ontbloot lichaamsdeel vastpakken, controleren of het goed tussen de nagels geklemd zit, en het daarna met de wijzers van de klok mee draaien; het velletje dient pas losgelaten te worden, wanneer de pijnkreten van het slachtoffer ondraaglijk worden

pia – koek, gevuld met meestal geroosterde en gezoete sesam, noten of bonenpasta

piao – grote opscheplepel, gemaakt van een gedroogde en uitgeholde kalebas

regen en wolken (de zaken van ... bedrijven) – geslachtsgemeenschap hebben; wolken zijn hierbij symbolisch voor de vrouwelijke lichaamssappen en regen voor het mannelijk zaad; de vermenging van regen en wolken staat tevens voor het orgasme

rijtjeskamers – kleine, kazerne-achtige woningen

roze incident – door iedereen verfoeide affaire; aangezien de kleur rood de door de maatschappij aanvaarde liefde symboliseert, doet zijn lichtere variant dienst als symbool voor de liefde die niet door de beugel kan

slingeren (achter het hoofd ... ; in de lucht gooien) – (zogenaamd) ineens vergeten; negeren; wegwuiven

tongxinglian – (*tong* = hetzelfde; *xing* = sexe; *lian* = liefhebben) homosexualiteit; een homoniem van *xing* is 'achternaam'; vandaar Lians abusievelijke interpretatie 'mensen met dezelfde achternaam die van elkaar houden'

vlieg (een ... zuigt niet aan een ei zonder barst) – je hebt er aanleiding toe gegeven; je hebt het zelf uitgelokt

Wenyan – Chinese schrijftaal die tot de Vier Mei Beweging van 1919 algemeen in gebruik was; ze verschilde zozeer van de spreektaal dat een smid al een tolk nodig had om de meest eenvoudige ambtenaar te kunnen verstaan

yaojing – soort heks die in verschillende gedaanten kan verschijnen: als verleidelijke jonge vrouw, onschuldig meisje, kreng, moordenares et cetera, al naar gelang de behoefte van degene die haar oproept

yuan – (formeel) kuai

zaofanpai – (*zao* = maken, doen; *fan* = omkeren; *pai* = groepering) linksradicalen tijdens de Culturele Revolutie, met voornaamste streven de bestaande orde op zijn kop te zetten

zeven gevoelens en de zes verlangens (de) – begrip uit de boeddhistische leer; bedoelde gevoelens en verlangens dienen overstegen te worden om het Nirwana te bereiken; de term 'verlangen' betekent hier niet alleen 'verlangen naar' maar ook en tegelijk 'de manier waarop dit verlangen zich manifesteert of uitdrukt'.
  De zeven gevoelens zijn: geluk, woede, zorgen, angst, liefde, haat en verlangen;
  De zes verlangens zijn:
  – kleuren en sex
  – vorm en mimiek
  – een fiere houding en mooie verschijning
  – woorden, spraak en geluid
  – gladheid en fijnheid van de huid
  – het menselijk uiterlijk

Zoon des Drakes – de Keizer; het staatshoofd was geen mens, maar het jong van een draak; alleen deze reptielsoort kon bogen op het hemelse mandaat het land te regeren

zuojia – schrijver; tevens homoniem van 'thuiszitten'; daarom ook 'huismus'

Lulu Wang: *Brief aan mijn lezers*

In september 1998 presenteerde Lulu Wang *Brief aan mijn lezers*, het boekje waarin zij op humoristische en ontroerende wijze verslag doet van haar wedervaren rond het verschijnen van *Het lelietheater*, een inkijkje geeft in het 'debutantenfestijn', haar eerste ervaringen met signeren en het contact met haar lezers. Het is een aangrijpend relaas over trots en onzekerheid, liefde en (innerlijke) strijd, opgesierd met een fotokatern vol beelden uit haar jeugd, momentopnamen van haar meest recente reis naar China (met *Margriet*) en foto's van lezingen en signeersessies. Verder bevat *Brief aan mijn lezers* (72 pagina's + een zestien pagina's tellende fotokatern) een verslag van haar tournee in 1997, een bibliografie waarin opgenomen alle literaire publicaties tot dusver in diverse kranten, tijdschriften en verzamelbundels die zij schreef sinds verschijnen van haar debuutroman en een lijst met interviews en televisieoptredens. *Brief aan mijn lezers* is te verkrijgen bij de reguliere boekhandel, voor het luttele bedrag van *f* 10,–.

Voor meer informatie: bezoek de website
www.vassallucci.nl